U0947007

澳大利亚文学经典

Australian Classics

The Touch

Colleen McCullough

呼 唤

（澳）考琳·麦卡洛 / 著

李尧 / 译

青岛出版社

QINGDAO PUBLISHING HOUSE

编委会

鸣 谢

WESTERN SYDNEY
UNIVERSITY

Foundation for Australian
Studies in China

本译文集荣获北京外国语大学、内蒙古师范大学、西悉尼大学、在华澳大利亚研究基金会的大力支持，特此感谢！

General Preface

I am pleased to introduce this important collection of Australian literature translated by Li Yao.

The 40th anniversary of Li Yao's career as a translator is a timely occasion to revisit some of Australia's great literary works.

Thanks to Li Yao's unwavering commitment to translating Australian literature into Chinese, works by Alexis Wright, Patrick White, Thomas Keneally, and Colleen McCullough, among others, will continue to delight readers in China.

We can see in this collection the uniqueness of Indigenous stories and writing that reflects Australia as a contemporary, diverse society.
The breadth of this collection and the interest in China in Li Yao's translation of Australian works reflect both the richness of Australian literature and the depth of the ties between Australia and China.

The publication coincides with the 45th anniversary of the establishment of diplomatic relations between Australia and China in December 1972, providing an opportunity to celebrate what has already been achieved and to consider how we can further enrich each other's societies, including through literary exchange.

The many partnerships between authors, translators, editors, publishers and readers that have made this collection a reality form an important part of the great fabric of the Australia-China relationship,

I congratulate the Editorial Board, in particular Professors Sun Youzhong, Zhang Haifeng and Li Jianjun; Beijing Foreign Studies University, Inner Mongolia Normal University, Western Sydney University and the Foundation for Australian Studies in China, as well as the publisher of the collection, Qingdao Publishing Group.

I am sure these stories will continue to inspire interest in Australia and in Australian literature in China.

Jan Adams

Jan Adams Ao PSM
November, 2017

总序❶

General Preface

我很高兴在此向大家介绍李尧翻译的这套重要的澳大利亚文学作品选集。

在李尧翻译生涯进入第四十个年头的时候，重温澳大利亚一些伟大的文学作品可谓正逢其时。

正是由于李尧对澳大利亚文学作品中译的不懈努力，亚力克西斯·赖特、帕特里克·怀特、托马斯·肯尼利和考琳·麦卡洛等人的作品将继续给中国读者带来愉悦。

从这部译文集里，我们既能看到澳大利亚独特的原住民故事，也能读到反映澳大利亚现代、多元社会的作品。

译文集的跨度以及李尧译作中的中国兴趣既反映了澳大利亚文学的丰富性，也体现了中澳两国关系的深度。

中澳两国1972年12月建立外交关系，译文集的出版正值建交四十五周年。这也为我们提供了一个契机，庆祝所取得的成就，并思考如何通过文学交流等方式丰富彼此的社会。

作者、译者、出版社和读者之间的诸多伙伴关系促成了这部译文集的完成，这也是构成中澳关系丰富肌理的一个重要部分。

我祝贺编委会，特别是孙有中教授、张海峰教授和李建军先生，也要祝贺北京外国语大学、内蒙古师范大学、西悉尼大学、在华澳大利亚研究基金会以及这部译文集的出版方——青岛出版集团。

我相信译文集中的故事将继续在中国唤起人们对澳大利亚及其文学的兴趣。

Jan Adams

澳大利亚驻华大使 安思捷

2017 年 11 月

德国文学、法国文学、英国文学、俄罗斯文学、美国文学和日本文学介绍到我国已经有了很长一段历史，从十九世纪末到二十世纪初期出现了大量各国文学译本。特别是日本文学，据查，在明代已经有李言恭、郑杰编纂的日本短歌39首被译为中文。澳大利亚文学进入中国则是比较近期的事。1953年上海出版公司出版了詹姆斯·阿尔德里奇(James Aldridge)的小说《外交官》(*The Diplomat*)的中文译本，这是我国出版的第一部澳大利亚小说。1954年出版了弗兰克·哈代(Frank Hardy)的《幸福的明天》（*Journey into the Future*）和《不光荣的权力》（*Power Without Glory*），此后又陆续出版了一些长篇和短篇小说以及一些诗集和剧本，包括凯瑟琳·苏珊娜·普里查德(Katharine Susannah Prichard)的《沸腾的九十年代》（*The Roaring Nineties*），朱达·沃顿(Judah Waten)的《不屈的人们》（*The Unbending*）等。[1]但是，总的来说，在二十世纪五十至七十年

[1]陈弘：《20世纪我国的澳大利亚文学研究述评》，《华东师范大学学报（哲学社会科学版）》2012年第6期。

代，我国的澳洲文学翻译不仅数量很少，而且，由于当时的时代背景，翻译的选题范围狭窄，作品内容单一。

这一局面的改变得益于1978年我国开始实行的改革开放政策。在这一年，发生了一些对澳洲文学翻译具有深远意义的事情。安徽大学成立了大洋洲文学研究所，推出《大洋洲文学》期刊，翻译出版了澳大利亚、新西兰的一些文学作品。人民文学出版社出版了刘寿康翻译的《劳森短篇小说集》。这一年年底，教育部将全国选拔出的9位中年教师集中于北京，准备派往悉尼大学。这就是日后人们戏称“九人帮”的一批学者。在悉尼大学，他们虽然分属英文系和语言学系攻读硕士学位，但多数都选学了澳大利亚文学课程。这一批学者在学成归国后，在推动澳大利亚研究方面发挥了重要的作用。也就是在这一年，李尧先生开始了他漫长的文学翻译之旅。

二十世纪八十和九十年代是一个热气腾腾的时代。澳大利亚文学翻译呈现出勃勃生机。在这一时期出版的澳大利亚文学作品包括艾伦·马歇尔(Alan Marshall)的《我能跳过水洼》(*I Can Jump Puddles*)，罗尔夫·博尔德沃德(Rolf Boldrewood)的《空谷蹄踪》(*Robbery Under Arms*)，帕特里克·怀特(Patrick White)的《风暴眼》(*The Eye of the Storm*)、《人树》(*The Tree of Man*)、《探险家沃斯》(*Voss*)、《树叶裙》(*A Fringe of Leaves*)和《镜中瑕疵》(*Flaws in the Glass*)，迈尔斯·弗兰克林(Miles Franklin)的《我的光辉生涯》(*My Brilliant Career*)，兰道夫·斯托(Randolph Stow)的《归宿》(*To the Island*)，托马斯·肯尼利(Thomas Keneally)的《辛德勒的名单》(*Schindler's List*)和《内海的女人》(*Woman of the Inner Sea*)，彼得·凯里(Peter Carey)的《奥斯卡和露辛达》(*Oscar and Lucinda*)以及一批短篇小说集和诗集。

杰克·希伯德(Jack Hibberd)的剧本《想入非非》(*A Stretch of the Imagination*)不仅翻译出版，而且在京沪两地公演。综前所述，可以看出我国译者不断拓展澳大利亚文学翻译的范围，将不同背景、不同流派的作家纳入自己的视野，使得澳洲文学翻译在我国不仅数量激增，而且内容也发生了实质性的变化。

致力于翻译和介绍澳大利亚文学的中国学者是一个群体，既包括早期的马祖毅、刘寿康等，也包括八十年代初从澳大利亚归来的留学学者黄源深、胡文仲等，他们一直处在澳大利亚文学翻译、教学和研究的第一线。译者中还包括朱炯强、叶胜年、曲卫国、欧阳昱、李尧等。这一大批译者在介绍和推广澳大利亚文学方面成绩显赫。其中李尧的贡献尤为突出。除了文学翻译，还应该特别提到黄源深教授撰写的《澳大利亚文学史》以及王国富教授主编翻译的《麦夸里英汉双解词典》，这两部巨著对于澳大利亚文学研究和翻译都起了重要的作用。

李尧先生致力于文学翻译四十年，主要从事澳大利亚文学翻译，也翻译出版了部分英美文学作品，总计52部，字数逾千万，在我国翻译界如此多产的译者实属少见。李尧翻译的作品涵盖澳大利亚作家老中青三代，既包括老一代作家帕特里克·怀特，托马斯·肯尼利，亚历克斯·米勒等，也包括中年作家彼得·凯里，尼古拉斯·周思等，还包括一些年轻的儿童文学作家。从文学流派看，现实主义、现代主义和魔幻现实主义都囊括其中。此次出版的《李尧译文集》只占他翻译的澳大利亚文学作品的约三分之一。收入集子的作品大部分获得过文学大奖，在澳洲文学中具有一定的代表性，有些则是考虑到作家在中国的影响或者题材与中国有关。这一译文集集中反映了李尧在澳大利亚文学翻译方面的成就。

李尧先生1966年毕业于内蒙古师范大学外语系，从事记者工作和文学创作二十余年，发表过报告文学、散文、小说等近百万字，1986年成为中国作家协会会员。正是由于李尧的作家背景，他翻译的文学作品具有一个突出特点：文字优美，行文流畅。阅读他翻译的作品，给人以欢畅淋漓的感觉。李尧回忆说："我翻译小说的时候，常常是从一个写小说的人的角度出发，像我自己写小说一样，体会、捕捉作者的思路，创作的技巧，注意人物性格化语言的翻译。不是只从字面上去对应。我看懂原文，就用自己的语言而不是字典上的意思去翻译。这样译出来的东西就比较鲜活，可读性强。"翻译亚历克西斯·赖特(Alexis Wright)的《卡彭塔利亚湾》(*Carpentaria*)难度很大。作者是澳大利亚当代最有成就的原住民作家。小说涉及澳大利亚原住民的宗教信仰、部族矛盾、生产生活方式、风土人情、历史渊源等，而且写作方法也比较独特。李尧在翻译这部小说前，大量阅读了有关澳大利亚原住民历史文化的著作，同时不断和作者联系，取得她的帮助。悉尼大学在授予李尧荣誉文学博士学位时指出："《卡彭塔利亚湾》是李尧毕生从事文学翻译和四十余年来中澳文化交流的巅峰之作。"有评论指出："《卡彭塔利亚湾》是纯文学性文本，李尧先生翻译策略的选择，让译文洋溢着一种梦幻般的抒情色彩，充满文学情调，让读者感受到澳大利亚古老土地的荒芜。"[①]

翻译从来都不是简单地把一种语言变成另一种语言的过程。王佐良先生对于翻译，特别是文学翻译，曾经发表过许多重要的论述。他指出："因为有翻译，哪怕是不免出错的翻译，文化交流才成为可能。

①张华：《纽马克文本翻译理论与李尧文学文本翻译策略》，《安徽工业大学学报（社会科学版）》，2016年第5期。

语言学家、文体学家、文化史家、社会思想家、比较文学家都不能忽视翻译。这不仅是因为通过翻译者的辛勤劳动才使得一国的文化遗产能为全世界的人所用，还因为译者做的文化比较远比一般人要细致、深入。他处理的是个别的词，他面对的则是两大片文化。”①李尧正是通过他的文学翻译将独特的澳洲大陆文化介绍给了拥有悠久历史文化传统的中国人民。

李尧先生几十年来耕耘在澳大利亚文学翻译这片土地上，他的勤奋努力非常人所可比拟，他经常夜以继日地工作，节假日也很少休息。他在澳大利亚文学翻译方面的成就获得了广泛的认可，于1996、2008、2012年三次获得澳中理事会颁发的澳大利亚文学翻译奖。2014年被悉尼大学授予荣誉文学博士学位。表彰词指出，李尧“在中国，在文学翻译和澳大利亚研究方面作出了杰出的贡献。他把许多澳大利亚作家介绍给中国读者，包括帕特里克·怀特，托马斯·肯尼利，亚历克西斯·赖特，为中国读者更好地了解澳大利亚和澳大利亚人民提供了丰富的资源”。

澳大利亚文学翻译在中国的成功首先是由于译者的努力和奉献，但与澳大利亚作家们对中国的友好感情也紧密相关。许多译者都与澳大利亚作家有过密切而友好的交流，从他们那里得到了无私的帮助。澳中理事会在推动澳大利亚文学翻译和澳大利亚学术研究方面也起了至关重要的作用。最后，还应该提到中国出版界对于澳大利亚文学翻译的兴趣和关注。没有他们一以贯之的支持就不可能有今天澳大利亚文学翻译在中国的丰收。

①王佐良：《翻译中的文化比较》，《王佐良全集》第8卷252页，外语教学与研究出版社，2016年。

2018年适逢中国澳大利亚学会成立三十周年，也恰是李尧先生从事文学翻译四十周年。北京外国语大学、内蒙古师范大学、西悉尼大学和在华澳大利亚研究基金会共同发起出版的十卷本《李尧译文集》既是对于李尧几十年来从事澳大利亚文学翻译的充分肯定，更是繁茂的中澳文化交流之见证。我们相信，澳大利亚文学翻译事业今后在我国必将取得更长足的进步，在促进中澳文化交流方面也必将起到更大的作用。

胡文仲

2017年8月27日

General Preface

It is my great honour to have been asked to write a General Preface for this important series of award-winning translations of Australian literature by Professor Li Yao, to be published by Qingdao Publishing House. The series is in celebration of Professor Li Yao's 40th Anniversary as a translator of Australian literature, which coincides with the 45th Anniversary of the establishment of diplomatic relations between our two countries. As I will explain, these two anniversaries are closely connected.

The Australian Labor Party, led by Gough Whitlam, had recognised the Peoples' Republic of China as early as 1955, but it was another seventeen years before it was elected into government, on 2 December 1972. Less than three weeks later, on 21 December 1972, Prime Minister Gough Whitlam signed the joint communique establishing diplomatic relations between Australia and The Peoples' Republic of China. Under the terms of the Communique, the two Governments agreed to "develop … diplomatic relations, friendship and co-operation between the two countries on the basis of the principles of mutual respect … equality and mutual benefit, and peaceful coexistence".

The Australian Embassy in Beijing was opened on 12 January 1973, and later that year Gough Whitlam became the first Australian Prime Minister to visit China, holding historic meetings with Zhou Enlai and Mao Zedong. Whitlam's establishment of diplomatic relations between Australia and China has been described as the single most important event in relations between our two countries in the twentieth century, and remains the foundation of the relationship today.

In addition to trade and tourism, cultural and educational exchanges have been of increasing importance to the relationship between our two countries. Since the 1970s, these links have included the study of Australian literature. The first five Chinese students to study in Australian universities after the establishment of diplomatic relations arrived in 1975, and the number increased rapidly from the late 1980s. Professor Li Yao's career in translating Australian literature for generations of Chinese readers has been central to this story of cultural exchange.

After graduating from Inner Mongolian Normal University in 1966, Li Yao worked as a writer and editor for journals in Inner Mongolia until his appointment as Professor of English at the Training Centre of the Ministry of Commerce in Beijing in 1992. He became a member of the Chinese Writers' Association in 1986, specialising in literary translation. At that time, he started collaborating with Professor Hu Wenzhong at Beijing Foreign

Studies University on the translation of Australian literature. Professor Hu is a graduate of the University of Sydney, a member of the so-called "Gang of Nine", who were among the first students from China to undertake graduate study in Australia after the Cultural Revolution of 1966 to 1976. In 1979, the "Gang of Nine" studied under my predecessor as Professor of Australian Literature at the University of Sydney, Professor Dame Leonie Kramer. I was then a young tutor in the English Department researching my own PhD thesis, and I well remember the presence of our Chinese visitors in the Department. The "Gang of Nine" proved influential in developing Australian Studies in China after their return. Since that time, over 30 Australian Studies Centres have been set up across China. A number of these centres have courses on Australian literature, and have people working on translating and introducing Australian literature to Chinese readers. They include Peking University and Beijing Foreign Studies University, where Professor Li Yao teaches advanced translation studies, as well as, Shanghai's East China Normal University, Renmin University, Anhui University, Suzhou University, Inner Mongolia University and Inner Mongolia Normal University.

It was Professor Hu Wenzhong who first encouraged Li Yao to make his career in the study and translation of Australian literature. When they met in Beijing in the mid 1980s, Professor Hu explained that Australian literature was still an untouched field in China, and he encouraged Li Yao to devote himself to this area and make a contribution to it as a translator. Before the Cultural Revolution, Chinese readers had some familiarity with American, British, Russian, French, German and other European literatures, but they knew little about Australian literature. At that time, only Henry Lawson, Frank

Hardy and a few other "social realist" writers were known through translation. Collaborating together, Professor Hu and Li Yao translated Patrick White's The Tree of Man, which was published by Shanghai Translation Publishing House in 1991. Patrick White was Australia's most famous writer, having won the Nobel Prize in 1973. Unlike the earlier realist writers, he was significant because his novels mediated Australian experience and the Australian landscape through the stylistic innovations of international modernism.

After collaborating with Professor Hu, Li Yao continued to translate Australian literature, carrying on the tradition that he had initiated. Li Yao today has translated a staggering total of 35 titles. The list of his translations includes novels by Brian Castro, Richard Flanagan, Anita Heiss, Colleen McCulloch, David Malouf, Alex Miller, and Kim Scott, as well as important works of history and non-fiction. Most of Li Yao's translations were generously supported by funding from the Australia-China Council, the Literature Board of the Australia Council and FASIC, the Foundation for Australian Studies in China. The works selected for re-printing in the 45th Anniversary series include many of the novels that have gone on to achieve fame both in Australia and internationally through their winning of prizes such as the Miles Franklin Literary Award, the Commonwealth Writers Prize, and the Man Booker Literary Award. His translations include Patrick White's novels, The Tree of Man and A Fringe of Leaves, and his autobiography, Flaws in the Glass; two of the earliest novels about Australian-Chinese relationships, Brian Castro's Birds of Passage, and Alex Miller's The Ancestor Game; and Avenue of Eternal Peace, by academic and former cultural officer in Beijing, Nicholas Jose. The list also includes titles by the three Australian authors who have won the prestigious Man Booker Literary Prize: Peter Carey's True History of the Kelly Gang, Tom Keneally's Woman of the Inner Sea and Richard Flanagan's Gould's Book of Fish. In addition to The Ancestor Game, which won both the Miles Franklin Literary Award and the Commonwealth Writers Prize, there are two other novels by Alex Miller, Landscape of Farewell and Coal Creek. In addition to works of fiction, Li Yao's translations of important works of non-fiction include David Walker's memoir Not Dark Yet, and Mara Moustafine's Secrets and Spies: The Harbin Files, both of which in different ways touch on people-to-people Chinese-Australia links.

In more recent years, Li Yao has continued to provide leadership and innovation by keeping up with the latest developments in Australian literature, and continuing to introduce new works by Australian writers to Chinese readers. He has recently shown a particular interest in the areas of Australian children's literature, and writing by Australia's Indigenous authors, and there are examples of these works also included in the Anniversary series. Sponsored by the Australia-China Council, from 2010 Li Yao worked to select and translate 10 Australian children's books, including such well-known and loved classics as Ethel Pedley'sDot and the Kangaroo, May Gibbs' Tales of Snugglepot and Cuddlpie, Ethel Turner's Seven Little Australians, Dorothy Wall's Blinky Bill, Ruth Park's The Muddle-Headed Wombat, and Colin Thiele's Storm Boy. These books were published by People's Literature Publishing House and have become very popular in China. New editions of Dot and the Kangaroo and Seven little Australians are to be published by China Youth Publishing House. Li Yao has reaffirmed his commitment to promoting Australian children's books in China, and will introduce more titles into this series, which is to be called his Koala Books series.

Since 2006, with the help of his great friend, the novelist, academic, and former cultural counsellor, Professor Nicholas Jose, Li Yao has been researching and translating Australian Aboriginal Literature. His translations include Kim Scott's Benang: From the Heart, Alexis Wright's Carpentaria, and Anita Heiss' Who Am I. He is currently working on a translation of Alexis Wright's The Swan Book. He hopes that these books will expand Chinese understanding of Australia, aware that Australian Aboriginal literature has not been introduced to China systematically so far, and so to most Chinese readers this is still an unfamiliar field.

In addition to his translation and teaching at PKU, Li Yao has served as a council member of the Chinese Association for Australian Studies since it began in 1988. He won the Australia-China Council's inaugural Translation Prize in 1996 for his translation of Alex Miller's The Ancestor Game, in 2008 for Nicholas Jose's The Red Thread, and again in 2012 for his translation of Alexis Wright's Carpentaria. He was awarded the Council's gold medal in 2008 for his distinguished contribution in the field of Australian literary translation in China.

Perhaps because of White's own fame as Australia's only Nobel Prize winning writer, Li Yao is known especially in Australia as a champion of Patrick White in China. His translation of The Tree of Man has been reprinted three times in the past twenty five years, selling over 20,000 copies. White's autobiography, Flaws in the Glass, has also been reprinted three times, seeling more than 12,000 copies. His translations of The Tree of Man, Flaws in the Glass, The

Ancestor Game, True History of the Kelly Gang, and Carpentaria have been well reviewed and well received in China, and many students have gone on to write their Masters and PhD dissertations on these world-class Australian novels, having been first introduced to them by Li Yao.

Li Yao's translation of Carpentaria perhaps deserves special comment as the culmination of a lifetime's work, and some forty years' cultural exchange between the two countries. The novel imagines Australian life from an Aboriginal perspective; it is written from within the Aboriginal life world, in a unique style that might be described as a kind of Aboriginal magical realism. Among Chinese translators of Australian literature, only Li Yao had the depth of experience to take on the challenging task of translating such a masterwork from another culture into Mandarin. He saw it through to publishing with the prestigious People's Literature Publishing House and gathered support from leading Chinese writers, including Nobel literature laureate Mo Yan, who launched it at the Australian Embassy in Beijing.

Today Li Yao remains very actively engaged with Australian literature. Most recently, he was an honoured guest of the 2017 Conference of the Association for the Study of Australian Literature (ASAL) in Melbourne, where he addressed an interested and appreciative audience of Australian scholars about his life's work. Li Yao is always open to advice on new titles of interest. Chinese readers are currently very interested in Tom Keneally's works, for example, and he plans to translate Shame and the Captives. He remains interested in Australian Indigenous Literature and Children's books, and plans to translate further new novels by his friend Alex Miller. He is also co-writing, with Professor David Walker, a memoir about his and his family's experiences in and after the War of Liberation and in the early years of New China and in the Cultural Revolution. This is a book that will be eagerly read by his many friends in Australia.

Li Yao has shown extraordinary dedication in his sustained commitment to the translation of Australian literature in China. No one in China knows more about Australian writing today than Li Yao, who has many friends among authors and literary scholars in Australia. In 2014, I attended a ceremony in the University of Sydney's historic Great Hall in which Li Yao was awarded an Honorary Doctorate for his services to Australian literature. It was a proud moment for the University that had played so foundational a role in Australian literary studies, both in Australia and China. "I love Australian literature', Li Yao has said. "It is an important pillar of world literature. Over the past four decades, I have nurtured great friendships with many outstanding authors from Australia. In translating their works, my own life has changed immensely". In retrospect, we can see that Li Yao's career in literary translation has been exemplary in fulfilling the terms of the 1972 Communique, with which it is approximately contemporary: that is, to "develop … diplomatic relations, friendship and co-operation between the two countries on the basis of the principles of mutual respect … equality and mutual benefit, and peaceful coexistence".

Professor Robert Dixon, FAHA

Professor of Australian Literature

The University of Sydney

July 2017

总序 ❸

General Preface

我十分荣幸地应邀为李尧教授这套重要的澳大利亚文学优秀翻译作品写序。这套书为庆祝李尧教授从事澳大利亚文学翻译四十周年，由青岛出版社出版，恰逢我们两国建立外交关系四十五周年。我要指出的是，这两个周年纪念日密切相关。

高夫·惠特拉姆领导的工党早在1955年就承认了中华人民共和国。可是直到十七年之后，1972年12月2日，该党才成为执政党。1972年12月21日，高夫·惠特拉姆就任总理不到三个星期，便与中国政府签订了澳大利亚与中华人民共和国建立外交关系的联合公报。根据《公报》，两国政府同意“在互相尊重……平等互利、和平共处的原则基础之上，发展两国间的外交关系、友谊和合作”。

1973年1月12日，澳大利亚驻华大使馆在北京正式开馆。同年晚些时候，高夫·惠特拉姆成为第一位访华的澳大利亚总理，并且与周恩来、毛泽东进行了历史性的会晤。惠特拉姆创建的澳大利亚与中国的外交关系一直被描绘为二十世纪我们两国之间发生的最重要的事件，时至今日，仍然是两国关系的重要基础。

除了贸易和旅游业，文化教育交流对于我们两国关系的发展起到越来越重要的作用。从二十世纪七十年代起，这种交流便将澳大利亚文学研究囊括其中。建立外交关系之后，1975年，第一批五位中国学生到澳大利亚大学学习。李尧教授为几代中国读者翻译澳大利亚文学的生涯一直以这种文化交流为中心。

1966年，李尧从内蒙古师范大学毕业之后，作为作家和文学杂志编辑一直在内蒙古工作，直到1992年到北京商务部培训中心任英语教授。他1986年加入中国作家协会，专事文学翻译。从那时起，开始和北京外国语大学胡文仲教授合作翻译澳大利亚文学作品。胡文仲教授是悉尼大学的研究生，所谓“九人帮”之一。“九人帮”是1966到1976年“文革”之后，第一批从中国到澳大利亚攻读硕士学位的学者。1979年，他们师从我的前辈——悉尼大学澳大利亚文学教授雷欧妮·克雷默爵士。我那时是英语系一个年轻的辅导员，正在做博士论文。时至今日还清楚地记着活跃在系里的这几位中国访问学者。

“九人帮”学成回国之后，对推动中国的澳大利亚研究起到很大的影响作用。从那时候起，在中国各地已经建立起三十多个澳大利亚研究中心。许多学者把澳大利亚文学翻译介绍给中国读者，不少“中心”开设澳大利亚文学课程。包括北京大学、北京外国语大学——李尧教授在这两所大学教授澳大利亚文学翻译——华东师范大学、人民大学、安徽大学、苏州大学、内蒙古大学、内蒙古师范大学。

最初，是胡文仲教授鼓励李尧从事澳大利亚文学研究与翻译。二十世纪八十年代，他们在北京相识。胡教授说，澳大利亚文学在中国还是一块未开垦的处女地。他鼓励李尧作为翻译者致力于这一领域，作出贡献。“文革”前，中国读者对美国、英国、俄罗斯、法国、德国和其他欧洲国家的文学比较熟悉，但是对澳大利亚文学知之甚少。那时候，只有亨利·劳森、弗兰克·哈代和少数几位“社会主义现实主义”作家通过翻译为中国读者所知。1991 年，上海译文出版社出版了胡教授和李尧合作翻译的帕特里克·怀特的《人树》。帕特里克·怀特是澳大利亚最著名的作家之一，1973 年获得诺贝尔文学奖。他之所以影响深远，是因为和早期现实主义作家不同，他的小说通过国际现代主义文体创新，展示了澳大利亚社会与澳大利亚风土人情。

和胡教授合作之后，李尧坚持翻译澳大利亚文学，把他已经继承的传统传承下去。迄今为止，他已经翻译了多达三十五部的澳大利亚文学作品，其中包括布莱恩·卡斯特罗、理查德·弗兰纳根、阿尼塔·海斯、考琳·麦卡洛、大卫·马鲁夫、亚历克斯·米勒和金姆·斯科特等多位作家的小说。还有历史与非小说译作出版。李尧大多数翻译作品的出版都得到澳中理事会、澳大利亚理事会文学委员会、在华澳大利亚研究基金会的资助。为纪念中澳建交四十五周年重新选择出版的这套译著包括业已在澳大利亚和世界范围内赢得盛誉的作品。这些作品有的获得“迈尔斯·富兰克林文学奖”，有的获得“英联邦作家奖”，有的获得“布克国际文学奖”。他的译著还包括帕特里克·怀特的长篇小说《人树》《树叶裙》、自传《镜中瑕疵》；表现澳中关系最早的两部小说：布莱恩·卡斯特罗的《候鸟》和亚历克斯·米勒的《浪子》；著名学者、前澳大利亚驻华大使馆文化官员尼古拉斯·周思的《长安大街》。还有赢得“布克国际文学奖”的三位作家的作品：彼得·凯里的《凯利帮真史》、托马斯·肯尼利的《内海的女人》、理查德·弗兰纳根的《古尔德鱼书》。除了获得“迈尔斯·富兰克林文学奖”和“英联邦作家奖”的《浪子》之外，李尧还翻译了亚历克斯·米勒的《别了，那道风景》和《煤河》。还有一些重要的非小说类作品，包括大卫·沃克的家族史《光明行》

和马拉·穆斯塔芬的《哈尔滨档案》。这两本书都从不同的角度记录了中澳两国普通人之间的关系。

最近几年，李尧紧跟澳大利亚文学的最新发展，继续把澳大利亚作家的新作品介绍给中国读者。他对澳大利亚儿童文学和澳大利亚原住民作家的作品特别关注。这个纪念译文集也收入了相关作品。从2010年起，李尧在澳中理事会的支持下，选择并组织力量翻译了十本澳大利亚儿童文学经典，包括深受几代读者喜爱的埃塞尔·帕德利的《多特和袋鼠》、梅·吉布斯的《小胖壶和小面饼》、埃塞尔·特纳的《七个澳大利亚小孩儿》、多萝西·沃尔的《眨眼睛的比尔》、鲁斯·帕克的《糊里糊涂的树袋熊》和科林·蒂勒的《暴风雨中的男孩》。这些书由人民文学出版社出版，在中国很受欢迎。《多特和袋鼠》《七个澳大利亚小孩儿》新版将由中国青年出版社出版。李尧决心为推动澳大利亚儿童文学作品在中国的翻译出版作出更大的贡献。他将翻译介绍更多的儿童文学作品，收入他的"考拉丛书"。

自从2006年起，在他的好朋友——学者、作家、前文化参赞尼古拉斯·周思教授的帮助下，李尧一直在研究、翻译澳大利亚原住民文学。已经出版的作品有金姆·斯科特的《心中的明天》、亚历克西斯·赖特的《卡彭塔利亚湾》和阿尼塔·海斯的《我是谁》。他目前正在翻译亚历克西斯·赖特的《天鹅书》。鉴于澳大利亚原住民文学到目前为止还没有被系统地介绍到中国，对大多数中国读者而言，那还是一个不熟悉的领域，李尧希望这些书能使中国读者对澳大利亚有更多的了解。

除了从事文学翻译以及在北京大学、北京外国语大学教授澳大利亚文学翻译之外，李尧从1988年中国澳大利亚研究学会成立以来，一直担任学会理事。1996年，他因翻译亚历克斯·米勒的《浪子》获得澳中理事会首次在中国颁发的翻译奖，2008年因翻译尼古拉斯·周思的《红线》、2012年因翻译亚历克西斯·赖特的《卡彭塔利亚湾》又连续两次获此殊荣。2008年因其在澳大利亚文学翻译领域的杰出贡献，获澳中理事会颁发的金奖章。

也许因为怀特作为澳大利亚唯一的诺贝尔文学奖获得者享有盛名，李尧也因其在中国翻译介绍帕特里克·怀特的作品在澳大利亚广为人知。在过去的二十五年里，他和胡文仲教授合作翻译的《人树》先后印刷三次，销售量超过20000册。怀特的自传《镜中瑕疵》也被印刷三次，销售量超过12000册。他翻译的《人树》《镜中瑕疵》《浪子》《凯利帮真史》和《卡彭塔利亚湾》在中国受到好评和欢迎。不少学生依据李尧第一次介绍到中国的这些世界第一流的澳大利亚文学作品，撰写硕士和博士论文。

李尧的译作《卡彭塔利亚湾》作为他毕生从事文学翻译以及四十多年来两国文化交流的巅峰之作，也许特别值得一提。这部小说从原住民的视角出发，以一种也许可以称之为原住民魔幻现实主义的独特风格想象了澳大利亚的生活。在中国的澳大利亚文学翻译者中，也许只有李尧因其具有丰富的经验，可以接受挑战，将这样一部杰作从一种完全不同的文化翻译为中文。2012年，他克服了重重困难，在久负盛名的人民文学出版社出版此书。该书翻译出版过程中，得到多位中国著名作家的支持。诺贝尔文学奖获得者莫言在澳大利亚驻华大使馆为《卡彭塔利亚湾》举行的新书发布会揭幕，并做了热情洋溢的发言。

今天，李尧依然活跃在澳大利亚文学研究的舞台上。最近，作为在墨尔本召开的“澳大利亚文学研究会2017年会”（ASAL）的贵宾，他对兴趣盎然、不无赞赏的澳大利亚学者讲述了自己毕生的工作。李尧总是乐于倾听同事们对新的、有趣的选题的建议。比如，最近中国读者对托马斯·肯尼利的作品很感兴趣，他就计划翻译这位文学大师的《耻辱和俘虏》。他对澳大利亚原住民文学和儿童文学依然表现出浓厚的兴趣，计划翻译他的朋友亚历克斯·米勒的新小说。他与大卫·沃克教授正在合作撰写关于他和他的家族在解放战争前后、新中国建立初期以及“文革”中经历的纪实文学作品。这是一本令他许多澳大利亚朋友热切期待的书。

李尧在中国长期致力于澳大利亚文学翻译，表现出非同寻常的献身精神。在中国，没有人比李尧对澳大利亚文学作品更了解。他在澳大利亚作家和文学工作者中有许多朋友。2014年，我在悉尼大学历史悠久的大会堂参加了授予李尧荣誉文学博士的典礼。对于这所无论在澳大利亚还是中国都在澳大利亚文学研究领域起到基础性作用的大学来说，这是一个骄傲的时刻。“我热爱澳大利亚文学。”李尧说，“它是世界文学的重要支柱。在过去的四十年里，我和许多澳大利亚优秀作家结下了深厚的友谊。在翻译他们作品的过程中，我自己的生活也发生了巨大的变化。”回顾往事，我们可以看到，李尧的文学翻译生涯，堪称实现1972年《公报》初衷的楷模。今天，我们依然为之努力，那就是“在互相尊重……平等互利、和平共处的原则基础之上，发展两国间的外交关系、友谊和合作”。

罗伯特·迪克逊

澳大利亚人文科学院院士

悉尼大学澳大利亚文学教授

2017年7月

目录

CONTENTS

第一部

一八七二至一八八五

第一章 命运的改变

“你堂兄亚历山大寄来一封信，要娶个老婆。”詹姆斯·德拉蒙德从一张信纸上抬起头说道。

伊丽莎白听见唤她到前面的客厅见父亲，就如同当头挨了一棒。这样郑重其事地召唤就意味着父亲要狠狠地教训她一顿，然后依照“罪过”大小，接受“适当”的惩罚。哦，她知道自己做错了什么——今天早晨熬粥的时候搁多了盐；也知道因此而接受什么处罚——从现在起到年底，她喝的粥里不能放盐。父亲花钱精打细算，绝对不会为哪怕一小撮盐浪费钱财。

因此，伊丽莎白听到这个令人惊异的消息之后，倒背双手，站在那张破烂的翼状靠背椅前面，大张着嘴，半晌合不拢。

“他想娶琼。真蠢！他以为时光停在那儿原地不动呢！”詹姆斯气愤地挥了挥手里的信，然后目光从信纸移到最小的女儿身上。阳光从窗口倾泻进来，洒在伊丽莎白身上，他自己坐在一片阴影之中。“你和别的女人一个样，不缺胳膊少腿，所以，你去吧。”

“我？”

“你聋了吗？姑娘。是的，你。除了你，这屋里还有谁呢？”

“可是，父亲！如果他想娶琼，就不会要我。”

“从他写信的那个地方的情况看，任何一位品行端正、有教养的年轻女人都行。”

“他写信的那个地方在哪儿？”她问，知道父亲不会让她看信。

“新南威尔士。”詹姆斯嘟哝着说，他心满意足时才会发出这种声音。“看起来，你堂兄亚历山大干得不错。在金矿发了点小财。”他说，额头现出几条皱纹。“或者，”他又变了口气，“至少有足够的钱娶个老婆。”

她最初的惊讶烟消云散，代之以沮丧。“他在那儿娶个老婆不是更简单吗？父亲。”

“在新南威尔士？他说，那儿的女人不是妓女就是前流放犯，要么就是从英国去的势利小人。不，他不会找那儿的女人。上次回家，他对珍妮[①]一见钟情，当时就向她求婚，结果被我断然拒绝。是啊，我怎么能把珍妮嫁给闷热拥挤的格拉斯哥[②]一位游手好闲的锅炉学徒工呢？何况她那时刚满十六岁，就是你现在这个年纪，姑娘。所以，我敢肯定，你在他那儿能派上用场。他喜欢年轻姑娘。他想娶一个苏格兰妻子，品行无可挑剔，和他有同样的血统，可以信任。至少，他是这样说的。”詹姆斯·德拉蒙德站起身，从女儿身边走过，径直走进厨房。“给我泡点茶。”

伊丽莎白把茶叶放到温热的茶壶里，再倒满开水，这时候，詹姆斯已经拿出一瓶威士忌酒。父亲是个长老——苏格兰基督教长老会的长老——所以不怎么喝酒，更算不上酒鬼。如果他往茶杯里倒一点儿威士忌，一定是听到了什么极好的消息，比如生了个孙子。那么，为什么这个消息让他欣喜万分呢？身边没有一个可以照顾自己的女儿，他该怎么办？

---

①琼的昵称。

②格拉斯哥：英国苏格兰中南部港市，英国造船业中心。

那封信里到底写了些什么呢？伊丽莎白一边用小勺搅动壶里的茶一边想，也许威士忌酒能帮她找到答案。实际上，父亲喝点儿酒话就多，因此很可能暴露秘密。

“亚历山大堂兄还说什么了吗？”等到父亲第一杯酒下肚，第二杯刚刚倒满，她便大着胆子问。

“没说什么。和德拉蒙德家族别的成员一样，他也话少。”他哼了哼鼻子，“德拉蒙德，没错儿！他已经不再姓这个姓了，真让人难以置信。他到美国之后就改成金罗斯。所以，你不会是亚历山大·德拉蒙德太太，而是亚历山大·金罗斯太太。”

伊丽莎白压根儿就没想和这种对自己命运的独断专行做一番抗争。当时没有，后来也没有。尽管已经过去足够长的时间，完全可以把这件事情的来龙去脉搞清楚。一想到在如此重大的事情上违抗父命，她就吓得要命。事实上，除了默里牧师的责骂，她想不出还有什么更可怕的事情。不是伊丽莎白·德拉蒙德缺乏勇气或者魄力。远非如此。母亲早已去世，她是这个家最小的孩子，从记事起就一直受两个老人暴君般的统治。这两个人就是父亲和他的牧师。

“金罗斯是我们这个镇子和县的名称，不是一个家族的姓。”她说。

“恐怕他改成这个姓自有他的道理。”詹姆斯呷着第二杯酒，以少有的宽容说。

“是不是他犯了什么罪？父亲。”

“我想不是。如果他真的犯了什么罪，现在就不会这么张狂。亚历山大总是固执己见，自以为了不起。你伯父邓肯想了许多办法也管束不了他。”詹姆斯长长地、心满意足地舒了一口气。“阿拉斯泰尔和玛丽可以搬过来和我一起住。等我入土之后，他们可以得到相当大的一笔钱。”

“相当大一笔钱？”

“是的。你未来的丈夫汇来一笔钱，支付你到新南威尔士的费用。一千英镑。”

她倒吸一口凉气：“一千英镑？”

“没错儿，我已经说过了。不过，别高兴得过了头。你可以从这笔钱里拿二十英镑买嫁妆，五英镑买结婚用的首饰。他说，你可以坐头等舱，再带一个女仆。我可不同意。这简直太奢侈了。我明天要办的第一件事情就是给爱丁堡[①]和格拉斯哥的报社写信，请他们登个广告。”浓密的沙色睫毛低垂，说明他正在绞尽脑汁想事儿。“最理想的是找一对体面的已婚夫妇，属于苏格兰教会，打算移居新南威尔士。如果他们愿意带你一起去，我给他们五十英镑。”他抬起眼皮，一双明亮的蓝眼睛亮光闪闪。“他们求之不得呢！剩下的九百二十五英镑就进我的腰包了。相当大的一笔钱。”

“可是，阿拉斯泰尔和玛丽愿意搬过来和你一起住吗？父亲。”

“如果他们不愿意，我可以把这一大笔钱留给罗比和贝拉，或者安格斯和奥菲莉亚。”詹姆斯·德拉蒙德得意洋洋地说。

服侍他吃过星期日晚餐——两个夹了比平常厚一点的咸肉的三明治之后，伊丽莎白把彩格呢披风[②]披到肩上，借口看看奶牛回家没有，急忙从父亲身边逃走。

詹姆斯·德拉蒙德那幢房子坐落在金罗斯郊外。就在这幢房子里，他养育了一大家子人。金罗斯镇是金罗斯县的“首府”，因为是个商品集散之地，地位特殊。金罗斯长十二英里，宽十英里，是苏格兰第二小的县，只是因为比较繁华，弥补了面积的不足。

羊毛纺织厂、两个面粉加工厂和酿酒厂喷吐着团团黑烟。因为，没有一家工厂的主人愿意让锅炉星期日熄火。这样做要比星期一重新生火省钱。这个县南部地区有充足的煤炭资源，尚可维持规模不大的地方工业。正是因为有了这些工业，詹姆斯·德拉蒙德才没有像许多苏格兰人那样，

①爱丁堡：英国苏格兰首府。

②彩格呢披风：一种苏格兰高地人穿的搭于左肩上的彩色格子图案的长方形羊毛呢披风。

为了找工作养家糊口，被迫背井离乡，在臭气冲天的贫民窟里苦度日月。和他的哥哥、亚历山大的父亲邓肯一样，詹姆斯在羊毛纺织厂里干了五十五年。女王让格子呢成为时尚之后，他们为撒克逊人纺织出了一匹又一匹花格布。

苏格兰强劲的风吹拂着烟囱喷吐的黑烟，就像画家手里的炭笔，涂抹着淡蓝色的辽远的苍穹。时值秋日，远处石楠花盛开的奥其尔斯和罗蒙兹，现出一片紫色。高高的野山之上，一座座佃农的茅屋敞开没有铰链的破烂的门。很快，地主就会来山上猎鹿，到湖边钓鱼。对于金罗斯县来说，这一切似乎无关紧要。因为金罗斯有一块水草肥美的平原，牛肥马壮，绵羊成群。这里的牛命中注定要变成伦敦餐桌上最好的烤牛肉，马是下马狗的母马。马狗长大都是当坐骑或者拉车的好马。绵羊产的羊毛是生产格子呢的原料，羊肉是当地人餐桌上的佳肴。这儿的庄稼长得也不错，因为长满青苔的土地是五十年前排干了水的低洼地。

金罗斯镇前面是莱文湖。那是一座水域宽阔、碧波粼粼的湖泊，闪烁着苏格兰湖泊特有的钢蓝色。透明的、琥珀色的溪水流入湖中。伊丽莎白站在离那幢房子不远的岸边（她知道，最好不要走到看不见房子的地方），目光越过湖面，眺望湖水与河口湾之间青翠的田野。有时候，风从东边吹来，她就闻得到北海冷冷的鱼腥味儿。今天，风从山上吹来，青草的芳香夹带着树叶腐烂的气味。莱文岛上矗立着一座城堡。苏格兰的玛丽女王①曾经被囚禁在城堡里将近一年。既是至高无上的统治者，又是阶下囚，那该是怎样的滋味儿？一个女人想统治一块坦率直言、凶猛暴躁的男人生活其间的土地，又该遇到怎样的艰难？但她还是设法重建了罗马天主教会的信仰。伊丽莎白·德拉蒙德是一个被精心培养出来的长老会教徒，不会因此而对

①玛丽女王（1542—1587）：苏格兰女王（1542—1567），出生六天后即继承王位，后成为法王法兰西斯二世的王后（1559—1560），返苏格兰（1561）后两次再嫁，被迫逊位，逃往英格兰，因图谋暗杀英格兰女王伊丽莎白一世，被斩首。

她有什么太高的评价。

她想，我要去一个叫作新南威尔士的地方，嫁给一个从来没有见过的男人，一个想娶我姐姐而不是娶我的男人。我落入父亲一手编织的大网。我去了之后，这个亚历山大·金罗斯要是不喜欢我，该怎么办？毫无疑问，如果他是个可敬的体面人，就会把我再送回家。是的，他一定是个可尊敬的人，否则就不会万里迢迢非娶德拉蒙德家的女儿为妻。不过，从我读过的书看，那块原始的殖民地，女人确实少得可怜，很难找到合适的妻子，所以我想，他一定会娶我。亲爱的上帝，让他喜欢我，让我也喜欢他。

她在默里牧师开办的学校念过两年书。这两年足可以学会阅读和拼写。不过她读书勉强可以，写就有点困难，因为詹姆斯不肯花钱买纸，让傻乎乎的女孩子糟蹋。只要把屋子收拾得一尘不染，做的饭对父亲的胃口，不花钱，不和别的跟她一样傻乎乎的女孩子嘻嘻哈哈，伊丽莎白就可以读她能够找到的任何书。书的来源有两个渠道：一是默里府邸图书室里的藏书；二是默里牧师人数众多的会众中女人们流传的那些颇为高雅的小说。因此，倘若她掌握的神学知识比地质学多，她了解的风土人情比爱情故事多，就不足为奇了。

她从来没有想过婚姻和命运密切相关，尽管她已经情窦初开，不由得暗自思忖婚姻的快乐和危险，而且怀着浓厚的兴趣观察哥哥、姐姐们婚后的生活。阿拉斯泰尔和玛丽格格不入，总是争吵，可是她感觉到他们可以在更深的层次交流；罗伯特和贝拉吝啬小气不相上下，安格斯和爱咯咯笑的奥菲莉娅似乎下定决心要毁掉对方。凯瑟琳和她的罗伯特住在克卡尔迪，因为他是渔民。玛丽和她的詹姆斯，安妮和她的安格斯，玛格丽特和威廉……还有琼——德拉蒙德家的大女儿，也是家里的美人儿——十八岁的时候嫁了个蒙哥马利郡[①]—个令血统优秀但没有嫁妆的姑娘羡慕妒忌的对象。丈夫

①蒙哥马利郡：英国威尔士原郡名。

带着她搬到爱丁堡王子大街一幢宽敞的房子。打那以后，金罗斯德拉蒙德家的人就没有再见过琼。

“觉得我们辱没了他们。”詹姆斯不无轻蔑地说。

“非常精明。”阿拉斯泰尔说。他爱过琼，而且至今痴心不改。

“非常自私。”玛丽冷笑着说。

非常寂寞，伊丽莎白想。她只模模糊糊记得琼。可是，如果琼寂寞得无法忍受，家离她只有五十英里，随时可以回来和亲人团聚。我却永远回不了家，尽管家是我唯一知道的地方。

玛格丽特结婚以后，伊丽莎白作为詹姆斯那“一窝”儿女中最小的一个，命运即已决定——待字闺中，侍奉父亲，至少到他老人家仙逝。而家里人都相信，那一天许多年后才能到来。老爷子结实得像一双旧靴子，强壮得像本·罗蒙德山上的岩石。现在，亚历山大·金罗斯和一千英镑改变了一切。阿拉斯泰尔——和他同名的那个人死后，他就成了詹姆斯的骄傲和快乐——一定会强迫玛丽和他的七个孩子搬到父亲这儿住。不管怎么说，他无所谓，迟早都能巩固自己在这个家的地位。因为他继承父业，成为纺织厂的织机师傅，深得父亲的宠爱。可是玛丽，可怜的玛丽，就惨了！在父亲眼里，她是个挥金如土的人。从给孩子们买鞋星期日穿，到早饭、晚饭都往面包上抹果酱，都属父亲深恶痛绝之列。一旦搬过来和詹姆斯一起住，孩子们就只能穿靴子，果酱也只能星期日晚饭时尝个鲜。

风呼啸而过，伊丽莎白不由得打了个寒战。主要是因为害怕，而不是因为冷。父亲是怎么说亚历山大·金罗斯的呢？“闷热拥挤的格拉斯哥一位游手好闲的锅炉学徒工”。他说他“游手好闲”是什么意思呢？这位亚历山大·金罗斯是不是整天闲逛，什么事情也不做呢？如果他居无定所，能在旅途终点接她吗？

“伊丽莎白，回来！”詹姆斯大声叫喊着。

伊丽莎白非常听话，赶快向家里跑去。

日子一天天过去了，伊丽莎白没有时间想自己的事情。晚上躺在床上，她本来很想对自己的命运揣测一番，可是她脑袋一挨枕头，便进入梦乡。她每天都看着詹姆斯和玛丽吵架。阿拉斯泰尔很走运，天一亮就到纺织厂干活儿，天黑之后才回来，躲得干干净净。玛丽把自己的家具搬进新居，詹姆斯那些破烂儿只好“退居二线”。伊丽莎白不是抱着一大包床单或者衣服（包括鞋）楼上楼下地跑，就是帮忙抬钢琴、抬箱子、抬柜子，要么就是在外面使劲敲打玛丽挂在晾衣绳上的地毯。玛丽是默里那边的远房亲戚，结婚时带来一笔可观的财产，那是她的父亲——一位农民——给女儿的补贴。她的思想更为独立，伊丽莎白以前从来没有想过，女人也会拥有独立自主的精神。玛丽搬过来和父亲一起生活之前，没有什么东西这样撞击过她的心灵。她万分惊讶地发现，父亲并非总是每一场“战斗”的赢家。每天早晨，果酱瓶子都会出现在早餐桌子上，晚上放在那儿照样岿然不动。星期日，孩子们照样穿着鞋而不是靴子到默里牧师的教堂做礼拜。玛丽穿一双精巧的小山羊革做的蓝色皮鞋，好看的脚踝露在外面。皮鞋后跟很高，走起路来扭扭捏捏。詹姆斯一天到晚发脾气。没多久，孙儿、孙女就被他的棍子镇住了。但是，他看出阿拉斯泰尔已经变成玛丽手里一团揉来揉去的灰泥。

伊丽莎白躲避这种家庭纠纷的唯一机会，就是去金罗斯广场迈克塔维斯小姐开的成衣铺。那是一幢不大的房子，客厅临街，很大的玻璃橱窗里立着一个没有性别的人体模型，模型身上穿一条粉红色塔夫绸长裙——无论如何不能因为摆一个长乳房的人体模型而惹恼教会。

自个儿做不了衣服的人都找迈克塔维斯小姐。她是个年近半百的瘦弱的老处女，以前是别人雇佣的裁缝，后来继承了一百英镑，便自己开店经营女装。小店和她本人都很发达，因为金罗斯不少女人都雇得起裁缝。她很聪明，店里摆着妇女时装杂志，迈克塔维斯小姐坚持说杂志是伦敦送给她的。

伊丽莎白从二十英镑中拿出五英镑到工厂买格子呢。因为阿拉斯泰尔的关系，工厂给她打了点折。虽然折扣不大，但也让人高兴。这些料子和另外可以做四条平常家里穿的裙子的棕色粗亚麻布，她都准备自己裁剪、缝制。除此而外，还有用原色白棉布做的内裤、睡袍、衬衣、衬裙。这些开销都加起来，还剩十六英镑。她可以到迈克塔维斯小姐的店里买些衣服。

“两条上午穿的长裙，两条下午穿的长裙，两条晚上穿的长裙，还有结婚穿的礼服。”迈克塔维斯小姐说。这活儿让她非常高兴。利润倒不一定大，但是，这样一位年轻、漂亮的姑娘——哦，瞧那身材！——可不是每天都能落到迈克塔维斯小姐的手里。而且没有喜欢吹毛求疵的母亲或者姨妈陪伴，就不会破坏她的兴致。

“这活儿，”女裁缝挥动着卷尺喋喋不休地说，“也就是我干，伊丽莎白。你要是到柯卡尔迪或者达姆弗姆林，一半的活儿就得让你花双倍的钱。我还有些很适合你肤色的料子。黑美人儿永远都不会过时，她们不会被周围的景色淹没。尽管我听说，你姐姐琼——她可是个皮肤白皙的美人儿——在爱丁堡依然人见人爱。”

伊丽莎白只顾凝望迈克塔维斯小姐那面镜子里的自己，除了后面这几句话，女裁缝前面说了些什么都没有听清。詹姆斯不能容忍家里摆个大镜子。在和玛丽发生的冲突中，这次他占了上风。见他搬来“援兵”默里，玛丽只好把镜子放到自己的卧室。伊丽莎白感觉到，“美人儿”对于迈克塔维斯小姐，不过是个脱口而出的词儿，是消除顾客疑虑的“安慰剂”。她当然不觉得镜子里那个姑娘是个“美人儿”。“黑”倒不假。乌黑的头发，浓密的黑眉毛、黑睫毛，明亮的黑眼睛，但是那张脸普普通通。

“哦，瞧你的皮肤！”迈克塔维斯小姐一惊一乍地说，“那么白，连一粒雀斑也没有！千万不要让人给你抹胭脂，那会破坏你的风格。脖子像天鹅！”

量完尺寸之后，迈克塔维斯小姐把伊丽莎白领进放衣料的屋子。架子上放着一匹匹织物——最好的平纹细布、细麻布、丝绸、塔夫绸、花边、天鹅绒、缎子。一卷卷各种颜色的缎带、羽毛、绢花。

伊丽莎白满脸放光，向一匹鲜亮的红布快步走去。“这个。迈克塔维斯小姐！”她大声说，“就要这个！”

已经是店老板的女裁缝脸涨得像那块布一样红。“哦，天哪！”她说，声音发紧。

“可是……多漂亮呀！”

“猩红色，”迈克塔维斯小姐说，把那卷刺眼的红布推到架子后面，“绝对不合乎礼仪，亲爱的伊丽莎白。我是为那些特殊的客户特意准备的。她们的……哦，贞洁，我可不敢恭维。当然了，为了避免尴尬，她们都是和我提前预约。你难道不知道那句话，孩子？‘猩红的女人’[①]。”

“哦，哦，哦！”

于是，伊丽莎白选择了和猩红色比较接近的铁锈红塔夫绸。这种颜色应该说无可指责。

“我觉得，”选完料子之后，她一边喝茶一边对迈克塔维斯小姐说，“这些衣服，任何一件父亲都不会同意。不符合我的身份。”

“你的身份，”迈克塔维斯小姐语气肯定地说，“就要彻底改变了，伊丽莎白。身为一个送得起你一千英镑的富人的新娘，你不能只穿我们自己工厂生产的格子呢和黄褐色亚麻布做的衣服。我想，你得参加各种聚会、舞会，还得坐着马车出去兜风，拜访别的富人的妻子。你父亲原本就不该把那么多本来属于你的钱据为己有。”

说完这番话（她不说心里憋得难受——詹姆斯·德拉蒙德真是个可怜的吝啬鬼！），迈克塔维斯小姐又给伊丽莎白倒满茶，还塞给她一块蛋糕。真是个漂亮姑娘，待在金罗斯太可惜了。

“说心里话，我不想去新南威尔士和金罗斯先生结婚。”伊丽莎白闷闷不乐地说。

“胡扯！权当是一次冒险，亲爱的。金罗斯没有一个年轻姑娘不嫉妒你，相信我。想想看，待在这儿，你享受不到拥有丈夫的快乐。你得照顾父亲，

①猩红的女人：英语中“猩红的女人”（scarlet woman）的意思是淫妇、妓女。

白白浪费掉青春年华。"她一双淡蓝色眼睛变得湿润，"这事儿我懂，相信我。我一直照顾我母亲，直到她去世。那时候，嫁人的希望已经没有了。"突然，她叹了一口气，脸上重又放出光彩，"亚历山大·德拉蒙德！我还清清楚楚记得他，他离家出走时刚满十五岁，但是金罗斯没有一个女人不认识他。"

伊丽莎白一激灵，意识到，她终于碰到一个可以告诉她一点儿关于未来丈夫的情况的人。和詹姆斯不一样，邓肯·德拉蒙德只有两个孩子。女儿叫温妮福雷德，儿子就是亚历山大。温妮福雷德嫁了个牧师，伊丽莎白还没有出生，她就搬到因弗内斯[①]。因此，关于亚历山大最好的消息来源便随之而去了。问她家里那些还记得亚历山大的"长者"，几乎一无所获。这事儿很怪。好像因为某种原因，在他们家，亚历山大是个禁止谈论的话题。她意识到，原因就在父亲那儿。父亲不愿意失去这张天上掉下来的大馅饼，不敢冒半点风险。而且他认为，在婚姻问题上，对对方一无所知是天赐的幸福。

"他长得漂亮吗？"她急切地问。

"漂亮？"迈克塔维斯小姐仰起脸，闭上一双眼睛，"不，我觉得他算不上漂亮。但他走路那副样子很特别——昂首阔步。他总是被邓肯的棍子打得鼻青脸肿。所以，有时候他做出一副拥有整个世界的样子一定也很难看，但他就是那样昂首阔步地走着。还有他的微笑！那么动人。"

"他是离家出走的？"

"过十五岁生日那天，"迈克塔维斯小姐说，开始叙述她那个"版本"的故事，"迈克格雷戈先生——即将离职的牧师——非常伤心。他经常说，亚历山大特别聪明，拉丁文、希腊语学得非常好。迈克格雷戈先生想送他上大学，但是邓肯不同意，让他在金罗斯纺织厂干活儿。温妮福雷德出嫁之后，邓肯想把亚历山大留在身边。邓肯·德拉蒙德是个冷酷无情的人！

①因弗内斯：苏格兰北部一自治市，位于默里湾，是喀里多尼亚运河的终点，曾被人们认为是皮克特人的堡垒，1200年特许设立。

他想娶我来着，可是我要照顾妈妈。话说回来，我拒绝他的求婚一点儿也不后悔。现在你要和亚历山大结婚！真像一场梦，伊丽莎白，一场梦！”

她最后这句话说得没错儿。繁忙、沉重的家务劳动之余，伊丽莎白一有空闲就想，自己的未来像苏格兰辽远的天空飘过的云，有时候宛如让人神清气爽的柔软的轻纱，有时候仿佛让人倍感压抑的灰色的棉絮，有时候则是暴雨将临的黑色云团。未知的隔绝引出未知的结果。十六年极其有限的生活经历既给不了她慰藉，又给不了她多少信息。一阵激动过后是两行清泪，使人眼花缭乱的快乐化作失望。甚至熟读了默里牧师的地名词典和《大列颠简史》，可怜的伊丽莎白还是没有一把可以衡量这一剧变的尺子。

裙子，包括结婚礼服，已经做好。每一件衣服都叠得整整齐齐，中间夹着棉纸，装在她的两口箱子里。箱子是阿拉斯泰尔送的，算作结婚礼物。玛丽送了一块面纱，镶着白色法国花边，准备婚礼之用。迈克塔维斯小姐送了一双缎子拖鞋。家里人除了詹姆斯都设法送她点礼物。不管是一瓶科隆香水，还是一枚贝雕胸针、一个插针的小垫儿，或者一盒小糖果。

皮布尔斯郡一对“可尊敬的长老会教徒已婚夫妇”看到詹姆斯在报纸上刊登的广告之后，有意顺路带她到新南威尔士。于是，金罗斯和皮布尔斯郡之间书来信往，经过一番讨价还价，最后商定，詹姆斯付五十英镑，他们负责一路上监护新娘。

阿拉斯泰尔和玛丽代表全家人护送伊丽莎白乘坐一辆马车到柯卡尔迪。从那儿乘班轮越过福思湾①到利斯②。从利斯换乘了好几辆公共马车才到爱丁堡王子大街站，理查德·沃特森先生和他的夫人在那儿等他们。

倘若不是过渡口时被汹涌的波涛打垮，伊丽莎白一定欣喜若狂。她长

①福思湾：苏格兰中南部的一条河流，向东187公里（116英里）流至福思湾河口，是北海一个宽阔的入口。

②利斯：英国苏格兰爱丁堡市的一个区，位于福思湾的南岸，有名的海港和造船中心。

这么大，最远去过柯卡尔迪。看到柯卡尔迪的喜悦早已随时光的流逝化为乌有，像爱丁堡这样的大城市会让她惊奇或敬畏得目瞪口呆。凯瑟琳和罗伯特就住在王子大街。安顿他们稍事休息之后，凯瑟琳带伊丽莎白去看风景。但是爱丁堡繁华喧闹的大街、冬日的美景、森林覆盖的群山溪谷都唤不起她的激情。最后一班公共马车把他们送到不列颠北站。伊丽莎白让阿拉斯泰尔把她送进盒子似的二等包间。安顿下来之后，阿拉斯泰尔在拥挤不堪的站台上找她那两位行动迟缓的护伴——沃特森夫妇。他们将和她一起分享那个小包间，前往伦敦。

“相当不错，”玛丽一边四处张望一边说，“座位很软和，还有毯子取暖。”

“除了三等车厢的旅客，我谁都嫉妒。”阿拉斯泰尔说，把两张硬纸片塞到伊丽莎白的左手套里。“别丢了。这是取箱子的行李票。箱子放在行李车厢，很安全。”他又把五枚金币塞到另外那只手套里。“父亲给的，”他咧嘴笑着说，“我费了好大劲儿才说服他，你走那么远的路到新南威尔士不能身无分文。但是，他让我告诉你，一个法寻[①]也不能浪费。”

沃特森夫妇终于到了，走得气喘吁吁。他们俩个子很高，瘦骨嶙峋，衣着寒酸。一望便知，如果没有伊丽莎白这五十英镑，他们不可能从拥挤的三等车厢走进相对而言比较舒适的二等包间。他们看起来举止文雅，不过阿拉斯泰尔闻见沃特森先生说话时一股酒气，不由得皱了皱鼻子。

汽笛响了，远去的人从车窗口探出身子和站台上的亲朋好友告别，车里车外叫喊声响成一片，人们挥洒着泪水，使劲握着手不放，最后只能挥手而去。伦敦的夜车喷吐着团团烟雾，发出阵阵“痉挛”，丁丁咣咣启动了。

近在咫尺，又远在天边，伊丽莎白眼帘低垂，心里想，在这个问题上，我的姐姐琼开了一个头。她住在王子大街，可是阿拉斯泰尔和玛丽不得不在铁路旅馆租一间房子住，而且没看她几眼就得回金罗斯。“我可不喜欢这样。”她对自己说。

---

①法寻：过去的英国铜币，值四分之一便士。

她闭着眼睛，脸贴着冰冷的车窗，蜷缩在一个角落。

“可怜的小东西，”沃特森太太说，“帮帮我，让她睡得更舒服点儿，理查德。苏格兰不得不把自己的孩子送到一万两千英里以外找丈夫，真是莫大的悲哀。”

乘坐装有螺旋推进器的轮船从英国穿越北大西洋到纽约需要六天或者七天。但是，没有那么多煤做燃料让一艘轮船到地球另一边，因此人们只能乘帆船。

奥罗拉——“黎明女神号”是一条四桅船，双上桅帆，前桅和主桅都挂着横帆。后桅从船首到船尾都配备着索具。这条船用两个半月的时间完成了到悉尼的一万两千英里的航程，中间只是在开普敦停了一次。船在大西洋向南航行，穿越南洋，进人太平洋。船上的货物包括几百套陶瓷抽水马桶和水箱、两辆四轮两座大马车、几套昂贵的胡桃木家具、棉和毛纺织品、一卷卷精美的法国花边、一箱箱书和杂志、一瓶瓶橘子或柠檬制成的英国果酱、一桶桶糖浆、四台马休·博尔顿和瓦特①公司制造的蒸汽机、托运的铜门把手。牢固的库房里还装着许多很大的箱子，箱子上面画着头颅骨和交叉腿骨的图案。回家的时候，它将满载成千上万袋小麦，装在画着头颅骨和交叉腿骨的图案的箱子里面的东西将换回大块大块的黄金。

船主似乎对女人怀有特别的仇恨。不过，这一次，完全违背他的意志，有十二个男男女女搭乘奥罗拉号，多多少少给了人们一点慰藉。尽管没有特等客舱，饭菜也极其普通，但是有足够的新鲜面包，隔热的小木桶里保存着咸黄油，还有煮牛肉、发了芽的土豆、面粉做的布丁，布丁上面用果酱或者糖浆做成彩色条纹。

过了比斯开湾②，伊丽莎白就不再晕船，沃特森太太却不行。这就意味

①瓦特（1736–1819 年）：苏格兰发明家，蒸汽机发明人。

②比斯开湾：在伊比利亚半岛和法国的布列塔尼半岛之间。

着，伊丽莎白大部分时间都得照顾她。这活儿也算不上令人厌恶，因为沃特森太太看起来是那种很能吃苦的人。他们三个人在一个包间里，幸亏有一个艇窗和一个与之相连的很小的女更衣室。奥罗拉号还没进英吉利海峡，沃特森先生就提出，他到旅客交谊厅去睡，好让两位女士有个不受干扰的隐蔽之地。起初，伊丽莎白纳闷，沃特森太太为什么听了这个消息闷闷不乐，后来才意识到，沃特森家之所以受穷，都是因为沃特森先生嗜酒如命。他提出到旅客交谊厅去睡，不过是找个喝酒的借口罢了。

那时，天气还很冷！直到过了佛得角群岛[①]，冬天才算真正结束。沃特森太太咳嗽得非常厉害。到开普敦之后，她丈夫终于从醉酒之中清醒过来，他不但感到害怕，而且请来医生。医生看过病人之后，拉着脸连连摇头。

“如果你还想让妻子活命，我建议你马上上岸，不要再航行了。”他说。

可是，伊丽莎白怎么办?

靠着半品脱杜松子酒壮胆儿，沃特森先生没有再往下想这个问题。沃特森太太处于昏迷之中，更管不了那么多。医生下船之后，不到半个小时，他们就带上行李匆匆忙忙离去，丢下伊丽莎白一个人面对漫漫长途的凶险。

如果船长马库斯的想法得逞，伊丽莎白就已经和他们一起上岸了。但是，他没有想到另外三位女乘客中会有人出面干涉。她把那两对夫妇、三位头脑还清醒的先生和船长马库斯召集到一起。

“得让那个姑娘上岸。”奥罗拉号的船长斩钉截铁地说。

“哦，听我说，船长！”奥古斯塔·霍莱迪太太说。“把一个十六岁的姑娘一个人扔在陌生之地，没有人照顾——沃特森夫妇根本不是合适的监护人——于心何安？你要是这么干，我一定报告你的主人，报告船业协会，报告任何我能想起来的人！德拉蒙德小姐必须留在船上。”

霍莱迪太太说这番话的时候，眼睛闪着愤怒的光。别人听了也都嘟囔

①佛得角群岛：大西洋岛国。

着表示同意。马库斯船长明白，他这次被打败了。

“如果这个姑娘留在船上，”他从牙缝里挤出这句话，“决不能和我的船员接触。也不能和任何一位男乘客——不管是结过婚的，还是单身汉，喝醉酒的，还是清醒的——有任何来往。必须把她关在自个儿的舱房里，吃饭也不能出来。”

“就好像她是囚犯？”霍莱迪太太问道，“这样做也太可耻了！她总得呼吸新鲜空气，总得活动活动。”

“如果她想呼吸新鲜空气，可以打开舷窗；想活动，可以原地跳，夫人。我是这条船的主人，我的话就是法律。奥罗拉号不能发生任何淫乱之事。”

就这样，这次漫长航行的最后五个星期，伊丽莎白都是在她那间小小的舱房里度过的。幸亏有霍莱迪太太匆匆忙忙上岸、从开普敦唯一一家英文书店里买来的几本书和杂志陪伴。马库斯船长做出的唯一的让步是，每天晚上天黑之后，霍莱迪太太可以陪伊丽莎白到甲板上转两圈儿。即使这样，他还在后面远远跟着，一看见有水手走过来就大声呵斥，不准靠近。

“就像一条看家狗。”伊丽莎白咯咯咯地笑着说。

尽管处于“监禁”之中，沃特森夫妇下船之后，伊丽莎白又振作起精神。她知道，父亲和默里牧师一定都同意马库斯的做法，所以对船长此举表示理解。而且自己有一方天地，也是件好事。事实上，这间舱房比她家里那间小屋还大。她那间小屋，除了上床睡觉的时候，父亲不准许她随便进去。踮起脚尖儿，她能看见舷窗外面一望无际、波涛汹涌的大海。夜晚在甲板上散步的时候，听得见船头破浪发出的哗哗啦啦的响声。

霍莱迪太太是一位自由民的遗孀。丈夫生前在悉尼开了个专卖店，发了点小财。不管是锻带还是纽扣，紧身胸衣的饰带还是鲸鱼骨装饰物，长袜还是手套，悉尼人都愿意去霍莱迪的服饰用品商店买。

“瓦尔特死后，我巴不得立刻回家。”她对伊丽莎白说，叹了口气，“可是家已经不再是我期望中的那个样子。说来真怪，这些年，我一直梦寐以求的原来只是想象中虚构的事物。尽管自己浑然不觉，实际上我已经变成澳大利亚人。伍尔弗汉普顿[①]烟囱林立，到处是堆积如山的矿渣。你能相信吗？我有时候竟然听不懂他们说的话。在英国，我想念儿女，想念孙儿孙女，想念那个地方。我们都希望，就像上帝按照他的样子创造人类一样，英国能按照自己的样子创造澳大利亚。但是它并没有做到这一点。澳大利亚是一块全然不同的土地。”

“新南威尔士呢？也是陌生之地吗？”伊丽莎白问。

“严格地说，是。但是这块大陆被叫作澳大利亚已经很长时间了。不管他们是维多利亚人还是新南威尔士人，或者昆士兰人，大家都管自己叫澳大利亚人。我的孩子们当然也都是澳大利亚人。”

她们谈话的时候，经常提到亚历山大·金罗斯。可惜霍莱迪太太对他一无所知。

“我离开悉尼已经四年了。也许他是我不在期间来的。此外，如果他是单身汉，也不会在社交场合出现，只有同事认识他。不过，我敢担保，”霍莱迪太太继续和颜悦色地说，“他一定是个无可挑剔的人。否则，他怎么会从老家找个堂妹结婚呢？无赖恶棍是不想结婚的，亲爱的。尤其在金矿。”她撇了撇嘴，抽了抽鼻子，“金矿是个藏污纳垢之地，不规矩的女人多的是。”她颇为优雅地咳嗽了几声，“但愿，伊丽莎白，你对婚姻的责任不是一无所知。”

“哦，知道，”伊丽莎白平静地说，“我的嫂子玛丽告诉过我。”

一艘轮船把奥罗拉号拖进杰克逊港。船长马库斯特别讨厌那位领航员，只顾看着他生闷气，没有注意到霍莱迪太太已经把伊丽莎白从“禁闭室”领出来，把她带上甲板，以东道主的骄傲，指点着眼前的景物。这位贤惠的妇人称其为“世界上最壮丽的港口”。

是的，伊丽莎白心里想，这座港口确实很壮丽。她出神地凝视着雄伟

①伍尔弗汉普顿：英国英格兰中西部城市。

的、橘红色的山崖。山崖上覆盖着茂密的、蓝灰色的森林。还有满目黄沙的海湾、平缓的山坡，以及越来越多的人类在这里繁衍生息的痕迹。高高的、细细的树木被一排排房屋代替，尽管有的海滩上，树木仍然环绕着气度不凡的府邸。对于这几座豪宅的主人，霍莱迪太太都会用简洁的语言评论一番，评论的内容从诽谤到谴责，不一而足。空气潮湿，阳光灼热，让人难以忍受。在这座“壮丽港口”的美景之上却弥漫着难闻的臭气。伊丽莎白注意到，港口里的水很脏，碎石遍布，现出一片棕黄色。

“三月份来这儿，时间不对，”霍莱迪太太俯身在栏杆上说，“潮湿闷热。二月和三月，我们都盼望从海洋上刮来猛烈的南风。这股南风会让一切都凉爽下来。你是不是觉得这味儿受不了？伊丽莎白。”

“太难闻了。”伊丽莎白说，脸色苍白。

“下水道流出来的污水。”霍莱迪太太说，“这里居住着大约十七万人，排出来的污水都流入港湾，害得港口比污水坑强不了多少。我想，政府打算做点儿什么，但是多会儿做，大家只能猜测。这是我儿子本杰明说的。他在市政厅工作。淡水也很困难。虽然一先令一桶水的时代过去了，但是水仍然很贵。除了少数几个富豪供应充足之外，别人都滴水贵如油。”她哼了哼鼻子，轻蔑地说：“约翰·罗伯逊和亨利·帕克斯不受苦。”

这时候，船长马库斯怒吼着走了过来。

“回你的舱房里去，德拉蒙德小姐！马上回去！”

伊丽莎白只好回到舱房，奥罗拉号被轮船拖着，向停泊处驶去。她只能透过舷窗，看林立的桅杆，只能听见人们的叫喊声和引擎的轧轧声。

大约过了好几个小时，耳边响起一阵敲门声。她连忙从铺位上跳下来，心咚咚地跳着。原来是负责安排乘客伙食的管理员伯金斯。

“你的箱子已经搬到岸上了，小姐。你也该上岸了。”

“霍莱迪太太呢？”她问道，跟着伯金斯走进一片混乱之中。绞盘吱吱扭扭地响着，把装在绳网里的大板条箱放到岸上。穿法兰绒衬衫的、脸膛红润的男人，打着口哨、满脸讥笑的水手熙熙攘攘。

"哦，她早就上岸了。临走前，让我把这个交给你。"伯金斯在背心口袋里摸索着，掏出一张小卡片递给她。"如果你需要她的帮助，可以按这个地址找到她。"

她走下跳板，走过码头上一堆堆板条箱之间肮脏的木板。她的箱子在哪儿呢？

伊丽莎白在一座摇摇欲坠的棚屋的墙角找到箱子。那儿相对而言安静一点，她便在一个箱子上坐下，钱包放在膝盖上，双手交叉，放在钱包上。该上哪儿去呢？该做什么呢？她穿着家里做的裙子，心想，如果亚历山大·金罗斯看见德拉蒙德家的格子呢，一定会一眼就认出她。这条毛哔叽裙子很不合时令。事实上，她已经热得头昏眼花，没怎么想箱子里装的衣服是不是适合这里的气候。汗水顺着面颊流下，顺着和毛哔叽裙子相配的帽子里的头发根儿流下，一直流到脊背上，渗透白棉布内衣，浸湿德拉蒙德家的格子呢。

经过汗水中的等待之后，她一眼认出了他。这得归功于迈克塔维斯小姐先前对她描绘了亚历山大的行为举止。卸下来的货物之间有一条小路，她坐在箱子上，顺着那条小路望去，看见一个男人昂首挺胸地走来，就像他拥有整个世界。他个子很高，很瘦。伊丽莎白看惯了穿法兰绒工作服、头戴帽子的男人，或者穿艳丽的苏格兰打褶短裙的男人，或者穿浆得挺括的衬衫、颜色暗淡的礼服、头戴礼帽的男人，她觉得亚历山大身上的衣服很怪。他穿一条用浅黄褐色皮革制作的质地柔软的裤子，没有浆过的衬衫，脖子上系一条领带，外套和裤子的皮革一样，敞着怀，长长的手指露在袖口外面。头戴一顶浅黄褐色软帽，帽顶不高，帽檐很宽。帽子下面是一张瘦瘦的、晒黑了的脸。他满头黑发，发卷长及肩膀，几根银丝隐约可见。黑色的胡子和唇髭比头发的颜色浅，经过精心修剪，和魔鬼的胡子毫无二致。

她站起身。这时候，他才注意到她。

"伊丽莎白？"他问，伸出一只手。

她没有握那只手。“你知道我不是琼？”

“你明明不是，我怎么会认为你是琼呢？”

“可是，你……你写信要娶的是……是琼。”她结结巴巴地说，不敢看他那张脸。

“你父亲写信说，要把你嫁给我。是你还是琼并不重要。”亚历山大·金罗斯说，回转身朝站在后面的那个人打了个手势。“把她的箱子放到车上，萨默斯。我带她坐出租马车到旅馆。”然后转过脸对她说，“要不是我的炸药碰巧也在这条船上，我就会早一点来接你。我得赶快办好货物出港手续，在那些胆大妄为之徒捷足先登之前，把货平平安安运走。走吧。”

他一只手托着伊丽莎白的胳膊肘，领她走过那条货物的“长廊”，走上一条看起来非常宽阔的大街。这条大街既像个车站又像条通道，散乱地放着货物，拥挤着一群人。那些人正用鹤嘴锄刨似乎木头铺设的路面。

“他们在铺一条通往码头的铁路。”亚历山大·金罗斯边说边把她推上一辆出租马车，刚在她身边坐下，又说，“你很热吧？这也难怪，穿了那么多衣服。”

她鼓足勇气，转过头端详他那张脸。迈克塔维斯小姐说得没错儿，他谈不上英俊，不过五官还算端正。他长得既不像德拉蒙德家族又不像默里家族。很难相信他是她的第一代堂兄。但是，让伊丽莎白不寒而栗的是，他竟然那么像魔鬼。不但胡子和唇髭像，眉毛也像——黑玉色，形如剑。一双乌黑的眼睛深陷在黑色的睫毛里，那么黑，她几乎分不清瞳孔和虹膜。

他也打量着她，不过显得有几分冷漠。“我以为你和琼一样，也是金发碧眼白皮肤呢。”他说。

“我像默里家的人。”

亚历山大脸上露出一丝微笑。正如迈克塔维斯小姐所说，他的微笑很有魅力，可是伊丽莎白不为所动。“我也是，伊丽莎白。”他伸出一只手，托着她的下巴，把她的脸转到明亮的阳光下。“可是你的眼睛非常特别。颜色很深，但不是棕色，也不是黑色。深蓝色。这很好！这就意味着，我们的儿子比我们像苏格兰人的几率更高。”

他的触摸让她很不舒服，他还腆着脸说什么“我们的儿子”，更让她心里不得劲儿。于是，一旦觉得他不会生气，她便把脸从他手指间转开，凝视着膝盖上的钱包。

出租马车的马拉着车，离开码头，吃力地走上山坡，走进一座真正意义上的大城市。对于伊丽莎白那双没有经验的眼睛，这座城市像爱丁堡一样繁忙。马拉四轮客车、单座两轮马车、轻便双轮马车、出租马车、大车、运货马车、四轮马车、公共马车拥挤在狭窄的马路上。马路两边起初是普通的房屋，渐渐出现了一些商店。商店都搭着遮阳篷。遮阳篷伸向人行道，平添了一种异国风情。行人从大街上走过的时候，看不见橱窗里摆的东西，这倒是个缺陷。

“遮阳篷，”他说，仿佛一眼看透她的心思——这可是魔鬼的又一个特征——“可以让买东西的人下雨时不至于淋湿，太阳暴晒时有片阴凉。”

伊丽莎白没有答话。

离开码头二十分钟后，出租马车拐进一条更为宽阔的大街。大街一侧远处有一座杂乱无序的公园。公园里的草似乎都已经枯死。大街中间有两根铁轨。马拉公共马车在这里以有轨列车的面目出现在人们眼前。车夫把马车赶到一座高大的黄色砂岩建筑物前面。建筑物入口处环绕着几根陶立克式柱子[①]。一个身穿漂亮制服的男人扶她走下马车。他十分恭敬地朝亚历山大鞠躬。亚历山大往他手里塞了一枚金币之后，他越发毕恭毕敬。

旅馆令人难以置信的豪华。漂亮的楼梯给人印象非常深刻，红色长毛绒帷幔随处可见。大花瓶里插着鲜艳的红花。画框、桌子和家具底座金光闪闪。巨大的水晶枝形吊灯蜡烛照射出明亮的光。身穿制服的侍者把她的箱子提走，亚历山大没有领她走楼梯，而是向一个镶着铜花边的、巨大的、宛如鸟笼子的东西走去。另外一个穿制服、戴手套的侍者正在“笼子”口

---

①陶立克式：纯朴、古老的希腊建筑风格。

等他们。她和亚历山大，还有那位侍者刚刚进去，“笼子”就摇晃了一下，颤动着向上升去。伊丽莎白既害怕又好奇，低头看着留在下面越来越远的大堂、楼层的“截面图”、红色的走廊。“鸟笼子”吱吱扭扭响着继续上升。四楼、五楼、六楼，直到颤动着终于停下，让他们出去。

“你见过升降机吗？伊丽莎白。”亚历山大问，听声音，他显得很开心。

“升降机？”

“在加利福尼亚，也叫电梯。是根据水力学原理——水压，制造的。升降机是非常先进的东西。在悉尼，只有这家旅馆有。不过，那些越盖越高的商业大楼很快就会都装上这玩意儿。这样一来，住在里面的人就用不着爬几百级楼梯了。我喜欢住这家旅馆就是因为它有升降机。住在最高层最好，不但空气新鲜，景色优美，而且特别安静。”他掏出钥匙，打开一扇房门。“这是你的房间，伊丽莎白。”他从怀里掏出一块金表，看了一眼，指了指大理石壁炉台上放着的那个滴答作响的表，说，“女仆一会儿就来帮你取出箱子里的东西。八点钟以前，你可以洗澡，休息，换衣服准备吃晚饭。记住，穿晚礼服。”

说完之后，他就消失在走廊里。

她觉得膝盖发软，不过不是因为亚历山大的微笑，而是因为那么奢华的房间！屋子里的摆设都是淡绿色。一张宽大的有四根帷柱的床，一张桌子，几把椅子，一张窄小的卧榻和沙发之间还有一个十字架。两扇法国式的门通向阳台。哦，他说得没错儿！眼前的景色简直太美了！她长这么大，还没有上过比二层楼更高的地方。如果她能站在这么高的地方看莱文湖和金锣斯城，那该多好。整个悉尼东部尽收眼底：炮艇停泊在港湾里，许多排房屋，远山、前滩都覆盖着郁郁葱葱的树木，从高处望去，真是世界上最壮丽的港口。可是新鲜空气在哪儿呢？伊丽莎白敏感的鼻子并没有闻见让人神清气爽的气味，只有恶臭扑鼻而来。

女仆敲敲门，端着一个托盘走了进来。托盘里放着几个小三明治和几块蛋糕。

“先洗澡吧，德拉蒙德小姐。等你洗完，这层楼的大管家就烧好茶了。”女仆说，显得气度不凡。

伊丽莎白发现床那边那扇门和一间很大的浴室相通，浴室那边还有一个女仆称之为化妆室的房间，里面摆着好几面镜子、好几个橱柜和衣柜。

亚历山大一定对女仆解释过，这一切对他的未婚妻都很陌生。女仆面无表情，领她走进浴室，告诉她如何使用抽水马桶，还把她拉到浴盆里，帮她洗头发。好像对裸体女人她早已司空见惯。

伊丽莎白后来一边喝茶一边在心里琢磨亚历山大·金罗斯这个人。她认识到，偶然事件、流言蜚语、愚昧无知和偶像崇拜形成的印象实在靠不住。默里牧师故意在孩子们学习《圣经》的屋子里挂了一幅魔鬼的半身像，而这幅画像和亚历山大·金罗斯恰巧非常相像。这可真是他的不幸。默里牧师挂这幅画像的目的是吓唬会众中的孩子们，而且如愿以偿。“魔鬼”嘴唇很薄，嘴角挂着一丝冷笑，眼珠很黑，勾勒得十分流畅的线条和绰绰黑影都透露着敌意。和那个魔鬼相比，亚历山大·金罗斯只是缺两只角自己。

常识告诉伊丽莎白，这纯属巧合。但是，与其说她是个成年女子，不如说她还是个孩子。就这样，亚历山大带着一种对于伊丽莎白来说难以克服的心理障碍，走进她的生活。她从一开始就极力排斥他，一想到要和他结婚，就不寒而栗。很快吗？啊，千万不要现在就结！

我怎么能看着这双魔鬼的眼睛，告诉它们的主人，他不是我想嫁的男人？她问自己。玛丽对我说过，新婚之夜会发生什么事情，尽管我已经知道，那事儿对于女人没有快乐可言。离家的时候，默里牧师清楚地告诉我，女人如果喜欢干那事儿就和妓女没有两样。上帝只让丈夫快乐，女人是诱惑和邪恶之源。因此，男人如果沉湎于声色口腹之乐，就应该责备女人。诱惑亚当的是夏娃。夏娃和毒蛇勾结，毒蛇就是化了装的魔鬼。所以，女人的快乐都在孩子身上。玛丽对她说，明智的妻子应该把新婚之夜发生的事情和丈夫这个人分开，在别的事情上，他是她的朋友。可是，我无法想象亚历山大会成为我的朋友！看到他，我比看到默里牧师还害怕。

迈克塔维斯小姐说，撑裙箍现在已经不流行了，但是裙子还是宽松的时髦。这种裙子里面有一层一层衬裙。伊丽莎白的衬裙异乎寻常地难看。都是用没有漂白、也没有装饰的棉布做成。只有晚礼服是迈克塔维斯小姐亲手设计的，但是，即使这件，伊丽莎白也能感觉到，女仆帮她穿的时候很不以为然。

幸亏靠煤气灯照明的走廊光线昏暗，亚历山大凝视的目光从她身上滑过，点了点头，显然表示赞许。今天晚上，他系白领结，穿燕尾服。这种男人的时尚她只在杂志图片上见过。如果有什么区别的话，黑白两色只是增加了他的冷酷，不过她还是把手放在他的胳膊上，让他领自己走进正等他们的升降机。

走进大厅，她便越发明白，苏格兰的乡村生活和迈克塔维斯小姐的局限性有多么大。看见那些挽着男人们的胳膊在大厅里走来走去的女人，深蓝色塔夫绸长裙给她带来的骄傲荡然无存。她们裸露着手臂和肩膀，绸袍蓬松的褶边和缎带上的装饰各不相同。一个个杨柳细腰，裙子收在后面高高隆起，层层叠叠的褶边瀑布般流泻下来，拖在身后，扫过地板。与之相配的手套超过胳膊肘子。发髻高高地盘在头顶，半裸的胸口宝石项链闪闪发光。

两个人走进餐厅的时候，屋子里静了下来。人们都回过头，用审视的目光看着他们。男人们满脸严肃地朝亚历山大点点头，女人们怀着几分得意注视着他们，然后开始窃窃私语。一个神气活现的侍者把他们领到一张桌子跟前。桌子旁边已经坐着两个人。一个身穿她后来才知道叫作“晚礼服”的年长的男人和一个年纪大约四十岁的女人。女人的长袍和珠宝首饰都非常华贵。男人站起身鞠了一躬，女人坐在那儿一动不动，脸上挂着一丝凝固了的微笑，不笑的时候便又变得高深莫测。

“伊丽莎白，这位是查尔斯·丢伊和他的妻子，康斯坦斯。”亚历山大说。伊丽莎白在椅子上坐下，侍者退了下去。

“亲爱的，你真可爱。”丢伊先生说。

“是可爱。”丢伊太太随声附和。

“明天下午我们结婚的时候，查尔斯和康斯坦斯做我们的证婚人。”亚历山大一边说，一边拿起菜单。“你有什么特别想吃的东西吗？伊丽莎白。”

“没有，先生。”她说。

“应该叫亚历山大。”他轻声纠正。

“没有，亚历山大。”

“因为我太了解你在家里吃什么了，我们就简单点儿吧。霍金斯，”他对那位在旁边走来走去的侍者说，“浇汁鲆鱼，一份果汁冰糕，一份烤牛肉。德拉蒙德小姐那份要煮得透一点，我那份嫩一点。”

“这儿的水里没有鳎鱼，”丢伊太太说，“我们就只能用鲆鱼来做。不过，你应该尝尝牡蛎。我冒昧地说一句，那可是世界上最好的牡蛎。”

“亚历山大干吗要娶这个孩子当老婆呢？”升降机刚把他们送上五楼，康斯坦斯·丢伊就问她的丈夫。

查尔斯·丢伊扬了扬眉毛，咧嘴笑了笑：“亚历山大这个人你还不知道？亲爱的。他是为了解决自己的问题。对茹贝，他会一如既往，与此同时，再娶个小得由他摆布的妻子。他单身的时间太长了。如果不赶快生儿育女，就没时间培养他们治理一个‘帝国’了。”

“可怜的小东西！她的口音那么重，说的话我连一句也听不懂。还有那件裙子，简直糟透了。是的，我太了解亚历山大了。他喜欢花枝招展、而不是穿戴寒酸的女人。你瞧茹贝。”

“我知道，康斯坦斯，我知道！不过，我敢担保，那只是他作为旁观者，过过眼瘾罢了。”查尔斯说。他和妻子的关系一直很好，而且说起话来不无幽默之感。“可是，只要稍加改造，小伊丽莎白就会是个引人注目的美人儿。难道你怀疑亚历山大会把她改造一番吗？我可不怀疑。”

“她怕他。”康斯坦斯非常肯定地说。

“哦，这也是意料之中的事情，难道不是吗？在这座邪恶的城市，恐怕没有一个十六岁的姑娘像伊丽莎白这么单纯。我想，这也正是他娶她为妻的原因。他可以和茹贝或者别的女人寻欢作乐，但是谈婚论嫁的时候，就非清白的姑娘不娶了。他骨子里还是个苏格兰长老会教徒，尽管他一直宣称自己是无神论者。从约翰·诺克斯[①]起，这个教会丝毫没有改变。”

第二天下午五点，他们按照长老会的仪式举行了婚礼。连丢伊太太也忍不住对伊丽莎白的结婚礼服说三道四，非常普通，领子高到喉咙，袖子长到手腕，唯一的装饰就是前面从领口到腰的纽扣。绸子沙沙沙地响着，看不见白棉布遮挡的腿。白便鞋突现出脚踝，查尔斯·丢伊由此推断，她的腿一定修长、好看。

新娘很沉着，新郎也很冷静。他们用坚定的声音宣誓。宣布结为夫妻之后，亚历山大撩起伊丽莎白的面纱，吻了她一下。尽管在丢伊夫妇看来，这种爱意的表达无伤大雅，亚历山大却感觉到她颤抖了一下，而且向后缩了缩。不过这一刻很快就过去了。丢伊夫妇在教堂外面向他们表示热烈的祝贺之后，新婚夫妇和两位证婚人便各奔东西。丢伊夫妇回家——一个叫丹利的地方。金罗斯先生和金罗斯太太回旅馆吃饭。

这一次，他们俩走进餐厅的时候，正在吃饭的人们都鼓起掌来。因为伊丽莎白还穿着结婚礼服。她满脸通红，一双眼睛盯着地毯。他们那张桌子的花瓶里插着一束白花。是菊花和毛茸寒的雏菊。落座之后，为了少一点尴尬，伊丽莎白没话找话地夸起那束鲜花。

---

①约翰·诺克斯（1514？—1572）：苏格兰宗教改革家和史学家，创立苏格兰长老会（1560年），与他人合写的《苏格兰教会信仰声明》被定为苏格兰国教纲领，著有《苏格兰宗教改革史》。

“这是秋天的花。”亚历山大对她说，“这儿的季节和苏格兰正好相反。来，喝一杯香槟。你得学会喝酒。不管苏格兰教会教了你什么，我都得告诉你，就连耶稣基督和他的女人也喝酒。”

那枚朴素的结婚金戒指已经让她觉得手指发烫，而同一个手指戴着的那枚钻戒更让她觉得火烧火燎。那是一枚独粒宝石，足有小硬币那么大。这枚钻戒是中午吃饭时亚历山大给她的。那一刻，她不知道一双眼睛该往哪儿看。最不想看的或许就是他拿出来的那个小盒子。

“你不喜欢钻石？”他问道。

“哦，喜欢，喜欢！”她慌乱地说，“可是，这合适吗？太……太引人注目了。”

他皱了皱眉头：“戴钻戒是我们的传统。我妻子的钻戒必须符合她的身份。”他说，身子探到桌子那边，拿起她的左手，把戒指套到她的无名指上。“我知道，这一切对你一定非常陌生，伊丽莎白。但是，作为我的妻子，你一定要戴最好的，拥有最好的。永远这样。我知道，我寄过去的钱，詹姆斯叔叔只给了你一点点。这本来是预料之内的事情，”他苦笑着说，“一枚小钱也要掰成两半儿花。这就是詹姆斯叔叔。可是那种日子已经一去不复返了。”他继续说，把她那只手握在自己一双手里，轻轻抚摸着，“从今天起，你就是金罗斯太太了。”

也许她眼睛里的神情让他犹豫了一下。他突然停止抚摸，不像平常那样利利索索，而是笨手笨脚地站起身来：“我去抽支雪茄烟。”他边说边向阳台走去，“我喜欢饭后抽支烟。”

这个话题到此为止。伊丽莎白和他再次见面便是在教堂。

现在她已经是他的妻子，得陪他吃饭，尽管她并不想吃。

“我一点儿也不饿。”她轻声说。

“好的，我能想象得到。霍金斯，给金罗斯太太来一份牛肉清汤，一份开胃菜。”

在餐厅里剩下的时间，他们一直紧锁心灵的大门。这扇大门她再也没能开启。以后，她将明白，她的疑惑、焦虑和惊慌都是因为事情发展太快造成的。那么多从未有过的感觉和体验一下子交织在一起。这种心境的基础不是对新婚之夜的恐惧，而是要和她不爱的人过一辈子。

“那事儿”（用玛丽的话说）将在她的床上发生。她刚换上睡袍，女仆刚刚离开，屋子那边一扇门便打开了。丈夫穿着一件绣花真丝睡袍走了进来。

“和你一块儿睡。”他微笑着说，然后转了一圈儿，关了煤气灯所有的开关。

好多了，这样一来好多了！黑暗之中她看不见他。看不见他，干“那事儿”的时候就不会有被玷污的感觉。

他坐在床边，侧着身子凝视她。他显然能穿透黑暗看见她。她内心深处拼命的抵御正在减弱。他看起来那么放松，那么镇定。

“你知道要发生什么事情吗？”他问道。

“知道，亚历山大。”

“一开始有点儿疼，不过以后，我希望你能学会享受这种快乐。那个可恶的老头默里还是牧师吗？”

“是！”她气喘吁吁地说。亚历山大对默里牧师这种不恭敬吓了她一跳。好像默里牧师才是魔鬼。

“人类的苦难更应该由他这种人负责，而不该由那些品行端正的、诚实的、不信上帝的中国人负责。”

黑暗中传来一阵丝绸睡袍发出的沙沙声，他已经爬到床上，钻进被窝，把她搂在怀里。“我们睡在这儿，不只是为了生孩子，伊丽莎白。我们现在做的一切都是婚姻赋予的神圣使命。这是爱的行为——爱情的行为。不只是皮肉的快乐，而是思想，甚至是灵魂的结合。没有什么你不可以、不应该接受的。”

发现他浑身赤裸，她尽可能把手收回到自己身边。她不让他脱她的睡袍。他只好耸耸肩，扯着袍边儿撩起睡袍，一双大手抚摸她的大腿和腰，直到身体发生的变化让他爬到她身上，硬邦邦地顶入。她疼得直流眼泪，但是和父亲的皮鞭棍棒以及跌打损伤相比，这点疼痛算不了什么。一切很快就结束了。正像玛丽说的那样，他浑身颤动，仿佛吞咽着什么，退了出来，但是并没有从床上退下。他还躺在那儿，又干了两次“那事儿”。他没有吻她，离开的时候，只是用嘴唇轻轻地碰了一下她的嘴唇。

“晚安，伊丽莎白。头开得不错。”

这也算是一种慰藉，她心里想，睡意朦胧。他口气清新，身体清洁，没让人觉得像个魔鬼。如果“那事儿”仅止于此，不更可怕的话，她相信，她不但能生存下去，而且很有可能喜欢上他希望她在新南威尔士过的生活。

以后的几天里，他一直和她在一起，给她挑选女仆，亲自找店铺给她定做服装、帽子、鞋、袜子，帮她挑选头饰。他给她买的贴身内衣裤那么漂亮，把她看得连气也喘不过来。还有香水、护肤液、扇子、钱包、一把可以和每套服装都配套的阳伞。

她觉得，尽管他认为自己很体贴，事无巨细考虑得都很周到，实际上，什么事情都是他说了算——两个女仆应该选谁，她应该穿什么衣服、什么颜色、什么款式，都由他决定。香水是他喜欢的牌子，珠宝首饰更是他的钟爱之物。她不知道“独裁者”这个词，于是就用她知道的“暴君”这个词来形容他。在这些问题上，父亲和默里牧师都是“暴君”，尽管亚历山大的专横更为隐蔽，包裹着一层恭维、赞美的“天鹅绒”。

经过那个令人惊讶、尚可忍受的新婚之夜，第二天早晨吃早饭的时候，她试图多了解一点亚历山大。

“亚历山大，我只知道你十五岁的时候离开金罗斯，到格拉斯哥锅炉制造厂当学徒；知道迈克格雷戈先生认为你非常聪明；知道你在新南威尔士金矿发了点小财。可是，你的经历一定很多。请你讲给我听听。”她说。

他笑了起来，笑声很有吸引力，听起来很真诚。“我应该知道，许多事情他们一定闭口不谈，”他说，眼睛亮光闪闪，“比方说，我敢打赌，他们从来没有对你说过，我曾经把默里老头打翻在地。他们说过吗？”

“没有！”

“哦，是的。把他的下巴颏都打破了。我从来没有那么高兴过。那时候，他刚从罗伯特·迈克格雷戈先生手里接收牧师的住宅。迈克格雷戈先生是位受过教育的、有文化、有教养的人。你一定要说，我之所以离开金罗斯，是因为显然不能待在一座由约翰·默里之流领导的平庸之辈居住的城市。”

“如果你打破了默里牧师的下巴颏，他们就更不会说了。”她说，心里暗自高兴，尽管不无歉疚。毫无疑问，她不能同意亚历山大对默里牧师的看法，但是她也想起，默里先生曾经多少次把她搞得可怜巴巴、无地自容。

“大致情况就是你说的那些。”他说，挺了挺胸。“我在格拉斯哥待了几年，然后坐船到了美国，又从加利福尼亚到了悉尼，在采金区发了比‘小财’更大的财。”

“我们在悉尼生活吗？”

“不，伊丽莎白。我有自己的城，金罗斯。我在金罗斯山顶特意为你建造了一幢新房子。你就住在那儿。从那儿看不见天启。那儿就是我的矿井。”

“天启？什么意思？”

“‘天启’是一个希腊词，指可怕的、巨大的灾难，就像世界末日。对于一座经常地动山摇的矿山来说，还有比天启更恰当的名字吗？”

“你的城离悉尼远吗？”

“在澳大利亚不算远，当然实际上也够远的了。在金罗斯，我们可以乘火车，我是说铁路，走一百英里，然后就得坐马车。”

“金罗斯有苏格兰教堂吗？”

他扬了扬下巴，那缕山羊胡子看起来显得更尖。“有一个英格兰教堂，伊丽莎白。在我的城里，不会有苏格兰长老会教区牧师的。罗马天主教徒或者再洗礼派教徒[1]抢占这个地盘儿的时间比他们早得多。”

她突然觉得嘴巴发干，噎了一下。“你为什么穿这种稀奇古怪的衣服呢？”她问道，想改变这个令人不快的话题。

“这已经成了我的癖好。穿上这身行头，谁都以为我是美国人。自从这儿发现黄金，成千上万的美国人蜂拥而至。不过，我之所以穿这身衣服，真正的原因是它的质地非常柔软、舒适，不会擦痛你的皮肤，清洗起来也很方便。因为是用小羚羊皮做的。穿上还很凉快。尽管看起来像美国货，实际上我是在波斯做的。”

“你还去过波斯？”

“和我同名的那位著名人物去过的地方我都去过。他做梦也没想到他去过的地方我也去过。”

“和你同名的著名人物？他是谁？”

“亚历山大……大帝，”他补充道，脸上一片茫然，“马其顿国王，他那个时代举世闻名。当然已经是两千多年前的事了。”他好像突然想起什么，向前俯了俯身子。“你能写会算吧？伊丽莎白。真希望你能。你会签名，可是仅限于此吗？”

“我看书一点儿问题也没有，”她说，心里不大高兴，“只是手头没有历史书罢了。我还学过写字，可惜没有机会练习。父亲家没纸。”

“我给你买习字帖。你可以照着描上面的字母，直到你觉得写起来得心应手。还给你买好多好多纸、钢笔、墨水。你要是愿意的话，还买颜料、速写本。大多数夫人、小姐都喜欢画水彩画儿。”

“我可不是夫人、小姐胚子。”她说，尽量鼓起勇气，保持自己的尊严。他明亮的目光又闪了闪。“你刺绣吗？”

“我会缝衣服，但是不刺绣。”

---

①再洗礼派教徒：16世纪宗教改革激进运动的成员，相信《圣经》的权威性，洗礼是对教徒内心信仰个人契约的外部证明，相信政教分离、信徒和非信徒分离。

这天早晨晚些时候，她心里想，他怎么能那么轻而易举地就将话题转来转去呢？

“我想，我最终会喜欢我的丈夫。”她在悉尼待了两个星期之后，对奥古斯塔·哈利黛吐露了心中的秘密，“但是，恐怕永远也不会爱上他。”

“现在说这话为时过早。”哈利黛太太安慰她，一双精明的眼睛凝视着伊丽莎白那张脸。这张脸发生了很大的变化，孩子气已经荡然无存。浓密的黑发很时髦地盘在头顶。下午穿的铁锈红丝绸长裙后面垫着衬垫，手上戴着最好的小山羊皮做的手套，帽子也特别漂亮。把她打扮成这个样子的人不管是谁，都很聪明，因为他单单留下她那张脸未加“雕琢”。她还是个年轻姑娘，根本用不着化妆。悉尼的太阳在她面前似乎失去了力量，没有给她那张又白又嫩的脸留下一点儿粉红或者浅褐色。她脖子上戴着非常漂亮的珍珠项链，耳朵上戴着珍珠耳坠。她从左手取下手套的时候，哈利黛太太不由得睁大一双眼睛。

“啊，天哪！”她惊呼起来。

“哦，这枚让人很不舒服的钻戒，”伊丽莎白叹了一口气说，“说实话，我打心眼儿里讨厌它。你知道吗？这只手套是为戴这枚钻戒特意定做的。亚历山大坚持右手那只手套的无名指也做成这个样子。真怕他给我一枚大钻戒。”“你一定是个不食人间烟火的圣徒。”哈利黛太太冷冷地说，“我相信，任何一个女人看见连你这枚钻石一半大也不如的宝石都会高兴得发疯。”

“我喜欢我这串珍珠项链，哈利黛太太。”

“我想也是这样！维多利亚女王的首饰也不会让你动心。”

可是，伊丽莎白坐着四匹高头大马拉的非常舒适的轻便马车离开之后，奥古斯塔·哈利黛嘤嘤啜泣起来。可怜的姑娘！一条出水的鱼。她生性既不贪恋又没有野心，却被推进一个财富的世界，被奢华所累。如果她还待在苏格兰，毫无疑问，会继续照看父亲，直到变成一个老姑娘。即使没有田园牧歌式的欢乐，至少会安于命运的摆布。不过，至少她觉得她会喜欢上亚历山大·金罗斯，这一点倒也令人欣慰。哈利黛太太同意伊丽莎白的看法，她也觉得伊丽莎白不会爱上她的丈夫。他们之间的距离太大了，性格太不一样了。很难相信他们是亲堂兄妹。

到伊丽莎白坐着四匹马拉的轻便马车来看她的时候，哈利黛太太对亚历山大·金罗斯的情况已经有了不少了解。在殖民地，他是最富有的人。因为和大多数开金矿的人不同，他对冲积层河床每一粒泥土都不肯放过，总是经过仔细研究，然后找出矿脉。他一个口袋里装着政府，另一个口袋里装着法院。因此当别人为种种纠葛所困扰的时候，亚历山大·金罗斯总能处变不惊，应付自如。不过，尽管在悉尼的时候，他出入于社交场合，实际上并不是长于社交的人。需要打交道的时候，他就去办公室和当事人直截了当地谈事儿，而不是请他们喝酒、吃饭。有时候他应邀到市政府或者到沃特森湾参加宴会，但是从来不为娱乐去跳舞或者参加黄昏时的聚会。因此舆论一致认为，他热衷于权力之争，而不在乎别人的看法。

伊丽莎白发现，查尔斯·丢伊是天启公司一位不太重要的合伙人。“开采金矿前，他是当地一位‘牧场借用者’，方圆两百英里的牧场都由他经营。”亚历山大说。

“‘牧场借用者’？”

“之所以称这些人为‘牧场借用者’，是因为他们在公有土地上定居，直到最终获得对这块土地的所有权——按照法律，他们可以拥有十分之九的土地。但是国会法令的变数也很大。我答应把天启公司一成的股份给他，他的态度便软了下来。以后我就不会有什么麻烦了。”

他们终于要离开悉尼了。金罗斯太太没有什么可难过的。现在她有二十四个大箱子，但是没有贴身的女仆。托马斯小姐问了问金罗斯城的具体情况、地理位置，便溜之大吉。不过伊丽莎白并没有因为她的离去而沮丧，她宁愿自己照顾自己。

“没关系。”亚历山大听到这个消息后说。“我让茹贝给你找一个很好的中国女孩儿。现在别下结论，说什么你宁愿不要贴身侍女！梳上两个星期的头，你就知道需要一双不是长在你胳膊上的手来干这件事儿了。”

“茹贝？她是你的管家？”伊丽莎白问。她已经知道，她要去的是一个仆人众多的“大户人家”。

亚历山大哈哈大笑起来，直笑得眼泪顺着面颊流下。“啊……不是。”终于能开口说话的时候，他说，“茹贝，该怎么说呢，她是个特殊人物。用稍有不恭的言词谈论她，就会贬低她。可以说，茹贝是个集尖酸刻薄之大成的语言大师，专门会说讽刺挖苦人的话。她是克娄巴特拉①，但也是阿斯帕齐娅②和美杜莎③，博阿内④和卡特琳·德梅迪西⑤。”

哦！可是，伊丽莎白没有机会把刚开始的谈话继续下去，因为他们已经到达红蕨火车站。那是一个凄凉之地，到处都是破旧的棚屋和交叉的铁轨。

“月台破破烂烂，因为他们一直说要在乔治大街建一座富丽堂皇的车站。不过只是说说罢了。”亚历山大一边说，一边扶她走下马车。

因为晕船，在爱丁堡登上开往伦敦的火车时，她连看看火车是个什么样子的好奇心也没有了。可是今天她怀着一种敬畏和惊讶的心情，凝视着这辆火车。蒸汽缭绕的发动机安装在一组大小车轮之上，大车轮用活塞杆连接着，车头就像一条巨大的、愤怒的狗喘着粗气，高高的烟囱冒着一股烟。这个恶魔般的机器和装满煤的煤水车连在一起。煤水车后面有八节车厢——六节二等车厢，两节一等车厢，还有一节守车（亚历山大的说法），装体

---

①克娄巴特拉：埃及女王（公元前 51–49 和公元前 48–30），因其美貌及魅力而闻名。屋大维在阿克提姆岬（公元前 31）打败了她与马克·安东尼率领的军队。

②阿斯帕齐娅（公元前 470–410）：古希腊的高等妓女和伯里克利的情妇，以其智慧、机智、美貌而著称。

③美杜莎：被柏修斯所杀的蛇发女怪。

④博阿内（1763—1814）：法国皇帝拿破仑一世的皇后。

⑤卡特琳·德梅迪西（1519—1589）：法兰西国王亨利二世王后，弗朗西斯二世，查理九世、亨利三世之母，摄政王（1560—1574），相传为屠杀胡格诺派教徒的圣巴托罗缪惨案（1572）的制造者。

积大的行李、货物。车长也在那儿。

“我知道，火车后面比前面晃得厉害，但是我喜欢把身子探到车窗外面，看火车头跑。”亚历山大说，把她领进一节看起来像是豪华、舒适的会客室的车厢。“就是为了这个原因，他们把两节一等车厢中的一节挂到后面。实际上，这节车厢是总督的专车，但是他不坐的时候，情愿让我来坐。要知道，钱是我花的。”

七点钟，火车准时驶出车站。伊丽莎白一直趴在窗口看外面的景色。悉尼确实很大，火车开了十五分钟，房屋才渐渐变得稀疏。这十五分钟，火车隆隆向前，速度快得惊人。有时候，站台一闪而过，表明一座小镇被甩到身后——斯特拉斯费尔德、玫瑰山、帕拉马塔。

“火车跑多快？”她问道，喜欢那种风驰电掣、摇摇晃晃的感觉。

“一小时五十英里。如果锅炉烧足了，可以跑六十英里。这是一星期一次的直达列车，到鲍温菲尔斯之前不停。和货车比，轻便得很。但是爬坡的时候，速度会放慢到每小时十八或者二十英里。有的地方，甚至比这还慢。所以，我们得走九个小时。”

“货车都拉什么？”

“去悉尼的时候，拉小麦和别的农产品。在哈特里炼油厂，装运煤油。到鲍温菲尔斯的列车装建筑材料、乡村小店需要的货物、开矿的设备、家具、报纸、书、杂志、第一流的种牛、马和羊，还有到西部地区勘探矿藏，或者到地里找活儿干的人。很难跟这些家伙收车费。但是从来没有运过……”他强调说，“炸药。”

“炸药？”

他的目光从她那张充满活力的脸移到几十个大木头箱子上面。那些箱子放在车厢一个角落，从地板到顶棚码得整整齐齐，每个箱子上面都画着头颅骨和交叉腿骨的图案。

“炸药，”他说，“是开山炸石的新材料。这玩意儿和黄金一样贵重，我必须不离左右。这批炸药是从瑞典买的，经由伦敦海运到这里。就是你坐的那条船奥罗拉号运来的。爆破，”他继续说，声音变得激动起来，“过去是件很危险、结果很难预料的事情。是用黑色火药——你也可以称之为有烟火药——完成的。使用这种火药，很难把握好炸开岩石的时机，更弄不清炸开的岩石会朝哪个方向飞。这事儿我知道。我曾经在许多地方干过装炸药的活儿。可是最近有个瑞典人想出一个非常好的办法，对硝化甘油进行了一番加工，因为硝化甘油本身很不稳定，受到震动容易爆炸。这个瑞典人便将硝化甘油和一种叫做桂藻土的黏土，按一定比例混合到一起，然后装到像蜡烛一样粗细的纸做的炸药筒里。炸药筒如果没有和它的末端紧紧相连的、装满雷酸盐的雷管引爆，就不会爆炸。装炸药的人将一根长长的、易燃的导火索接到雷管上，便可以安全引爆。如果有发电机，可以通过很长的导线，把电流传过去引爆。我很快就要搞一台发电机。”

她脸上的表情惹得他笑了起来。这天早晨，她让他很开心。“你能听懂吗？伊丽莎白。”

“听懂一点儿。”她说，脸上挂着微笑看着他。

他大声喘了一口气。

“这是你第一次对我微笑。”他说。

她满脸通红，望着窗外。

“我到前面看看那几位工程师。”他突然说，打开前面的门消失在车厢那边。

火车行驶过一条很宽的河流上面的大桥，他才回来。前面是连绵不断的高山，形成一道屏障。

“那是奈屏河，”他说，“现在得打开车窗。火车要沿着 Z 字形铁路爬上一道陡峭的山坡。直线距离不到一百英里，就得爬过一千英尺的高度。平均每前进三十英尺就上升一英尺。”

虽然火车的速度已经放得很慢，打开车窗还是会把衣服弄脏。煤烟吹进来，落得到处都是。但是火车爬坡的景象确实很迷人，特别是顺着弯曲的铁路望过去，火车头就在眼前吃力地爬行。黑烟从烟囱大团大团地喷吐而出，和大轮连接的活塞杆推动着它旋转。有时候，车轮在铁轨上滑行，在时断时续喷吐着的烟雾中失去了摩擦力。在Z字形弯道的第一个终点，火车倒退着上下一个山坡。这时候，守车成了“车头”，火车头断后。

“这样来回颠倒几次，火车头又到了前面。”他解释道。“这个Z字形的构想非常聪明，促使政府最后下决心修一条穿越蓝山的铁路。其实蓝山压根儿就不是一座山。我们攀爬的是一片沟壑纵横的高原。高原那头，火车沿另外一条Z字形铁路下‘山’。如果蓝山真是一座山，事情就简单了。铁路线可以穿峡越谷，遇有分水岭就开凿隧道。倘若那样，几十年前就可以开发西部广袤、肥沃的田野了。新南威尔士种什么都难活。澳大利亚别的殖民地也一样。因此，当蓝山终于被征服之后，征服者就不得不摒弃所有那些建立在欧洲基础之上的理论了。”

看起来，我找到了一把打开我丈夫心灵大门的钥匙——如果不是开启灵魂的话，也是通往精神世界的钥匙。他迷恋于机械、发动机、发明，不管谈话对象是谁，都爱大谈特谈，教导你一番。

这里的景色不但引人入胜，而且充满奇异的风情。高原“急转直下”，突然变成几百英尺高的断崖。峡谷里长满稠密的、灰绿色的树木，因为距离遥远闪着蓝幽幽的光。家乡的松树、山毛榉、橡树，以及其他熟悉的树木，在这儿一棵也看不到。但是这些陌生的树木自有其壮美之处。森林一望无际，仅此一点就比家乡的林地更气派。至于居民，她只看见沿铁路线有几座小村庄，通常有一座旅馆或者一幢公寓与之相伴。

“只有土著人能在这里生活。”亚历山大说。一大片林中空地蓦地将一条环绕着陡峭山崖的溪谷推到眼前，那景色真是美不胜收。“我们很快就要经过一条叫克拉舍斯的专用线。这条专用线沿线有许多采石场。那边的谷底是储藏量丰富的煤层。人们都说，不久的将来会开采这座煤矿。可是我觉得把煤从一千英尺的谷底运到地面，成本实在太高了。当然如果能用船把这儿的煤运到悉尼，要比使用拉特沟的煤便宜。把煤通过克拉伦斯Z字形铁路运上去，非常困难。”

突然，他伸出手，在眼前画了一条长长的弧线，仿佛囊括了整个世界。“伊丽莎白，你看！这是大地可以引以为荣的地质结构。山崖是三叠纪[①]早期的砂岩。砂岩下面是二叠纪煤系。煤系下面是泥盆纪和志留纪的花岗岩、页岩、石灰石。北边有些大山的山顶上覆盖着一层薄薄的玄武岩。那是第三纪的火山爆发之后，在三叠纪岩层上冷却之后形成的岩石，现在已经逐渐销蚀掉了。真是妙不可言！”

哦，他对什么都充满热情！我怎样才能过这样一种生活呢？哪怕让我只懂得他学识的万分之一呢！我天生就是个浑噩无知的人。她对自己说。

下午四点，火车到达鲍温菲尔斯。尽管最主要的城市是四十五英里开外的巴瑟斯特，这里却是铁路线的终点。伊丽莎白匆匆忙忙去了一趟站台上的厕所，便被不耐烦的亚历山大推上马车。

“我想今天晚上赶到巴瑟斯特。”他解释道。

八点钟，他们到达巴瑟斯特旅馆，伊丽莎白累得精疲力竭。可是第二天，天刚亮，亚历山大就又把她推上马车，让车队马上出发。哦，又是一天漫长的旅行。她坐的那辆马车打头，亚历山大骑一匹母马，六辆四轮马车装着她的箱子、从莱德尔火车站装运的货物和那些宝贝炸药。亚历山大说，浩浩荡荡的车队能吓跑那些丛林土匪。

“丛林土匪？”她问道。

“就是拦路抢劫的强盗。因为政府无情地清剿，现在所剩无几了。这儿过去是本·霍尔的地盘儿。他是个很有名的丛林大盗。就像他们之中大多数人一样，这家伙已经死了。”

这里的悬崖被形状更为“传统的”山峦代替。这些山和苏格兰的山没有两样，因为许多地方的树木已经被砍伐。可是没有石楠花给荒凉的山岭涂抹秋天的色彩，只有一丛丛稀疏的枯草留下点点棕色。坑坑洼洼的小路

①三叠纪：中生代第一个时期，在古生代的二叠纪元后，中生代的侏罗纪之前。

车辙很深，漫无目的地绕来绕去，避开一块块巨石、小河的河床，突然之间进入溪谷。伊丽莎白一路颠簸，在心里不停地祈祷，金罗斯城不论地处何方，快快出现在眼前吧。

可是，直到日落时分，小路才终于穿过森林，进入开阔地，变成碎石铺成的大路。大路两边出现一座座小木屋和帐篷。如果说，这之前看到的景色全然陌生的话，和金罗斯相比，简直就算不了什么。在她的想象之中，金罗斯应该是苏格兰那个金罗斯。可是眼前这座小城和她熟悉的那个镇子迥然不同。小木屋和帐篷渐渐被更坚固的木房子或者环绕着抹灰篱色墙的房子替代。这些房子的屋顶钉着波纹铁皮，或者苫着用绳子串在一起、绑扎得非常结实的树皮。人们散乱地居住在大路两边。但是有几条小巷显露出一座座木头塔楼、从旁边支撑建筑物的柱子和工棚，那稀奇古怪的样子很难让人猜出派什么用场。她只是觉得丑陋，丑陋，丑陋！

房屋变成店铺。店铺前面都用木头柱子支起遮阳棚。这些遮阳棚一家和一家不同，而且互不相连，搭建的时候根本没有想到相互之间要匀称，要有次序，或者有点美感。店铺的牌子都很粗糙，手工绘画书写，只是告诉大家，这儿是洗衣店，那儿是提供客人膳宿的公寓、饭馆、酒吧、烟店、鞋铺、理发馆、杂货店、诊所、五金商店。

小城有两座红砖建筑，一座是教堂，尖塔高耸，巍然屹立；另外一座是一幢二层楼房。上面一层游廊装饰着漂亮的锻铁“花边”。这种“花边”伊丽莎白在悉尼见过。波纹铁皮做的遮阳棚用铁柱子支撑着，柱子上的锻铁“花边”更加精美。非常雅致的牌子上写着：金罗斯饭店。

放眼望去，周围连一棵树也没有。饭店外面站着一个女人，头发被炽热的阳光映照成一团火。她那副咄咄逼人的样子，浑身散发出来的勇往直前、战无不胜的气势，深深地吸引了伊丽莎白。她伸长脖子看着，直到女人从她视野里消失。一个让人难忘的形象，宛如硬币上女王的头像或者插图里的布罗德西娅。她似乎不无嘲讽地和亚历山大打了个招呼，然后回转身，朝和车队相反的方向凝望着。只是这时，伊丽莎白才注意到，她叼着一支雪茄烟，像一条龙，吞云吐雾。

饭店周围有不少人。男人们穿着破烂的粗棉布裤子、法兰绒衬衫，头戴宽边软帽。女人们穿着洗熨过无数次的棉布裙子，样式至少落后三十年，头上戴着遮阳的草帽。他们之中无疑有许多中国人：脑后留着辫子，脚上穿着黑白两色、古怪而又精巧的鞋，头戴仿佛圆锥形车轮的帽子。无论男人还是女人，都穿着黑色或者深蓝色的裤子和上衣。

车队经过一片空旷之地，那里有许多机器、正在冒烟的烟囱、波纹铁皮盖顶的工棚和一座座木头搭建的架子，然后在一道陡坡下面停了下来。这道陡坡至少有一千英尺高。两根铁轨蜿蜒而上，消失在茂密的树木之中。

“到了，伊丽莎白。”亚历山大说，扶她走下马车。“萨默斯一会儿就把车放下来。”

沿着铁轨，果然下来一辆车，这辆车是木头制作的，有点儿像安了火车轮子的公共马车。车上有四排很简单的木头座椅，每排可以坐六个人。还有用高高的栅栏围起来的装运货物的车厢。但是座椅的角度不同寻常，靠背倾斜，人坐在里面几乎仰面朝天。用横木挡好座椅之后，亚历山大在伊丽莎白身边坐下，让她牢牢抓住扶手。

“抓紧，别害怕，”他说，“我向你保证，掉不出去。”

耳边回荡着种种响声：发动机的轧轧声，震耳欲聋、持续不断的撞击声，金属摩擦发出的尖锐刺耳的声音，传送带旋转时的啪啪声，嘎吱声，碾轧声，叫喊声。高处传来另外一种声音。那是蒸汽发动机的响声。木头车厢先是沿着水平的轨道滑行，然后突然倾斜，向那令人难以置信的陡坡爬行。几乎平躺着的伊丽莎白仿佛变魔术一样，直挺挺地坐了起来。她的心跳到嗓子眼儿里，向下凝视着，金罗斯城尽收眼底，直到越来越浓的暮色完全笼罩了那毫无美感可言的郊区。

“我不想让我的妻子住在下面，”他说，“所以，把房子建在山顶。除了一条蜿蜒曲折的小路，这个车是上山或者下山唯一的交通工具。转过脸，朝上看。看到了吗？车由一条钢丝绳控制，钢丝绳靠绞盘收、放。”

“为什么，”她硬着头皮说，“这个车这么大？”

“矿工们也用它。天启金矿的升降机——支撑绞盘的木头架子——安装在我们刚才经过的宽大的岩层上。因为装运矿石的槽车很大，而外面的机车就在附近，所以矿工从那儿下去比走下面的隧道省事得多。升降机罐笼把他们送到主坑道，下班后再把他们接上来。”

进入树林之后，空气变得十分凉爽。她猜想，既是因为现在海拔升高，也是因为树枝、树叶洒下的阴凉。

“金罗斯府邸海拔三千多英尺，”他说，仿佛有特异功能，一眼看透她的心思，“夏天，凉爽宜人，冬天温暖如春。”

车终于到了平地，侧倾着停了下来。伊丽莎白不等亚历山大扶她，就下了车，看到新南威尔士天黑得这么快，很是惊奇。这里没有苏格兰夕阳西照的薄暮，也没有彩霞满天的黄昏。

树篱像屏风一样挡住行车的轨道。转过树篱，她猛然停下脚步。她的丈夫在这荒凉偏远之地，居然建起一座名副其实的豪宅，一座用砂岩盖成的三层楼的楼房，乔治王朝时代的大落地窗，高高的台阶，石柱环绕的门廊。那气派仿佛已经屹立了五百年。台阶下面是碧绿的草坪，一座煞费苦心创造出来的英国式花园。从修剪得整整齐齐的树篱到玫瑰花坛无不显露出英格兰风情，甚至有一处希腊神庙式的华而不实的景致。

门开了，每一扇窗户都射出灯光。

“欢迎你回家，伊丽莎白。”亚历山大·金罗斯拉着她的手，领她走上台阶，走进房门。

一切都是最好的。作为一个节俭的苏格兰人，她知道，置办这些东西花费的钱是个天文数字。地毯、家具、枝形吊灯、各种摆设、画、帷幔，一切的一切，就她所知，包括这幢房子本身。只有煤油灯散发出来的烟气告诉你，它不是位于使用煤气的大城市。

伊丽莎白很快就弄清，无处不在的萨默斯是亚历山大的大总管，他的妻子是女管家。亚历山大似乎格外喜欢这种安排。

“夫人，走了这么远的路，你要不要先方便方便？”萨默斯太太边说边把她领到设备齐全的盥洗室。

没有别的事情比这个邀请更让她心存感激。和她那个时代教养良好的女人一样，出门在外，她有时候不得不憋好几个小时的尿，所以不管去哪儿，离家的时候，一滴水也不敢喝。结果口渴造成脱水，憋在膀胱里的尿容易引起肾结石。水肿成了女人最大的杀手之一。

喝了几杯茶，吃了些三明治和一块美味的香饼[①]，伊丽莎白便上床睡觉了。她累得精疲力竭，楼梯之外的东西，都忘得干干净净。

“你要是不喜欢你房间的装饰，伊丽莎白，告诉我，想把它布置成什么样子都可以。”吃早饭的时候，亚历山大说。这个餐厅是伊丽莎白见过的最漂亮的房子。墙壁和屋顶都是用长方形玻璃镶嵌而成，刷成白色的铁制花饰窗格十分精美，里面种植着棕榈和蕨。

“我很喜欢那几个房间，但是这个房间最让我喜欢。”

“这是暖房，之所以叫它暖房，是因为冬天它可以保护这些经不起风霜袭击的热带植物不被冻死。”

他穿着他那身皮衣——这是伊丽莎白私下里给他那身行头的命名。帽子随便扔在旁边一张椅子上。

“你要出去吗？”

“我已经回家了，所以，从现在起，晚上之前你不会看到我。萨默斯太太带你去看房子。你什么地方不满意一定要告诉我。房子是我的，更是你的。你大多数时间都得在这儿度过。你会弹钢琴吗？”

“不会。我们家买不起钢琴。”

“我请人来教你吧。我酷爱音乐，所以你一定要学好。你会唱歌吗？”

---

①香饼：含有芳香植物种子的甜食。

“还不至于跑调。”

“好的。在我给你找到钢琴教师之前，你就在家里读书，练练书法。”他俯身轻轻地吻吻她，戴上帽子便走了，嘴里大声喊着他的“影子”萨默斯。

萨默斯太太带“夫人”去看房子。到图书室之前，倒没有多少让她惊讶的东西。每一个房间都像悉尼高级旅馆那样奢侈华丽，甚至连楼梯也模仿那些旅馆的格局，真是华贵至极。宽敞的客厅里，摆着一架竖琴和一架漂亮的三角钢琴。

“放好钢琴，就从悉尼请来调音师。那也真是件麻烦事。调好音之后，连清扫钢琴腿子下面的时候，都不能碰。”萨默斯太太嘟囔着说。

图书室显然才是亚历山大真正的“窝”。和其他房间不同，这里没有太多人工雕琢的痕迹。宽大的书房给人印象最深刻的，不是黑橡木书架、深绿色皮革休闲椅，而是默里家族的格子图案——壁纸、窗帘、地毯都是相同的图案。可是，为什么是默里家族的图案？为什么不是他自己的家族德拉蒙德家的图案呢？德拉蒙德家的图案是大红的底色，用深浅不同的绿色和深蓝色线条分成方格。一种非常醒目的图案。而默里家的图案是暗绿的底色，用细细的、红色和深蓝色线条分成大格。伊丽莎白已经认定，她的丈夫喜欢华丽，可为什么要用这种灰暗的“默里方格”布置图书室呢？

“一万五千册图书。”萨默斯太太说，声音里充满敬畏。“金罗斯先生什么书都有。”她抽了抽鼻子，“只是没有《圣经》。他说那是垃圾。一个不信上帝的人。不信上帝！可是萨默斯连离开这儿的话都不想听。自从他在什么船上和金罗斯先生认识以来，两个人就没有分开过。我想我也会慢慢习惯管家这个角色。这幢房子两个月前才完工。那之前，我只是给萨默斯‘管家’。”“你和萨默斯先生有孩子吗？”伊丽莎白问。

“没有。”萨默斯太太简短地回答。她挺了挺胸，捋平浆得很硬、一尘不染的白围裙。“但愿，夫人，我能让你满意。”

“我肯定会满意。”伊丽莎白热情地说，脸上露出爽朗的微笑。“既然这幢房子盖起之前，你给萨默斯先生‘管家’，金罗斯先生在哪儿住？”

萨默斯太太眨了眨眼，目光中有几分诡诈。“在金罗斯饭店，夫人。那地方也非常舒适。”

“这么说，金罗斯饭店也是他的产业？”

“不是。”萨默斯太太回答道。然后，不管伊丽莎白怎样刺探，关于这个话题，她都不肯再说一个字。

金罗斯府邸的女主人继续向厨房、餐具室、酒窖和洗衣房走去。她发现仆人都是中国男人。她走过去的时候，他们都面带微笑点头、鞠躬。

“男人？”她十分惊讶，尖着嗓子说。“你的意思是，给我打扫房间、洗衣服、熨衣服的都是男人？内衣内裤我自己洗？萨默斯太太。”

“不必大惊小怪，夫人。”萨默斯太太泰然自若地说。“就我所知，这些不信基督教的中国人以洗衣为生已经很久了。金罗斯先生说，他们洗得这么好，因为他们习惯洗丝绸。至于他们是不是男人无所谓。他们不是白种男人，只是异教的中国人。”

午饭后，伊丽莎白的贴身女仆来了，是个异教的中国姑娘。在伊丽莎白眼里，她是个让人销魂夺魄的美人儿。杨柳细腰，亭亭玉立，朱唇恰似含苞的花骨朵。伊丽莎白此前从来没有见过中国人，但是这个姑娘身上有一种东西，让她觉得她既有中国人的血统，又有欧洲人的血统。一双杏眼，双眼皮，水灵灵的，睁得老大。黑缎子衣裤，满头秀发，梳成一条长长的辫子。

“我能来服侍你，非常高兴，夫人。我叫玉。”她说，两手半握放在前面，脸上挂着羞怯的微笑。

“你说话没有口音。”伊丽莎白说。过去几个月里，她听过许多各不相同的口音，全然没有意识到，自己的苏格兰口音那么重，有的人根本听不懂她说什么。玉的口音和大多数殖民地居民一样，有点儿伦敦东区人的伦敦腔，还有点儿英格兰北部地区和爱尔兰味儿，再加上比这几个地区的语言更具特色的当地人说话的腔调。

“二十三年前，我父亲从中国来，娶了我母亲。她是爱尔兰人。我出生在巴拉拉特金矿，夫人。从那以后，我们就一直跟着金矿走。后来，爸爸碰上茹贝小姐，我们一家人才结束四处漂泊的生活，安定下来。我母亲在牡丹出生之后，跟一个维多利亚士兵跑了。我想，她是因为不想再生女孩儿了。我们家总共七个女孩儿。”

伊丽莎白想说点儿安慰她的话：“我不会是个严厉的女主人，玉，我向你保证。”

“哦，你就尽管严厉吧，丽翠[①]小姐。”玉乐呵呵地说，“我来这儿前是茹贝小姐的侍女。恐怕没有比她更严厉的女主人了。”

这么说，茹贝是个很厉害的女人。

“现在谁是她的女仆？”

“我妹妹珍珠。茹贝小姐要是烦她，我们还有茉莉、牡丹、绢花和桃花。”伊丽莎白问了几次，萨默斯太太才告诉她，安排玉住在后院的棚屋里。“那可不行。”伊丽莎白斩钉截铁地说，很为自己的鲁莽而惊讶。“玉是个年轻漂亮的姑娘，一定要照看好她。在我需要家教之前，可以让她先搬到女教师的房间住。那些中国男人也住在后院的工棚里吗？”

“他们住在城里。”萨默斯太太冷冷地说。

“他们从城里来上班的时候也坐那种车吗？”

“恐怕不是，夫人。他们走那条小路。”

“金罗斯先生知道你如何管理这儿的事情吗？”

“他不管这些事儿，我是管家。他们是异教的中国人，抢了我们白人男人的饭碗。”

伊丽莎白嘴角现出一丝冷笑。“我还从来没听说有哪个白人男人穷得为了挣口饭吃，不惜洗别人的脏衣服。你说话操殖民地口音，估计你是生在新南威尔士，长在新南威尔士。不过，我要警告你，萨默斯太太，在这幢房子里，对其他种族的人，不能有半点儿歧视。”

“她向金罗斯先生告我的状，”萨默斯太太憋了一肚子气，向丈夫诉苦，

①丽翠：伊丽莎白的昵称。

"他就跟我大发雷霆！现在，玉搬到女教师的房间里住去了，那些中国人也都开始乘车上下班。真丢人！"

"有时候，玛吉，你也是个傻瓜。"萨默斯说。

萨默斯太太吸了吸鼻子，轻蔑地说："你们都是些异教徒。金罗斯先生最坏！一边和那个女人私通，一边娶一个小得可以做他女儿的姑娘为妻！"

"住嘴，你这个傻瓜！"萨默斯生气地说。

起初，伊丽莎白不知道该怎样打发时间。和萨默斯太太发生争执之后，她觉得她一点儿也不喜欢那个女人，总是设法躲着她。

图书室虽然藏书一万五千册，却给不了她多少慰藉。那些书从地质学、工程学到金、银、铁、钢，应有尽有，但是书里的内容她都不感兴趣。还有好几个书架放着皮装封面的各种报告。更多的架子上放着皮装封面的新南威尔士法律。另外几个架子上放着一套书名为《英格兰哈尔斯波里法》的丛书。什么小说也没有。他津津乐道的关于亚历山大大帝、恺撒[①]和其他名人传记，都是用希腊语、拉丁文、意大利语和法语写的。亚历山大一定受过高深的教育。不过她找到几本经过简写的神话故事，一本吉布·爱德华[②]的《罗马帝国的兴衰史》，和一套《莎士比亚全集》。那些神话故事读起来饶有趣味，别的书都很难懂。

亚历山大吩咐她，不要去圣安德烈教堂（那座有尖塔的红砖英格兰教堂）做礼拜，等在这儿住一段时间，实在觉得金罗斯城没有她愿意交往的人再说。她开始怀疑，他是有意把她和别人隔离起来，她注定要在山上孤零零一个人住着，就像她是一个不愿意为人知道的秘密。

①恺撒（公元前100—44）：古罗马的将军，政治家，历史学家，著有《高卢战记》等。
②吉布·爱德华（1737—1794）：英国历史学家，著有历史教科书《罗马帝国的兴衰史》（1776—1788）。

不过，他没有禁止她散步，伊丽莎白便出去溜达。起初活动范围只限于周围美丽的田野，后来就大着胆子往远一点的地方走。她找到那条蜿蜒曲折的小路，顺着小路走到矿井竖立的那台升降机，但是找不到一个恰当的地方，看一眼下面她尚未观察到的活动情况。那以后，她开始探索森林的奥秘。她发现一个迷人的世界，那里到处是花边状的蕨、生满苔藓的幽谷和参天古树。古树的树干有朱红色、粉红色、奶油色、淡蓝色以及深浅不同的棕色。一群群非常美丽的鸟飞来飞去。鹦鹉的羽毛像天上的彩虹五光十色，一种小鸟发出令人难以捉摸的、银铃般的叫声，还有的鸟儿歌声比夜莺还婉转动听。她屏住呼吸，看小袋鼠从一块岩石跳到另一块岩石，那情景仿佛一本活起来的图画书。

最后，她又走了好长一段路，听见哗啦啦的流水声，看见一股清澈、湍急的溪水顺着陡峭的山坡一路奔腾，坠入下面金罗斯树木与钢铁的丛林。这种变化生动得令人毛骨悚然。一股清流从天堂般的仙境坠入山脚一堆堆矿渣、碎石、坑洼、土丘、壕沟，变成浊水，在一片丑陋中蔓延开来。

“你找到了这股小瀑布。”耳边响起亚历山大的声音。

她倒吸一口凉气，猛地回转身：“吓死我了！”

“蛇比我的声音更可怕。当心点儿，伊丽莎白。这儿蛇很多。有的能把你毒死。”

“哦，我知道这儿有蛇。玉告诉过我，还教我怎样吓跑毒蛇。你可以两脚使劲跺地。”

“那得你及时发现。”他走过来，站在她身边。“山下就是人们为了找金子滥采滥挖的证据。”他说，“这是一种原始的工作方式。他们挖了两年也没有挖出一粒金砂。当然，我个人也应该为这种混乱负责。我来这儿还不到六个月，人们就传说，我在阿波克罗比河这条小小的支流发现了金矿。”他伸出一只手，扶着她的胳膊肘，让她回转身来。“走吧，去见见你的钢琴教师。对不起，”顺着原路往回走的时候，他说，“我没有想到把那些我本应该知道你喜欢看的书带来。我正忙着纠正一个生产上的错误。”

“我必须学习弹钢琴？”她问道。

“如果你愿意让我高兴，就得学。你愿意让我高兴吗？”

我愿意吗？她心里想。除了在床上，我几乎看不见他，他甚至连饭都不在家里吃。

“当然愿意。”她说。

西奥多拉·詹金斯小姐有一点和玉相同。她们都是跟父亲从一座金矿跑到另外一座金矿。汤姆·詹金斯因为过度饮酒死于肝功能衰竭。那时候，他在索法拉——土伦河畔一座金矿，撒手西天之后，留下相貌平平、胆小怕事的女儿、上无片瓦、下无寸草。起初，她在提高膳食和住宿的公寓干活儿，侍候客人吃饭，洗盘子，整理床铺。每天工资不超过六便士，可以有个住处，有碗饭吃。因为她笃信宗教，教堂便成了她最大的安慰。牧师发现她风琴弹得很好之后，那儿更成了她的好去处。索法拉金矿倒闭之后，她流落到巴瑟斯特。康斯坦斯·丢伊看到她在《巴瑟斯特日报》登的广告之后，就把她请到他们在丹利的家里，教几个女儿弹钢琴。

丢伊家最小的女儿到悉尼寄宿学校上学之后，詹金斯小姐只得再回巴瑟斯特，辛辛苦苦教钢琴，还得给人家缝补衣衫。亚历山大知道这件事情之后，便找到她，问她愿不愿意每天给他妻子上一次钢琴课，条件是在金罗斯给她一幢小房子，还给她一份可观的薪水。詹金斯小姐自是满口应承，千恩万谢。

她还不到三十岁，可是看起来足有四十。再加上衣服灰不溜秋，没有色彩，风吹日晒，皮肤粗糙，脸上现出一条条细细的皱纹，越发显老。她的音乐才能归功于母亲。她教她学习音乐，不论到哪座金矿，都要设法找架钢琴让西奥多拉练习。

“我们到索法拉第二天，妈妈就死了，”詹金斯小姐说，“一年以后，爸爸也死了。”

詹金斯小姐四处流浪的生活让伊丽莎白浮想联翩。亚历山大娶她之前，她从来没有到过离家五英里以外的地方。对于女人，这种颠沛流离的生活该有多么艰难！詹金斯小姐对亚历山大给她的这个机会自然万分感激，而那欣喜之中又有多少辛酸！

这天夜里，她完全出于自愿，钻到丈夫怀里，把头贴在他的肩膀上。

“谢谢你。”她轻声说，吻了吻他的脖子。

“谢我什么？”他问道。

“你对詹金斯小姐那么好。我向你保证，一定把钢琴学好。我至少能做到这一点。”

“还有一件事情你也能为我做到。”

“什么事情？”

“把睡袍脱了，肉挨着肉。”

话说到这儿，伊丽莎白只好由他摆布。“那事儿”做的次数已经很多了，她不会尴尬，也没有什么不舒服，可是对于她，“肉挨着肉”并不觉得更快乐。然而，对于他，那个夜晚显然是胜利的标志。

但是，学习钢琴并非易事。不能说伊丽莎白一点儿天分也没有，但她毕竟不是在音乐氛围中长大的。对她而言，完全是从零开始。她连音乐最基本的知识都不具备。这样日复一日地敲击琴键，练习音阶，什么时候才能弹出个曲子？

“是啊。但是，首先，你的手指要变得非常敏捷、灵巧，左手要习惯于和右手同时做不同的动作。耳朵要分辨出每一个音符之间的区别。”西奥多拉说，“现在，再来一遍，亲爱的伊丽莎白。你正在进步，真的。”

短短一个星期，她们俩就不再被那些虚礼所拘束，相互开始直呼其名。学钢琴成了“例行公事”，在很大程度上，减轻了伊丽莎白的孤独。除了星期日，每天上午十点，西奥多拉都坐车来山上亚历山大的府邸。午饭前，教伊丽莎白乐理。午饭就在伊丽莎白最喜欢的“温室”里吃，然后开始没完没了地练音阶。下午三点，西奥拉多又坐车回金罗斯。有时候，她们一起在花园里散步。有一次，沿着那条蜿蜒曲折的小路一直走到能看见她那幢小房子的地方。西奥多拉指着房子让伊丽莎白看。这座房子是她的骄傲，让她欣喜万分。

但是，她从来没有邀请伊丽莎白去她那儿做客。个中原因，伊丽莎白心知肚明。在这个问题上，亚历山大态度非常坚定。不管什么原因，他的妻子都不能造访金罗斯。

伊丽莎白第二个月没来月经的时候，她知道，自己怀孕了。但是她不知道该怎样告诉亚历山大。麻烦在于，她还不真正了解他，而且他不是她想了解的那种人。尽管她一再告诫自己，对丈夫的恐惧毫无道理，但是，亚历山大依旧赫然耸立在她的心中，遥不可及，令人敬畏。他总是忙得不可开交，她甚至不知道该和他说什么！所以，她怎么能把这个消息告诉他呢？怀孕让她心里充满一种难以言传的快乐，而这种快乐和“那事儿”、和亚历山大并无关系。不论她在心里怎样颠来倒去地想，她还是没法张口。

来金罗斯府邸两个月之后，她给他演奏了《致爱丽丝》。他总算回家吃了一顿晚饭。听了她的演奏，他非常高兴。因为她一直等到手指可以准确无误地对付

那些琴键，才在他面前“露了一手”。

“太棒了！”他大声说，竟把她从琴上抱起来，两个人一起坐在一张休闲椅上。他把她放在大腿上，第一次咬了咬嘴唇，清了清喉咙，说：“我想问你一个问题。”

“什么问题？”她说，以为他要问关于钢琴课的事儿。

“我们结婚已经两个半月了，可是没见你来月经。你是不是怀孕了？亲爱的。”

她紧紧地握着他的手，喘着粗气。“哦，哦！是的。我是怀孕了，亚历山大，可是不知道该怎么告诉你。”

他很温柔地吻了吻她："伊丽莎白，我爱你。"

如果伊丽莎白能继续坐在他的腿上，如果亚历山大能继续让自己满腔柔情奔涌而出，如果他只是把话题限定在表达对孩子即将问世的喜悦，限定在阐述这样一个美好的事实——这个还是个大孩子的姑娘已经成熟到可以和他建立更亲密的关系的话，谁知道伊丽莎白和亚历山大之间将发生什么事情?

可是，他突然把她从怀里推开，满脸冷酷地站在她面前，一双愤怒的眼睛看着她。她以为自己做错什么惹恼了他，吓得浑身颤抖，向后缩着，想从他手里挣开。那双牢牢抓着她的手也在痉挛。

"因为你已经怀了我的孩子，现在是我把自己的身世告诉你的时候了。"他用很严厉的声音说，"我不是德拉蒙德家的人。不是！别出声，安静！听我说！我不是你的第一代堂兄，伊丽莎白，只是默里家族——你母亲那边一位远房表兄。我母亲是默里家族的人，但是我不知道父亲是谁。邓肯·德拉蒙德知道我的母亲另有所爱，原因很简单——她一年多拒绝和他同床，却怀了孩子。他逼迫她说出对方是谁，母亲死也不肯，只是说，她心里有别人，不能和邓肯亲热，而且告诉他，她从来没有爱过他。母亲生我的时候，死于难产，把她的秘密带到了坟墓之中。邓肯太骄傲了，不愿意让人知道我不是他的儿子。"

伊丽莎白听了亚历山大的话，明白他不是因为自己做错了什么而生气，稍稍宽慰了一些，但是他的故事又让她心里一阵阵害怕。而最难以理解的是，为什么他要在她觉得自己被拥抱、同时拥抱他这样一个美好的时刻，毁掉这一切？如果她是一个年纪更大一点、更成熟的女人，或许会问，为什么他不能等一等，换个日子告诉她这件事情，可是伊丽莎白毕竟年纪太轻，她只知道，他心灵深处那个"魔鬼"比"爱人"更强大，他是私生子这个秘密比她肚子里的孩子更重要。

但是，她总得说点儿什么："啊，亚历山大！那个可怜的女人！那个男人在哪儿？就让她这样死了……"

“我不知道，尽管无数次问过这个问题。”他说，声音变得更加冷酷。“我能够想到的只是，他更顾忌自己的脸皮，不管我和母亲的死活。”

“也许他已经死了。”她说，想给他点安慰。

“我可不这样想，不管怎么说，”他继续说，“我小时候在以为是自己父亲的那个人手里受尽了折磨。我一直纳闷，为什么怎样努力也讨不了他的欢心？我不知道从哪儿继承了这样一种性格——犟得像头骡子。不管邓肯打得我多狠，或者让我干多苦多累的活儿，我都不畏缩，更不会求饶。我只是恨他，恨他！”

这种仇恨仍然主宰着你，亚历山大·金罗斯，她心里想。“你是怎么知道这件事情的？”她问，觉得心跳得慢了一点，不再像刚才那样鼓点般急促。

“默里来接替长老会牧师的时候，邓肯找到了一个知音。他们俩臭味相投，从见面的第一天开始，就形影不离。我父母亲的故事一定立刻就成了他们的话题。那时候，我经常住在牧师家，跟迈克格雷戈先生学习——邓肯不敢违背牧师的意志——天真地以为，默里还会像他的前任一样收留我。可是默里把我赶了出去，还说，他敢打保票，我永远也上不了大学。我满腔怒火，朝他扑过去，把他的下巴打得皮开肉绽。他骂我是杂种，我母亲是卑鄙的妓女，我将为我和母亲对邓肯的所作所为下地狱。”

“一个可怕的故事，”她说，“后来你就跑了。人们都这么说。”

“当天夜里我就跑了。”

“你姐姐对你好吗？”

“温妮福雷德？还可以。不过她比我大五岁。我知道事情真相的时候，她已经结婚。直到今天，她也未必知道。”他松开她的手。“可是你知道了，伊丽莎白。”

“我确实知道了，”她慢吞吞地说，“我确实知道了。从我第一眼看见你，就觉得不对劲儿。你的行为举止和我认识的任何一个德拉蒙德都不一样。”她脸上露出一丝笑容，鼓起连她自己也不知道从哪儿来的勇气和独立精神，说道："事实上，你让我想起魔鬼。你的胡子和睫毛。我一开始就被你吓坏了。"听了她的话，亚历山大哈哈大笑起来。他似乎有点惊讶。"那么，胡子立刻剪掉。不过，眼睫毛就没办法了。至少这个孩子的父亲是何许人也无可怀疑。"

"那当然，亚历山大。我跟你之前，没有被任何人碰过。"

作为回答，他把她的右手举到唇边吻了吻，然后转身离开那个房间。她上床睡觉的时候，他不在。那天夜里，他一直没有过来。伊丽莎白在黑暗中，大睁着一双眼睛躺在床上抽泣。她对丈夫了解得越多，越觉得很难爱上他。他被他的过去而不是未来统治着。

第二章 "亚历山大大帝"的足迹

亚历山大十五岁生日那天夜里离家出走的时候，什么也没带，只带了一块面包和一块奶酪。他唯一还算不错的衣服就是到教堂时穿的那套，别的衣服都破破烂烂，不值一带。尽管他看起来不那么壮实，但是父亲在赋予他生命的同时也赋予他超乎别人的体力。所以，他不必停下来喘口气，就跑了整整一夜。金罗斯镇别的男孩子也有从家里逃走的时候，不过跑不了多远，离家一两英里就被家长找到。亚历山大觉得，在那些孩子们的心目之中，他们的前途、命运还没有确定，而他的未来已成定局。黎明，当他停下脚步，弯腰从小溪喝水的时候，离金罗斯已经十七英里。如果他不能到爱丁堡读大学，在那儿待下去还有什么意义？让他一辈子在纺格子呢的工厂里干活儿，还不如让他去死。

他花了一个星期的时间，来到格拉斯哥郊区——他不能让自己朝爱丁堡的方向跑——希望找到一份工作。一路上，为了挣口饭吃，他给人家劈过柴，锄过花园里的杂草。这些活儿，他闭着眼睛也能干。亚历山大想得到的是一个工作机会，从中可以学到点什么，一件不但需要蛮劲也需要知识的工作。他刚到格拉斯哥——英伦三岛第三大城市——就如愿以偿。

那家伙蹲在院子里，将空气压缩到一个巨大的铸铁容器里，烟囱冒着烟，圆铁箍四周水蒸气缭绕。一台蒸汽机！金罗斯面粉加工厂有两台蒸汽机，但是亚历山大从来没有看见过。即使他待在金罗斯，也不会有机会看到。在金罗斯，制造厂在当地的家族中都有严格的划分。邓肯和詹姆斯·德拉蒙德属于生产苏格兰格子呢的工厂，这就意味着，他们的孩子也只能是那里的“臣民”。

而我，亚历山大心里想，将踏着与我同名的那位伟人的足迹，走进一个个未知的领域。

即使只有十五岁，亚历山大也有自己行事的方式。迄今为止，除了已故的罗伯特·迈克格雷戈先生教导过他之外，谁也不曾教过他什么，但是当他走进铸造厂大院的时候，他发现了一个新的目标。不是那个浑身污垢、往锅炉烈火熊熊的肚子里添煤的人。一个衣着整齐的人站在旁边，一只手拿着一块破布，另外一只手拿着一把扳手，但是什么也没做。

“对不起，先生。”亚历山大满脸堆笑，向那个闲着没事干的人说。

“什么事儿？”

“你在这儿做什么工作？”

那人后来想，为什么我没有一脚把他踢出去，踢到大街上呢？那一刻，他扬了扬眉毛，朝亚历山大笑了笑：“我是造锅炉和蒸汽机的，老弟。我们这儿没有足够的制造锅炉和蒸汽机的工匠。没有，没有。”

“谢谢。”亚历山大说，从那人身边走过，走进铸造厂一片嘈杂声中。这座“炼狱”的一个角落，有一节木头楼梯，通往一间安装着玻璃窗的房子。从那儿望去，厂子里的情况尽收眼底。这是经理的办公室。亚历山大一步四个台阶，跨过楼梯，咚咚咚地敲着房门。

“什么事儿？”一个中年人打开门，问道。

他显然是经理，穿着压得平平整整的裤子，熨烫过的白衬衫，但是敞着领口，袖子卷得很高。是啊，这里热得人浑身无力，谁还注意是否衣冠不整呢？

“我想学习怎样造锅炉，先生。学会造锅炉之后，马上学习造蒸汽机。我可以随便在个什么地方住下，没有洗澡设备也能凑合，所以也不需要多少工钱。”亚历山大说，脸上又现出微笑。

“一先令一天，也就是说，一小时一便士，食盐片剂随便用。你叫什么名字，小伙子？”

“亚历山大……”他差点儿说出“德拉蒙德”四个字，但是立刻改口说：“……金罗斯。”

“金罗斯？和那座城市的名字一样？”

“对，一样。”

“我们正需要学徒工。我宁愿要自己找上门的人，也不愿意要被父亲领着来找我的小伙子。我是康内尔先生，还有什么问题随便问。如果你不知道该怎么办，一定要先问，不要不懂装懂。你什么时候上工？小伙子。”

“现在，”亚历山大说，不过站在那儿没动。“我有一个问题，康内尔先生。”

“什么问题？”

“食盐片剂是干什么用的？”

“是在嘴里含的。在这儿干活儿的人流许多许多汗，有了食盐片剂就可以及时补充盐，就不会抽筋。”

这位新学徒不但学得快，而且说话办事很有点诀窍，很讨人喜欢。一般来说，人如果太聪明，就容易惹那些不大聪明、不喜欢干活儿的工人嫉妒，可是亚历山大能让所有人都喜欢他。也许因为大家都觉得小伙子对他们不会造成威胁，因为他毫不隐瞒自己的计划：一旦从拉纳克·斯蒂姆这儿学到他想学的东西，就离开这里。他住在院子的一个角落，紧挨产生压缩空气的蒸汽机。遇到坏天气，一块铁皮可以为他遮风挡雨。夜里，只要往锅炉里加煤，便足够暖和。这是康内尔先生对他格外的优待。经理认为既然“包住”，就不能让他挨冻。

一八五八年，亚历山大刚来格拉斯哥的时候，格拉斯哥是一座让人心悸的城市。在大不列颠，这儿的死亡率最高，犯罪率也最高。因为大多数居民都挤在没有饮用水、没有下水道、没有路灯的贫民窟里。那是一座曲径迷宫，无论警察还是政府官员，没有一个人敢进去。市议员们大谈用大规模爆破的办法，彻底改造贫民窟的面貌，但是，像大多数地区一样，说归说，做归做，纸上谈兵只不过安抚一下人数不断增长的富裕阶层罢了。这个阶层的人们不断地被社会责任感和道德之心折磨。钢铁和煤炭工业在这座城市变得非常重要，因为格拉斯哥离这两种原料的产地都很近。这就意味着，令人窒息的、有害的烟尘笼罩了整个城市。而方兴未艾的化学工业更给格拉斯哥雪上加霜，有毒的气体侵蚀着最健康的肺。

亚历山大并不想在一个地方久留，但是他知道，他必须在这儿待足够长的时间，赚够买一张车票的钱，获得一封证明他品质优秀的推荐信、一份说明他精通锅炉和蒸汽机制造的书面文件。

在造型车间的学习结束之后，他就开始真正学习制造蒸汽机。他的头脑那么灵活，思维那么敏捷，很快就看出许多可以改进的地方。当然，他十分清楚，作为学徒工，他的那些好主意都是康内尔先生的摇钱树。康内尔先生将他的一系列发明都申请了专利。严格地说，这就意味着康内尔先生没有必要将所得利润分给亚历山大，一小点儿也不必。不过，在他那个时代，康内尔先生算是个公平的人。他经常给这个天才的小伙子十沙弗林[①]，表示谢意。他还希望能说服亚历山大出徒之后，留在厂里工作。他的发明已经使康内尔先生在众多竞争者中脱颖而出。除此而外，亚历山大的工资从原先每天十二小时赚一先令，增加到第二年的五先令，第三年的一英镑。

①沙弗林：英国旧时使用的一种金币，价值一英镑。

康内尔先生需要他。

可是亚历山大并没有留下来的意思。他把赚到的钱都藏到一个秘密小洞里。那个小洞就在院墙上，从外面看和别的砖没有两样。他不相信银行，特别是格拉斯哥的银行。一八五七年，西部银行倒闭，给工业、商业、普通老百姓的储蓄造成毁灭性的打击。

他还住在原先那个小角落里，还是买二手衣服穿，一个月一次乘坐喀里多尼亚火车到乡下找条小河，洗洗衣服、洗个澡。他最大的开销就是吃饭。他长得很快，总是觉得肚子饿。“性”还没有走进他的生活，因为他一天到晚累得要命，根本没有时间想这些东西。

他终于从康内尔先生手里接过一纸文书。康内尔先生求他留下，他没有应允。那份“文书”说，他三年学徒期满，成绩优秀，可以焊接、镀铜，熟练地操作汽锤、轧钢机，会弯钢管、铁皮，能用零部件组装蒸汽机。他对蒸汽机的原理、理论以及力学原理颇多研究，在水力学研究方面极具天才。

在拉纳克·斯蒂姆，他的学问无人可比，连康内尔先生也在他之下。因为每逢星期日，他都到格拉斯哥大学图书馆学习。他深信，去图书馆比去教堂收获大得多。按规定，除了本校的学生，别人不能到图书馆看书，可是没有什么能难倒亚历山大。有一个大学生经常喝酒，从来不去图书馆，亚历山大便借用他的图书证，利用一切可以利用的时间去那儿读书学习。

亚历山大在工具箱底部做了一个非常隐蔽的夹层，把赚来的金币藏在里面。他背着这个箱子，仿佛背着一根羽毛，走过坎伯兰郡，朝利物浦[1]走去。

他在英格兰郡县中这个最美丽、最宁静的郡度过了温馨、美好的几天，便进入英格兰第二大城市。这座城市和格拉斯哥一样肮脏不堪，不过也许在有利于人体健康方面比格拉斯哥强一点点。

亚历山大并不想在利物浦待下去。他想到金矿淘金，只能在这儿等开

①利物浦：英国英格兰西部港口城市。

往加利福尼亚的船。有一条船——奎尼匹亚克号停泊在港湾。这是一条新式三桅木制帆船，用蒸汽机推动螺旋桨，而不是那种用老式桨轮做动力的船。船主兼船长是康涅狄格人，能有一个真正懂得船用蒸汽机的年轻人在船上服务，他很高兴。因为奎尼匹亚克号的工程师已经对亚历山大实地严格考核过。没有一个美国佬会相信"一纸文书"。

奎尼匹亚克号装载的货物混杂在一起，有采矿设备，比如用电池驱动的粉碎机，巨大的铸铁蒸馏器——这玩意儿的用途亚历山大猜不出来——蒸汽机，岩石破碎机。还有许多黄铜配件，谢菲尔德[①]餐具，苏格兰威士忌，咖喱粉。

"都是因为内战，"工程师解释道，"美国的钢铁全都造了枪炮和别的战争用的东西。加利福尼亚不得不从英格兰买需要的物资。"

"我们能到纽约吗？"亚历山大问，心里充满对那座神话般的希望与梦想之城的向往。

"不，我们去费城。多装点煤就是了。我们只是在万不得已的时候才升起风帆。用蒸汽机既快又可以保证直线航行，用不着抢风行驶，也不必搏击反方向的洋流。"

奎尼匹亚克号刚刚从爱尔兰海进入大西洋，亚历山大便明白，为什么船长那么希望船上再有一个懂蒸汽机的人。众所周知，老哈利晕船晕得特别厉害，一边踉踉跄跄值班，一边手里拿着个桶朝里面吐。

"会过去的，"老哈利喘着粗气说，"只是太讨厌了。"

"快回铺上休息一会儿吧，你这个老犟驴。"亚历山大用命令的口气说，"我一个人应付得了。"

但是，要想在波涛汹涌的大海制服一头处于压力之下的机器巨兽，让它好好干活儿，即使两个人也得满负荷工作。因此，两天后，老哈利再出现的时候——显然熬过了晕船之苦——亚历山大松了一口气。但是由于润

①谢菲尔德：英国英格兰北部城市。

滑油质量太差，发动机曲轴和活塞杆末端连接的轴承很容易变热。这当然不是老哈利的错，问题在于所有可以使用的润滑剂质量都不过关。烧锅炉的活儿经常忙不过来。两个锅炉工中有一个喝多了苏格兰威士忌，差点醉死。这些事情给亚历山大留下深刻的印象，对美国人最初的看法也由此形成：他们不像英格兰人或者苏格兰人那样等级分明。老哈利虽然是工程师，但是抡起铲子高高兴兴地替那个喝醉了的家伙往炉膛里加煤。另外那个锅炉工和别人玩牌的时候尖酸刻薄，赢了之后，莫名其妙掉进大海。奎尼匹亚克号三个“官儿”便轮番干他的活儿。英格兰和苏格兰的工程师或者船上的官员绝对不会放下架子干体力活儿，可是讲求实际的美国人总是自己动手，拿起铲子添煤，而不是向船员们发号施令。船员是真正意义上的水手。他们痛恨由于船舱里安装了什么“气喘吁吁”的、危险的玩意儿，使他们这个行业一命呜呼。

离开利物浦十二天之后，奎尼匹亚克号停靠到特拉华码头。但是亚历山大一直没有上岸去看看费城是个什么样子。他负责给奎尼匹亚克号装煤，待在船上看运煤船怎样将装在麻袋里的煤倒竖着装入煤舱。老哈利和几个官员上岸吃他们渴望已久的螃蟹去了。

碰到好天气，风平浪静，轧轧作响、向南前进的船用的煤比老哈利预想的要少。因为顺风顺水，最先着风的帆缘兜满了风，增加了蒸汽机的力量。离开巴西南部佛罗瑞那普利斯前，他们干脆关了锅炉。

让亚历山大大吃一惊的是，他发现南美洲不但煤多，别的矿产资源也很丰富。他纳闷，我们这些从不列颠来的人为什么认为工业资源只限于欧洲和北美？

一艘明轮船[①]把奎尼匹亚克号拖进乌拉圭边境一个狭长、平静的小港，在阿尔哥利港又装满了煤。

“这儿的煤质量很差，比较好的煤层都在内地。”老哈利说，“有的

①明轮船：靠桨轮推动行进的船。

英国公司现在得到了采矿权，可以通过铁路把煤运出去。”

船过合恩角的时候，扬起风帆。那真是永生难忘的经历！大浪滔天，飓风呼啸，亚历山大读过的所有关于合恩角的描述尽在眼前。

奎尼匹亚克号的锅炉直到离开智利的瓦尔帕莱索[①]之后，才再度点燃。当地人把智利拼作 Chile。

“智利是我们最后一次可以买到煤的地方。”老哈利闷闷不乐地说。“就是到了加利福尼亚，也没有好煤。只有加了水的褐煤和硫黄含量很高的烟煤。这些煤都不适合用作船舶蒸汽机的燃料。烟气简直能把你呛死。我们不得不到温哥华岛装上能搞到的最好的燃料，所以，我们得升起风帆，再进入西太平洋，一直驶往瓦尔帕莱索。”

“我一直纳闷，为什么我们用的蒸汽机是按烧木头设计的？”亚历山大说。“因为木头多的是，亚历山大！成千上万平方英里都是茫茫无际的森林。”老哈利一双精明的眼睛闪闪发光。“你想到金矿发财，是吗？”

“是的。”

“冲积层早就被人挖光了。现在已经成了一个颇具规模的行业。”

“我知道。所以我才想，当一个蒸汽机工程师也可以成就一番事业。”

自从一八四八年和一八四九年淘金热以来，旧金山人口增长了四倍。在如此短的时间内大量人口涌入留下的痕迹随处可见。城市外围破旧的棚屋、简陋的小木屋鳞次栉比，大多数已经无人居住。市中心更容易看到黄金的力量。因为有的建筑物相当漂亮。许多怀抱黄金梦向西部挺进的人最后在这里安顿下来，做些平淡无奇的工作。可是，落基山脉那边爆发南北战争之后，不少人又回东部参战。

是的，他和叔叔詹姆斯一样，非常节省，一个便士掰成两半花。可是，亚历山大知道，想找那么一两个乐意帮忙的淘金者，酒馆是个好地方。于

①瓦尔帕莱索：智利中部一港口城市。

是他找到一家酒馆走了进去。这里的酒馆和格拉斯哥的酒馆全然不同。没有食物，长得俗不可耐的女人等在桌子旁边。顾客们不管喝什么，用的都是小酒杯。他要了一杯啤酒。

“你真的很可爱。”女服务员说，扭动着腰肢，朝他挺了挺两个奶子。“酒馆打烊后带我回家好吗？”

他眯缝着眼睛打量着她，使劲摇了摇头。“不，谢谢你，小姐。”他说。她气得要命。“怎么了？口音古怪的先生，我不够好吗？”

“不，小姐，不是你不够好。是我不想染上梅毒。你嘴唇上有下疳。”

她送啤酒的时候，砰的一声把杯子放在桌子上，酒溅了出来，翘着鼻子，怒气冲冲地从他身边走开。一个昏暗的角落里，两个男人把这一切都看在眼里。

亚历山大端起酒杯，走了过去。那两个人一望而知就是“淘金狂”。“我能在这儿坐吗？”

“当然，请坐。”那个肤色较浅的家伙说。“我叫比尔·史密斯。这个浑身是毛的家伙是恰克·帕森斯。”

“我叫亚历山大·金罗斯，从苏格兰来。”

帕森斯咯咯咯地笑着：“哦，朋友。一看你就真是从外国来的。长得就不像美国人。你怎么跑到加利福尼亚了？”

“我是个满怀热望想找黄金的蒸汽机工程师。”

“嗨！真是至理名言！”比尔高兴得满脸放光，叫了起来。“我们是满怀热望想找黄金的地质学者。”

“对于找黄金来说，这可是有用的专业。”亚历山大说。

“蒸汽机工程师也一样，朋友。事实上，两个地质学者、一个蒸汽机工程师同舟共济，找黄金就不是痴心妄想了。”恰克说，伸出粗糙的大手，朝酒吧里别的那些喝酒的人挥了挥。“看见他们了吗？都是些不走运的倒霉蛋儿，现在只好哪儿来哪儿去，回肯塔基、佛蒙特，或者别的什么州。

他们连片岩和狗屎也分不清，都是些没有经验的棒槌。任何一个傻瓜都会冲洗淘金盘，或者流水槽，但是按照矿脉找黄金就不是谁都可以干的了。必须是那些知道自己在干什么的人才能办到。你会造蒸汽机吗？亚历山大，还得让它运转起来。”

“只要有零部件，我就能。”

“你有多少钱？”

“那得看情况了。”亚历山大警惕地说。

比尔和恰克会意地看了一眼，点点头。“你很精明，亚历山大。”恰克说，乱蓬蓬的胡须中露出一个微笑。

“在苏格兰，精明的意思是狡黠。”

“没错儿，那就让我们开门见山地说事儿吧。”比尔朝桌子这边俯过身来，压低嗓门儿说。“恰克和我每个人有两千块钱。你要是也有这个数，就可以成为我们的合伙人。”

四美元合一英镑。“我正好有这个数。”

“这么说，可以达成协议了？”

“可以。”

“握手。”

亚历山大和他们握了握手：“我们如何开始？”

“沿着这条美国的河流，有不少废弃了的矿坑。这些矿坑有许多我们需要的设备，不花钱就能弄到手。”比尔说，呷了一口啤酒。

亚历山大想，看起来，我们三个人都不喜欢喝酒。这是个好兆头。他们俩乐观，自信，但是并不傻，受过良好的教育，年轻，能吃苦。

“我们到底需要什么？”他问。

“首先，需要蒸汽机的零部件，需要一台岩石粉碎机。至于修筑水槽和类似设备的木头倒是早就砍伐好了。还得搞一台研磨矿石的机器。不过，前些时候，有些矿工希望找到矿脉之后挖金子，结果没有成功，设备丢弃在矿坑里，现在还能找到。还有轻型牵引机也被他们扔在山上。”恰克说，“我们的钱主要用来买在旧金山不得不买的东西——装在小桶[1]里的黑色炸药。是当地生产的。考虑到东边正在打仗，这儿的炸药还算便宜。硝酸钾可以从智利买到。硫黄，加利福尼亚多的是。做上好木炭的树木随处可见。我们还得买制造炸药筒的纸、导火索。最大的开销是买汞。我们很走运，这玩意儿，在这个海岸上也能买到。”

“汞，你是说水银？”

“没错儿，如果我们想把石英里的金子提取出来，用淘金槽或者摇选台都没有用。你得先用粉碎机把石英石破成两英寸大小的碎块，再用捣矿机碾成粉末。然后不停地注入含有水银的水。你瞧，黄金与汞混合之后，便可以从石英石中分离出来。”恰克皱了皱眉头。“我们无法把一台铸铁蒸馏器拉到山上，那玩意儿足有几吨重，也不能拆开，一个部件一个部件地往上搬。可是只有蒸馏器才能把黄金从汞合金中提取出来。此外，我很怀疑，能不能那么方便地搞到一台蒸馏器。因此，一旦发现矿脉，我们就得先把含有黄金的汞合金积存起来，直到汞都用完。”

“汞很重，这我知道。”亚历山大说。

“是的。一瓶子就有七十六磅重。但是汞合金里含有大量黄金，亚历克斯[2]，高达五十磅。不等分离那些合金，我们就发大财了。”比尔说。

“在这儿还要买什么？对了，工具我自己有。”

“食物。这儿的食物比克罗马或者任何黄金城都便宜。有一袋袋干豆子和咖啡豆。咸肉。至于可以食用的野菜，深山里也采得到。那儿还有许多鹿。恰克是个最好的猎手。”比尔眉毛扬了扬，“我们三个人必须有一个人是好猎手。那地方，熊比人的个子还高，狼成群结队地出来觅食。”

“我应该有支枪吗？”

---

①小桶：指容量大约 30 加仑（合 114 公升）的小桶或桶状物。

②亚历克斯：亚历山大的昵称。

“当然得有支左轮手枪。步枪让恰克用。在加利福尼亚，任何一个人都有枪，亚历克斯。还得把它别在外面，让人们都看见。”

“六千美元就能把这些东西都买上？”

“没问题。包括我们每人一匹马和驮从旧金山买来的东西的骡子。”

如果亚历山大对“后勤”方面的种种安排有什么怀疑的话，那就是恰克·帕森斯和比尔·史密斯盲目相信大失所望的采矿者会把价值高昂的设备扔在深山老林里。可是，等他们骑着马，走到内华达山脉①下面的时候，他开始明白，他们为什么这么乐观。岩石地带已经被挖成一条条他们叫作峡谷的沟壑。种种迹象表明，确实有一帮大失所望的人，把他们曾经拥有的大部分机械设备丢在了身后。

千真万确，凡是美洲河流过、有可能找到石英石矿脉的山脚，都能找到残缺不全的蒸汽机、岩石粉碎机和研磨矿石的机器。这些机器损坏的程度要比锈蚀的程度厉害得多。看起来，那些操作机器的人，对这些机器的性能基本上一窍不通。河水流过的山野正是亚历山大想象之中激战过后的战场。仿佛大炮把那块土地翻了个底儿朝天，到处都是散乱的岩石、砂砾，炸开的坑、洞、窟窿。溪水被迫改道。倒伏的水槽、一节节管子、淘金槽、摇动淘金槽淘洗矿砂的框架、清洗含金土的带弯杆的盒子。一块被恣意挥霍了的土地——如果淘不到金子，就扬长而去，留下机械设备任其腐烂、锈蚀、分解。

他们没有看见任何一个造成这场浩劫的人的踪影。有的人已经回到旧金山。有的人去海拔更高的含有金砂的砂砾层，用专门冲刷含金岩层的高压水枪寻找黄金。还有些人走得更远，希望找到母脉②。那些难以捕获的石英石矿脉蕴藏着游离金。最后来的这群人的决心最大，也是淘金热真正的受害者。

①内华达山脉：美国加利福尼亚州东部的花岗岩块状山脉。

②母脉：地质学名词，指某一地区的主要矿脉。

他们骑着马一路向前的时候，两位地质学者教给亚历山大这门学科的基本知识。亚历山大的求知欲极强，贪婪地听着，不敢有丝毫放松。

“关于加利福尼亚的岩层结构，没有出版过多少专著。”比尔说。他们两个人里，比尔学问更深。“但是，在欧洲某地，有一位叫菲舍的牧师说，地球表面是由柔韧的岩石组成的地壳，地心是一个坚硬的核。这二者之间是火山爆发喷出的流动的黏滞性的熔岩。这是颇为大胆的理论，我们觉得还有点道理。”“地球的年龄有多大了？”亚历山大问。他以前对自己生活的这个星球从来没有产生过这样的想法。

“谁也说不准，亚历克斯。有的人说两亿年，有的人又说六千万年。不过有一点毫无疑问，那就是，它旋转的时间肯定比《圣经》说的长得多。”

“此话有理。”亚历山大说，“写《圣经》的时候，世界上还没有地质学家呢。”他脑子里突然闪过一个念头。“那么，地壳呢？都是岩石吗？矿物在哪儿？”

“从总体上讲，矿物也是岩石。”

恰克接着说：“古生物学者根据岩石里发现的化石，将地壳分成不同的岩层。我们之所以说达尔文的进化论正确，原因就在于此。岩石越古老，潜藏在里面的生命形式越简单。有的岩石——人们称之为基础片麻岩——那么古老，里面什么化石也没有。但是，迄今为止，谁也没有发现基础片麻岩。尽管英国有一种红色砂岩，那么古老，以至于没有任何生命迹象。”

“可是，”亚历山大说，“我们在每一条峡谷、每一座山崖并没有看到平坦的岩层。事实上，很难看到什么岩层。”

“由于地震，地壳一直处于不停的运动之中。”比尔说，“地壳形成之后，岩层经常移动，崩溃，扭曲，脱位——你也可以这样说。而且成年累月被风雨剥蚀，有时沉入海底，有时浮出水面。谈到岩石，地球实在是一个忙忙碌碌的古老的星球。”

亚历山大从他们嘴里得知，加利福尼亚，特别是沿海岸线，非常年轻。这里经常地震，尽管自从来到此地，他还没有亲身经历过。

“沿海的山脉非常年轻——都是砂岩和页岩。但是再向北，花岗岩将它们割裂开来，边缘地带发生很大的变化。这都是发生在上新世①的事情。距现在并不遥远。希尔拉山脉峰峦起伏，山脚露出地面的岩层不乏石灰石，但是山脉本身几乎都是花岗岩。而正是在花岗岩遍布的山峦，你才能找到含纯金的石英石矿脉。我们现在要找的就是这条矿脉。”比尔说。

据说，有的人鼻子有特异功能，闻得见哪儿有金子。他们信誓旦旦地说，就连地底下埋藏的黄金也逃不脱他们的鼻子。事实证明，亚历山大就是这样一个人。

一八六二年早春，他们骑着马，带着一个庞大的骡子队，离开美洲河一路向南，迤逦而去。那些骡子驮着他们从旧金山买来的东西和从废弃的矿坑拣来的设备——包括一台破旧的研磨机、一台岩石粉碎机、一台中等大小的锅炉。亚历山大将用这个锅炉造蒸汽机。他们把锅炉放在一个制作粗糙的架子上、两条后腿离地，拉着走。比尔和恰克想直插高高的希尔拉山，一向谨慎的亚历山大不同意他们的意见。因为再往高爬，不等采矿，冬天就到了。除此而外，他清楚地意识到，他在一条看起来和其他上百条峡谷毫无二致的峡谷——山坡上到处都是花岗岩巨砾，有的地方已经没有树木，他闻到一种味道。这味道和研磨机一个磨牙里残留的黄金散发出的气味完全相同。

“我们先在这儿试试看，”他说，态度非常坚定，“如果什么也找不到，再往高处爬也不迟。不过，我相信这儿有黄金，而且离地表不远。看见那些露出地面的岩层了吗？恰克。去看看。这儿将是我们第一个申明采矿权的地方。”

露出地面的岩层根基是发了霉的树叶和松软的泥土。树叶和泥土下面，无疑是一条石英石矿脉。恰克拂干净上面的泥土，用锤子一点一点地把石

---

①上新世：第三纪五世中最后一世的地质时代，以明显地出现现代动物为特征。

头击碎，石英石闪闪发光。

“天哪！”他倒吸一口凉气，几乎跌坐在地上。“亚历克斯，你真神了！”他跳起来，高兴得手舞足蹈。“没错儿，我们就在这儿先干他一阵子。好好盖间棚屋，再给马建个畜栏。骡子不会走太远，这一带有狼出没。亚历克斯，开始搞蒸汽机吧。”

“不急。”亚历山大说，似乎并不特别激动，这倒也怪。“你得先教会我如何炸开岩石。”

他们没白没黑地干活儿，夏天就这样过去了。必须砍伐许多树木，风干之后，作为蒸汽机的燃料。小木屋必须赶快建造起来，处理越来越多的矿石的机器也得尽快准备好。恰克和比尔先用镐刨出一堆堆矿石，后来又用黑色火药开山炸石，跟着矿脉一直往里延伸。事故不可避免。有一次火药提前爆炸，差点儿把恰克炸成重伤。比尔一天到晚抡着斧子干活儿，一不小心把腿砍开一道口子。亚历山大被一股突然喷出的蒸汽烫伤。比尔用普通缝衣服的针缝合伤口，恰克拄着自制的拐杖一瘸一拐地走来走去，把散发着臭味的熊油抹到亚历山大身上，治他的烫伤。但是他们仍然咬着牙拼命地干，因为谁知道什么时候会有人突然骑着马闯进这条峡谷，发现他们的秘密。

等到雨雪交加的冬天降临，生产已经完全配套。开采出来的矿石，用捣碎机的铁锤捣成粉末，蒸汽机轰鸣着不停地工作。这里的水资源非常丰富，冲洗捣碎机滚筒的水可以说取之不尽用之不竭。游离金和研磨室里的汞化合，没有化合的金和泥浆一起流到选矿槽倾斜的折流板。折流板底部有一块铜板。铜板上有更多的汞，“捕捉”这些“逃逸”出来的黄金。

春天刚过一半，汞的功效就看出来了，一片片黄颜色的合金越积越多。

亚历山大刚过二十岁生日，艰苦的劳动使他变得瘦削结实、强壮有力。他身高只有六英尺多一点，他知道自己不会再长个儿了。

但是，他想，我厌倦了这种生活。过去的六年里，我头顶从来没有一片遮风挡雨的屋顶。就连在奎尼匹亚克号，因为防水层做得不好——如果甲板还可以用防水材料堵得严丝合缝的话——水也常常从头顶渗漏下来，打湿吊床。我吃东西，喜欢吃得肚子发胀。但是在格拉斯哥，百分之九十五的食物是面粉做的，这儿，却只有豆子和鹿肉。最后一次吃烤牛肉和烤土豆是在金罗斯参加一个朋友的结婚典礼。比尔和恰克都是好人。他们聪明、对地质学颇多研究。可是，他们对乔治·华盛顿远比对亚历山大大帝知道得多。是的，我厌倦了这种生活。

因此，在五月那个晴朗的早晨，当恰克说出下面这番话的时候，亚历山大仿佛听到从遥远的地方传来一声音调优美的号角。

“这些汞合金，”恰克说，凝视着他们艰苦劳动的成果，“实际上就是许多黄金。即使我们只能从中提炼出百分之三十而不是百分之四十的金块，我们也成了富豪。现在，是让猫从袋子里出来的时候了。我们之中，必须有一个人骑马到科罗马搞回几台分馏器。剩下的两个人留在这儿，对付可能和我们抢地盘的人。”

“让我走吧，因为我想走。”亚历山大说，“我的意思是，我想永远离开这儿。你们可以把汞合金的三分之一给我。至于我在这个矿井的股份，可以转让给能帮你们搞到分馏器、并且使蒸汽机运转的任何人。给我一磅好矿石做化验，你们一定会有许多潜在的合作伙伴。”

“可是，这条矿脉的开采工作刚刚起步！”比尔吓了一跳，不由得喊了起来。

“亚历克斯，越往深挖，黄金的品位越高！我们永远也不会再找到像你这样既吃苦耐劳又随和的合作伙伴！看在上帝的分上，你为什么要走？”

“哦，我想，我只是自由惯了，想做什么，就做什么。能学到的东西，都学到了，所以我该上路了。”他笑了起来，“别的地方有更多的山，山下有更多的黄金。如果一切正常的话，我会把分离出来的汞再还给你们。”

亚历山大在科罗马把他那份汞合金分离出来之后，总共得到六十磅黄金。他把其中五十五磅熔成金锭，藏在工具箱底部的夹层里，用骡子驮着出了城。他身带黄金的消息当然早已不胫而走，但是离小城最后一座小木屋不到一英里，他就巧妙地甩掉跟踪他的人，消失得无影无踪。

后来，他加入到一支武装精良、人数众多的部队之中。这些人到东部参加内战时期生死攸关、最为严酷的战斗。亚历山大把自己应该扮演的那个角色——心境不佳的、运气不好的采矿者——扮演得无懈可击。即使这样，他每天夜里还是搂着他那个宝贝箱子睡，而且渐渐习惯了缝在衣服里面的金币带来的不便。他也绝对不让别人看出，他带的东西很重。

翻越高高的落基山之后，印第安人尚处原始状态的生存方式让他着迷。那些傲慢的、气度不凡的男人披挂着用漂亮珠子装饰的鹿皮，骑着没有马鞍的小马，长矛上羽毛飘飘，手持弓箭，随时准备攻击敌人。不过，他们很聪明，不会轻易袭击这支人数众多而且好战的部队，尽管他们痛恨白人。他们只是骑在马背上，看了一会儿这些入侵者，就消失了。成百上千头美洲野牛和鹿，以及别的小一点的走兽在草原游荡。一只个头不大的穴居动物蹲在地上四处张望，就像土地爷。亚历山大看得着了迷。

因为欧洲殖民者分布越来越广，渐渐形成一个个村落。泥泞的小路两边伫立着一幢幢破旧的木屋，部队从这样的村庄走过。这儿的印第安人穿着白人的服装，一个个醉意朦胧，步履蹒跚。亚历山大心里想，酗酒毁了这个世界。就连亚历山大大帝也是因为狂饮滥喝、胃肠破裂而死。白人不管走到哪儿，都要随身带着廉价的烈酒。

他们跟着马车留下的车辙不停地前进。因为正在打仗，路上碰到几个向西去的殖民者。为了不受印第安人的袭击，这些人跟着长长的运输车队，艰难跋涉。翻过堪萨斯山，进入堪萨斯城。这是一座比较大的城市，位于两条大河交汇处。亚历山大在这儿和伙伴们告别，沿密苏里河到达圣路易斯和密西西比河。这一定是世界上最长的河流，他想，心里充满敬畏之情，又一次惊讶于大自然对美国慷慨的馈赠：肥沃的土地，丰富的水资源。虽然冬天远比苏格兰冷，但是种庄稼的季节风调雨顺。这好像没有什么道理，从地理位置看，苏格兰远比美国靠北。

他小心翼翼避开正在打仗的地区。因为他压根儿就不想卷入一场自己既无权利又无必要参加的战争。穿越印第安纳州的路上，薄暮时分，他在一座孤零零的房子前面停下脚步，像以往一样请求房东给他吃顿饭，留他在仓房住一夜，他帮人家干点儿重活。因为那么多男人都上前线打仗去了，他这招很灵。女人们信任他，他也从来不辜负人家的信任。

一个女人听见敲门声走了出来，手里拿着一把短枪。他立刻就明白她为什么“荷枪实弹”。这个女人年轻、漂亮，屋子里没有孩子的动静。她只一个人在家？

“把枪放下，我不会伤害你。”他带着苏格兰口音说，喉音很重，美国人听起来觉得既新鲜又悦耳。“给我一口饭吃，再让我在仓房里睡一晚上。我可以给你劈木柴，挤牛奶，锄菜地里的杂草。你要我干哪样呢？”

“我要的是，”她冷冷地说，把枪靠墙放下，“丈夫回家。可惜，永远办不到了。”

她叫赫诺瑞娅·布朗，丈夫几个星期前去打仗，死在一场叫做夏伊洛[①]的战斗中。从那以后，只剩下她一个人，靠耕种一块薄田养活自己。虽然娘家一再叫她回去和他们过，她都断然拒绝。

“我喜欢独立。”吃饭时，她对亚历山大说。饭菜很丰盛——鸡、炸土豆、菜园里她种的青豆和自从离开金罗斯再也没有喝过的、最好的肉汤。她的眼睛碧绿，睫毛浓密，目光中闪烁着幽默、坚定和不屈不挠的精神。这时，一种新的表情出现在那目光之中。她仿佛陷入深思，放下叉子，神情专注地看着他。“可是，我心里很清楚，一旦战争结束，男人们都回来之后，我就无法一个人再在这里生活下去了。我想，你该不是在找一个有一百英亩土地的妻子吧？”

“不是，”亚历山大温柔地说，“印第安纳不是我旅行的终点，' 我也永远不会做个农民。”

---

①夏伊洛：美国田纳西州一个国家公园，南北战争时的战场。

她耸了耸肩，丰润的嘴唇向下撇了撇。“可是，试一试还是值得的。你会是个好丈夫。”

吃过晚饭之后，他把她的斧子磨快，就着灯光劈了一个小时木头。他轻轻松松挥舞着斧子，一点儿也不觉得累。快劈完的时候，她站在后门，痴痴地看着他。

“你都出汗了。”她说。他放下斧子，又磨了起来。“天凉了。我在厨房的铁澡盆里烧了些热水。你要是能从井里再取些水，就可以暖暖和和洗个澡。你洗澡的时候，我给你洗衣服。衣服明天早晨干不了。所以，你不能在仓房里睡。你可以在我的床上睡。”

再走进他们刚才吃饭的厨房，亚历山大发现里面已经收拾得一尘不染。盘子已经洗净，做饭用的大铁炉子炉火正旺，整个房间暖融融的，让人觉得十分舒服。铁澡盆放在炉子前面，盛着半盆她用大铁壶烧的热水。他从井里取了一壶水，倒进盆里。她伸出手，站在那儿，接过他脱下的衣服——牛仔裤、细斜纹布衬衫、法兰绒长内裤，脸上露出赞赏的微笑。

“你的身材真好，亚历山大。”她说，回转身把衣服扔进松木台子上放的洗衣盆。

泡在热水中，那感觉真好！他就那样弓着腰、下巴放在膝盖上，眼帘低垂，双目微闭，坐在水里尽情享受着。

感觉到她那双粗糙、有力的手搭在他的脊背上，他才睁开一双眼睛。

“这块儿，你自己够不着。”她说，手指揉捏着他的皮肉。她在他水淋淋的脚下铺了一块挺大的编织而成的地毯，给他腰间裹了一块粗麻布浴巾，非常麻利地搓起他的脊背。

如果刚才他还觉得精疲力竭，现在一下子就活力四射，所有的感官都跃动起来。他裹着浴巾转过脸看着她，有点笨拙地吻她。她立刻做出强烈的回应。热烈的长吻化作一张用最热烈的激情编织而成的黑色大网，将他们紧紧笼罩。那感觉他以前从未有过。她脱下破旧的裙子、宽松的内衣、内裤、家织的长袜，亚历山大·金罗斯有生以来第一次看到一个全裸的女人紧贴着自己站在眼前。她那丰满的乳房让他着迷，怎么爱也爱不够。他把脸埋在双乳之间，掌心轻轻揉着紫红的乳头。一切都那么自然。他虽然对做爱毫无经验，但是清楚地知道，她需要什么，自己需要什么。他们一起攀上快乐的巅峰。那令人心醉神迷的快乐和刺激自己进入高潮的羞涩完全不相称。

夜深之后，他们回到她的床上，但是亚历山大还是不停地和这个可爱、多情、美丽的女人做爱。她也像他一样饥渴。

“留下来和我过吧。”天亮之后，他开始穿衣服的时候，她求他。

“我不能，”他从牙缝里挤出几个字，“这不是我的天命，不是我的定数。如果我留在这儿，就等于拿破仑选择了厄尔巴岛[①]。”

她没有哭泣也没有表示反对，而是默默地站起身去给他做早饭。他去备马，把工具箱和行李驮到骡背上。在美国的冒险旅行中，他第一次也是唯一的一次，整整一夜把黄金忘在仓房的草堆下面。

“定数，”她若有所思地说，在他的盘子里堆满鸡蛋、咸肉，碗里盛满玉米糊，“这个说法真古怪。我以前就听人说过。但是我不知道人们会像你这样认真。如果可以，请你告诉我，你的定数是什么？”

“我的定数是成为一个大人物，赫诺瑞娅。我要让一个心胸狭窄、心怀恶意、报复心极强的长老会老牧师看一看，他想毁掉的那个人可以成就一番伟大的事业；让他看一看，人可以超越卑微的出身，而如高山般崛起。”他皱着眉头，凝视着她那张玫瑰般美丽的脸。一夜风流把她变得越发俊俏。“亲爱的，养上四五条凶猛的看家狗。再说，你也是个强悍的女人，它们会尊重你，听你的话。训练它们朝脖子上咬。有几条狗比有支枪管用。你可以拿枪打兔子，打鸟，打你能找到的任何小动物喂狗。这样一来你就能一个人不受骚扰在这儿安安静静住下去，直到那位可以成为你夫君的人来

---

①厄尔巴岛：意大利的一个岛屿，位于第勒尼安海，在意大利半岛和科西嘉岛之间，拿破仑·波拿巴的第一次放逐地（1814 年 5 月 ~1815 年 2 月）。

到你身边。他会来的。一定会。”

亚历山大离开的时候，赫诺瑞娅站在高高的门廊下面一直目送着他，直到他消失在地平线那边。他纳闷，她是否想过，她给他带来的变化有多大。他内心深处尚未成熟的那种对性的饥渴之苦，现在已经变成一种自觉的意识。她，赫诺瑞娅·布朗，已经打开潘多拉的盒子。但是，由于她是这样一个贤淑的好女人，他永远不会像许多别的男人那样，只要有得到女人的机会就不惜出卖自己的骄傲和自尊。

分手的时候，他最大的痛苦是，意识到自己不能做那件他急切想做的事情——给她留一小袋金币，艰难时，她可以用来度日。如果他真的这样做了，她一定会扔出去，对他的看法大打折扣。如果悄悄留下，等他走了之后再让她发现，一定会玷污她美好的记忆。他能给予她的只能是帮她劈点柴，锄锄菜园里的杂草，修修小推车——现在好用多了，磨锋利斧子，还有奉献他自己的精髓。

我再也不会见到她了。我永远不会知道我是否鼓舞了她，使她变得更有活力。我永远不会知道命运之舟将把她带到何方。

让亚历山大不寒而栗的是，纽约和格拉斯哥、利物浦非常相似，大量涌入的人群都挤在散发着臭气的贫民窟里。不同之处在于，这些人都很乐观，相信自己不会永远待在人类垃圾堆的最底层。因为他们来自欧洲各地，通晓好几种语言，相信自己总能派上用场。现在他们都按民族聚居在一起。尽管生活条件极差，但是他们不像英国穷人那样绝望。贫穷的英格兰人或者苏格兰人连做梦也不会想到有朝一日会摆脱贫穷，会站立起来。而每一个纽约人似乎都相信未来会更美好。

或者至少这是他在这座城市走马观花得出的结论。在爬上开往伦敦的轮船的舷梯之前，他和他的马、骡子寸步不离。商业区宽阔的大街上，比较有钱的人来来往往，看见他，微微一笑。这个年轻人身穿鹿皮，骑一匹高头大马，还拉着一匹迈着慢步、十分耐性的骡子。他们认为，他一定是来自大平原哪个村庄的乡下人。

就这样，他终于来到伦敦，又一座他从未见过的、让人难以置信的、无计划扩展的城市。

“针线大街。”他对出租马车车夫说。藏黄金的工具箱放在身边。

他还是身穿鹿皮外套，头戴宽边软帽，搬着沉甸甸的工具箱走进英格兰银行的前门，小心翼翼地把箱子放在地板上，向四周张望。

银行职员做梦也不曾想到对任何一个走进这座“圣殿”的人态度粗鲁，甚至言词不恭。于是，亚历山大看见一位矮胖的职员正面带微笑向他走来。

“你是美国人？先生。”

“不，一个需要一家银行的苏格兰人。”

“哦，我明白。”嗅到金钱的味道，那个矮胖的职员越发变得小心翼翼，不敢把这位装束古怪的顾客随便推给那个小听差。他请亚历山大坐下，直到一位副经理得空之后出来接待他。

不一会儿，一位重要人物走了出来：“我可以为你做点什么呢？先生。”

“我叫亚历山大·金罗斯。我想让你的银行为我存放金锭，”亚历山大说，用靴尖踢了踢地上放着的那个箱子，“我有五十五磅黄金。”

两个小听差抓着把手，把那个沉甸甸的箱子抬进瓦尔特·莫德林的办公室。

“你的意思是说，金罗斯先生，你一个人带着五十五磅黄金从加利福尼亚辗转来到伦敦？”莫德林先生大睁着一双眼睛问。

“我带了一百磅重的东西。黄金上面放着工具。”

“你为什么不把黄金存到旧金山的银行里呢？或者至少可以存进纽约一家银行？”

“因为我唯一信任的银行就是英格兰银行。我认为，”亚历山大说，没有意识到他说话的口气和他刚刚离开的那块土地上的人们完全一样，“要是连英格兰银行也会破产的话，这个世界就无法运转了。我已经对你说过，我这个人不相信银行。”

“哦，英格兰银行荣幸之至，先生。”

锤子、锉子、扳手和许多别的工具摆了一地。亚历山大撬起箱子底部的夹层，十一块金砖出现在眼前，闪着微光。

“我在科罗马从汞合金中提取了这些黄金，”亚历山大兴致勃勃地说，把金砖放到桌子上，夹层的木板和工具放回到箱子里。“你能替我保管吗？”

莫德林先生眨了眨眼。“保管？就这样保管？你不愿意兑换成现金？这样至少还有点利息。”

“不。因为，在我看来，它只有这样才有意义。我不想把它变成账簿纸上的一个数字，莫德林先生，不管那个数字后面跟着多少个零。只是因为我不想总是沉甸甸地背着它走，才想寄存在这儿。您能替我保管吗？”

“当然可以，当然可以，金罗斯先生！”

亚历山大走出银行大门的时候，莫德林先生望着他那高大的、像猫一样无声无息离去的背影，心里想，这是我见过的最古怪的客户。亚历山大·金罗斯！我敢拿他藏在工具箱里的东西打赌，在以后的岁月里，英格兰银行将经常听到这个响亮的名字。

他用带回来的美元兑换了四百英镑，都是沙弗林。但是，他没有因为有了钱，住豪华酒店、买高档消费品，亚历山大甚至连一套讲究的衣服也没有买。相反，他买的都是经洗耐磨的粗棉布工作服和法兰绒内衣内裤，然后就住进肯星敦一家寄宿公寓，那里提供很好的家常便饭和舒适的房间。他去参观博物馆、公共的和私人的画廊，参观伦敦塔和塔梭滋夫人名人蜡像陈列馆。在一家私人画廊，他从那笔轻易不肯动用的钱里拿出五十英镑，买了一幅但丁·加布里埃尔·罗塞蒂①的作品，因为画上那个女人特别像赫诺瑞娅·布朗。他把这幅画交给英格兰银行的莫德林先生，请他代为保管时，

①但丁·加布里埃尔·罗塞蒂（1828—1882年）：英国诗人和画家，是先拉斐尔兄弟会的创建人之一（1848年），以其肖像画及《神女》（1850年）等细节生动和神秘的诗篇而出名。他的妹妹，克里斯蒂娜·乔治娜·罗塞蒂（183H894年）写了许多如《山上》（1861年）等富于宗教感的抒情诗和民谣。

莫德林不动声色。他心里想，如果亚历山大·金罗斯肯花五十英镑买一张画儿，这幅画肯定是传世之作。除此而外，那幅画确实非常漂亮，充满浪漫风情。

然后，他坐着火车一路向北横穿英格兰，回到离金罗斯县城不远的奥克特德兰村。

在亚历山大·金罗斯身上到底发生了什么，还将发生什么，伊丽莎白永远无法得知。她听到的故事，有一半都是人们虚构的。他回来的目的是想找个未婚妻。他之所以不想马上结婚，是因为沿着亚历山大大帝的足迹——照字面意思——造就一番事业的雄心壮志还没有实现。他深信，一个年轻女人肯定不愿意跟着他，重走那位马其顿[①]国王征服世界走过的路。因此，他打算远征回来之后，再和她结婚，然后带着新娘到新南威尔士。他已经选好了未婚妻，她就是詹姆斯叔叔的大女儿琼。他还清清楚楚记着她，仿佛昨天还见过面。那是个高雅、早熟的小姑娘，十岁。她用一双纯净如水的眼睛看着他，说她爱他，永远爱他。现在她该十六岁了，正是谈婚论嫁的年龄。两年后，等到完成新的长征，她十八岁正好结婚。

一个星期日的下午，他骑着一匹雇来的马，回到金罗斯，拜访詹姆斯叔叔。他不愿意见他，厌恶之情溢于言表。“你和过去一样，还是吊儿郎当，游手好闲。”詹姆斯说，一边把客人往前面客厅里领，一边招呼家里人倒茶。“你父亲的丧葬费都是我花的。因为你从这个地球上消失得无影无踪。”

“谢谢你告诉我这个消息，先生，”亚历山大一本正经地说，“你总共花了多少钱？”

“五镑。我没有更大的能力，只能掏这点儿钱给他办丧事。”

亚历山大把手伸进鹿皮外套口袋里，摸索着。“这是六英镑。多余的

---

①马其顿：希腊北部一古国。在菲利浦二世和他的儿子亚历山大大帝统治时期国力强盛（公元前 4 世纪），为希腊文明的传播作出了重要的贡献。罗马人于公元前 148 年把它兼并，变成一个省。

那一镑算利息。他死多长时间了？”

“一年了。”

“我想，希望老家伙默里跟邓肯一起下地狱，是不是太奢侈了？”

“你真是个口出狂言、想入非非的大坏蛋，亚历山大！历来如此。感谢上帝，你和我们这个家族压根儿就没有血缘关系。”

“默里对你说了那些事情？是吗？还是邓肯？”

“我的哥哥临死也没有说出自己的耻辱。是默里在葬礼上告诉我的。他说，一定要有个人知道这个秘密。”

这时候，琼端着茶盘走进客厅。茶盘里放着茶和糕点。啊，她可真漂亮！正如他想象的那样，已经长大成人，有着赫诺瑞娅·布朗那样亮闪闪的睫毛、绿玉般的眼睛。但是，他看出，琼甚至没有认出他，更不要说还记着永远爱他的海誓山盟。她只是随便看了他一眼，就神气活现地走了出去。不过，这可以理解。他已经发生很大变化。最好还是认真考虑如何和詹姆斯做这笔交易。

“我回来是想向琼求婚的。”他说。

“你不是开玩笑吧！”

“绝对不是。我是以我毕生的荣誉，向琼求婚的。尽管我知道，她还年轻，不到嫁人的年龄，但我可以等。”

“你可以等到蛆虫把你吃光！”詹姆斯生气地说，一双眼睛闪闪发光。“把德拉蒙德家的女儿嫁给一个私生子？还不如把她嫁给一个再洗礼派教徒！”

亚历山大还是努力压住心里的怒火。“除了你，我，老默里知道这件事情，没有人知道。所以，这有什么关系呢？我正走向通往财富的大门。”

“呸！你离家出走之后，到哪儿去了？”

“到格拉斯哥去了。在那儿当学徒，造锅炉。”

“你以为造个破锅炉就能发财？”

“不，我还有别的生财之道。”亚历山大说，并想告诉詹姆斯黄金的事。一听黄金，他肯定能闭上他那张臭嘴。

可是詹姆斯已经听够了。他站起身，昂首阔步走到前厅，用非常夸张的动作打开门，指着门前那条路，叫喊："你现在就滚，亚历山大，不管你是个什么玩意儿！你不会娶上琼，或者金罗斯任何一个年轻女人！你要是敢试试看，我和默里牧师就给你戴上颈手枷，让你当众受辱！"

"那么，我就向你起个誓，詹姆斯·德拉蒙德，"亚历山大咬牙切齿地说，"将来的某一天，你一定会乐乐呵呵地把一个女儿嫁给我。"他走过门前那条小路，跨上雇来的那匹马，扬长而去。

詹姆斯望着亚历山大的背影纳闷，他是什么时候学会骑马的，而且骑得那么好？他从哪儿弄来这么漂亮的衣服？可是一切已经晚了。

伊丽莎白那年五岁，此时此刻，正在厨房和琼、安妮学如何做烤饼。因为琼忘了对两个妹妹讲客厅里有位客人，伊丽莎白一直不知道，堂兄亚历山大——"游手好闲的锅炉学徒工"和她只隔着一个房间。

亚历山大放开缰绳，让马儿一路慢跑。他承认，自己是一时冲动办了件傻事。其实，稍微认真地想一想，就能想到詹姆斯·德拉蒙德对他的请求会做出怎样的反应。但是，他那时只想着，还没有成熟的琼和赫诺瑞娅·布朗有那么多相似之处。

要不是我看出赫诺瑞娅·布朗无法和印第安纳州她那块土地分开，我一定会娶她为妻。

现在似乎没有什么急事可做了，亚历山大把他那个西部牛仔的马鞍放在马背上，把行李什物装在两个马褡裢里，开始穿越欧洲的旅行。沿途看到的景物让他觉得正在历史的长廊漫游：哥特式教堂，小镇里一幢幢木架上涂抹灰泥建造而成的房屋，巨大的城堡。到达希腊之后，看到一度金碧辉煌、宏伟的庙宇由于大地母亲的运动，已经坍塌。马其顿仍然处于正在解体的奥斯曼帝国的控制之下，历史遗留下来的证据表明，它受伊斯兰教的影响比受亚历山大大帝的影响大。

事实上，当他在土耳其周游，在伊苏斯[①]四处探寻，然后沿着与他同名的那位伟大人物走过的路线，向南进发，进入埃及的时候，他发现，亚历山大大帝并没有留下什么痕迹。世界古老的历史在巨大的石头上留存下来，不管是金字塔、金字形神塔[②]、圣殿，还是红色砂岩大峡谷石壁上开凿出来的宏伟的神庙都打着历史的印记。巴比伦是一座土坯堆成的古城。它的空中花园已经消失在时间的迷雾之中，关于亚历山大的死或者他生前的业绩，没有留下蛛丝马迹。

慢慢地，“朝圣”变成对亚洲无法满足的好奇，而不是倒拨世纪之钟的时针，寻觅历史的源头。于是，他想到哪儿就到哪儿，不管亚历山大大帝是不是到过那个地方。他骑马翻过东土耳其的崇山峻岭，看见积雪覆盖着山坡，从撒哈拉大沙漠成年累月吹来的黄沙，又将那山坡变成粉红色。现在，让他肃然起敬的是，大自然神奇的力量和人类如何面对大自然、改造大自然。

尽管战争已经结束十年，他觉得去克里米亚[③]旅行仍然是莽撞之举，于是，他向东翻越高加索山脉，到达里海[④]，进入俄罗斯的边塞地区巴库[⑤]。这是从中国发端的古丝绸之路向北延伸的一条“支线”。这个地方荒凉，几乎不下雨，它的首府也叫巴库。这座小城依山而建，一幢幢东倒西歪的房子顺着山势层层相连。他在这儿发现两大“奇观”。第一是鱼子酱；第

①伊苏斯：小亚细亚东南部的一个古代城镇，位于现在土耳其的伊斯肯德仑港附近，公元前 333 年，亚历山大大帝在这里击败了波斯的大流士三世。

②金字形神塔：古代亚述和巴比伦神殿的塔，形状似梯形金字塔，有连续向后倾的塔层。

③克里米亚：前苏联欧洲部分南部的一个行政区和半岛，位于黑海和亚述海沿岸。在古代它曾被希腊人和罗马人统治，后来又被东哥特人、匈奴人和蒙古人侵占。它在 1475 年被奥斯曼土耳其人所征服，在 1783 年这一地区被俄国吞并。该半岛是克里米亚战争（1853—1856 年）的战场，在这场战争中，英国、法国和土耳其的联合军队击败了俄国军队，但克里米亚本身却没有易手。

④里海：世界最大的咸水湖。

⑤巴库：前苏联中亚部分西南部的一座城市，位于里海西海岸。曾一度为波斯人统治，这座城市于 1806 年并入俄国。从 19 世纪 70 年代开始它已成为石油生产的中心。

二是当地人如何开动里海明轮船、火车机车和固定的蒸汽机引擎。

整个巴库地区到处都是杂乱无章的“油井”。有的人管这些“油井”的产品叫石脑油[1]，有的、叫沥青，化学家叫石油。许多这样的“油井”燃烧着，明亮的火焰冲天而起。他看出，燃烧的不是石油，而是“油井”里喷发的天然气。从埃及回来之后，他骑着马向阿拉伯半岛红海沿岸进发，本来想到麦加[2]朝拜。但是一个经验丰富的英国旅行家劝告他最好别去。因为异教徒在那儿不受欢迎。可是巴库和麦加、罗马、耶路撒冷一样，人们的信仰也属于全然不同的宗教派别。他们信仰拜火教。那是从波斯传来的，崇拜燃烧的天然气。这种崇拜给这个本来已经充满异国风情的小地方平添了几分奇异的色彩，宗教仪式也有很大的不同。

遗憾的是，亚历山大不会说俄语、法语、波斯语，或者巴库人能听懂的任何一种语言。他也找不到一个会说英语的人。他只能推测，这些质朴的人因为缺煤和木材，只好用石油做燃料烧锅炉。对油井进一步观察之后，亚历山大又发现，其实，是石油产生的气体而不是石油本身把水变成温度很高的蒸汽。这就是说，油盘上面，锅炉炉膛里的气体一旦开始燃烧，石油必须继续变成气体。更让他着迷的是，这种油——看起来就是油——产生的烟比煤和木材少得多。

离开巴库，翻过像落基山一样连绵逶迤的山岭，亚历山大一路向南，进入波斯。人们把这些山叫作厄尔布尔士山脉[3]。这条山脉的山比较低，悬崖峭壁也比较少。亚历山大惊讶地发现，这儿也盛产石油。看了波斯波利斯[4]周围的废墟，他觉得不虚此行。可是，他还有些个人的事情要办，只得

①石脑油：一种高度挥发性的易燃液态碳氢化合物混合物，从石油、煤焦油和天然气中提炼而出。

②麦加：沙特阿拉伯西部，穆罕默德诞生地，伊斯兰教第一圣地。

③厄尔布尔士山脉：在伊朗北部。

④波斯波利斯：一座古城，位于伊朗的西南部、今天的设拉子东北。它是大流士一世和他的胜利者们举行庆典的首都。其废墟包括大流士和色雷斯的宫殿及亚历山大大帝藏宝的城堡。

再次掉转马头往北，到德黑兰[1]。他的鹿皮衣服已经所剩无几，德黑兰是大城市，可以找到裁缝，做几套岩羚羊皮衣服。这种柔软的、十分高雅的皮革做成衣服，穿在身上非常舒服。于是，他又给了那位兴高采烈的裁缝一些钱，让他多做几套。他把这些衣服寄给英格兰银行的瓦尔特·莫德林，请他代为保管，等他什么时候去英格兰再取回来。这就是典型的亚历山大。他信任裁缝，把银行看作仓库而不觉得有什么不妥之处。他现在已经非常习惯连比划带画图和人们交流，心里想，即使把他流放到熊的领地，他也能让熊明白自己的意思。也许因为他单身一人，看起来普普通通——尽管一望即知是个“老外”——从十五岁离家出走，漫漫长途，他从来没有受到什么人的攻击。他总是帮人家干点这样或那样的体力活儿，挣口饭吃。人们尊重诚实的劳动，也尊重他。

除了岩羚羊皮衣服外，他还不时给莫德林先生寄去别的东西，包括从巴库买的两幅画像，从波斯波利斯买的一尊非常漂亮的大理石雕像，从凡城[2]买的一块很大的丝织地毯，从亚历山大港集市上买的一幅画。卖主说，这幅画原来在拿破仑手下一个军官手里。是那家伙从意大利掠夺来的。亚历山大花了五镑，但是直觉告诉他，这幅画的价值要高得多。因为是幅古画，和他从巴库买的那两幅有点相似之处。

他让自己尽情享受。因为童年时代没有快乐，在格拉斯哥那几年，也没有幸福可言，所以更觉得应该珍惜这一段美好的时光。毕竟他才二十多岁，人生的路还很长。常识告诉他，他经历的每一件事情都使他增长了见识。旅行期间，他学会了拉丁语、希腊文。总有一天，人们将因为他拥有比财富更多的东西而尊重他。

然而，什么事情也有结束的时候。他在伊斯兰世界、中亚、印度和中

---

①德黑兰：伊朗的首都和最大城市，位于伊朗的中北部和黑海以南，为商业和工业中心，18 世纪末期成为首都。

②凡城：土耳其东部城市，凡省省会，在凡湖东南岸。

国游历五年之后，从孟买[①]启程，乘船回伦敦。因为苏伊士运河已经开通，走这条航线快得多。

他已经捎话给瓦尔特·莫德林先生，下午两点到英格兰银行。所以，莫德林先生有足够的时间准备一篇“讲话”，以便交接亚历山大寄到针线大街那些财物时，劝导他一番。他还有足够的时间把存放在他家阁楼里的部分财物赶快送到办公室。那是一个体积很大的帆布包裹，靠他的办公桌立着。

身穿皮衣的亚历山大大步流星地走进英格兰银行，把一张五万英镑的汇票放到银行家面前，然后在供客人坐的椅子上坐下，眼睛里荡漾着笑意。

“没有金砖？”莫德林先生问道。

“我去的那个地方不产黄金。”

莫德林先生端详着亚历山大那张风吹日晒的脸、修剪得整整齐齐的黑山羊胡子、长及肩膀的鬈发，说：“你看起来气色非常好，先生。你去过的那些地方可不是什么富庶之地。”

“我可是一天也没病过。我看到我的岩羚羊皮衣服已经到了。别的东西你都收到了吗？”

“你的‘东西’，金罗斯先生，可没少给银行添麻烦。我们这儿又不是邮局！不过，我还是找了个鉴定人对你这些‘东西’做了个评估，看看哪些‘东西’可以放在外面的仓库，哪些东西得送到金库。那尊雕像是公元前二世纪古希腊的稀世珍宝，那两幅画像是东罗马帝国时代拜占庭风格的传世之作，那块地毯每平方英寸就有六百对十字结，做工之细可想而知。那幅画是乔托[②]的作品。那两个花瓶是中国明朝瓷器上品。屏风也是一千五百年前的艺术品。因此，我们把这些珍贵的文物都存放到金库里。你现在看到的这个包裹，我们确定是一包新衣服——自然是不同一般的新

①孟买：印度西部的一个邦，首府为孟买城。

②乔托（1266？—1337年）：意大利画家、雕刻家、建筑师。

衣服——之后，一直放在我家阁楼上。”莫德林先生满脸严肃地说。他拿起那张汇票，用手指轻轻地弹了一下。“这张汇票是什么意思呢？先生。”

“钻石。今天上午，我把带来的钻石卖给一个荷兰人。他捡了个大便宜，我也乐得按这个价格出手。找到钻石，我非常快乐，这就够了。”

“钻石？为了找到钻石，你们是不是也要开掘矿坑？”

“当然也可以开掘矿坑，不过这是更现代的做法。我是在亚当还是个小男孩儿的时候就已经被人们采掘过的地方——兴都库什山脉[①]、帕米尔高原和喜马拉雅山流下的闪闪发光的小溪布满沙砾的河床——找到这些钻石的。西藏可以采集到最好的宝石。未经雕琢的钻石看起来就像小石子儿或者沙砾，特别是和一层含铁量很高的矿石混在一起的时候，更难区别。如果它们在那层矿石里闪闪发光的话，早就被人发现了。我去的都是非常偏远、无人涉足的地方。”

“金罗斯先生，”瓦尔特·莫德林先生慢吞吞地说，“你真是个非凡的人物。你有迈达斯[②]的点金术。”

“我以前也这样想，可是现在想法变了。一个人能找到这个世界的财宝，因为他正视他看到的东西。”亚历山大·金罗斯说，“这就是秘诀。正视你看到的东西。大多数人做不到这一点。机会并不是只敲一次你的房门，而是连续不断地敲打。”

“机会现在是不是让你和伦敦的‘金融王国’擦肩而过呢？”

“不，好人儿！”亚历山大说，有点惊讶。“我要到新南威尔士。这次是开采黄金。我需要一张开给悉尼某家银行的信用证。帮我找一家不错的银行！尽管，我的黄金最终还得存到你这儿。”

---

①兴都库什山脉：亚洲西南部的一条山脉，自巴基斯坦北部向西绵延805公里（500英里）至阿富汗东北部。该山脉被数条高纬度通道穿过，这些通道自古以来就是侵略和贸易的路径，最高峰是巴基斯坦境内的提利契米尔峰，海拔7695.2米（25230英尺）。

②迈达斯：传说中的佛里几亚国王，酒神狄俄尼索斯赐给他一种力量使他能够把他用手触摸的任何东西变成金子。

“银行，”莫德林先生说，保持着一种尊严，“绝大多数都是无可指责的，先生。”

“废话！”亚历山大轻蔑地说，“悉尼银行和格拉斯哥银行、旧金山银行没有两样。从最高层开始就想骗人。”他站起身，毫不费力地拿起那个挺大的包裹。“在我决定如何处置之前，你能替我保管一下这些东西吗？”

“要收点儿费。”

“收费嘛，这我知道。现在，我要去趟《泰晤士报》。”

“如果你能告诉我，你这几天在伦敦的住处，我可以派人把这些衣服给你送去。”

“不用了。外面有辆出租马车等我。”

莫德林先生被好奇心驱使着，忍不住问道：“《泰晤士报》？你是不是想写文章，介绍这次旅行的所见所闻？”

“不，我可没这么想过。我是想登个广告。到新南威尔士要走两个多月。我不想把这点时间白白浪费掉，所以想找个人教我学法语和意大利语。”

尽管詹姆斯·萨默斯的英语带着很重的中部地区的口音，不怎么好听（“相关人员评价”一栏如是说），推荐人介绍，他的法语和西班牙语听起来相当悦耳。他解释说，吉姆[①]十岁前，他父亲一直在巴黎经营一家啤酒屋。后来，他们举家搬到威尼斯，还干老本行。亚历山大之所以在众多申请人里选他，是因为这个人的身世离奇。他的母亲是法国人，书香门第，坚持让儿子阅读所有法国经典著作。母亲死后，父亲又娶了个同样有文化、有教养的意大利女人。这个女人一辈子没有生育，便把心血都用在培养丈夫和前妻生的这个儿子身上。可惜詹姆斯·萨默斯压根儿就不是做学问的料。

“你为什么申请这个职位？”

“为了去新南威尔士。”萨默斯说。

---

①吉姆：男子名，詹姆斯的略称或昵称。

“你为什么想去那儿？”

“哦，就凭我这口音，在伊顿[①]、哈罗[②]或者温彻斯特[③]还能找上个好工作？我父亲从斯美斯威克来，所以我说话全是那儿的味儿。”他耸了耸肩。“此外，金罗斯先生……先生，我天生不是在教室里待着的料。我也从来没有受雇于豪门，给阔人的女儿当家庭教师，现在还会吗？实际上，我喜欢艰苦的劳动。我的意思是，喜欢体力劳动。与此同时，我这个人还愿意负点儿责。新南威尔士也许正是我应该去的地方。我听说，那个地方，你说话带什么口音并不影响找工作。”

亚历山大往椅背上靠了靠，仔细打量着詹姆斯·萨默斯。这个人身上有一种东西强烈地吸引着他——一种天生的依赖和某种程度的谦卑。他需要依靠一个无论能力还是智慧都胜他一筹的人。亚历山大估计，他的父亲一定严厉但公平，同时也是个难得一见的人物：经营酒馆，却滴酒不沾。儿子把父亲对他的教育等同于女人的柔弱，又渴望成为父亲那样的男人——一个不肯奉承的仆人。

“这活儿归你了，萨默斯先生，”亚历山大说，“不过，到悉尼之后，我可能还要用你。前提当然是你愿意给我干活儿。你教我学会法语和意大利语之后，我还需要一位忠诚的助手。我这样说丝毫没有贬低你的意思。”

那张朴实但不乏吸引力的脸立刻红光满面，萨默斯非常高兴：“哦，谢谢你，金罗斯先生，先生！谢谢你！”

一八七二年四月十三日，他们到达悉尼。那一天正好是亚历山大二十九岁生日。这次远航总共花了一年多的时间。因为亚历山大学习法语和意大利语的进度比他原先想象的慢，更重要的是，因为他以前从来没有

①伊顿：在伦敦附近的白金汉郡，泰晤士河边的一个市镇，伊顿公学所在地。
②哈罗：大伦敦东北部一个建于1571年的主要住宅区，是哈罗公学所在地。
③温彻斯特：英格兰南部城市。

去过日本，也没有去过阿拉斯加、堪察加半岛[①]、加拿大西北部和菲律宾。

吉姆·萨默斯像一面镜子，映照出他总是那么活跃的、旺盛的精力。这个人喜欢他们做的每一件事情、去的每一个地方，心甘情愿地做金罗斯先生想做的事儿。他称呼亚历山大为“金罗斯先生”，喜欢亚历山大称呼他“萨默斯”，而不是表示亲切和随和的“吉姆”。

到达悉尼第一天的晚上，亚历山大对萨默斯说：“至少，旧金山屹立在伸向一个巨大海湾的半岛上，污水可以流进大海，闻不到刺鼻的臭味。悉尼却拥抱着海湾，污水就停留在这一湾小得多的水域。我可受不了这臭味儿。就像在孟买、加尔各答[②]、黄浦一样，让人连气都喘不过来。为了防止人们从这臭气之中逃到内陆地区，这些傻瓜在中心公园那头搞了个低劣的排污通道！呸！”

萨默斯暗想，亚历山大对悉尼未免太挑剔了。他觉得这座城市很漂亮。后来，他发现，金罗斯先生的嗅觉器官非常灵敏。有一天，在育空[③]，金罗斯先生对他说，他能闻出育空有许多黄金。

“但是，我不想在纬度这么高的地方度过一个又一个寒冷的冬季，萨默斯，我们不能在这儿待下去。”他说。

亚历山大把信用证交给莫德林先生推荐的那家银行之后，立刻登上火车、再乘坐马车，一路向西，直奔巴瑟斯特。巴瑟斯特四周都是金矿，但是这座小城本身并非矿业中心。亚历山大估计，正是因为这个原因，使得小城看起来秩序井然、非常干净、有益于健康。

他没有到旅馆或者提供食宿的公寓租房子住，而是在郊区租了一座村舍，让萨默斯在那儿安顿下来。村舍周围是几英亩土地，一派田园风光。

“找个女人给我们做饭，打扫卫生，”亚历山大开始发号施令，顺手

①堪察加半岛：前苏联远东部分的一个半岛，位于鄂霍次克海和白令海之间。人类首次到该半岛探险是在18世纪。

②加尔各答：印度东北部的港口城市。

③育空：加拿大一地区。

把一张表交给萨默斯，“比别的雇主多给她几个钱，为了保住饭碗，她就会乐不颠地好好干。我到周围的金矿转一转，摸摸情况，这当儿，你去商店，把这个单子上列的东西买回来。这儿有一份授权书，拿着它，你可以到银行提款。你要是不会记账，就得学。找个会计，给他点儿钱，让他教你。”他跨上从美国带来的西部牛仔喜欢用的马鞍，把日用品装在马褡裢里。他骑的那匹赤褐色母马是在当地买的，是匹好马。但是，毫无疑问，骑着它翻山越岭、长途跋涉，用美国西部的马鞍比用英国马鞍舒服得多。“我不知道什么时候才能回来，所以你要有个思想准备，我随时都可能站在你面前。”

他身穿岩羚羊皮衣裤，头戴宽边帽子，一路小跑，纵马而去。

他在巴瑟斯特活动频繁，主要是和城里郡里的官员、三个乡绅、商店老板、酒吧常客们接触，从他们嘴里打听点消息。他听说，沙金基本上已经淘光，现在人们正在希尔山和古尔贡挖矿脉里的黄金，第二轮淘金热应运而生。

早期，淘沙金的时候，新南威尔士政府和维多利亚政府——那儿发现的黄金更多——非常贪婪。他们从这一带富含黄金的矿区征收的税金得用天文数字计算。每一个采矿的人必须交三十先令才能领到采矿许可证，许可证的有效期只有一个月。在维多利亚，采矿者个个义愤填膺，再加上代表政府收税的人态度恶劣，几乎引起一场革命。斗争的结果是，领执照的费用降低到二十先令，有效期为一年。但是，亚历山大觉得，还没有必要领什么执照——为什么要急着把自己的目的暴露给别人呢？

去希尔山的路车辙密布，各种车辆拥堵在一起——十头，甚至二十头牛拉着的大型平板运货马车，从哪方面看都像美国驿站的四轮马车（车厢上写着 Cobb&Co），马拉货车，大车，单座两轮马车。有骑马的人、步行的人，还有许多妇女和儿童。男人们的穿戴五花八门，从时髦的西服、硬圆顶礼帽到破烂的工作服、法兰绒衬衫、宽边帽子，应有尽有。女人们的服饰却“整齐划一”，都是土褐色条格平纹布或者印花布裙子、遮阳草帽或者宽前檐女帽，脚上穿着男人的靴子。孩子们的年龄大小不等，有怀里抱着的婴儿，有十几岁的少男少女，也有已经该谈婚论嫁的姑娘。他们大多数穿着精心缝补过的衣服。八九岁的男孩儿像大人一样抽着烟斗或者嚼着烟草。

亚历山大心里想，加利福尼亚“淘金热”最“热”的时候，通往金矿的大路一定也是这般光景。眼前这道风景充满美国风情！从四轮马车、货车到人们那副模样都让你觉得置身于美国边疆城镇。可是在悉尼，我碰到的每一个人都假装自己是英国人——假装得很不成功。真悲哀！这一套做法对“非英国人”没有丝毫吸引力，因此，城里人决心紧抱“阶级意识”不放。

希尔城和其他地方的兄弟城镇一样，坑坑洼洼、车辙很深的大街一到雨季就变成一片泥塘。简陋的小木屋、棚屋、帐篷和别的地方也没有两样。但是，小城有一座引人注目的红砖教堂和另外一两座砖木结构的建筑物，包括一座称之为皇家旅馆的小楼。这儿的中国人很多，有的留着辫子，衣着打扮像苦力，有的则剪掉辫子，身穿英式西装，头戴硬圆顶礼帽。有几家提供食宿的公寓由中国人经营。他们还经营几家商店和饭馆。

天空下回荡着熟悉的声音：冲压机震耳欲聋、连续不断的撞击声，粉碎机刺耳的摩擦声。这声音从霍金斯山传来，那儿便是矿脉“藏身之地”。山上，矿坑、机器的底座、铁架随处可见，乱无头绪。偶然还可以看见一台蒸汽机，但是大多数矿主都用马拉绞盘做动力。亚历山大很快就断定，这一带缺水，那条浅浅的溪流是唯一可以利用的水源，不可能使用高压软管将金砂从烁石崖冲刷出来。至于树木，人们告诉他，比铁还硬。

“这活儿太难干了，费力不讨好。”给他提供信息的人一言以蔽之。

亚历山大非常沮丧。他看了一眼皇家旅馆，觉得那不是他的去处。离克拉克大街不远，有一座小得多的旅馆。环绕旅馆的抹灰篱笆墙刷成淡粉色，屋顶盖着波纹铁皮，门前一条木板路，门楣上方搭着遮阳篷。院子里有拴马杆和饮马的石槽。牌子上写着几个鲜红的大字：康斯特万旅馆。他在心里对自己说，这儿就不错。他把马拴到木杆上，让它饮水，然后向敞开着的前门走去。

这个时辰，大多数希尔山人都在矿井忙着干活儿，所以这个凉爽宜人、内部陈设十分高雅的旅馆几乎空无一人。放眼望去，旅馆酒吧的红杉木吧台沿侧墙而立，除了在任何一个酒馆都能看到的桌子、椅子之外，这间很大的屋子里还摆着一架钢琴。

六个喝酒的人谁也没有抬头，也许因为他们都喝得太多了，懒得抬起头看一眼新来的客人。吧台后面站着一个女人。

“啊哈！”她得意洋洋地喊了起来，“来了个美国佬！”

“不对，是个苏格兰人。”亚历山大凝视着她说。

这个女人确实值得一看。她个子很高，性感十足，紧身胸衣束缚之下，越发显得腰如杨柳，低领红缎子长裙裹不住凝脂般的双乳，裸露出上半部迷人的乳沟。袖子紧贴双臂，露出漂亮的肩膀。她脖子修长，下颌的轮廓十分清晰，一张脸美丽得销魂夺魄。她朱唇丰润，鼻子挺直，高颧骨，绿眼睛，额头很宽。亚历山大从来没有想过，世界上会有真正的绿眼睛，可她的一双眼睛的的确确像绿宝石或者橄榄石。那张迷人的笑脸周围流泻着金红色的秀发，宛如粉红的黄金闪闪发光。

“苏格兰人，”她说，“不过是一个在加利福尼亚生活过的苏格兰人。”

“是的，几年前在那儿待过。我叫亚历山大·金罗斯。”

“我叫茹贝·康斯特万，这是……”她伸出一只好看的手朝四周比划了一下，“我的地盘儿。”

“你这儿有住处吗？”

“后面还有几个房间，每晚的房费一英镑，谁掏得起，谁就可以住。”她说，声音有点刺耳，新南威尔士口音带着明显的英格兰味儿。

“我掏得起，康斯特万太太。”

“康斯特万小姐，不过你还是叫我茹贝为好。人们都这样叫我，除了星期日碰巧在教堂看见我的时候。那些宣讲福音的人叫我斯卡里特，不叫我茹贝[①]。”她嫣然一笑，露出洁白的牙齿，面颊显出两个好看的酒窝。

“饭钱也包括在那一英镑里吗？茹贝。”

“包括早餐和晚餐，不包括午餐。”她回转身，看着吧台上摆着的那一溜酒瓶。“你喝点儿什么？我有家酿的啤酒，也有劲儿大的好酒。叫你亚力克斯，还是亚历山大？”

“亚历山大。事实上，我只想喝杯茶。”

她睁大了一双眼睛。“耶稣基督！你不是宣讲福音的人，你是吗？你不可能是。”

“我是魔鬼的孩子，但也是一个节制能力很强的人。我难改的恶习不过是喜欢抽雪茄。”

“我也一样。”茹贝说，“玛蒂尔达！朵拉！”她大声喊道。

两个姑娘从酒吧后门走了进来。亚历山大突然明白了康斯特万旅馆的主要功能之一。这两个姑娘年轻、漂亮，看起来也很干净，但是，毫无疑问，她们是妓女。

“什么事儿？”玛蒂尔达问，她皮肤较黑。

“你来照料一下酒吧，好姑娘。朵拉，去让山姆给金罗斯先生和我准备下午茶。”

朵拉金发碧眼，点了点头，走了出去。玛蒂尔达径自照料酒吧去了。

“先歇歇脚，亚历山大。”茹贝说，在那张也许是老板“专座”的桌子旁边坐下。和酒吧别的家具相比，这张桌子木纹更好看，擦得锃亮。她从裙子旁边的口袋里掏出一个精巧的金烟盒，打开，递给亚历山大：“抽支雪茄？”

“谢谢，我想先喝杯茶。我大概吸进去足有一磅重的尘土。”

---

①茹贝的英文是Ruby，意思是“红宝石”“深红色”，斯卡里特的英文是Scarlet，意思是“猩红”“鲜红”。因二者意思一样，故有文中此说。

她给自己点燃一支雪茄，深深地吸了一口，然后让烟从鼻孔喷出来，淡淡的灰白色的烟雾在她脑袋四周缭绕。亚历山大的心不由得一阵震颤。那是一种痛楚，就像在穆斯林国家看到眼圈儿抹了眼睑粉的迷人的姑娘时心头的战栗。她们可以把自己隐藏在她们喜欢的面纱下面，但是有的女人可以克服，甚至超越任何人的任何企图。茹贝就是这样一个女人。

“你在加利福尼亚运气不错吧？亚历山大。”

“不错。事实上，我和我的两个合伙人在那崎岖山脉的山脚发现了一条含石英石的金矿脉。”

“足可以算个富人了吧？”

“马马虎虎。”

“你还没有挥金如土，把钱财散尽，对吗？”

“我不是傻瓜。”他轻声说，一双黑眼睛亮光闪闪。

她吃了一惊，想改变话题，说点儿别的。这时，后门开了，一个大约八岁的男孩儿推着一辆小车走了进来。小车上放着一把大茶壶，茶壶上套着家里自己做的保暖罩，还放着两套非常漂亮的骨瓷茶具、精致的甜点、三明治和一块奶油蜂糕。

茹贝见男孩进来，眼睛蓦地一亮。亚历山大从来没有看见过这样一个美艳绝伦的孩子。他身上有一种外来民族的气质，举止优雅，沉着镇定，高高的个子，处处显露出高贵和尊严。

“我的儿子李。”茹贝说，把孩子拉到身边飞快地亲了一口。“谢谢，我的玉猫。问金罗斯先生好。”

“您好，金罗斯先生。”李说，脸上现出和茹贝一模一样的微笑。

“好了，宝贝儿，你先去吧！”

“这么说，你已经结婚了。”亚历山大说。

她很高傲地扬了扬两条秀眉：“没，没有。世界上还没有什么力量能让我嫁给任何人，亚历山大·金罗斯。是的，没有什么力量！我才不会伸长脖子钻进任何一个男人架起的轭里。哼，我死也不会干那种傻事！”

对于她如此激烈的言辞，亚历山大并不感到惊讶。他已经本能地意识到，茹贝最看重的是什么。那就是独立，以物主身份为傲，对所谓有德行的公民的轻蔑。但是，这个男孩儿是个谜：浅褐色的皮肤，绿眼睛镶嵌在眼眶里那副样子，又黑又亮的平直的头发。

“李的父亲是中国人？”他问道。

“是的。他叫孙楚。但是他同意我们的儿子叫李·康斯特万，同意他接受英国教育，前提是我要把他培养成一个绅士。”她边倒茶边说，“孙楚过去是我的合伙人，和我一起经营这个旅馆。生下李之后，我就把旅馆都盘了过来。他还在希尔山。在那儿经营一家洗衣店、一家酿酒厂、几家提供膳食的公寓。现在我们还是很好的朋友。”

“他把孩子都托付给你了？”

“当然。李是混血儿，所以他不能算中国人。孙有钱之后，立刻从中国娶了个老婆。现在他有两个儿子，自然都是中国人。孙的兄弟叫山姆·文——孙是他们的姓。文决定叫山姆。他是我重金聘用的厨师，是这两位孙姓男子中年纪较轻的一个。他们两个人必须有一个回中国老家，对父母、先人尽孝。这个任务就落在山姆头上。他只领一半工资，剩下的一半我都给他存在银行里了。他带回家的钱越多，那些亲戚就越贪婪。”她哼了哼鼻子，笑了起来。“至于孙嘛，他只有变成灰，装在一个雕龙画凤的漂亮坛子里回中国了。”

“你的儿子如果如愿以偿，成了绅士，你希望他将来做什么呢？”他问道，对私生子的命运十分清楚。

泪水突然迷住茹贝那双光彩熠熠的眼睛。她使劲眨了眨，没让泪水流下来。“我已经安排好了，亚历山大。再有两个月，他就离开我，远走高飞了。”泪水又溢满眼眶，她又忍了回去。“十年之内，我们无法相见。他要去英格兰一所非常奢华的私立学校念书。这所学校专门招收外国学生——帕夏①、

①帕夏：旧时奥斯曼帝国和北非高级文武官的称号。

印度王侯、苏丹[①]以及东方国家形形色色达官贵人们的儿子。他们都希望自己的孩子接受英国教育。所以，李在这样一个环境，除了特别聪明之外，不会引人注意。你看，他的同学，有朝一日，都是王侯贵胄，都将成为英国王室的盟友。他们都将给李帮助。”

“你对一个小孩儿期望太高了，茹贝。他多大？八岁还是九岁？”

“八岁，很快就九岁了。”她给他倒了第四杯茶，向他俯过身来，态度十分诚恳。“他清楚他的处境——混血儿的艰难，母亲社会地位的卑微，以及诸如此类的东西。我从来不向他隐瞒什么，也从来不让他因为‘先天不足’而觉得低人一等。李和我以坚韧不拔的意志、实事求是的精神面对我们的身份和未来。没有他的日子我将苦不堪言，但是为了他，我什么都能忍受。如果我把他送到悉尼的学校，甚至到了墨尔本，总会有人发现他的身世。可是，在英格兰一所都是外国皇家子弟的私立学校，谁也无法搞清他的来龙去脉。孙有个表弟，名叫吴胖子，作为李的保护人和仆人和他一起去英国。六月初就出发。”

“对于一个孩子来说，更难，即使他真的清楚自己的处境。”

“你难道以为我不知道这一点吗？但是，正因为他清楚自己的处境，才一定会这样做。为了我。”

“想想看，茹贝。李长大之后，会感激你吗？小小年纪，你就像把他扔进狮子洞一样，送到了英国私立学校。周围都是富甲天下的豪门子弟，他心里清楚，一旦同学们知道他的身世，就会置他于死地。哦，茹贝，这件事情也有它的阴暗面儿。”亚历山大说，尽管为什么要为一个刚刚见了一面的男孩据理力争，连他自己也不知道。他只是觉得男孩目光中有一种和茹贝全然不同的东西，反射出他的灵魂。他被那目光深深地吸引。

“你是个固执己见的家伙，难道不是吗？”她站起身来。“你有马吗？如果有，后院有马棚。把马拉到那儿，交给张和就行了。希尔山的草料很贵，

①苏丹：伊斯兰国家的最高统治者，特指前奥斯曼帝国的最高统治者。

所以每匹马每晚另交五先令。玛蒂尔达，把金罗斯先生领到蓝屋。他是个忧郁的家伙，和蓝色有缘。”她向吧台走去“晚饭你什么时候吃都可以。”她说。亚历山大跟在玛蒂尔达身后，穿过酒吧后门。

蓝屋的色彩确实让人觉得压抑，但是屋子很大、很舒适。他甩掉一直不离左右的玛蒂尔达，从她身边匆匆走过，去照看他的马。这个姑娘显然希望为他提供服务，从而得到慷慨的回报。

浴室和蓝屋隔两个门，估计和希尔山其他地方浴室的条件差不多。厕所在后院，不过是几个土坑罢了。希尔山没有抽水马桶！毫无疑问，缺水是希尔山最严重的问题。

洗完澡，刮完脸，他在蓝床上躺下，很快就进入梦乡。

一阵嘈杂声惊醒他。康斯特万旅馆仿佛从熟睡中醒来。这意味着城里大多数矿工已经结束了一天的工作。他点着煤油灯，穿上崭新的皮外套去吃晚饭。不管妓女们在什么地方做生意，反正不在他这一侧的房间。这边住着五个由茹贝提供食宿的客人。把马安顿到马厩里面之后，他注意到厨房自成一体。这样一来，即使厨房着了火，整幢房子也不会化为灰烬。他还注意到，一溜厢房从正面的楼房延伸出来，和他这一侧的房子遥遥相对。她，茹贝，很有头脑，也没有怜悯之心。哦，那个可怜的小男孩！

酒吧里挤满了顾客，沿吧台就站了三列人。除了老板那张桌子，别的桌子周围都坐满了客人。玛蒂尔达和朵拉在人群里穿来穿去，另外那三个姑娘也都在那儿卖弄风骚。假如他坐在老板那张桌子旁边吃饭，一定会招来许多好奇的目光。大多数络绎不绝到来的顾客头脑还相当清醒。

“我是莫琳。”一个红头发绿发带的姑娘说。亚历山大从来没有见过哪个姑娘脸上的雀斑比她多。她似乎要把那些雀斑连成一片，让自己的脸都变成棕色。“我们有烤猪腿，上面有一层脆皮；还有烤土豆、炖白菜、红肠三明治。如果你想吃别的什么，可以让山姆来做。”

“不用了。这些就很好了，谢谢你，莫琳。”他说。“玛蒂尔达和朵拉，我已经认识了。那两个姑娘是谁？”

“那个棕色头发、长了一双对眼儿的姑娘名叫特丽萨，胳膊上刺花纹的那个叫艾格尼丝，”莫琳哧哧哧地笑着说，“她以前在悉尼罗克斯海员旅店工作。”

这么说，茹贝这几个姑娘不像表面上那么干净。不过，他并没有和她们做交易的打算——在希尔山她们要价多少？——所以目不斜视，狼吞虎咽，吃了一顿丰盛的晚餐。山姆·文也许挣的钱比别人多，他确实是个好厨师。离开这儿之前，一定让山姆给他做一顿地道的中餐。

茹贝自己在吧台后面忙得不可开交，只能对他招招手表示问候。他纳闷，希尔山的酒馆是不是家家都像康斯特万旅馆这样火。想了一会儿，觉得不可能。五个姑娘“生意兴隆”，和一个“牺牲品”谈好价钱、消失之后，不一会儿就又出现在人群之中。另外一个“牺牲品”早已等候多时，巴不得立刻随她再度“消失”。城里肯定有警察，不过，恐怕茹贝早就上下打点，没有人干涉她的生意。

酒足饭饱之后，他嘴里叼支雪茄烟，往椅背上一靠，面前放杯茶，冷眼旁观“交易”双方滑稽古怪的动作。他注意到，姑娘服务所得事先都交给茹贝。

喝酒的人都有了几分醉意，茹贝走到钢琴旁边。钢琴就放在离门口不远的地方，摆放的角度正好让满屋子人都能看见弹钢琴的人。她摆弄了一下裙子，让脚可以自由移动，然后一双手放在琴键上，开始演奏。亚历山大直挺挺地坐着，心里一阵冲动，真想朝那些喝酒的人大喊一声，让他们安静下来，听茹贝演奏。她弹得真棒！虽然都是普通的流行乐曲，可是每首乐曲完了之后的间奏足以显示她技艺的精湛，完全可以把“贝多芬”和“勃拉姆斯”弹奏得非常好。

去美国之前，亚历山大对音乐没有兴趣，仅仅因为他压根儿就没有听过可以称之为音乐的东西。到旧金山之后，有一天，他从音乐厅门前走过，里面正在演奏肖邦的钢琴曲，便走了进去，一下子就对音乐着了迷。从那以后，不管到哪儿，只要有音乐会，他就必定洗耳恭听。圣路易斯、纽约、伦敦、巴黎、威尼斯、米兰、君士坦丁堡[①]，甚至开罗的音乐厅，他都曾经光顾。在开罗，他参加了《阿伊达》[②]的首演式。这部歌剧是威尔第为纪念苏伊士运河开通而作的。他什么音乐都喜欢。歌剧、交响乐、独奏音乐会，以及人们在康斯特万旅馆这样的地方唱的歌。音乐，他喜欢一切音乐。

现在，在希尔山，一位“钢琴大师”自弹自唱《劳瑞娜》——这首忧郁、凄婉的歌。在美国旅行期间，他听过各种各样的人唱这首歌。通常没有伴奏，最多只有让人伤感的六角手风琴[③]和口琴伴奏。

那时候，我们相亲相爱，劳瑞娜，
浓浓的爱意从来不敢用言语表达。
如果我们的爱结出丰硕的果实，
又将怎样，劳瑞娜？
然而，一切已成过去——那逝去的年华。
我不会想起朦胧中的往事。
我对它们说：“逝去的岁月，继续睡吧。”
睡吧！不要管生活的狂风暴雨。
我对它们说：“逝去的岁月，继续睡吧。”
睡吧！不要管生活的狂风暴雨。

她用浑厚、甜美的女低音唱完最后一句之后，轻声啜泣的矿工们拼命鼓掌，求她再弹唱一曲，不要就此罢手。

亚历山大心里想，光凭她能演奏这么美妙的音乐，我也能爱上她。他和她说了几句后来让他后悔不迭的话，便匆匆忙忙逃回到“蓝屋”。

---

①君士坦丁堡：土耳其西北部港市伊斯坦布尔。
②《阿伊达》：意大利歌剧家威尔第的一部歌剧。
③六角手风琴：一种体积很小、带有风箱和按键的六角形乐器。

不知道是谁生起壁炉里的火。希尔山的五月，天黑之后，寒气袭人，因为论季节已经快到冬天了。谢天谢地，用不着穿内衣睡觉，屋子很暖和。他又往炉格栅上加了几块煤。煤，真奇妙！这煤是从哪儿运来的？这一带不产煤，交通又不方便，最近的火车站还在雷达尔。从那儿把煤拉过来实在太费劲了。

也许因为下午睡过觉了，他不觉得怎么累。他从马褡裢里取出他的那本“普卢塔克”[1]，把煤油灯调亮，然后一丝不挂钻进被窝，准备看书。被窝刚刚用暖床器[2]暖过，很舒服。

门突然开了，他抬起头，不由得吃了一惊。他记得他已经从里面锁好了房门。不过，旅店的主人当然应该有每个房间的钥匙。茹贝走了进来，身穿一袭长裙。裙子镶着褶边，缀着花边，开衩很高。她径直向亚历山大走去，每走一步，就露出两条漂亮的腿和高跟无帮皮拖鞋。满头秀发像戈黛娃夫人[3]的头发一样长。

她从他的肩膀上面望过去，发出一声尖叫。“这是什么官样文章！”她说。

“不是什么官样文章。这是希腊文。普卢塔克写的伯里克利[4]的一生。”

她用屁股把他往里推了推，在床边坐下，开始解睡衣的缎带。“你真是个谜，亚历山大·金罗斯。你知道吗？我虽然没有受过多少教育，可也知道如何吹牛皮、说大话。你呢，一定是个真正了不起的人。这是希腊文，对吗？我想，你一定还懂拉丁文。”

---

①普卢塔克（46？—120？）：古希腊传记作家、散文家，一生写有大量作品，最著名者为《希腊罗马名人比较列传》。这部书中的许多故事，曾被莎士比亚用在他反映古罗马生活的戏剧中。

②暖床器：带盖及长把的金属锅，可盛热液体或煤，用于暖床。

③戈黛娃夫人：11 世纪初英国的一位贵妇，相传为促其丈夫减轻人民赋税曾裸体骑马通过考文垂。

④伯里克利（公元前 495—429）：古雅典政治家、民主派领导人，后成为雅典国家的实际统治者，其统治时期成为雅典文化和军事上的全盛时期，因其推进了雅典民主制并下令建造巴台农神庙而著名。

“是的。还有法语、意大利语。”他说，声音里带着掩饰不住的骄傲。

“我想，除了加利福尼亚，你一定还到过许多别的地方。我第一眼看见你，就知道，你是个了不起的人物。”她腰间的缎带已经解开，睡衣从肩膀滑落下来，露出两只高高隆起的乳房。那丰满的乳房形状十分好看。她杨柳细腰，肚子扁平，所以不太受紧身内衣的束缚。

“是的，我去过许多地方。”他非常平静地说。“你来是想引诱我，还只是试探一下？”

“你一定在什么地方和那些宣讲《福音》的人打过交道，亚历山大。”

“我就是在牧师窝子里长大的。”

“看得出来，尽管你不想听人家这么说。我想让你跟我做爱。你要是敢提钱的事儿，我可跟你没完！我是妓院老板娘，我付给别的姑娘钱，让她们接客，自己并不和客人上床。我这个人太挑剔，已经九年没沾男人的边儿了，所以，你应该感到荣幸。来吧。”

“你的意思是，自从和李的父亲不再交往之后，你就没有碰过别的男人。我和他有什么共同之处呢？”

“如果我说这话的时候，你掩嘴窃笑，我一定会给你一巴掌，可是你没有。我喜欢中国人那副模样。有的中国人非常漂亮，个子也高。你看起来不像中国人，不过可真黑，有点像老尼克[①]。”她咯咯咯地笑着，把睡衣扔到地板上。“我敢打赌，亚历山大·金罗斯，你是故意把自己打扮得像个魔鬼。”她的一双绿眼睛闪闪发光。“好了，怎么样？有没有做爱的心情？”

即使脑子里没有，身体也早已蠢蠢欲动。就连亚历山大·金罗斯也不会总克制住自己体内那种被长老会教徒称之为“低级本能”的东西。茹贝能引诱得圣人和她做爱，何况他本来就是个凡人。自从和赫诺瑞娅·布朗有过一夜情之后，他当然和别的女人做过爱，和不同民族和不同长相、不

①老尼克：魔鬼，撒旦。

同境遇的女人。这些女人身上都有一种大多数女人不具备的、非常特别、难以言传的东西。而茹贝身上有一种无法抗拒的吸引力。

她充满激情、技巧纯熟，给人极其美好的感官享受。要么，那个神秘的孙楚是这门“艺术”的大师；要么，茹贝经验丰富，虽然长时间没有做爱，仍然驾轻就熟。亚历山大完全沉湎于她给他带来的快乐之中，那种有意识的、近乎苛刻的要求都得到最大的满足。即使他知道，他已经开始了一件不可能结束的事情，他也没有想到会是这样美妙。

“为什么孙楚之后，这么多年你和别的男人都没有发生过性关系？”他问道，把她的头发绕在一只胳膊上。

“在希尔山，我已经从他们身上赚了不少钱。我按那句老话办事——永远不要往自己窝里拉屎。”

“为什么和我做这事儿呢？我不是也在希尔山吗？”

“你不会在希尔山久留。你是一块滚动的石头。用不了一两天，你就滚蛋了。”

“这么说，你不想和我把这种关系保持下去？”

“活见鬼，当然想！”她不高兴地坐了起来。“可你不会总待在这儿的。只能偶尔抽空来看看我，对吗？得你来我这儿。因为我不可能像吉卜赛人那样背上行李卷儿跟着你到处乱跑。我有个儿子需要教育。我得做生意。”

“孩子上学得花费多少钱？”

“一年两千英镑。你知道，他假期也得待在那儿。有的孩子假期也不回家，所以他有伴儿，还有吴胖子陪他。”

“这可是两万英镑的投资。投资的结果完全是个未知数。”亚历山大说，又显露出他精明的一面。

“我可不像你那种吝啬的苏格兰人，金罗斯先生！你要是打开钱包，我敢打赌，肯定会飞出蛾子。我可不是守财奴。我们祖上就是贼和挥金如土的人。我是个女人，只要把心交给一个男人，宁愿自己讨饭，也要看到他飞黄腾达。你是个男人，造物主创造的刚强铁汉之一。别的男人在你身上看到钢铁般的意志，并且屈服于你的意志。你一定知道自己拥有这种力量，因为你在使用它。但是，我唯一的力量在于我的长相。除此而外，一个女人能有什么力量呢？是的，我很有做生意的头脑。我用我的头脑开发利用我拥有的唯一的财富。”她叹了一口气。“那是我学会自己如何不被‘开发利用’之后的事情。”

“你多大年纪，茹贝？”

“三十。如果我一直出卖自己，还能挣五年好钱，然后就变成一个疲惫不堪、糊里糊涂的老妓女。走运了或许还能挣上六便士。我早就认清了这一点，所以决定自个儿当老板，让别的姑娘去做生意。当老板没有年龄限制，我只能把生意做得更大、更好。”

“直到黄金变成遥远的记忆，希尔山变成牧师们鼓吹的、严格坚守道德规范的社区，”他说，“然后你就得搬到某个新开发的矿区。”

“我已经想到这一点了，”茹贝·康斯特万说，“如果你在哪儿找到黄金，还能想起我吗？”

“我怎么能忘了你？”

随后几天，亚历山大沿图伦河勘察一番，惊讶地发现这儿的情形和加利福尼亚砂砾层采金区的情形十分相似，尽管这条河小得多。河水从高原流来，而高原冬天积雪不足一英尺，夏天即使下大雨，雨水也全都渗到地里。新南威尔士除了狭窄的海岸，都属于干旱地区。这就给从砂砾层里淘金带来很大的困难。加利福尼亚却浪费了亿万加仑的水。他们浪费的水也许比这儿有过的水还要多。一个从这儿路过的植物学家也下榻于康斯特万旅馆。他操着浓重的德国口音对亚历山大解释道，澳大利亚的树木和植物总的来说都是适应了半干旱的气候才存活下来。

茹贝自从一八五一年淘金热以来，一直待在金矿。亚历山大从她那儿得知，新南威尔士这一地区所有从大分水岭（相对而言比较低的山脉）向西流的河里都有金砂——图伦河、菲斯河、阿波克罗姆比河、拉克兰河、贝尔河、麦夸里河。但是，河的水量没有一条能和美国的河流相比。她说，有时候天旱，这些河都变成一串串小水坑，连一片草叶也没有留给羊或者牛。但是在图伦河，他嗅不出新的矿脉。河里的财宝已经被掠夺一空。

亚历山大在希尔山待的最后一天是个星期六。他问茹贝能不能带李出去玩一天。茹贝欣然同意。他原本想让李和自己合骑他那匹母马，让李坐在前面，没成想李自己也有一匹小马，而且是个很不错的骑手。

那天，亚历山大非常快乐，李让他越看越爱。尽管他是个“吝啬的苏格兰人”，但是他发现自己非常愿意帮助李到英国完成对他而言十分宝贵的学业。

那孩子很坦然地谈到即将到来的离别，言语中透露出一种成熟、甚至宿命论的东西。亚历山大听了，心里不由得感到一阵酸楚。

“我每个星期都会给妈妈写一封信。她还送给我一个可以记十年日记的日记本——一个又厚又大的本子！这样一来，我就能准确地知道还有多长时间才能见到她。”

“也许她可以到英格兰去看你。”

那张高雅的脸阴沉下来。“不行，亚历山大。她不能去。我的身份对外是中国王子，母亲是俄罗斯贵族。妈妈说，我要是想把这个‘故事’一直编下去，就必须时时处处做得像真的一样。自己就得相信是真的。”

“她可以假装是你父母的朋友。”

他笑了起来。“哦，得了，亚历山大！妈妈看起来像王子或公主的朋友吗？”

“她要是想装，或许就装得出来。”

“不，”李坚定地说，向后抻了抻瘦小的肩膀，“我要是看见她，总得露焰儿。唯一的办法就是干脆不见面。为这事我们不知道谈了多少次。”

“这么说，你们俩是一对不抱任何幻想的最好的朋友了。”

“当然。”他说。亚历山大看问题如此深刻让他吃了一惊。

“以后，我可能经常去英格兰。我要是去看你，你介意吗？当然要打扮得像个体面的苏格兰绅士。有趣的是，在英格兰，苏格兰口音不会成为社会交往的障碍。他们把我们看作英国人的远亲，因此和他们打交道的时候，我们可以占各种便宜。”

李一双眼睛亮光闪闪，快乐地微笑着。“哦，亚历山大，太棒了！你一定要来看我。”

就这样，当教堂的钟声召唤人们去做礼拜的时候，亚历山大·金罗斯骑着马离开了希尔山。那一刻，他满脑子都是茹贝·康斯特万和她那个不可思议的儿子。这个孩子比他妈妈想象的还要聪明，尽管他喜欢机械工程，而不是像她那样热衷于文学艺术。李发现亚历山大对机械设备样样精通之后，他们沿图伦河的远足就成了没完没了的问答。此刻，希尔山在身后渐渐消失，亚历山大心里想，我从德拉蒙德家讨到老婆——必须讨到——之后，想得到的就是这样一个儿子。

回到巴瑟斯特之后，他发现吉姆·萨默斯正在努力学习记账。他让他采购的那些东西，有的已经运回来放在后院，有的已经定购尚未交货。女管家是个年轻寡妇，名叫玛吉·默菲。她没怎么受过教育，但是很会收拾屋子，而且总是干劲十足。她做的饭菜虽然简单，但很可口。她看萨默斯那副样子和萨默斯看她那副样子都告诉亚历山大，“风往哪儿刮”。不过，萨默斯没有跟他提起他的打算，亚历山大便没有多问。到时候，萨默斯会告诉他的。

下一次勘察是到阿波克罗姆比河，中间在菲斯河停一下。这一带只有几个淘金工人住的非常小的小村落。他发现，如果没有这几户人家，这片广袤的土地完全是一片荒野。

唯一可以称之为村庄的是奥伯伦。奥伯伦在大分水岭之上，位于向西而去的侵入岩浆[①]凝成的花岗岩和向东而去的被不规则的山谷切割的砂岩高地之间。到达奥伯伦之前，他看到一条从未看到过的非常壮丽的峡谷。但

①浸入岩浆：地质学名称，亦作侵入体。

是那几千英尺高的山崖是三叠纪的砂岩。山崖下面有煤和油页岩，没有黄金。奥伯伦的村民给为数很少的旅游者提供食物。这些旅游者是去参观菲斯河岩洞的。要想到达目的地，必须骑马沿着粗粗开凿出来的一条羊肠小道艰难跋涉。不过，他相信，这一路艰险是值得的。那巨大的石灰石溶洞如同仙境，到处是千姿百态的钟乳石和石笋。亚历山大对岩洞没有特别的兴趣，继续纵马前行。

亚历山大知道这次勘察要走很远很远的路，便带了一匹驮马（根本买不到骡子），一路上吃东西也很节省。小袋鼠倒是很多，但是他不爱吃袋鼠肉。别的野味几乎什么也没有。没有鹿和野兔，也没有可以吃的野菜、野果。他从巴瑟斯特弄到一张地图，但是这张所谓地图没有标注出几个地名，更没有提供别的信息。向奥伯伦以南又走了许多英里，他碰到一条不大、但水流湍急的河。这条河向西流去，地图上却没有踪影。河流周围的高地没有人清理过，也没有看到牛羊啃食青草留下的痕迹，或者拉的粪便。

哦，他觉得黄金的气味扑鼻！他掉转马头，沿着那条河向西一直走到一条小瀑布的顶端。这股清流不是从悬崖飞泻而下，激起蒙蒙水雾，而是溅着水花从一层巨岩跳到另一层巨岩，一直越过一道足有一千英尺高的非常陡峭的山坡。山坡下面是一条宽阔的峡谷。河水汩汩地流过平坦的谷底，然后在布满花岗岩和巨砾的山丘间蜿蜒曲折、迤逦而去。

有人已经清理了一部分谷地和比较平缓的山丘。不过亚历山大看出那是为了放牧而不是采金，因为周围没有任何开采黄金的迹象。他对照地图，再通过六分仪测定太阳的位置，断定，不管怎么说，这个地区都是未转让的公有土地。

他花了两天的时间才找到一条从高地到谷底的最佳路线。他在河边一块坚硬的土地“安营扎寨”。从那儿看得见那股跳荡而下、让人心旷神怡的清流。他心里想，这儿肯定有冲积金矿，但是鼻子告诉我，这座山里还有含金的石英石。我的鼻子对黄金有一种本能，或者说特异功能。

他又花了两天的时间，用淘金盘从那条河的砂砾里淘出一百金衡[①]金砂和很小的金块。现在，该去悉尼了。

他掩盖了曾经来过这儿的一切痕迹，甚至把马粪都清理得干干净净，还在马蹄印上撒了些沙土，然后骑着马，穿过一片森林，直奔西北方向的巴瑟斯特。"拥有"这块土地的牧场主不管是谁，显然在另外一个地方"拥有"更辽阔的土地。

到巴瑟斯特之后，没怎么费劲，亚历山大就打听到他想知道的那个人的名字。这个人花很少的租金，就租下从布莱尼到一个叫克鲁克威尔的村庄北边的大部分土地。不过，这位查尔斯·丢伊并不想在地势比较平缓的山丘东面的大山上放牧。他对亚历山大说，牛羊赶到这儿，很快就会消失在茂密的丛林里，再也找不到踪影。

亚历山大虽然掌握了那个地区精确的纬度和一系列数据，但是觉得没有必要透露出去，便径直到悉尼找国土资源部办理相关手续。

他有生以来第一次住进海德公园对面伊丽莎白大街一家豪华旅馆。然后请一个累范特[②]裁缝在很短的时间内给他做一套合体的高级礼服。这么好的生意，那人自然求之不得。也许他真的吝啬（苑贝的话还在他耳边回响），但是这些花费值得，应该属于一种投资。有了这身行头，到国土资源部之后，他轻而易举地见到一位高级官员。

"我们正想削减那些牧场主的权利，"奥斯伯特·温菲尔德先生说，"原因很多。其一，和人口密集的悉尼相比，他们拥有的政治权利越来越大；其二，当初租这些未曾转让的公有土地时，他们付的租金很少。政府——我是吃国家俸禄的公务员——想鼓励城里的工人和前矿主去经营小块土地。当然土地的面积要足够大家养家糊口，不过不可能是几百平方英里的大牧场。"

"那些牧场就是被选中的土地？"亚历山大问。

---

①金衡：英美金、银、宝石等的衡量制，每金衡磅等于 12 金衡盎或 5760 金衡格令。

②累范特：地中海东部诸国。

"没错儿，金罗斯先生。一八六一年，政府新颁布了一项法律——《公有土地转让法》。后来又做了一些修改，把牧场主租用土地的时间压缩到最长不得超过五年。他可以续签合同，但是如果有别人购买他租赁的牧场上尚未测量过的土地，政府就可以终止合同。"

亚历山大很坦率地问："怎样才能买到这样一块未曾测量的公有土地？怎样才能把公有土地转让到私人名下？我有心买一块地。"

亚历山大拿出地图和记录他测定的纬度以及别的数字的纸。国土资源部的地图比他在巴瑟斯特能找到的任何一张地图都详细得多，但是他欣喜地看到，他发现的那条河还没有名字，地图上标的是"阿波克罗姆比河支流"。

"按照这项法律，我能买多少土地？"

"不超过三百二十英亩，先生。每英亩一英镑。按有关规定，先交四分之一的现金，其余四分之三，三年内交清。"

"总共三百二十英镑。我现在就可以一次交清，温菲尔德先生。"

"那块地在哪儿？"温菲尔德先生问。

"在这儿。"亚历山大说，伸出一根手指指着地图上山脚下那条河。

"唔。"温菲尔德先生说，透过双光眼镜顺着亚历山大的手指望过去。他抬起一双亮光闪闪的眼睛望着这位来访者的脸。"这地方很有可能勘探到黄金，对吧？而且还没人来勘探过。非常精明，金罗斯先生。非常精明！不过，你必须签署一份由治安官员作证的声明，表示要用围栏把这块土地围起来，不断改善周围的环境，而且在这块土地上居住，才能买到手。"

"我当然要用围栏把它围起来，改善周围的环境，并且在这块土地上居住，温菲尔德先生。"亚历山大的一双眼睛也闪闪发光。"怎样才能把这块地买到手？"他指着那座山问道。"就我所知，查尔斯·丢伊先生没有租下这座山。他只租了峡谷和河两边的土地。这座山非常陡峭，覆盖着密密的森林，一点儿用处也没有。不过，我对它有浓厚的兴趣。"

"得公开拍卖，金罗斯先生。先在报刊上登广告。我想，你肯定愿意这座山和你选中的那块土地相邻。"

“当然。我得花多少钱才能买下这座山？”

奥斯伯特·温菲尔德耸了耸肩。“你大概还买得起。如果有人竞标，一英亩也许得花几英镑。如果没有人投标，十先令就能买一英亩。估计还有别的人想买。我虽然不是专家，但是我不认为你能在这座山上找到黄金。”

“没错儿。金砂都沉积在布满泥沙和卵石的河床。重量使得它们不能顺流而下。”

那天晚上，他请奥斯伯特·温菲尔德先生在他下榻的酒店吃饭。他将把这儿作为他在悉尼长期工作的总部。这位高官对他请客吃饭的举动颇为满意。购买那三百二十英亩土地的一应文书将在第二天签署，拍卖那座山的事情两周内完成。亚历山大想了一下，决定竞拍一万英亩已经清楚标明的山林。

“我得事先告诉你，亚历山大，”温菲尔德先生说，高级波尔图葡萄酒喝得他满面红光，“如果在你的土地上兴建一座城镇的话，事情会变得复杂。城镇用地得划分出来。这是理所当然的事情，对吧？对这些划分出去的土地你当然还拥有所有权，但是州政府出于自己的考虑，掌握对这些土地的分派权。邮政局的用地，警察局的用地，学校、医院、教堂的用地，都由他们划拨。镇政府自己也需要一块土地。”

“这我不反对。”亚历山大说。话音儿刚落又龇着牙气愤地说，“除了教堂的用地。英国国教我尚可容忍，甚至天主教也马马虎虎，可是我绝对不允许长老会在我的土地上建教堂。”

“出于个人恩怨，是吗？我信奉英国国教，所以……这事儿好办。如果你愿意，我们可以在教堂用地上都建英国国教和天主教的教堂。你当然不能把信奉长老会的人都‘驱逐出境’。他们也有一定的政治影响力。如果你不愿意把土地卖给他们，他们可以买别人的土地。荒地多的是。”

“奥斯伯特，”亚历山大微笑着说，“你提供的这些信息太有用了。”他皱了皱眉头，在心里琢磨对这位高官可以“坦诚”到什么地步，后来还是觉得应该把话说得委婉一点。“我不缺钱，老伙计。所以……哦，如果你经济上有什么困难的话，告诉我，我巴不得帮你忙呢。”

听了这话，奥斯伯特·温菲尔德先生的表现充分说明，他是殖民地政府一位非常称职的官员。“事实上，”他清了清嗓子说，“我在银行里透支了一些钱。”

“一千英镑能帮你还清这笔账吗？”

“哦，足够了。太慷慨了！你太慷慨了！”

亚历山大领他走出酒店，心里有一种成就感。他刚刚收买了第一个他想收买的高级“公仆”。新南威尔士国会两院还有许多像奥斯伯特·温菲尔德先生一样有用的“公仆”，都将被他收买，为他效力。

就这样，亚历山大成了那三百二十英亩好地包括河边地的合法所有者。那条河在国土资源部的地图上也有了名称——金罗斯河。他还成了一万英亩山顶地包括山坡和瀑布的所有者。这块地是他以十先令一英亩的价格拍来的。他还得到在河里勘探黄金的许可证，从而给新南威尔士政府创造了五千三百二十一英镑的财富，其中包括办理勘探黄金许可证花去的一英镑。他被告知，如果他在自己的土地下面开采黄金的话，享有专营权。因为矿藏在他的土地下面，二者不可分割。

一八七二年八月，他骑着马回到希尔山，见到闷闷不乐的茹贝。儿子远走高飞之后，她心情不好，没有能让她高兴起来的事情。但是和亚历山大重逢让她十分开心。

那天夜里，她坐在“蓝屋”床上边抽方头雪茄烟边说：“我在希尔山最多再待两年。我打算到古尔贡。估计在那儿待的时间能长一点。可是那儿没生意之后，又上哪儿去呢？”

“我要是你，就不会为这事儿着急。”他说，然后改变了话题，“茹贝，我想见见孙楚。”

“见孙楚？为什么？”

“我在生意上对他有个建议。他一旦接受了这个建议，我就可以再给你指条路。”

到现在，他已经知道了茹贝的品位，所以眼前的孙楚正是他想象的那副样子：身高六英尺，皮肤比较白，英俊潇洒，四十岁上下。他的办公室就设在他的酿酒厂。他一副中式打扮，不过不是苦力穿的那种土褐色的衣裤。他穿孔雀蓝缎子长袍，袍子上绣着花。袍子下面是一条深蓝色缎子长裤，拖鞋上绣着花。

“我是清朝官员，”他说，把亚历山大领到一张漂亮的漆椅跟前，请他坐下，“来自你们称之为北京的那个地方。因为政坛风云变幻，被罢了官。这就是为什么李会说中国官话[1]，而且可以称自己为中国王子的原因，尽管那所学校还有别的中国人。他讲英语带殖民地口音，这一点我们可以归咎于家庭教师。再说，他很快就会改了这种口音，讲一口纯正的英语。”

“你的英语几乎没有口音。你为什么来新南威尔士？”

“我一直担心鸦片扩散开来。东印度公司正把这种毒品源源不断地运往中国。”孙楚说，“我不向英国外交官叩头下跪，我想堂堂正正地做人，就决定移民到新南威尔士，寻找黄金。”

“找到了吗？”

“找到了，刚够做现在的生意。我的酿酒厂、洗衣店、公寓、饭馆虽然不会让我过王侯般的生活，但也有稳定的收入。”他叹了一口气，“希尔山没有希望找到更多的黄金了。古尔贡也一样。中国人在这儿当个采矿者，既困难又危险，先生。”

“请你叫我亚历山大。讲下去，孙先生。”

“叫我孙就行了。亚历山大，我们中国人，如你所知，既勤劳又节俭。可是因为仇外心理普遍存在，看起来、听起来是外国人的人就成了当地人攻击的目标。而这些人既不努力工作，又不懂得节省他们挣的那点钱。他

①官话：指旧时中国宫廷和官僚阶层所讲的北方话。

们仇恨中国人。用这个词一点儿也不过分，相信我。我们被打，被抢，被折磨，有时候甚至被杀害。英国的司法不适用于我们。警察常常是折磨我们最狠的人。所以，像我这种人要想开采黄金，就得支付高额的费用。高得根本就付不起。但我们还有其他本事，还有做生意的头脑。”孙摊开一双指甲很长的手，“茹贝说，你想给我提点建议。”

“是的。不过，我必须告诉你，我的建议和开采黄金有关，至少开始时有关。不是投资到已经开采的金矿。我在巴瑟斯特东南偏僻的山岭找到了黄金。那儿有阿波克罗姆比河的一条支流，我把它骄傲地命名为金罗斯河。”亚历山大扬了扬两条剑眉，脸上现出一丝微笑。“这件事我对所有人保密，但是愿意和另一个民族的一小伙人分享。他们就是中国人。你瞧，我去过中国，还懂一点中文，和他们相处得很好。”他看起来有点困惑不解。“为什么茹贝和中国人的关系那么好？”

“她有个表兄，在中国生活了十年，名叫伊沙克·鲁宾逊，现在住在诺福克岛。他曾经在一艘美国快速帆船[1]上做枪炮和鸦片生意。后来，这艘船在中国南海失事沉没。伊沙克·鲁宾逊被几位圣方济各会修士[2]营救之后，跟他们一起去了山东半岛他们的修道院。修道士的生活令人生厌，他惹了麻烦，逃了出来。这位表兄非常喜欢茹贝，从中国到新家的路上，特意来希尔山看望她。他们俩关系亲密，茹贝因此对中国人也有了好感。”孙站起身，把手抄在宽大的袖子里。“这是个很有趣也很慷慨的建议，亚历山大。对于我，很有吸引力。说说你的条件。”

“我们将采金所得一分为二。一半归你，一半归我。你从你那一半里拿出一部分，作为对你带来的其他中国人的补偿；我从我那一半里拿出一部分，作为对茹贝的补偿，因为没有她，我就结识不了你。”亚历山大靠

---

①快速帆船：19世纪中期一种尖船头的海船，船桅高，流线型，为高速行驶而建造。

②圣方济各会修士：1209年由圣方济各建立、现已分作三个独立分支的宗教行乞修道团的成员。

椅背坐着，眼睛一直没有离开孙。“如果这儿的含金砂矿像我想象的那样品位极高，一座城市肯定会拔地而起。你就成了当地商业的领军人物，茹贝将拥有一座比‘康斯特万’好得多的旅馆。如果仅仅是你我之间，孙，不存在我是否掌控这个注定要出现的定居点的问题。可是，如果前来创业的是一帮人——倘若你带来的那些人都愿意接受我的领导——定居点就要永远置于我的控制之下。”

“你把什么都想好了。”孙轻声说。

“凡事三思而后行,我的朋友。考虑一下,好吗？带二十个人,不要女人。起初用不着都去淘金。按照法律，我必须首先在这块土地上围起围栏，再建几幢房子。干完这些,就可以合法地、光明正大地干我们自己想干的事情。我们必须这样做，因为那儿还有个当地的牧场主。这个人，会是个麻烦。”

“耶稣基督！”这是茹贝的第一个反应。“你疯了，亚历山大？”

“没有，”他笑着说，“我心里清楚着呢！孙来看过你，是吗？”

“是的。对于我们俩，这是老习惯了。”

他们倚靠在马厩栅栏门上，就像和亚历山大那匹母马打招呼。在这儿，没有人听得见他们谈话的内容。

“吝啬的苏格兰人，”茹贝咝咝地说，目光闪闪，“要对一个年老的妓女行善了。我没你那点儿小钱也活得了，金罗斯先生。别要我了。别给你自己涂脂抹粉了。那些宣讲福音的家伙为了给自己找条逃路就这样乱涂乱抹。我也许就是靠仰面朝天起家的,现在又雇别的女人仰面朝天挣口饭吃,但是，这至少是诚实的劳动。是的，诚实的劳动！女人一旦结婚，就不想再尽婚姻的义务。我不会因此而责备她们。也许她的丈夫是个酒鬼，一天到晚喝得烂醉，像摊泥。也许他挣的钱都拿去抽烟喝酒，只给她一点点维持家里的生活。这种男人，呸！于是，他们就到别的地方找女人放掉那点脏水。如果你不认识那个男人——更别说爱他——为什么不应该让他花钱放他的脏水呢？为什么？为什么？告诉我，你这个假装神圣的坏人。”

亚历山大趴在马厩栅栏门上笑弯了腰。“哦，茹贝，我最喜欢你这副慷慨激昂发表演说的样子！”他擦了擦眼角笑出的泪，紧紧抓住她的一双手，不让她挣脱。“听我说，你这个固执己见的家伙。听着！有的人能引起一连串事情发生。你就是这样一个人。没有你，我永远不会想到和孙楚合作。倘若那样，兴办这个新的企业就会遇到许多麻烦。我给你钱，不是因为你给了我那么美好的、性的快乐，而是因为你帮我做成一笔将带来巨大财富的买卖。没错儿，我是个‘吝啬的苏格兰人’。但是，总的来说，苏格兰人都像我一样有着令人尊敬的荣誉感。为了达到自己的奋斗目标，我不得不‘吝啬’，可是一旦我有能力不‘吝啬’，就会永远和‘吝啬’告别。你对我的帮助使你有资格成为一位合作伙伴，茹贝，即使眼下你还只是个不参与具体经营的、隐名合伙人。”

最后这句话具有明显的“煽动性”，她哈哈哈地笑了起来。“暴风雨”过去了。“好了，好了，我明白你的意思了，你这个坏蛋。握握手。”

他紧紧握着茹贝伸出来的手，一把把她拉到怀里，热烈地吻着。爱上她多么容易！

一个苏格兰人和一个中国人的联盟意味着必须周密计划、绝对保密。孙对希尔山的中国社区宣布，他打算回中国六个月或者八个月，只带保镖，妻子儿女仍然待在希尔山，由山姆·文、张辉和另外几个亲戚照顾。

孙挑选的二十个人，个个年轻力壮。亚历山大觉得，他们和这位满清贵族之间的关系为什么这么密切，恐怕除了中国人，谁也说不清楚。他们也许到死都是他的人。他们的英语尽管说得比金矿大多数中国人都好，但是穿着打扮和别的苦力没有什么两样。

这一队承担秘密使命、扬言回中国的人马非常庄重地从雷达尔路出发。雷达尔路总是比巴瑟斯特路上的人多。因为雷达尔是去希尔山的一个火车站。他们在快到雷达尔的地方停下脚步，等天黑之后，离开大路，消失在森林里。

亚历山大比他们早走一天，在离有人居住的地方很远的一片林中空地等他们。和他一起的是萨默斯，还有一队驮马。马背上耿着一卷卷铁丝、打桩用的钻孔器、很重的木头柱子、帐篷、装五加仑的方煤油桶、灯、斧子、镐、鹤嘴锄、锤子、各种锯子。他们准备用这些锯子在当地砍伐树木，做更多的篱笆桩。孙那些带雕花的箱子里装的都是食物：大米、鱼干、鸭干、洋葱籽、芹菜籽、白菜籽、各种瓶装酱油、一罗[1]咸鸭蛋。

“今天夜里我们要继续往前走。”亚历山大对孙说。孙现在一身农民打扮。“明天白天还得走，到晚上才能休息。我知道大家很辛苦，但是到达目的地之前，我们必须尽可能避人耳目。”

“我同意。”

亚历山大把萨默斯介绍给孙。“他负责和巴瑟斯特联络，孙。我在巴瑟斯特郊外有一幢房子，我们需要的东西都存放在那里。萨默斯隔一段时间就去取一点，就像蚂蚁搬家。我已经派管家带着一个长长的购物单和我的指示到悉尼采买。我让她回来之前，就住在那儿的亲戚家。”

孙皱了皱眉头。“她可靠吗？”

萨默斯脸上露出一丝微笑。“可靠，孙先生。她已经答应和我结婚。她知道该把黄油抹到面包片的哪边。”

“好。”

到一八七三年一月底，围栏已经围好，亚历山大的木板房也差不多盖好了。他和一半中国人开始用一种被称之为“倾斜粗洗淘金槽”的斜水槽淘金。这套设备比淘金盘和淘金摇动槽有了很大的改进。砂砾层里金砂的含量非常高。事实上，比亚历山大原先的估计高得多。看起来，这层沙砾远远超出亚历山大那块土地西面的界线。这就意味着，第一批淘金者将有足够的时间建设一座城镇。孙和他带来的二十个人都有淘金许可证，但是他们只能在十二平方英尺的范围内淘金。他们在瀑布下面钉上楔子，标出

[1]罗：计数单位，合12打，或144个。

二十二个相互连接的十二平方英尺大的工作面。但是在别人发现这里有黄金之前，二十二个人都分散在他们的“势力范围”之外，尽可能多地淘金。然而，即使夜以继日地淘，也无法把这里的黄金淘尽。表层沙砾之下，是更深层的沙砾，而且其范围不受现在河床的限制。因为千百年来，河流多次改道，留下一道道弯弯曲曲的干涸的河床。

现在，他们的伙食有了很大的改变。鸡舍里养了五十只鸡，可以吃上新鲜鸡蛋和鸡肉。还有鸭肉和鹅肉。猪圈里养着猪，自然有猪肉可吃。菜园里，各种蔬菜长得非常繁茂。亚历山大喜欢吃中餐，不过，他注意到萨默斯不怎么爱吃，觉得很有意思。中国人的帐篷搭在宿营地，离那幢木屋有一段距离。亚历山大和孙住在这间木屋里。萨默斯总是四处奔波，没有一个固定的住处。

六个月之后，他们已经淘了一万金衡盎司金砂、小金块和比较大的金块。那闪烁着令人敬畏的美丽金光的黄金，重量超过一百磅，价值十二万五千英镑。而且每天还挖来更多的黄金。

“我想，”亚历山大对孙说，“是去拜访查尔斯·丢伊先生的时候了。过去，他租用这块土地。”

“我感到很惊讶，他居然一直没来我们这儿看个究竟。”孙扬了扬细细的、很好看的眉毛说。“政府肯定已经通知他，你买了他租赁的这块土地。”

亚历山大把食指放在鼻子旁边。孙当然知道这个众所周知的手势的意思。“是的，你这样想自有道理，难道不是吗？”他说，然后去备他那匹母马。

丹利家园俯瞰流向特拉凯湾西面的阿波克罗姆比河。特拉凯湾是采金者聚居区。一八六八年，那个地方不可思议地从冲积矿变成一条矿脉。让查尔斯·丢伊非常苦恼的是，这种改变使特拉凯湾成了官方的金矿。因为，发现这条含金的石英矿脉时，丢伊已经在特拉凯湾好几个矿井投了许多钱。迄今为止，他共获得一万五千英镑的利润。

亚历山大对丢伊先生也是一位金矿投资者一无所知。他骑着马径直向丢伊的府邸走去。可谓完美无缺的白色栅栏环绕着一幢幢收拾得十分整洁的建筑物。马厩和棚屋前面矗立着一座用浮雕装饰的石灰石二层楼房。这幢楼法式门窗，石板屋顶，回廊用透明的建筑材料封闭着，高高的塔楼直刺青天。亚历山大下马的时候，心里想，丢伊先生是个有钱人。

英国管家不情愿地承认，丢伊先生在家。这当儿，他一直用探询的目光打量这位不速之客——衣着古怪，马也未曾修饰。但是金罗斯先生气度不凡，浑身上下有一股不容忽视的力量，管家只得同意向主人通报他的到来。

查尔斯·丢伊看起来什么都像，就是不像这块土地的主人。他个子不高，很壮实，白头发，浓密的络腮胡子飘飘洒洒，但是下巴没留胡子。他穿一套漂亮的礼服，崭新的白衬衫领子浆得很硬，系着丝绸领结。

“哦，我还没来得及换这套城里穿的行头，就被你撞上了。我刚从巴瑟斯特回来，去参加了一个会议，还有宴会。阳光明媚。”丢伊一边说，一边把亚历山大领进书房。“喝一杯怎么样？”

“我可没有喝酒的习惯，丢伊先生。”

“宗教信仰的缘故？戒酒了还是别的什么原因？”

亚历山大噘了噘嘴唇。查尔斯·丢伊心里想，如果不是在屋里，这位亚历山大·金罗斯肯定会朝地上吐口唾沫。“我压根儿就没有什么宗教信仰，也没有什么别的顾忌。”

这种不合社交礼仪的回答并没有让查尔斯感到苦恼。他生性乐观，很能容忍别人的弱点，而不愿意总去评判人家。“那么，喝杯茶吧，金罗斯先生。我呢，就喝杯用你们家乡散发着泥煤味的河水酿造的神酒。”他乐呵呵地说。

牧场主手里端着一杯苏格兰威士忌，在椅子上坐下，兴趣十足地看着这位不速之客。这家伙长得引人注目，两条剑眉，胡子修饰得很整齐，就像凡·戴克[①]画中的人物。他目光犀利，什么都逃不脱他的眼睛。也许他非

①凡·戴克（1599—1641）：佛兰德斯画家，英王查理一世的宫廷画师（1632—1642），作品多以宗教、神话为题材，尤以贵族肖像著称，主要作品有《红衣主教宾提沃利奥》《穿猎装的查理一世》等。

常聪明，而且受过良好的教育。在巴瑟斯特，他听人说起过这位金罗斯先生。人们谈论他，是因为，谁也不知道他来这儿有何贵干，但是大家又都知道，他肯定有自己的目的。他一副美国边疆开发者打扮，所以人们普遍猜测，他是为黄金而来。可是，他虽然去过希尔山几次，传言却说，他不过是找茹贝·康斯特万寻欢作乐罢了。

“我很惊讶，你没有去我那儿做客，丢伊先生。”亚历山大一边津津有味地品阿萨姆[①]茶，一边说。

“做客？到哪儿做客？为什么要做客？”

“大约一年前，我向政府购买了三百二十英亩你租用的土地。”

“真是活见鬼！”查尔斯叫喊着，直挺挺地坐了起来。“这么大的事，我怎么第一次听说？”

“国土资源部肯定给你发过信，通知过你！”

“是啊，他们肯定应该通知我，可是我绝对没有收到过，先生！”

“哦，这些官僚！”亚历山大啧着舌头说，“我敢起誓，新南威尔士的工作效率比加尔各答还低下。”

“这事儿我得找约翰·罗伯逊说说。就是他搞了那个狗屁《公有土地转让法》。而他自己也是牧场主！这就是你想进入国会的麻烦，即使像我们这个备受挫折的牧场也困难重重。国会成员除了想办法增加税收之外，对别的事情都视而不见。牧场主为自己租赁的土地每年付十英镑地税还不行。”

“是的。我已经在悉尼见过约翰·罗伯逊了。”亚历山大说，放下手里的茶杯。“不过，我今天登门拜访，不只是出于礼节，丢伊先生。我是来告诉您，我在金罗斯河发现了黄金冲积矿。正好在我的地盘儿上。”

“金罗斯河？什么金罗斯河？”

“阿波克罗姆比河一条无名的支流，现在我用自己的名字给它命了名。

①阿萨姆：此处指印度东北部的阿萨姆邦。

我迟早会死，但是我的河将永远流淌。那简直是一条金河。你无法想象它的矿藏多么丰富。”

“哦，天哪！”丢伊呻吟着说。“为什么这么多金矿偏偏都跑到我租赁的土地上？一八二一年，我的父亲租下这块土地，在方圆二百英里的土地上放牧。后来发现黄金，来了个约翰·罗伯逊，我们丹利家园越来越小了，金罗斯先生。”

“好了，好了。”亚历山大很友善地说。

“你买的那块地在哪个位置？”

亚历山大从马褡裢里拿出一张国土资源部的地图，丢伊戴上眼镜，走过来，从亚历山大的肩膀上面望过去。他注意到，这个人身上散发着好闻的气味——他的皮外套有一股皮革味儿，穿外套的人也把自己洗得干干净净。那只修长、好看、洁净的手指向丹利家园东面的边界。

“我还是个半大小伙子的时候，清理过一点这儿的土地。”丢伊说，坐回到椅子上。“那时候，人们做梦也想不到这里会有黄金。我也从来没有想过再来清理这块土地。连绵逶迤的大山从这里开始，没法在这儿放牛放羊。那些畜生经常跑到森林里，消失得无影无踪。刚才，你说那条河里有金砂。这就意味着，政府将宣布它为国有金矿，一座净是简陋棚屋的小镇将出现，贪婪的人们将蜂拥而至，各种丑行和罪恶也随之而来。”

“我还在拍卖会上买下一万英亩山顶地。”亚历山大继续说，自己动手将茶杯倒满。“我将在山顶上盖幢房子，远离如你所说的丑行和罪恶。”他向前俯着身子，看起来满脸真诚。“丢伊先生，我不想与你为敌。我不但对地质学颇有研究，而且还是个工程师。所以，我花五千英镑买一座看起来毫无用处的荒山自有道理。我已经把这座山命名为金罗斯山。今后，金矿兴起的城市也将以我的名字命名。”

“这个名字不同寻常。”丢伊说。

“它是我的，只能是我的。按照一般规律，等到砂砾层里的金砂淘尽，金罗斯城也就寿终正寝了。可是真正让我感兴趣的不是砂金矿，尽管它已经让我赚了许多钱。我那座山里，有一条加利福尼亚人称之为母脉的主矿脉——含有游离金的石英石矿脉。所谓游离金，是和黄铁矿无缔合性的黄金。如你所知，谁都可以从沙砾层淘出砂金，可是要想从大山深处坚硬的岩石里开采出黄金，就不是成群结队涌入采金区的人们力所能及的事情了。开采深山里的黄金需要机械设备，需要很多很多的钱。这笔钱靠私下里秘密集资很难筹措齐。因此，我想开采自己土地上那条母脉时，就得寻找投资者，组成一个公司。我向你担保，每一个投资者，最终都将比克利萨斯①还要富有。丢伊先生，我宁愿和你结成同盟，也不想让你煽动政界朋友反对我。”

“换句话说，”查尔斯又给自己倒了一杯酒，“你希望我给你投资。”

“等到时机成熟，当然希望。我不愿意让我的公司被我不了解、不信任的人控制。这个公司将是私人公司，所以不会公开集资。作为股东，难道还有谁比一个从一八二一年起他的家族就在这个地区繁衍生息的人更合适吗？”

丢伊站起身。“金罗斯先生……亚历山大，如果你愿意称我为查尔斯的话……我相信你。你是个精明务实的苏格兰人，不是空想家。”他叹了一口气。“不管怎么说，现在反对淘金热也太晚了，就让那些蚱蜢来滥采滥挖吧，越快越好。然后，金罗斯城就可以按部就班地采掘了，就像特拉凯湾金矿一样。我在特拉凯湾金矿投了资，用赚来的钱盖了这座豪宅。你今天夜里能住在我这儿吗？我们可以一起吃晚餐。”

“如果你原谅我没有晚礼服可穿的话。”

“当然。我也不换衣服了。”

亚历山大把马褡裢拿到楼上一个漂亮的房间里。这间屋子的窗户正对周围绵延起伏的山岭和阿波克罗姆比河浑浊的河水。因为上游发现了十二座金矿，河水受到严重污染。

---

①克利萨斯：公元前六世纪的吕底亚王，以富有著称。

康斯坦斯·丢伊已经做好思想准备，估计亚历山大·金罗斯不会是什么好东西，可是没有想到，到头来，她会非常喜欢他。她比丈夫小十五岁，年轻时算得上是个美人儿。现在，嫁到丢伊家已经二十年了。亚历山大猜想，是她的一双手把这幢房子装饰得如此高雅。她穿着非常典雅的米色缎子长裙，裙子里面的裙撑刚刚开始流行。她脖子上戴着红宝石项链，耳朵上戴着红宝石耳环，长及肘部的米色缎子手套手腕处也镶嵌着红宝石。他注意到她和查尔斯是一对相敬如宾的恩爱夫妻。

"我们家三个女儿——没有儿子——都在悉尼上学。"康斯坦斯轻声说，声音很有魅力。"哦，我真想她们！可是家庭教师只能教这么多了。女孩子一过十二岁就得学会和别的女孩子交往，就得进人社交圈儿，等到谈婚论嫁的年龄，这些关系就会派上用场。你结婚没有？亚历山大。"

"还没有。"他说。

"因为工作太忙，没有机会接触合适的姑娘，还是更喜欢过快乐的单身汉生活？"

"都不是。我已经选好妻子，但是现在还不到结婚的时候。等我给她盖起像府上这幢豪宅一样漂亮的房子，就娶她过门。一座石灰石造的房子，查尔斯。你从哪儿找的泥瓦匠，盖起这么漂亮的一幢房子？"亚历山大问，巧妙地改变了话题。

"从巴瑟斯特找的。"查尔斯说。"政府修那条翻越蓝山的铁路时，从克劳伦斯到西面的山崖之间有一段线路呈'之'字形，中间要建三座很高的高架桥。他们能在附近采到砂岩，可是工程师惠顿找不到石匠。最后只好从意大利雇人。这就是为什么那几座高架桥和这幢房子都是按米制而不是按英制计算尺寸的原因。"

"我从悉尼来的时候，看见那三座高架桥了，就像罗马人建造的一样完美无缺。"

"没错儿。高架桥工程结束之后，有的石匠便留在巴瑟斯特。因为那儿活儿多的是。我在阿波克罗姆比山开了一个采石场，开凿出盖房子用的石头，然后雇那些意大利工匠建造了这座房子。”

“我也要这么干。”亚历山大说。

后来，两个男人又回到书房，丢伊享用他的波尔图葡萄酒，亚历山大叼着雪茄吞云吐雾。这时，亚历山大提起那个敏感的话题。

“我注意到，”他说，“在新南威尔士，排华现象非常严重。我估计，在维多利亚和昆士兰，情况也好不到哪儿去。你自己觉得中国人怎么样？查尔斯。”

这位年长的牧场主耸了耸肩。“我并不讨厌中国人，真的。我毕竟跟他们没有多大关系。他们聚居在金矿，尽管在巴瑟斯特还有几家中国人开的小买卖——一家饭馆、几个店铺。就我所见，他们文静、体面，只是默默地做自己的事情，不伤害任何人。遗憾的是，他们的勤劳引起许多澳大利亚白人的憎恨。这些白人只想不劳而获。而且他们不想和中国人杂居，因为他们不是天主教徒。他们管中国人的庙宇叫‘菩萨房’，暗示那是一个搞罪恶勾当的地方。当然，最让他们恼怒的是，中国人把赚来的钱都寄回中国。在他们眼里，这是让澳大利亚的财富流出澳大利亚。”他呵呵呵地笑着说，“在我看来，和白人寄回英格兰的钱相比，中国人寄走的钱只不过是沧海之一粟。”

亚历山大当然知道自己的钱都存在英格兰的银行，听到这儿有点坐不住了。查尔斯·丢伊显然是正在出现的一批新人——和英格兰离心离德的澳大利亚爱国者。“我的合伙人是中国人，”他说，“我将和他风雨同舟。我在中国的时候，发现中国人和苏格兰人有许多相似之处。我们都吃苦耐劳，勤俭节约。但是中国人胜苏格兰人一筹的是他们生性快乐。中国人喜欢开怀大笑，苏格兰人却总是闷闷不乐，闷闷不乐！”

“你在挖苦自己的同胞，亚历山大。”

“我有充分的理由挖苦他们。”

“我有一种感觉，康妮，”查尔斯一边给妻子梳长长的秀发，一边说，

“这位亚历山大·金罗斯是个不同寻常的人物。他一步也不会走错。”

康斯坦斯的反应是打了个寒战。“哦，亲爱的！不是有句老话嘛，‘凡事有得有失’。”

“我怎么从来没听说过这句老话？你的意思是不是他赚的钱越多，精神上付出的代价也越高？”

“是的。谢谢，亲爱的，好了。”她说，从梳妆台前面转过身面对着他。“不是我不喜欢他，绝对不是。但是我觉得他脑子里有许多古怪的想法。我是指在私事儿上。他会在处理家务事上翻船。因为他以为可以把做生意、搞企业的逻辑用到处理这些事情上。”

“你是想起他说他已经挑选好妻子了。”

“没错儿。听起来怪怪的。就好像他认为根本用不着和她商量，用不着听听她的意见。”她轻轻地咬着一个指甲。“如果他不是有钱人，也就罢了。可是追着有钱人嫁的女人实在太多了。”

“你嫁给我，难道因为我是有钱人吗？”他微笑着问。

“满世界人都这么认为，但是你很清楚我不是，你这个骗子。”她的目光变得越发柔和。“你总是那么快活，那么文静，那么能干。我还喜欢你的络腮胡子触摸我大腿时那种痒酥酥的感觉。”

查尔斯放下梳子：“上床睡觉吧，康斯坦斯。”

第三章 找到了矿脉和新娘

亚历山大·金罗斯在金罗斯河找到砂金矿一年之后，终于回到希尔山和康斯特万旅馆的蓝屋。

茹贝冷冷地但又热情地迎接亚历山大。这种态度似乎告诉他，作为老朋友，她非常欢迎他的到来，可是再爬到蓝床上跟他睡觉就没那么容易了。

骄傲制约着她的态度。真实情况是，她一直想念着他，而孙和李的离去，使得这种思念越发让她苦不堪言。疾病、幻想破灭、彼此不和造成“自然减员”。一年前给茹贝干活儿的那五个姑娘已经离她而去，新来了五个姑娘代替了她们的位置。

“我想,应该说那是几张‘新面孔’,实际上,还是老猫叼回来的小老鼠。”茹贝有点疲倦地说，又给亚历山大倒了一杯茶。“这游戏我玩的时间实在太长了。酒吧里忙的时候，我常常想不起谁是波拉，谁是佩特罗尼拉。佩特罗尼拉，我问你，听起来是不是像一种防蚊虫叮咬的药膏？”

“那是赛特罗尼拉。”他轻声说，从上衣口袋里掏出一个信封递给她。“给你，这是到现在为止，你应该得到的利润。”

“天哪！”她直盯盯地看着那张银行汇票，惊叫起来。“一万英镑，这是总收入的百分之几呀？”

“我那份的十分之一。孙用他的那份买了三百二十英亩山顶地，离城四英里远。他在那儿建起一座宝塔，雕梁画栋，塔身用的材料全是砖和色彩非常漂亮的琉璃瓦。他给我派去一百个苦力，用废弃的石头在峡谷出口建一座大坝。大坝建成之后，就把山上没有污染的水引下来，搞成一个碧水连天的人工湖。然后，他们就和那支全是中国人组成的劳动大军一起，修建我的铁路。我按白人的标准，给他们发工资。是的，孙就像中国皇帝一样快乐。”

“亲爱的孙！”她叹了一口气。“现在我明白为什么山姆·文坐卧不安了。我这个旅馆没有波拉，没有佩特罗尼拉或者别的什么人都行，但是不能没有山姆或者张辉。最近，他们一直嘟囔着要回中国。”

“他们都是有钱人。孙代表他们登记购买土地，就像任何兄长或者堂兄表弟一样。”亚历山大狡黠地说，眯缝着眼睛看茹贝。“金罗斯是这样一个金矿，中国人在那儿享有和别人同等的地位，得到恰当的对待。”

“你很清楚，亚历山大，山姆不是孙的兄弟，张辉也不是他的什么堂兄表弟。他们都是他的奴隶……家奴……用中国话怎么说呢？反正是已经获得解放、还在他统治下的奴隶。”

“是的，当然知道。但是，我更理解为什么孙想把这段历史长久地延续下去。他是从北面来的封建领主，坚持穿他们自己民族的服装，恪守他们的风俗习惯，而且要求他的人也这样做。已经去英国的中国人并不喜欢他。”

“也许这样。不过别以为孙对那些剪掉辫子、穿着浆得很硬的衬衫的中国人就没有影响力。他们共同的敌人是白人。”她从她的金烟盒里抽出一支雪茄。“你跟中国人合伙开矿，像对待白人一样对待他们，但是这些中国人未必就觉得你有恩于他们。”

“我相信他们能为我保守秘密，这就为我赢得六个月的时间。”亚历山大说，用手指弹了一下那张汇票。“我们能有这么好的效益，主要是因为孙控制得了他手下那帮人。我买的土地登记注册之前，一点儿风声也没有走漏。”

“现在，你要拥有一座热闹非凡的帐篷城了。”

“没错儿。我已经采取措施，一切按部就班进行。金罗斯虽然要在许多年之后才能变成一座美丽的城市，但是我对城市的面貌已经做出规划。我划拨出一部分土地，作为市政府建设用地，还花钱雇了六个精明强干的警察。这几个家伙都是我亲自挑选的，他们心里都明白不能做损害中国人利益的事情。我还聘请了一位卫生检查员。眼下，他的任务是确保污水坑不污染地下水。我决不允许伤寒症流行，夺走金罗斯居民的生命。我们还修了两条公路，一条通往巴瑟斯特——至少可以走Cobb&Co驿站的马车——一条通往拉特沟。大白菜一英镑一棵，胡萝卜一英镑一磅，鸡蛋一先令一个。但是，不会永远是这种情况。幸运的是，我们还没有遇上干旱。等到干旱真的到来，大坝里已经蓄满了水。”

那双绿眼睛上下打量着他，目光既闪烁着恼怒，又有一种觉得好玩儿的东西。茹贝大笑着说：“亚历山大，你真是独一无二！无论换了谁都会把这个地方掠夺一番，然后滚蛋。可你不是。让我百思不得其解的是，你为什么管这座城市叫金罗斯？按理说，叫亚历山大才对。”

“你一直在读书。”

“我现在是亚历山大大帝专家。”

“我在金罗斯大街和奥瑞克大街交叉处留了一块人人都羡慕的宝地。如果在这块地上盖一幢楼，楼房两面都临街，而且长达一百英尺。楼房后面是一个宽敞的院子，院子里可以盖马厩、棚屋。我在整个城市规划中称这幢楼房为金罗斯饭店，所有者、许可证持有人：茹贝·康斯特万。我建议你用砖盖。”他那凝视的目光变得严厉。“还有一件事，把你那几个妓女都留在希尔山，不要带到金罗斯。”

怒火在她的眼睛里闪烁。她张开嘴刚想叫喊，亚历山大已经抢先一步。“别嚷嚷！想想看，你这个脾气暴躁的、愚蠢的泼妇，想想看！一般来说，女人不亲自经营自己的饭店，但是如果好好经营，餐饮业也是值得尊敬的职业。等李长大，走向社会，这个职业不会成为他发展的障碍。你花了那么多钱，让李接受最好的教育，可是等他想在自己喜欢的领域建功立业的时候，母亲却是金矿妓院的老板娘，想想看，你的投入还有意义吗？茹贝，我给你创造机会，让你在一座新的城市，开始新的事业。我希望你在金罗斯成为一位有名望、有地位的市民。”他脸上又露出那种迷人的微笑。“如果你在金罗斯开妓院，总有一天，你会被赶走。那些宣讲福音的家伙会煽动一部分人，驱逐从事不明不白职业的女人。也许还会给她们身上涂柏油，粘鸡毛。我无法想象我的生活中没有你。如果没有你，我和那些把自己看作道德警察的牧师作对时，谁听我慷慨陈词呢？”

她哈哈大笑，但是马上变得严肃起来。“盖一座你说的那种饭店，就得花掉你给的这笔钱的三分之一。我不能这样做。这笔钱的二分之一要给李做学费。我现在正发愁上哪儿凑这笔钱。霍金斯山的生产每况愈下，希尔山也越来越不景气。许多希尔山人已经到了金罗斯，还有的人正在去那儿的路上。所以，我必须坦率地告诉你：首先，感谢这些人，我的名声将和他们一路同行；第二，我打算很快就去金罗斯，盖一幢抹灰篱笆墙房子，让我的姑娘们住在那儿，做她们只会做的生意。你讲的道理我都懂，陛下，但是我不能听命于您。明年，你或许能给我再分一次红，不过那就到头了。砂金会淘完的。”

“让我们出去，跟我亲爱的老马说声‘哈罗’。”他说着站起身，向她伸出一只手。

半个小时后，茹贝回到她的房间，换上那条柠檬色天鹅绒长裙。这条裙子她一直小心翼翼地收藏着，等待亚历山大回来看她的那一天。裙子非常时髦，就是内阁大臣夫人的穿着也莫过于此。穿在金罗斯饭店女老板的身上自然绰绰有余。

那是一条矿脉。他说，他那块土地上有一条矿脉。

她以一种超然和冷漠看着镜子里的自己。我看起来根本就不像三十一岁，更像二十五岁。户内生活的好处之一是皮肤可以不受风吹日晒。哦，那些可怜的女人，自个儿在菜地里锄草，男人在矿上干活儿，卖菜换来的那点钱无法养家糊口。两个蹒跚学步的孩子拽着裙子，肚里怀着第三个。她们的手比男人的手还粗糙。我真不明白，她们怎么能忍受这样的生活。我可受不了！我想是因为爱。如果这就是爱，我可永远不会爱任何男人，从孙到亚历山大。有的女人过去像我现在一样美丽。过去。

回顾你三十一年逝去的岁月吧，茹贝！

我是罪恶也会给你带来好处的“光辉榜样”。如果我像那些女人一样，也到菜地里干活儿，曾经帮助过我的男人恐怕连正眼也不会瞧我一眼。人们说，生在哪里完全是命运的安排。命运造就了那么多身无分文的女人，只有少数有背景的富家小姐才能“喜结良缘”，过不愁衣食的好日子。亚历山大也说，有的女孩子能上大学，因为她们的父母有足够的钱送她们受高等教育。而我的母亲唯一可以送我去的地方是到小酒馆给她买一罐啤酒。我没见过父亲。他是个人所共知的饭桶，名叫威廉·亨利·摩根，盗牛贼、监狱里的常客、一位流放犯的儿子。他已经有个妻子，所以没法和我母亲结婚。母亲也是流放犯。她喝醉酒，摔断了腿，后来因生坏疽而死。我的同父异母姐姐都是酒鬼、妓女。几个同父异母哥哥都在监狱里，身上打着“惯犯”的烙印。

所以，我怎么能逃脱悲惨的命运？我从哪里可以找到逃脱这种命运、使自己变得更好的力量？

我的哥哥蒙泰在我十一岁的时候就强奸了我。也许这是件好事，一旦花儿被采摘，挣扎也就结束。新婚后第二天早晨，床单上没有留下血迹，就别指望得到丈夫的尊重。打算结婚的男人，总想弄清楚，他们最先到达那座殿堂。我敢打赌，亚历山大·金罗斯也不例外。

我害怕的是梅毒。我这一辈子，梅毒都潜藏在我的周围。蒙泰奸污我的时候，没有染上这种病，可是一年之后，他就被感染。花儿一旦被采摘，我就跑到悉尼给自己找了个有钱的老头让他养活我。我要是不给他吸吮，他那玩意儿就硬不起来。这活儿女人不觉得怎么好，不过话说回来，倒是个避免怀孩子的好办法。他死后给我留下五千英镑。哦，这下子，他家里人闹翻了天。他们巴不得我一便士也得不到就先去见上帝。我只得把老头留下的信念给他们听，还对他们说，我要在法庭上宣读这封信。那些人只好罢休，没有再说什么就给了我那笔钱。吸吮那玩意儿也能做成交易。

于是，我拿着那笔钱回到希尔山，干我唯一干得了的事——开酒馆和妓院。后来，我爱上了孙，一个英俊的男人，一位中国王爷。他像亚历山大一样精明。他还给了我无价之宝：李。我的孩子，我的希望，我的未来。我永远不会告诉李，作为一个有二分之一白人血统的孩子，他是几代流放犯的后裔。感谢亚历山大·金罗斯，李将免受这种种恶名的玷污。

亚历山大知道我爱他吗？也许知道，也许不知道。亚历山大甚至会很爱我。对于我们俩，幸运的是，婚姻不在考虑之列。他将试图拥有我，我将拒绝被拥有。等他娶了妻子，我将可怜那个女人，但是，我会因为她从我身边偷走他而恨她。

一条矿脉。他发誓那儿有一条矿脉。他发誓，今天拿到的红利不过是向我漂浮而来的“金冰山”的一角。我能信他的话吗？我能相信他吗？能，一万个能！所以，我要按照他的要求，盖一幢漂亮的砖木结构的金罗斯饭店，我要做金罗斯城一个有头有脸的市民。

她从梳妆台旁边站起身来，拖着长长的裙子，向楼下餐厅走去。

“拉特沟烧的砖非常棒，”亚历山大边吃边说，“我们可以用牛车从拉特沟运过来。等金罗斯饭店完工，城里的供水系统业已完成。水源是大坝里的纯净水。那时，下水道也应该铺设完毕。我已经找到一块好地，可以在那儿建一座用污水灌溉的农场。上帝知道，我们这儿有太多的中国人，可以让农场生产蔬菜、粮食。利用净化过的人类制造的废物生产出来的蔬菜一定非常便宜。哦，是的，用污水灌溉的农场的原则就是处理、净化这些废物。而且处理污水的工厂建在我们这座城市的背风处，风会把不好的气味吹走。”

茹贝心里想，一谈起金罗斯，他就没个完。他向往的不只是黄金，而是黄金换来的钱能成就怎样的事业。

一八七四年二月，亚历山大发现了主矿脉。三个月前，他就开始在小瀑布北面一英里处的岩石上挖隧道。他特别注意确保入口开在自己的土地上。他独自一人在细长的、一人高的坑道里干活儿。爆破、用柱子支撑、挖掘都一个人干。除了黑色炸药，他唯一的“助手”就是两根铁轨，一辆矿山上用的槽车。他把炸下来的碎石装到槽车里，然后推出去，倒到洞口外面。

他在距离山脚五十英尺深的地方，碰到石英石矿脉。矿脉在隧道末端，一声比平常沉闷的爆炸声过后，炸下更多的石头。眼前的坑道两英尺宽，左边比较高，右边呈一溜斜坡向下延伸，暗淡的煤油灯光照亮一堆堆碎石，他发现，一块块易碎的矿石中混合着页岩和石英石。埃尔多拉多[①]！他怎么

①埃尔多拉多：定义模糊的历史地区和城市，位于西半球，通常被认为在南美北部。传说那里有大量黄金珠宝，16和17世纪的探险家们曾极力搜寻，其中包括沃尔特·雷利爵士。

就知道该在哪儿挖呢？他的动作非常敏捷，把普通石头装到槽车里，把矿石堆在一边。然后，手里拿着一块矿石，踉踉跄跄地走出坑道。外面阳光明媚，他像被施了催眠术一样，凝视着那块石头。天哪！如果做做化学分析，这块矿石的含金量足有百分之五十。

他抬起头，凝望着这座山，脸上挂着微笑，浑身颤抖，膝盖一阵阵发软。这条矿脉既往上走，也往下走。我知道，它一直延伸到很远的地方，而且也许是许多条矿脉中的一条。金罗斯山，简直就是一座金山！一个不知道父亲是何人的私生子将在这块土地上拥有至高无上的权力。他可以购买或者出卖整个政府。微笑消失，他啜泣起来。

他擦干泪水，向南眺望，目光越过金罗斯城。这座城市不会消亡。不会！它将是又一个古尔贡。它的路将用石板铺得平平整整，建筑物雄伟壮丽。要不要建一座歌剧院？当然要建。金山下面，屹立一座金碧辉煌的歌剧院，那是何等壮丽的景象。他的儿子、儿子的儿子，将因为姓金罗斯而无比骄傲。

下一个星期日，黎明时分，他带着孙楚、查尔斯·丢伊和茹贝·康斯特万一起去看他的新发现。

“天启！”查尔斯喊了起来，一双灰眼睛因为惊讶睁得溜圆。“这一定是上帝摧毁世界之后，为了重建，倾倒在这里的‘资金’。哎呀，亚历山大！简直就像一块蜂蜜酥皮甜点心！在特拉凯湾，石英石里的黄金肉眼几乎看不见，但是这块矿石看起来更像黄金而不是石英石。”

“天启，”亚历山大若有所思地说，“对金矿，对我们，都是个好名字。天启金矿。天启公司。谢谢你，查尔斯。”

“我也是公司的股东？”查尔斯焦急地问。

“如果不是，我就不会带你来了。”

“你需要多少钱？”

“启动资金至少要有十万英镑。我打算买七股并且保留公司的控股权。你们三位如果谁想买两股，只需增加资金就是了。合伙人只有我们四个，按照入股多少分红。”亚历山大说。

“即使你不占主要股份，我也愿意让你来领导公司。”查尔斯说。“我买两股。”

“我也买两股。”孙说，鼻孔张得老大。

“我要一股就行了。”茹贝说。

“不，你也两股。一股是你的，另一股是李的。他长大成人之前，由你托管。”

“亚历山大，不！”茹贝抓着胸口，心灵受到巨大的震撼，这一次总算没有发火，“你不能这么慷慨！”

“我想怎样做就怎样做。”他回转身领他们走出矿坑。阳光耀眼，他转过脸看着她。“茹贝，对李，我从骨子里有一种感觉。他将在天启公司扮演一个重要的角色。是的，查尔斯，‘天启’真是个光彩照人的名字。所以，这不是馈赠，亲爱的朋友，是投资。”

“为什么需要这么多资金呢?”查尔斯问，在心里计算如何筹集两万英镑。

“因为天启金矿从一开始就要按照专业技术标准开采。”亚历山大说，慢慢地踱着步子。“我们需要矿工、装炸药的人、木匠、磨坊工人。加起来至少一百个雇员，工资还要优厚。我不想成为那些专门在工人中煽动不满情绪的家伙们的活靶子。我需要由二十台机器组成的系列捣矿机、十二台破碎机、和黄金产量相当的水银、用于离析的蒸馏器、带动一切设备的蒸汽机和堆得像小山一样的煤。拉特沟煤的储量相当丰富，但是从煤矿到悉尼一路上坡，全是Z字形弯道。这样一来，运费高昂，和南面、北面的煤田都无法竞争。我们要马上修一条从拉特沟到金罗斯的私营铁路，规格完全合乎标准。为什么要修这条铁路？因为我们要在拉特沟附近买一座自己的煤矿。烧木头太浪费，也没有必要。我们在城里点煤气灯，用煤烧蒸汽机，焦炭烧蒸馏器。用黑色火药的时间不会太长了，我打算用瑞典人发明的黄色炸药。”

“我明白了。”查尔斯苦笑着说，“可是，如果不等我们赚钱，矿脉就消失了，该怎么办呢？”

“这种事儿绝对不会发生，查尔斯。”孙十分肯定地说。“我已经请教过占星家。他们都说，这个地方的黄金能挖一个世纪。”

金罗斯饭店正式开业，尽管茹贝还在等家具和别的设备布置那几个比较小的房间。亚历山大在顶层给自己留了一套房子。今天总算解开了这个谜团——过去三个月他怎么消失得无影无踪？他找到一条矿脉。这个神出鬼没的私生子！

“我希望，”她在“红宝石屋”和亚历山大一起用餐时说，“剩下的那些东西赶快运来。一旦天启公司成立的消息透漏出去，记者就会蜂拥而至，紧接着就是又一场淘金热。”

“可能来几个记者。可是天启公司是在自己拥有的土地上开采地表之下的金矿。我们这家公司有权在整个金罗斯山采矿。”他面带微笑，点燃一支方头雪茄。“此外，我有一种直觉，除了金罗斯山，这一带没有黄金。毫无疑问，别的公司也会买相邻的土地开采一番，但是，他们什么也不会发现。”

“你已经赚了多少钱？”她好奇地问。

“比我投入天启公司的七万英镑多得多。所以，我雇了孙手下的人修一条悬索铁路，直通山顶。到明年，在山顶建成一座公馆——金罗斯公馆。因为矿脉走向的缘故——还有好几条支脉——我要把井架立在二百英尺高的石灰石岩架上。石灰石的走向朝西，我正好把岩架作为采石场，为我的公馆采石，同时扩大岩架的面积，一举两得。你们今天看到的矿坑是未来的一号矿井。五十英尺以下就是地面。很大的入口就开在那儿。缆索把槽车牵引到火车头跟前。如果槽车里装的是矿石，就运给粉碎机粉碎，如果是岩石，就运到大坝筑堤。因为我们发现一条支流流人峡谷，所以可以在那儿修一道堤坝，截住这股清流。索道车可以把矿工和他们的工具运到岩架和井架，再往上就是我那座公馆的工地。我已经把什么都安排好了。”亚历山大心满意足地说。

“是啊，你还有安排不好的时候？不过，你为什么要盖一座公馆呢？我的金罗斯饭店有什么不好吗？你在这儿住着觉得不舒服吗？”

“我不能让我的妻子住在一座矿区旅馆，茹贝。”

她的脸一下子拉得老长，面颊仿佛冻僵了一般。“你的妻子？”一双眯细的眼睛颜色像猫眼一样，充满愤怒和危险。“我明白了。已经挑好了，是吗？”“是的，几年前就挑好了。”他说，显然沾沾自喜，向天花板喷出一团烟，紧接着又吐出一个烟圈儿。

“眼下，”她平静地说，“英国国教的教堂正在建造之中，你对城市设施的改进也仅限于供水和污水处理系统。你和我是情人，人所共知，而且不碍任何人的事。但是，你一旦娶了老婆，事情就不这么简单了。天哪，亚历山大，你真是个该死的杂种！我让你买了我。你把我置于无法抗争的境地。”她说着猛地站起身，撞倒了椅子。“红宝石屋”吃饭的人都直盯盯地看着她。“我建议你好好想想这事儿，你这堆臭狗屎！你……你这条毒蛇！”

“你如果总是这个样子，”他态度温和地说，“就不能成为天启公司的股东。”啪！她举起手扇了他一个耳光，劲使得那么大，连枝形吊灯上装饰的挂件也叮叮当当响了起来。“我巴不得呢！你守着你那堆该死的黄金，爱怎么办就怎么办，关我屁事！”

她一阵风似的冲了出去，柠檬色天鹅绒长裙就像一团金黄色的云雾飘然而去。亚历山大扬了扬眉毛，朝周围正在吃饭的人瞥了一眼，把方头雪茄放到水晶烟灰缸里，不慌不忙地跟着她走了出去。

他在楼上的游廊找到茹贝。她双拳紧握，踱来踱去，牙齿咬得格格响。

“我想，你发疯的时候我最爱你，亲爱的茹贝。”他说，声音里有一种魅力。

“别骗我！”她叫喊着。

“不是骗你，我说的是实话。如果你不是这样一个让人愉快的泼妇，我就不招惹你了。可是，哦，茹贝，你发起火来，实在是无人可比。”

“没错儿！”

“最妙的是，你在炉火通红的时候，没法儿长时间保持锅炉的压力。”他抓住她的一双手，轻松自如地摇晃着。“气儿快跑光了。”他悄声说，吻了吻她滚烫的面颊。

她张开嘴想咬他，没有咬着。“哦，该死的大裙子！”她叫喊着，手指弯曲像爪子。“没有这个破裙子挡着，我会使劲踢你那两个蛋蛋，你就用不着老婆也用不着情妇了！亚历山大·金罗斯，我恨你！”

“你不会踢的。”他说，满脸笑容。“过来，亲一口就没事儿了。不管你是不是愿意，你都将效忠于天启公司，而且你都得接受我要娶妻生子这个事实。即使不做情人，我们也是朋友。”

她轻蔑地瞪着他。“我很快就和那些宣讲福音的家伙交朋友了！”

“这已经是老生常谈了，茹贝，想想看！我不能娶你为妻，这是显而易见的。我们俩要是做了夫妻，总得相互打破脑袋。我刚刚找到我认为是世界上最大的金矿。这座金矿创造的财富留给谁呢？我需要娶个妻子给我生几个儿子。你已经有了继承人。孙的继承人更是一大堆。我却连一个可以继承家业的人也没有。这不公平，亲爱的。”

“是的，我明白，”她说，浑身颤抖，已经从愤怒的巅峰跌落下来，“你的意思是不是你爱的是我，而不是她？”

“我怎么会爱一个从来没有见过的姑娘？”

“从来没有见过？”

“我是想从苏格兰娶个新娘。一个堂妹。她对新南威尔士——愿意的话，你可以称之为澳大利亚——一无所知，和我也素不相识。我希望她是个乖巧的小东西，但她是一口袋子里的猪[1]。当然，论贞洁，我对她有绝对的把握。”他做了个鬼脸，“毫无疑问，她信奉长老会。但我可以让她放弃自

---

①一口袋子里的猪（a pig in a poke）：苏格兰俗语，意思是，一只猪被藏于麻袋中而不让买主看到。poke 这个名词一意为一个包或袋子——在英语中可追溯到 14 世纪。在苏格兰的许多地方，poke 指用来携带商品的小纸包或用来包冰淇淋卷的锥形纸片。

己的信仰。因为她将成为我的孩子的母亲，所以，我希望自己能学会爱她。希望她是个有责任心的贤妻良母。这一点问题不大。我们那个氏族的女人都是在这样一种教育的熏陶下长大的。这事儿，我一时半晌也和你说不清楚，茹贝。要论贞操，你连边儿也沾不上；妻子的职责，更让你烦得要命，只能永远对着干。”

她在裙子口袋里摸索着，跺了一下脚。“哦，真该死！我的雪茄没有了。给我一支，亚历山大。”

亚历山大划着一根火柴，茹贝吞云吐雾的时候，他手里还拿着火柴杆儿。“不发脾气了？茹贝。”

“得了吧。”她在游廊来来回回走着，方头雪茄一会儿从嘴边拿开，一会儿又叼在嘴里，然后和他拉开一段距离，停下脚步，转过脸看着他。“亚历山大，你疯了。‘一口袋子里的猪’，就这样描绘你的妻子，亏你说得出口！以金钱为目的的婚姻多的是，可是，双方总该多多少少有点儿了解。你为什么不到悉尼找一个合适的妻子？查尔斯和康斯坦斯有两个或者三个待字闺中的女儿。我想，她们条件都不错。索菲娅很适合你。你会爱上她的。”

他满脸严肃。“不，茹贝。我不想和你再讨论妻子的事儿了。我已经告诉你我打算做什么，为什么这样做。”

“把我归到朋友那个圈子里了。”

“我了解苏格兰人。”他说，把已经熄灭的烟头从她手指间拿开。“无论这位新娘是我哪位堂妹，她都永远不会为你效力。此外，我还没有结婚，所以要不要把你划到朋友那个圈子里，是将来的事情。”

她伸出双臂轻轻地搂住他，目光变得温柔。“你根本就不知道她是不是可爱，亚历山大。倘若她是个黛利拉[①]，你该怎么办？”

①黛利拉：圣经旧约中，参孙的情妇。她将参孙出卖给非利士人，在参孙睡觉时剪掉他的头发，使参孙丧失了能量，喻妖妇、骗子。

他们就站在墙根儿。他紧紧抱着她，让她贴着墙，扯开裙子，露出漂亮的乳房。“只有一个黛利拉，茹贝，那就是你。”

下面就是亚历山大·金罗斯写给詹姆斯·德拉蒙德的那封信。伊丽莎白一直想看这封信，但是始终没有看到。

尊敬的詹姆斯：

我写此信的目的，是请求你把你的一个女儿嫁给我。琼如果尚未许配他人，娶她为妻，自然甚合吾意。如果她已嫁人，别人亦可。

上次与你见面时，你说，你宁愿把女儿嫁给再洗礼派教徒，也不愿意嫁给我。我当时对你说，总有一天，你会改变主意。现在，这一天到来了。

那个造锅炉的学徒工干得非常漂亮，詹姆斯。他不但在加利福尼亚找到了黄金——你容不得他把话说完——而且在新南威尔士找到一座金山。亚历山大·金罗斯已经是一个巨富了。

金罗斯？我好像听见你发出这样的疑问。谁是金罗斯？哦，按照你的说法，德拉蒙德家族已经和我脱离关系，所以我给自己创造了这个姓。你的女儿将过贵妇人的生活。新南威尔士——我现在就是从那儿给你写信——没有适合我的妻子。这儿的女人都是妓女、流放犯或者从英国来的势利小人。

随信寄去一千英镑，作为我的新娘来新南威尔士的费用。要坐头等舱，而且要有一位训练有素的贴身使女陪伴。这种女人在这儿也是罕见之物。

立即回信，告诉我，我在悉尼迎接的将是哪位姑娘。如果她喜欢我，你还将得到五千英镑。

他得意洋洋地签下自己的名字，靠在椅背上，面带微笑，又读了一遍。这下满足了吧？詹姆斯·德拉蒙德，爱钱如命的老东西！满足了吧？约翰·默里！

萨默斯拿着这封信到伯温菲尔斯邮寄，尽管去巴瑟斯特的驿车也有皇家邮政的代办点。到苏格兰金罗斯的邮路十分缓慢。三月份寄的信，詹姆斯·德拉蒙德九月份才收到。詹姆斯·德拉蒙德的回信倒是快得多。他告诉亚历山大，他送去的是最小的女儿，十六岁的伊丽莎白。奥罗拉号从泰尔伯里起航前一个星期，这封信就到了新南威尔士。

金罗斯府邸屹立在金罗斯山顶，在一片狂乱中完成。想到自己要成为这座豪宅的管家，玛吉·萨默斯不由得号啕大哭。她这种愚蠢的行为毫无用处。吉姆·萨默斯说，让她干什么，就得干什么，没什么好说的。可怜的女人，她似乎命中注定膝下无子。第一个丈夫没能让她生下一男半女，萨默斯也没有给她带来做母亲的喜悦。

亚历山大一直拖到最后一刻才告诉查尔斯和康斯坦斯·丢伊他要结婚的事情。他意识到，这件事似乎很难开口。康斯坦斯一直绞尽脑汁想让亚历山大对她的大女儿索菲娅感兴趣。她私下认为，索菲娅和亚历山大非常般配。她漂亮、聪明、受过良好的教育、极具幽默感，而且袅袅婷婷，不乏凡夫俗子喜欢的那种格调。然而，尽管索菲娅对亚历山大心仪已久，亚历山大对这个可怜的姑娘却视而不见，这可是康斯坦斯最担心的事情。

在社交场合，茹贝·康斯特万是丢伊夫妇最大的障碍。他们像猫绕过小水坑一样，小心翼翼地躲着她，就好像那“水坑”形成一万年前，他们就走这条路。查尔斯只是天启公司在金罗斯饭店召开董事会的时候，才见她一面；康斯坦斯则只有董事会在金罗斯饭店举行招待会的时候，才跟她打个招呼。在希尔山和金罗斯城，众所周知，茹贝·康斯特万从肉体到灵魂（如果她还有灵魂的话）都属于亚历山大。但是，让大家百思不得其解的是，亚历山大结婚之后——他非结不可——拿茹贝怎么办？

亚历山大告诉丢伊夫妇，伊丽莎白很快就要到悉尼了。夫妻俩听了，大吃一惊。

“天哪！你真是守口如瓶。”康斯坦斯一边使劲扇着扇子，一边说。“从苏格兰娶了个新娘！”

“是的，一位堂妹。伊丽莎白·德拉蒙德。”

“她一定非常漂亮，要不然怎么会迷住你。”

“不知道。”亚历山大平静地说。“我认识她的大姐琼，一个非常漂亮、充满活力的姑娘。这个姑娘嘛，我离开苏格兰的时候，还是个黄毛丫头。”

“哦……是吗？她……多大年纪？”

“十六岁。”

查尔斯被威士忌呛了一下，好半天才说出话来。

“你年纪的一半。”康斯坦斯说，脸上露出灿烂的微笑。“哦，可喜可贺，亚历山大！你是适合娶一个非常年轻的姑娘。查尔斯，别大口大口地喝！那是威士忌，不是水。”

真巧，他订购的炸药居然也在这条船上。他在同一批邮件中收到炸药提单和詹姆斯·德拉蒙德的信。亚历山大得知伊丽莎白乘坐的船是奥罗拉号之后，满肚子不高兴。因为奥罗拉号是货运船，只能装载十几个乘客，这就意味着船上只有二等舱，设备和食物更好不到哪儿去。而且这条船绕好望角，而不是走苏伊士运河，航程足足两个半月。

一旦下了赌注，掷下骰子，没有退路，他就心情紧张、焦躁不安，见了谁都想发脾气，包括萨默斯。是不是孤傲让他陷入悔恨终身的误区？他为什么没有意识到她有多么年轻？他为什么没有算一算逝去的岁月已有多久？在这儿，他认识的女孩只有丢伊家那几个姑娘。这本来是件好事，可他对她们竟然一直视而不见。茹贝每次见到他，都换上一副“新面目”。一会儿是给精疲力竭的恺撒带来声色口腹之乐的克娄巴特拉，一会儿是喜欢就政治问题争论不休的阿斯帕齐娅，一会儿是断定他会抛弃她的约瑟芬，一会儿又是琢磨给她的毒戒里放什么毒药的凯瑟琳·美第奇。要么就是凝视着你，把你变成石头的美杜莎，或者准备出卖参孙的黛利拉。

三月中旬，亚历山大出发到悉尼。他发现，沿海的平地宛如一片沼泽，悉尼污水横流仍然是挂在大家嘴边的话题。不过，他还是有办法减轻伊丽莎白新来乍到的不安和困惑。因为他知道詹姆斯·德拉蒙德是如何带大这个女儿的。话说回来，他不正是因为这个原因才娶她为妻的吗？处女、有德行、没上过学、对生活没有经验、年纪很小的乡村姑娘，只有星期日晚饭的餐桌上才能见到果酱，只有特别的日子全家聚会时才能吃到一口烤肉。他对那个世界太熟悉了，也太痛恨了。他希望伊丽莎白也痛恨那种生活，希望她庆幸自己有机会跳出那个圈子，一切重新开始。

可是，看见她从头到脚包裹着让人难以忍受的、看了就觉得燥热的、德拉蒙德式厚重的格子呢，神情呆板地坐在箱子上、两手交迭抓着钱包，他便觉得，那希望还没有出现在眼前。她那副样子就像一个孤儿，突然被人扔到一个她不知道、也不想知道的世界。一个胆小怕羞的人，精神被她的父亲、毫无疑问还有她的牧师彻底摧垮了。想到这儿，他便一本正经地向她快步走去，心里充满了沮丧。哦，我的良苦用心不会起什么作用。

没有一位聪明的、有经验的老女人告诉他，从一开始起，他就全错了。所以，他压根儿就不知道，自己正沿着错误的道路向前走。他按原定计划，先接到她，然后尽快结婚。

结婚前一天，他一直和她在一起。这一天，有些事情让他很受鼓舞，有些事情又让他泄气。尽管她那身行头土得掉渣，皮肤的颜色和他一样，没有什么吸引力，可是仔细端详就会发现，其实她是个美人胚子，打扮起来一定非常漂亮。他喜欢她那双湛蓝的眼睛。这双眼睛很大，距离挺宽。只要穿上时髦的衣服，戴上闪烁着珠光宝气的首饰，她绝对不会给他丢脸。他对自己说，她的羞怯、腼腆到时候就会消失，苏格兰口音也会越来越轻。她接受那枚钻戒时的态度让人生气，不过婚后两个星期，她对任何补救措施都没有反对。

他和她上床时，信心十足，因为他很会做爱，他的经验足以满足所有女人的要求。但是，他忽略了一点，那就是，所有那些被他征服的女人，都是主动邀请他上床的，也就是说，那些女人都想得到他。他让她们每一个人都心满意足，只要她们请求他再干。当然，他知道，伊丽莎白年纪太小，太无知，做爱前不会主动配合，但是他毫不怀疑，用不了两分钟，她的激情就被唤起，就乐不得和他一起在爱河里畅游。然而，这一切并没有发生，他便无计可施了。亚历山大·金罗斯毕竟不是唐璜[1]。他只是一位杰出的工程师，具有强大的性功能，能让双方都得到满足和快乐。可是这个傻姑娘甚至连睡袍也不让他脱！他无法激起她的性欲！大家都认为，十六岁的女人已经是熟透了的柿子，可是伊丽莎白还是一枚又酸又涩的绿樱桃。她并不拒绝，而是很有礼貌地忍受着他的一举一动，显然已经做好了充分的准备，尽妻子的职责。尽管这职责既简单又明确。因此，向新婚妻子的“城堡”进攻三次之后，亚历山大便离开那张床，心里充满懊恼和失望。更糟糕的是，他离开时，心里一直纳闷，这些年他有没有搞错？那些看起来被他搞得神魂颠倒的女人只不过是假装快乐罢了。

亚历山大躺在自己那张床上，辗转反侧，难以成眠，一直在心里琢磨那些女人是不是真的在作秀。他想，一个能把黄铜矿和黄金分得一清二楚的人绝对不会被她们蒙蔽。而茹贝在他床上的表现更让他疑云散尽，放下心来。茹贝不可能假装高潮。她玉液横流，显然没个够。然而，一想到自己毕竟不是一个能让年轻的妻子芳心萌动、春潮泛滥的“情圣”，他就羞愧难言。他为什么不能激起伊丽莎白的情欲？我不是一个虚荣心很强的人，他对自己说。完全不知道有的人认为他身上那件鹿皮夹克就是他虚荣心的表现。我并不虚荣，但是我有一副好身板，五官也还端正。我有钱，很成功，谁都喜欢我。为什么就不能赢得妻子的芳心？

他无法回答这个问题。

直到离开悉尼的那一天，他也没有找到答案，尽管他已经和她做了许多次爱。她一直没有回应，只是躺在床上默默地忍受着。

倘若伊丽莎白能够意识到这一点，就会发现，只要保持现在这副样子，

---

①唐璜：西班牙传说中的人物，风流贵族，诱奸者，为许多诗歌、戏剧和歌剧的男主角，喻淫荡者。

就能吸引丈夫。而且这个办法比什么都灵——一个不听摆布的女人，脸上挂着不可抗拒的迷人的微笑，愤怒导致激情和近乎疯狂的快乐。在他看来，自己是娶了一根冰柱，所幸这根冰柱还没有冻到心里，如果能找到一把打开心灵大门的钥匙，就能把她融化，他就成了这个世界上最幸福的人。他爱上她，因为她不为所动，因为看到他走进她的房间，她不会两眼放光。因为，除了毫无抱怨地尽自己的责任之外，他无法激起她哪怕一点点热情。

那天夜里，她转过脸，吻了吻他，感谢他对西奥多拉·詹金斯小姐的一片好心，他却错误地理解了她的意思，以为终于融化了那根冰柱。

"脱掉睡衣，让我们肉挨着肉。"

他以为皮肉相触，肯定会在她心灵深处碰撞出火花，因为他自己就是这样。但是，火花并没有在伊丽莎白心头闪烁。她尽心尽力的仍然是禁欲主义者的职责。现在，他终于明白，伊丽莎白不但不爱他，而且永远不会爱他。他是她的负担。

他毕竟没有和茹贝断绝联系，这样一来，就出现一个新问题，那就是必须确保茹贝是他的一个秘密。如果他允许伊丽莎白一个人在城里闲逛，那些不怀好意的长舌妇就会把这个秘密告诉她。而且，茹贝完全有可能来个"自我介绍"。因为，亚历山大一回到金罗斯，茹贝就理所当然地从他嘴里掏出"事实真相"。他的生活中不可能没有这个女人。

"你不爱我，爱上你那个冰棍儿似的老婆了。"她充满敌意地说。

"比这还糟呢！"他闷闷不乐地说，"因为不同的原因和不同的目的，我同时爱上了两个女人。那么，"他用一只胳膊肘子支撑着身体问道，"这正常吗？作为女人，你们俩截然相反。"

"我怎么知道呢？"她说，听起来十分厌倦。"我从来没有见过金罗斯太太。"

"你永远都不能见她！"他生气地说。

"有时候，亚历山大，你满嘴喷粪！"

可是，当他得知伊丽莎白怀孕的消息之后，什么都无关紧要了。她一下子就瘦了下来，这预示她会生出一大堆儿女。每隔大约二十个月就能生一个。这期间，她能得到充分的休息。他对自己说，她也许对做爱不感兴趣，但她会是个相当棒的母亲，会是这个家庭的“王后”。她怀孕的消息让他欣喜万分，当下就把自己不光彩的出身一股脑儿告诉了她。好像是妻子怀孕这一庄严圣礼的一部分，非说出来不可。对于亚历山大，这样做合乎逻辑。他自己的孕育就包裹着神秘色彩。母亲对孩子父亲的身份一直守口如瓶，连平克顿私家侦探公司的侦探也无法从那个小小的苏格兰社区找到关于那位情人的蛛丝马迹。他有所不知的是，他的坦白对于伊丽莎白来说，立刻产生了“自我毁灭”的效果，把她越发远远地从身边推开。可他的本意是在他们之间的鸿沟上架一座桥梁，而不是让这条鸿沟变得更宽。

是的，他一再对自己说，伊丽莎白一定会成为一位极好的母亲，成为这座宅第的“王后”。处于她的地位，要责罚玛吉·萨默斯，替玉和那些男仆说话，还真需要点勇气。那个女人，竟敢背着我做这样的事情！为什么像玛吉·萨默斯这种平庸的女人也认为中国人低她一等？

我的妻子认为我看起来像个魔鬼。我要是早知道就好了！早知道就好了！

下一次再去乔·斯克格斯的理发店，他就剃了胡子和唇髭。

伊丽莎白再看见他那张脸的时候，不由得笑了起来。深古铜色的脸上，长过胡子的地方一片惨白。

“就像一匹花斑小马。”她说，“谢谢你，亚历山大。”

第四章 家事和出人意料的同盟

因为有了西奥多拉·詹金斯小姐和玉，伊丽莎白在金罗斯府邸的日子不再像刚来时那么寂寞。但是，忙惯了的她，仍然有一种度日如年之感。除了丢伊夫妇之外，她还没见过别人。他们来了之后，亚历山大就设宴款待。每逢这时，孙楚也会大驾光临。这个中国人让她着迷，他的谈话博学多才，英语说得无懈可击，以至于丢伊夫妇走了之后，她就把所有“业余”时间都用在读书上。她想增加自己的词汇量，提高表达思想的能力，说话时尽量少带苏格兰口音。看到她根本就没有画水彩画的天赋，别的美术形式也不堪造就，亚历山大就建议她学刺绣。

“你的身子越来越笨，亲爱的，学学刺绣也许能变个花样儿，让日子过得舒心一点儿。”他说，尽量让自己态度和蔼，看起来充满同情之心，但是心里明白，很难用自己的生活在怀了孕的小妻子周围筑起一道围墙。

伊丽莎白最终从玉那儿弄清了关于茹贝·康斯特万的全部情况。因为玉不敢跨越她们之间主仆关系的界线，所以两个人很难变得亲密。可是有一天，玉看见伊丽莎白往蝴蝶花样上一针一针绣丝线时潸然泪下，对所谓主仆关系的恐惧一下子忘到九霄云外。玉替她擦干眼泪，敞开心扉对她说出一番话来。这些话都和即将出生的孩子有关。

“哦，丽翠小姐，我一直想当个看孩子的保姆。小宝宝生下之后，我能照看他吗？求求你。珍珠可以来服侍你。自从听说你对下人多么和善之后，她一心想来当你的贴身侍女。”玉一个劲儿地求她。

伊丽莎白觉得机会到了。“只要你能……”她说，声音里不无讥诮，“只要你能把茹贝·康斯特万这个女人的情况告诉我，我就答应你。你可以先向我解释，为什么她雇的都是中国人？”

“因为茹贝小姐和孙王爷的关系不一般。”

“孙王爷？”

“是的。他是从北京来的满清王爷。他带来的人都是北方的满族人，不是广州人。”玉叹了口气，轻轻拍打着两只好看的手。“他那么英俊，丽翠小姐。他来吃饭的时候，你不觉得他英俊潇洒吗？一位了不起的王公。两年前，我指望他能纳我为妾，可是他更喜欢我的妹妹粉鸟。”

“妾？我在《圣经》里见过这个字，但是从来没有人对我解释过它的意思。”

“妾是男人的财产，因为出身卑贱，不能成为他的妻子。”

“哦……那么，茹贝小姐和孙王爷是什么关系呢？她也是他的妾吗？”

玉哧哧哧地笑了起来。“哦，丽翠小姐！不是！茹贝小姐现在是金罗斯饭店的主人，可过去她是希尔山旅店的老板娘。孙王爷经常在他那儿住。他们有个儿子，叫李。”

“这么说，她是孙王爷的妻子了？”

玉越发乐不可支。“不，不，丽翠小姐！茹贝小姐从来不是什么人的妻妾。她是悉尼人，但是很小的时候就随家人一起搬到金矿。在希尔山，她开的那家旅店名声很不好。她不是中国人，但是抽那种黑烟，像龙一样吞云吐雾。”这么说，金罗斯饭店门前站着的那个女人一定是茹贝！和我想象的完全一样——像龙一样吞云吐雾。那么漂亮，那么桀骜不驯。她居然和中国王爷生了个儿子！

“她儿子在哪儿？玉。也在金罗斯？”

“李在英格兰上学。他是茹贝小姐拉扯大的，随她的姓——康斯特万。”

“李多大了？”

玉皱着眉头想了想。“我说不准，丽翠小姐。我想，大概十一岁。”

“茹贝小姐现在和孙王爷还有那种关系吗？”

“现在他们只是一般朋友。”

刺绣的计掉了下去。伊丽莎白把绷圈不耐烦地推开。刺绣这活儿真烦人！“告诉我，玉。茹贝小姐和亚历山大是什么关系？他们也是朋友？”

“唔……我想是的。”

“他们是情人吗？”

“唔……我想是的。”

“现在还是吗？”

“哦，求求你，丽翠小姐！茹贝小姐说过，如果我把这事儿说出去，她就用刀片割断我的喉咙。她这个人什么事情都做得出来！”

伊丽莎白拿起她刺绣用的剪刀。“如果你不告诉我，玉，我就用这把剪刀割断你的喉咙。这玩意儿可比刀片割得痛多了，但是，我一定会那样做的！”“你的口音太重了，丽翠小姐！我听不懂你说了些什么。”

“胡扯！我每天都在纠正发音，而且我说话你从来都听得一清二楚。别跟我兜圈子了，玉。把真实情况告诉我，否则你死定了。”

“自从三年前亚历山大先生来到希尔山，他们一直是情人。”玉含含糊糊地说，“他来这儿以后，茹贝小姐就跟了过来，盖起这座新饭店。他不准她把这座饭店的名声搞坏。不过，话说回来，她现在也用不着靠那种生意赚钱。她是天启矿业公司的股东。”

“她是个妓女，靠出卖肉体为生，”伊丽莎白干巴巴地说，“比污泥里爬的虫子还令人作呕。”

“不，丽翠小姐，她不是妓女！”玉大声说。伊丽莎白对茹贝的评价让她非常难过。“她自己从来不出卖肉体！她养了几个姑娘让她们接客。就我所知，她这辈子只有两个情人。一个是孙王爷，一个是亚历山大先生。我父亲山姆·文专门给她做饭。”玉的脸上现出迷惑不解的神色。“现在，她管我父亲叫厨师长。不管叫什么，爸爸高兴，他的工资翻了一番。”

“这么说，她比自己是妓女还坏。她靠别的女人卖淫赚钱。”伊丽莎白说，脸色铁青。“我的丈夫到现在还和她鬼混吗？”

玉进退两难，不知道如何是好，只能泪流满面冲了出去。

伊丽莎白朝那个绷子使劲踢了一脚，绷子碎了。她站起身，走到窗口，透过一片红色的云雾凝望花园。

看起来，这就是他不想让我到金罗斯城的原因！她心里想。我要是进城，说不定什么时候就会碰到他的情妇。她就有可能故意跟我搭话。像她这种坏女人不懂得自尊，也不懂得谨慎，而他绝对不愿意让城里人看到我们俩相遇的情景。那些人大多数是他的雇员。依我看，亚历山大就像一张可以合盖的书桌，里面有许多小格，每一格都有每一格的用处。他情妇那格贴的标签是“茹贝·康斯特万”，老婆那格贴着我的名字。哦，自从离开苏格兰，我学会了多少东西！不过，即使在苏格兰，即使只有十六岁，你也知道，男人有情妇。关于这一点，《圣经》里说得明明白白。瞧瞧大卫[①]和拔示巴[②]。一个好男人犹豫不决时，拔示巴做了多少工作！

亚历山大说过，今天晚上早点回家吃晚饭，因为他有礼物要送给她。她刚从悉尼做了条新裙子，暗红色缎子上面闪烁着深紫色的图案。这条裙子领口开得太低，她不喜欢这种袒胸露背的样式。玉找来珍珠帮忙，让她给伊丽莎白做头发。这个言行不够谨慎的姑娘生怕伊丽莎白再从她嘴里掏出什么消息。珍珠给她戴上石榴石项链和有坠子的耳环，结婚戒指上的宝石闪烁着美丽的霓虹般的光彩。现在，伊丽莎白已经知道，石榴石不是非常贵重，但是她喜欢。丈夫想给她买红宝石项链的时候，她选择了石榴石。即使那时，已经“警钟长鸣”，警告她抵制任何叫茹贝[③]的东西。

“亲爱的，你简直漂亮极了！”亚历山大说。现在，他的下巴颏和留过唇髭的地方的颜色和别的地方已经完全一样。她觉得，亚历山大把脸刮干净之后，比以前漂亮多了。她不明白，为什么男人喜欢留胡子，即使脸上没有什么瑕疵需要掩盖。

“饭前喝一杯雪利酒怎么样？”他彬彬有礼地说。

“谢谢，我想喝。”她很镇定地说。

他突然皱了一下眉头。“你现在这个样子能喝吗？”他说，那口气就好像她是个酒鬼。

“我想，喝一点点没关系。”

“倒也是。”可他只给她倒了半杯白葡萄酒[④]。

---

①大卫：古以色列国王，建立统一的以色列王国，定都耶路撒冷，据基督教《圣经》记载，系耶稣的祖先。

②拔示巴：《圣经》旧约中原为乌利亚之妻，后嫁与大卫王，生下其第二个儿子所罗门。

③茹贝（Ruby）：小说中女主人公的名字，和“红宝石”是一个字，故有此说。

④白葡萄酒：此处为 amontillado，雪利酒的一种。

她一口喝了个精光，然后啪的一声把酒杯放在他们中间的小桌上。“再来点儿。”

“再来点儿？”

“是的，再来点儿！别那么吝啬，亚历山大。”

他端详着她，好像被她咬了一口，然后耸耸肩，又给她倒了半杯。“只能喝这么多。慢慢喝。你有什么烦心事儿？”

伊丽莎白深深地吸了一口气，直视着他的一双眼睛。“我已经弄清茹贝·康斯特万是个什么样的人物。她是你的情妇和妓院老鸨。你看起来还像个魔鬼，亚历山大。因为你有两副面孔。”

“这是哪个快嘴的家伙说的？”他强压怒火问道。

“谁说的重要吗？这种事儿，迟早有人要说的。你可真可恶。峡谷里养着个妓女情妇，山顶上放着个为你守贞洁的老婆，两个人永远不会见面。如果她是个‘克娄巴特拉’‘美杜莎’，或者别的什么玩意儿，你置我于何地？”

“真讨厌！”他骂骂咧咧地说。

她一边摆弄裙子上面的褶，一边低着头琢磨怎样把这件事情说清楚。“我虽然头脑简单，但是也已经看出你的用心，亚历山大。你需要一个无可指责的女人给你生几个继承人，可茹贝已经声名狼藉。我不傻，只不过年轻、没有经验罢了。而这两样很快也就不复存在了。”

“刚才我说的话太粗野了，请你原谅，伊丽莎白。”

“用不着。怎么想就怎么说，这不正是你的真实思想嘛！你不应该为自己说真话而道歉。这太新奇了，简直让人耳目一新。”她说，从来没有想到自己会这么尖酸刻薄。“把你和康斯特万小姐……还是太太……的真实情况告诉我。”

如果他请求她宽恕，请求她原谅，他也许会慢慢赢得她的一片芳心。但是，他比一般苏格兰人骄傲得多，也倔强得多。他继续进攻，决心让她安分守己，少管闲事。他认为，她就应该处于这种位置。

“很好，如果你一定这样认为，”他平静地说，“茹贝·康斯特万就是我的情妇。不过，她到底是个什么样的人，不要马上下结论，亲爱的。你先想一想，如果你十一岁就被哥哥强奸，你会变成个什么样子？想一想，如果你像茹贝，像我一样，也是个私生子，你会是什么样子！即使把赫诺瑞娅·布朗也算上，茹贝·康斯特万也是我见过的最让我赞赏的女人。当然我对她的赞赏也超过对你的赞赏。你生活在一个狂热的牧师统治的小城里，他们将羞耻之心灌输给纯洁无瑕的孩子们，让你们浸透了褊狭、固执和伪善。那些牧师如果有机会一定把她绑在火刑柱上活活烧死。”

她脸色苍白，好像病了一样。“我明白。我真的明白。可是，你比默里牧师又强多少？亚历山大。你为了达到自己的目的，买了我，就像买了一块牛肉，不受良心的谴责。”

“不要指责我。这事儿得怪你贪财的父亲。”他说，故意做出一副冷酷无情的样子。

“我怪他！当然怪他！”她大睁着一双眼睛，眼仁儿看起来和他的一样黑。“没有人给我选择的权力，因为女人显然都没有为自己择偶的权力。男人倒是随心所欲，娶妻生子。如果给我机会，我是不会嫁给你的。”

“这话听起来可不吉利，不过我承认，也有道理。人家只告诉你，这是命。”他又给她倒满雪利酒，想让她喝得天旋地转。“难道你还有别的选择吗？伊丽莎白。一辈子不嫁人，那可是你这种服侍老爹到死的小女儿的命。难道你真的情愿当个老处女也不愿意嫁给我生儿育女、享受为人之母的天伦之乐吗？”他的声音变得柔和起来。“奇怪的是，我爱你。尽管过分拘谨，但是从里到外你都那么棒。”他脸上的微笑转瞬即逝。“我以为你是只老鼠，可你不是，你的坚韧更胜于你的勇气。你是一头文静的狮子。对于我，这更有吸引力。你温暖了我的心。我很高兴，你是我孩子们的母亲。”

“茹贝呢？”她问道，一口喝完杯子里的雪利酒。

哦，耐心点！涉及女人，涉及女人的麻烦事儿，他就没耐心了。她为什么这样谴责他呢？“你一定要明白，”他态度强硬、一字一顿地说，“男人肉体的欲望和老默里指责的罪恶差不多。如果在你的床上找不到快乐，我为什么不能和茹贝上床呢？我一直想唤起你的激情，想满足你，可是一切都徒劳无益。你的心思根本就不在我身上，我就像和裁缝制作的玩偶做爱。伊丽莎白，我希望满足和快乐是双向的。你容忍我上床，是因为你从小受的教育是一个女人必须尽妻子的义务。然而，这样做爱实在太糟糕了！你的冷淡把性的快乐降低到一种机械的行为，只是为了生儿育女，繁衍后代。那应该是双方充满激情的快乐，你和我共同的快乐！如果你能给我这些，我就不会找茹贝寻求慰藉。”

在伊丽莎白看来，亚历山大对做爱的这番解释无异于晴天霹雳。他说的这番话和她以前接受的教育完全两样，和跟他做爱时的感觉也全然不同。他的所作所为之所以尚可忍受，仅仅因为上帝就是这样造就了人类，上帝就是让他们以这种方式繁衍后代。别指望她会咕哝着表示反对，或者快乐地沉迷其中，或者充满激情地配合他的一举一动。想到他的手指侵入自己最隐秘之地的时候，他真的认为她欢迎那温柔的触摸吗？不，不，不！她为了满足肉欲、寻求快乐，真的喜欢做爱吗？不，不，不！

她舔了舔嘴唇，搜肠刮肚地想，说点什么让他作为最后的结论来接受呢？“关于选择的事儿，不管你说什么，亚历山大，你都不是我的选择，永远不是。我宁愿一辈子不嫁人，当个老姑娘。我不爱你！我也不相信你爱我。如果你真的爱我，就不会找茹贝·康斯特万寻欢作乐。这就是我想对你说的话。”

他站起身，顺手把她拉起来。“倘若这样，亲爱的，我就无话可说了。难道不是吗？我不想为自己开脱。一句话，你嫁了个不得不和另外一个女人分享的男人。一个给我带来生儿育女的欢乐，另一个给我带来性的快乐。吃饭去吗？”

她心里想，我输了。我输了……但是，怎么会是这样呢？弄了半天，倒是我错了，我信仰的那些东西受到了莫大的嘲弄。他怎么能打败我呢？他怎么能胡搅蛮缠硬说和茹贝·康斯特万这个妓女继续交往理所当然呢？

餐桌上，她那边放着一个天鹅绒小盒子。看到这个盒子，她的心不由得沉了一下。打开盒子，一枚戒指出现在眼前。戒指上镶嵌着一块足有一英寸长的矩形宝石。宝石一边是海蓝色，另外一边是粉红色，四周还镶了一圈钻石。

“我从一个巴西商人那儿买了一块西瓜电气石①，”他一边说，一边走到自己的位子跟前。“这是送给准妈妈的礼物。海蓝色为你生的男孩子，粉红色为你生的女孩子。”

“很漂亮。”她淡淡地说，把戒指戴到右手无名指上，这下子她的两只手套就相配了。

她在椅子上坐下，蘸着马槟榔沙司吃冷鸡肉鲜慕思②——她的丈夫在两道菜之间，非吃酸果汁冰糕不可——然后看了一眼鱼片。她想吃鱼，可是，河里的鱼都是死鱼，悉尼离得又太远，很难运过来。她只看了一眼黄乎乎的蛋黄酱，就急匆匆跑到浴室，把刚吃下去的鸡肉鲜慕思和果汁冰糕吐了出去。

“是喝多了雪利酒还是听多了家里的故事？”她气喘吁吁地说。

“也许什么都不是，”亚历山大说，用海绵擦了擦她的脸。“只不过是孕妇晨吐晚上发作罢了。”他拉起她的手，轻轻吻了一下。“上床睡觉去吧。我保证不打搅你。”

“很好，”她说，“去金罗斯打搅茹贝去吧。”

临睡前，她心里想，茹贝和孙王爷生的那个儿子长得什么样呢？真是奇异的结合。那孩子十一岁，为了将来飞黄腾达到英格兰读书去了。我想，他的母亲之所以送他到那么远的地方读书，一定是为了隐瞒他不光彩的出身。她可真聪明。

亚历山大没有径直去金罗斯“打搅”茹贝。他先向门前那片草地走去。

---

①电气石：一种复合晶体硅酸盐，含有铝、硼和其他元素，用于电子仪器制造，其绿色，透明及蓝色的变体可作为宝石。

②肉鲜慕思：一种加鲜奶油和果子冻的含肉、鱼或者贝类的食品。

从屋子里射出的灯光洒在草坪上，留下一道道金辉。

他想，今天晚上对他可是个沉重的打击——伊丽莎白不爱我。到今天晚上之前，我一直认为，只要轻轻地、充满柔情蜜意地抚摸她现在已经为我裸露的身体，我的“好日子”就一定会到来。她的欲望会被我的爱抚唤醒，她会呻吟着，喃喃着，用柔软的手、丰润的唇探索我的身体。如果我引导她，她就会充满爱意地抚摸过去避之唯恐不及的“阴暗角落”。但是，今晚让我疑云尽散，我的妻子将永远躲闪那个“角落”。坏透了的默里牧师，你对她施了什么魔法，让她一辈子受你的毒害？她把性看作堕落。如果她真的爱过什么人，那会是个什么样的家伙？哦，上帝帮帮我，在我想要抚摸她的时候！

听完他的叙述之后，茹贝下结论道：“我对你说过，她是个冷血动物。有的女人什么办法也激发不起她们的性欲。她就是其中之一。就像根冰棍儿。你是做爱高手。如果她对你都没有反应，这个世界就没人能让她春情激荡了。所以，你能在哪儿找乐就到哪儿找吧，亚历山大。”她爆发出一阵沙哑的笑声。“她在上面的天堂，我在下面的地狱。我一直就知道，地狱比天堂更热闹。因为这里三教九流应有尽有。你得设法应付两个女人。哦，这可太难为你了。”

从那以后，亚历山大对伊丽莎白的态度变得冷淡了，尽管他回家吃饭的次数比以前多，而且吃完饭，晚上总和她待在一起。她对音乐的兴趣越来越大，钢琴进步也很快，可是亚历山大总是拿她取笑。

“你弹钢琴和做爱一样，没有一点儿激情。甚至可以说，没有表达出任何一种感情。弹琴的技巧都得归功于詹金斯小姐，她教你一定非常卖力。遗憾的是，你并不打算暴露自己的内心世界。你这个人就喜欢保守秘密，对吗？”这话很伤人。不过，如果说亚历山大变得更冷酷的话，伊丽莎白已经变得极具忍耐力。

“茹贝也弹钢琴吗？”她很有礼貌地问。

“就像音乐会上演奏的钢琴家，充满了激情。”

“对你来说，那可太好了。她唱歌吗？”

“就像歌剧中的首席女主角。不过，她唱女低音。给女低音写的歌不多。”

“我恐怕连歌词也看不懂。”

“她的声音浑厚。我还没听你唱过歌呢！”

“詹金斯小姐认为我不应该唱歌。”

“我想，她一定最清楚你该不该唱歌。”

因为没有人可以倾听她的心声，她便学会自己和自己对话。这种举动当然没有什么实际意义，但是至少可以宣泄心中的感情，得到某种程度的慰藉。“最好让苑贝公开站出来，你同意吗？”伊丽莎白问道。

“议论议论她当然未尝不可，但是并没有发生什么值得议论的事情。”另一个伊丽莎白说。

“对亚历山大，我甚至连喜欢也谈不上了。”伊丽莎白说。

“你当然有足够的理由不喜欢他。”另一个伊丽莎白说，“他折磨你。”

“可我怀着他的孩子。我会不会因此而不喜欢这个孩子？我会吗？”伊丽莎白说。

“当然不会。对这个孩子，他又没作多大的贡献。他不就是在那片刻之间舒服得哼哼几声，剩下的麻烦都由你自己承担。你喜欢你自己，难道不是吗？”另一个伊丽莎白问。

“不，”伊丽莎白悲伤地说，“我希望生个女儿。”

“我也是。他不想要女儿。”另一个伊丽莎白说。

从拉特沟到金罗斯按照标准轨距铺设的铁路，离开拉特沟之后，先向西南延伸二十五英里，然后向东南延伸七十英里，便全线贯通。政府也在修铁路，从拉特沟到巴瑟斯特全长只有五十英里，从一八六八年开工至今没有完成。这种鲜明的对照让亚历山大越发体会到成功的喜悦。

铁路的平均坡度是百分之一，这个比例相当不错。亚历山大亲自勘察、设计了这条线路。他在距离谷底一百英尺的山坡上修筑铁路，让火车尽可能在同一个高度平稳运行。为了修这条路，他在流水潺潺的河湾架设了十座很结实的、高高的木头桥梁，开凿了两条三百码长的隧道，还从高地开凿出九条通道。因为他用的是中国工人，施工中没有出现任何问题。用什么语言赞美他们都不为过。这些人宛如一台台充满活力的机器，永远不知道疲倦，只是不停地工作，工作。

这条铁路每英里造价八千英镑，总共耗资八十四万一千英镑。这笔钱都是天启公司从悉尼银行而不是英格兰银行借的。英格兰银行为此项贷款担保。条件是天启公司将应交纳的税款折合成黄金支付它们。这并不奇怪。英格兰银行已经从天启公司吸收了比这种间接资金多得多的黄金。瓦尔特·莫德林先生信心十足地对董事们说，今后许多年，黄金还会源源不断地从天启公司流人他们银行。亚历山大和茹贝是他们的客户。查尔斯·丢伊愿意把钱存在悉尼银行，孙楚则把钱存到东方的贸易中心——香港。

亚历山大以分期付款的形式，从英格兰大北铁路公司买了两台相似的、已经淘汰的机车。其实这两个火车头的性能和状况良好，价格却比从殖民地铁路公司购买新型号的机车便宜得多。

机动车厢也是通过不同渠道从英国购买的。有一节车厢是冷藏车，因为塞缪尔·莫特先生在拉特沟和悉尼的冷冻工厂已经全面运行。天启铁路不需要这节车厢的时候，就把它租给政府铁路。这种时候很多。两节车厢之间装着弹簧缓冲器和弹簧连接杆。亚历山大最大的焦虑是刹车系统。现在的刹车系统比较落后，用来刹车的连接杆安装在车身下面，遇有情况，需要几个人从火车不同的地方同时用力，才能在一英里以内让火车停下。听说威斯汀豪斯[①]发明空气制动器之后，他立即从西屋电气公司订购了这种气闸，要求他们尽快从宾夕法尼亚州匹兹堡运来。

客车是一节新车厢，三十英尺长，八英尺宽，车轮非常结实。车厢里

①威斯汀豪斯（1846—1914）：美国工程师和制造家。因其众多发明获得400多项专利，其中包括空气制动器（1869）、铁路制动信号设施（1882）和输送电力的实际可用的方法。他在1886年创办了西屋电气公司。

设有一个软席包厢，专门供天启公司董事们乘坐。其他部分两边都是很舒服的软座，中间是一条通道，供别的乘客乘坐。这些乘客按二等车厢的价格付款。车厢还有一项革命性的创新——专门搞了一个卫生间。这得归功于茹贝的唠叨。

“你们总是没完没了地唠叨车轮呀、火车头呀、气闸呀，”茹贝在最早召开的一次董事会上说，“但是，设计、拥有、经营火车的人居然想不到给乘客搞个厕所，真丢人！哦，你们男人倒挺美！拉开车门儿就能痛痛快快撒尿，着急了还能脱下裤子拉屎。女人就麻烦了。从悉尼到伯温菲尔斯九个小时，就得强忍着。一直忍到火车停下，女人们才发了疯似的向站台上的厕所跑去。政府铁路我管不了，可是天启铁路，我有权踢他的屁股！我警告你，亚历山大，弄个厕所，否则，你这辈子就别想安生！”

一八七五年十月下旬，天启铁路正式开通，耗资一百一十一万九千英镑，包括机车、机动车辆、客车（含卫生间）、冷藏车、转车台[①]、天启金矿的装运设备、金罗斯的卸车设备、机车库、道岔系统和其他几十种设备。尽管这是一项巨额开支，天启公司的董事们谁都不认为修这条铁路是个愚蠢的错误。在未来的岁月里，光运煤一项，就可以赚十倍的利润。因为矿山的黄金产量越来越高，有的矿石含金量那么高，居然没有搀杂石英石和页岩。亚历山大在最初发现的那条矿脉的基础上，又发现了几条品位同样高的矿脉。

金罗斯城的居民们不敢相信他们的运气这么好。砂金淘完之后，城里的人口下降到两千。所有干活儿的人其实都受雇于天启公司。虽然亚历山大不愿意在市议会担当什么职务，但是茹贝和孙都有个头衔。孙的侄子孙波还是镇议会的职员。他在悉尼私立学校念过书，精明强干，英语不错，只是带英裔澳大利亚人的口音。矿工和车间、工场的工人大都是白人。镇

①转车台：一种圆形的水平平台，可旋转，配有铁路轨道，用来使机车转向，如在圆形机车库中的调车转台。

议会的雇员都是中国人。他们都喜欢种种地、锄锄草，不愿意下井或者在机器轰鸣的车间干活儿。孙波的工作，用亚历山大的话说，就是拆除淘金时期遗留下的设备和建筑物，用矿山开出来的碎石铺马路，建造市政厅和办公楼，到新南威尔士州政府泡蘑菇，要求他们投资建一所学校和一座医院。一所可以容纳三百名小学生的学校已经就绪，不过教室设在一座抹灰篱笆墙围起来的大厅里。医院还在波顿医生住宅旁边一幢木头房子里。他们还准备在镇中心广场建一座公园。公园四周是市政厅、金罗斯饭店、邮局、警察局和各式各样的店铺。

火车将煤大量运来，这就意味着金罗斯可以使用煤气。孙波四处活动，希望找到足够的资金，两年内铺设煤气管道通到私人住宅。不过，金罗斯饭店很快就接通了煤气。山姆·文非常高兴，在煤气灶上做饭太好了。

认为这里中国人太多而且嘟囔着发牢骚的都是临时来这儿的人，比如来这儿做买卖的商人。可是，他们很快就明白必须闭上嘴巴。金罗斯的白人都知道，这座城市真正的掌门人亚历山大决不容忍有谁和中国人作对。也许正是因为这个原因，虽然满族人和澳大利亚各地的中国人从人数上相比差得很远，但是他们在金罗斯人口增长的速度却很快。在金罗斯，他们过着和平安宁的日子，可以放心大胆地做自己的事情，不必担心被警察逮捕，不必担心在偏僻的小巷被人袭击。在金罗斯，中国小孩和白人小孩一样，五岁上学，一直上到十二岁。亚历山大特别希望，有朝一日，能在这儿建一所高中。可是，无论金罗斯的白人还是中国人，都不愿意让自己的孩子没完没了地念书。亚历山大能够办到的恐怕只是给为数不多的勤奋好学的“尖子生”奖学金，送他们到悉尼读书。就连这一点，有时候也会遭到家长的反对。他们害怕自己的儿子或者女儿有了文化之后，就用高人一等的口气和他们说话。这种自卑心理让亚历山大惊讶不已。他来自一个把教育看得比什么都重要的国家。他已经注意到，澳大利亚人不热衷于让孩子们接受比自己受过的教育更高的教育。中国人也一样。他想，要让大家改变观念，需要时间。总有一天，他们会像苏格兰人一样重视教育。教育是摆脱贫穷和耻辱、打开富裕之门的钥匙。看看我的小妻子，只念过两年书，不会写也不会算。她也许会说，她并不愿意嫁给我，可是自从成了我的老婆，她便重新开始学习。现在，她词汇量多了，也会表达自己的思想了，瞧她攻击我和茹贝时那副样子，伶牙俐齿，振振有词！如果在苏格兰的金罗斯，她可不会有这个本事！

十月下旬，天启铁路开通的时候，身怀六甲的伊丽莎白因为身体不便没有参加庆典。不过，她还可以以女主人的身份出席晚宴，招待从悉尼来的那些达官贵人。这些客人有的满脸通红，因为金罗斯的火车比巴瑟斯特通得早。在拉特沟，巴瑟斯特的居民们对这件事情怨声载道。

伊丽莎白终于见到了茹贝·康斯特万。她是不可能从贵宾名单中划掉的人物。应邀出席庆典的宾客除了丢伊夫妇留在金罗斯府邸外，其他人都在金罗斯饭店。

客人们上到山顶之后，一个个气喘吁吁，赞叹不已。尤其那些女士，从来没有见过索道车，既害怕又觉得新鲜。伊丽莎白穿一条裁剪合体的钢蓝色缎子长裙，戴着亚历山大为这个仪式特意给她买的首饰：白金镶嵌的蓝宝石和钻石。蓝宝石比普通深蓝色宝石颜色更浅，更透明。两只手自然也珠光闪闪，一只手戴着钻石戒指，另外一只手戴着那枚用电气石特制的宝石戒指。

怀有身孕越发增加了她的美丽。她举止端庄，言语矜持，头颅高昂，脖颈颀长，乌黑的秀发盘在头顶，发髻四周插着蓝宝石和钻石簪子，显示出一副凛然不可侵犯的气势。伊丽莎白！站在家门口，站在你不忠实的丈夫旁边，微笑，微笑，微笑。

她自然并不认为茹贝老练、圆滑，但必要时，茹贝确实足智多谋。她坐最后一辆索道车、最后一个上山。孙身穿满清官员全套华贵的服饰陪伴着她。她已经请求亚历山大原谅，这个场合，她派不上什么用场。

“不管怎么说，”她说，“你应该在举行这次活动之前，安排一个场合让你妻子和我私下见上一面。让这个可怜的小荡妇应付一火车势利小人已经够她受了，还得对付我，就更难为她了。”

“我情愿你第一次和伊丽莎白见面的时候，周围有一大帮陌生人。”亚历山大用不容置疑的口吻说，“她仿佛中了邪，有时候显得神经兮兮。”

“神经兮兮？”

“仿佛和小精灵们一起云游四方，总是一个人自言自语。这是萨默斯说的。萨默斯太太很怕她。坐在钢琴旁边上音乐课的时候，一切正常。可是，詹金斯小姐一不来，她就独自一人下山。”

“既然这样，”茹贝生气地问道，“你为什么不让西奥多拉去呢？即使不教课也应该让她去呀。你那位可怜的小妻子一定孤单得要命。”

“如果你想说，我怕花钱才不让詹金斯小姐来，那可是大错特错了，茹贝！”亚历山大恼怒地说。“她攒了点钱，想到伦敦度假，我又给了她一些作为津贴。我可不是小气鬼！”

“是的，你不是小气鬼！你只是个笨蛋！”

亚历山大无可奈何地摊了摊手。男人无论怎样做，也讨不了女人的欢心。

茹贝身穿红宝石色长裙，戴着全套红宝石首饰，看起来雍容华贵。如果她不得不和伊丽莎白在众目睽睽下见面——有的人知道她和亚历山大还是情人——至少要让伊丽莎白看到，茹贝不是她想象之中那种躲在小巷里拉客的妓女。这个姿态既可以压一压伊丽莎白的气焰，同时也杀了自己的傲气，尽管当她挽着孙的胳膊一级一级走上台阶的时候，心里清楚，也许亚历山大的妻子压根儿就没有理解她传递的这个信息。

她自己的好奇心当然也被激起。人们传说，金罗斯太太相当漂亮，而且那是一种难以言传的美。之所以难以言传，因为她温文尔雅，沉默寡言。然而，茹贝心里非常清楚，实际上，在金罗斯，谁也没有见过她。唯一的消息来源就是萨默斯太太。而在茹贝眼里，玛吉·萨默斯是个心怀恶意的贱女人。

因此，当茹贝的目光落在伊丽莎白身上的时候，她看到的比亚历山大希望她看到的东西还要多。伊丽莎白个子不太高算是个缺点，但是精气神儿十足，而且人长得确实漂亮。她的皮肤像牛奶一样白，不施粉黛，不抹胭脂，朱唇两点也没有抹口红，眉毛和睫毛都很黑，用不着再描画。但是，就在那双深蓝色的眼睛里，潜藏着惊慌和悲凉。茹贝出于本能知道这种神情和她的出现没有关系。亚历山大挽起伊丽莎白的手，拉着她往前走，那双美丽的蓝眼睛目光闪烁，流露出懊丧，嘴角不易觉察地向上翘了翘，显示出一种厌恶。哦，天哪！茹贝想。一颗心融化了一样。她讨厌和他肉体接触！亚历山大，亚历山大，你选择一个从未见过的姑娘做新娘时，知道你在干什么吗？十六岁，那么敏感的年龄。对于人的一生，成也好，败也罢，那都是一个至关重要的时刻。

伊丽莎白看见那个严厉而又警惕性很高的女人挎着一个男人的胳膊走了过来。他们俩都身材高大，显示出庄重、高贵的气质。孙穿着皇家成员才能穿的红黄两色长袍，茹贝穿宝石红晚礼服。她认识孙，凝视的目光落在茹贝身上，看到她那双非比寻常的眼睛难以置信的绿，难以置信的和善。这可是她始料不及的，也是她不想看到的。茹贝以一种女人对女人的心情对她表示怜悯。你也不能把她看作娼妓，从服饰到言谈举止，到略带沙哑的声音都显得高贵、典雅。伊丽莎白注意到，她说出的话简直完美无缺、无懈可击，很难让人想到她来自新南威尔士，更不会让人想到她那样的家庭背景。她没有炫耀她那丰满性感的身材，而是以女王般的庄重飘然而至，好像她拥有整个世界。

“你能来，真好，康斯特万小姐。”伊丽莎白悄声说。

“你能来迎接我，真让我高兴，金罗斯太太。”

茹贝和孙是最后一对客人。亚历山大从门口走过来，陷入进退两难的境地——他该让妻子，还是让情人，或是让最好的朋友挽自己的胳膊？按习俗，这种场合不应该让妻子挽自己的胳膊；可是按习俗，也不应该让情妇来挽。然而，又怎么能让妻子和情妇走在他和孙的后面呢？

茹贝帮他解决了这道难题。她推了孙一把，让他和亚历山大走到一起。

"先生们前面走！"她乐呵呵地说，然后压低嗓门儿对伊丽莎白说，"这局面可真有意思。"

伊丽莎白向她报以微笑："可不是嘛。谢谢你让我轻松了许多。"

"可怜的孩子，你是一个被他们扔到狮子群里的基督教徒。这回呀，让我们把亚历山大扔到狮子群里，"茹贝说着把手伸过去，挽住伊丽莎白的胳膊，"我们让他黯然失色，这个坏家伙。"

就这样，她们面带微笑，手挽手走进大客厅，心里一清二楚，这屋子里所有女人，包括康斯坦斯·丢伊在她们俩的映照下也都黯然失色。

几乎立刻宣布开饭，雇来的法国厨师慌了手脚。他原指望还有三十分钟供他准备饭菜。菠菜苏法莱[①]还没有弄好，只好先把冷虾倒在小盘里，再在上面资上蛋黄酱。这可是他烹饪史上的大失败！

亚历山大很巧妙地把情妇和妻子分开——其实也只能分开，她们俩的座位离得很远。伊丽莎白坐在餐桌一边，右手是总督赫尔克里斯·鲁宾逊爵士，左手是总理约翰·罗伯逊先生。因为赫尔克里斯·鲁宾逊爵士太独裁，和总理关系不好，作为女主人，伊丽莎白就得极尽"调和"之能事，让大家都心满意足。然而，这个责任对她来说，未免太难。首先，约翰·罗伯逊先生是个豁唇，自然口齿不清；其次，他一杯接一杯地喝酒，早已醉意朦胧。更糟糕的是，他那只手一有机会就摸伊丽莎白的大腿。

亚历山大坐在桌子那头，右手是鲁宾逊太太，左手是罗伯逊太太。约翰·罗伯逊尽管是个臭名昭著的酒色之徒，名义上还是长老会教徒。他的妻子倒老实本分，不爱交际，平常很少在公众场合露面。这次特意来金罗斯参加铁路开通庆典，足以说明亚历山大在州里的地位。

亚历山大一边凝视着盘子里的冷虾，一边想，这两个女人，一个是老于世故的傻瓜，一个是长老会的殉教者，我该对她们说什么呢？我可不擅长干这种事情。

---

①苏法莱：一种用打稠的蛋白做成的点心。

桌子那侧中间坐着茹贝。她右面是亨利·帕克斯先生，左面是威廉·达利先生。她恰到好处地和这两个男人卖弄风情，把他们撩拨得非常高兴。坐在旁边的女人们觉得在她面前黯然失色，连气都生不起来。帕克斯和罗伯逊是政敌。州总理习惯于和他的对手争个你高我低了。如果罗伯逊这会儿占了上风，过一会儿，他就得压他一头。所以有必要把帕克斯和罗伯逊分开，就像必须把伊丽莎白和茹贝分开一样。孙还像平常那样风度十足，谁也不敢小瞧这个异教的中国人。巨大的财富可以给远不如孙前程远大的人镀一层金。

菠菜苏法莱终于端上来之后，大家觉得，虽然等了这么长时间，但是很值。果汁冰糕也非常可口。做冰糕的菠萝是从昆士兰用冷藏车运过来的。那地方盛产这种美味的水果。随后上来的是龙虾子烧鳕鱼，接下去是烤羔羊肉。宴会最后一道菜是用热带水果做的沙拉，水果拼成精美的造型，从生奶油中升起，就像茫茫云海中巍然耸立的火山。

宾客们吃了三个小时。这三个小时期间，伊丽莎白渐渐进入女主人的“角色”，心情也越来越放松。那些互为政敌的宾客完全有可能互相攻击，搞得大家不欢而散，可是赫尔克里斯·鲁宾逊爵士和约翰·罗伯逊先生就像蜜蜂见了甘露莹莹的鲜花，都被年轻貌美的女主人吸引，顾不得争个你高我低了。如果说，约翰·罗伯逊先生因为这个漂亮女人身上有那么多长老会打下的烙印而有点沮丧的话，他也只能容忍，毕竟自己家里也有个笃信长老会的老婆。

亚历山大却不像平常那样挥洒自如，他搜肠刮肚，和那两个对蒸汽机、炸药、爆破、金矿一窍不通、毫无兴趣的女人闲聊。而且，他估计约翰·罗伯逊总理一会儿就会因为教堂的事情兴师问罪，他得想办法应对过去，所以有点心不在焉。女人们一离开，“兴师问罪”就会以这样的口吻开始：金罗斯为什么不能拨一块地给长老会盖教堂？为什么天主教一个便士也不花，就能既盖教堂又盖学校，长老会在市里要巴掌大一块地，你们还开天价？好了，如果罗伯逊认为亚历山大会改变主意，就让他那样认为吧！金罗斯大多数居民不是信奉天主教就是信奉英国国教，只有四家人是长老会教徒。于是，他懒得听那些女人们聊儿聊女，一心想如何对付约翰·罗伯逊。他准备告诉他，他要捐地给基督教的公理教会和再洗礼派，让他们盖教堂。

一切都按正规宴会的程序进行。一上波尔图葡萄酒，女宾们便像一个人似的站起身，走进那间很大的客厅。男人们至少要喝上一个小时酒，才能再回到她们身边。这是一种为照顾女人上卫生间方便而形成的习惯，目的是避免她们在男人面前出出进进的尴尬。此刻，大多数女人都急着“出出进进”，于是这个“程序”开始了。

“楼下有两个卫生间，”伊丽莎白对苑贝说，“不过，如果你愿意，可以跟我上楼，到我的浴室方便。”

“你领路吧。”茹贝说，脸上挂着微笑。

“我从来没有想过我会喜欢你。”伊丽莎白说。浴室里挂满了镜子，两个人对着镜子精心打扮。

“好，这样看起来好多了。”茹贝说，摆弄着她的红宝石和钻石枝状头饰上插的羽毛。“是啊，我也以为我一定会痛恨你——针锋相对。可是，一看到你，我就希望我们成为好朋友。你没有朋友。可是，如果你想活得比亚历山大长，就得有朋友。他就像火车头，从一切反对他的人身上压过去，飞驰向前。”

“你爱他吗？”伊丽莎白好奇地问。

“我爱他，至死不渝。”茹贝老老实实地承认。她的脸色变了，一副目中无人的样子，但是伊丽莎白从她的眼睛里看到一种痛苦。“然而，再爱，我也没有办法嫁给他，即使我是个‘荣耀的妓女’。是的，我正是这样一个角色。你一步步成长起来，被培养为人妻。我却不是被培养、而是被糟蹋出来的。能成为亚历山大的情妇，已是不幸中的万幸。所以，我觉得幸福。非常幸福。”

伊丽莎白似乎突然之间变得聪明起来，她心里想，我们俩真是处于两个极端。我是他的妻子，可是只要有可能，巴不得马上离开他；她是他的情妇，可是只要有可能，巴不得马上嫁给他。世界上的事为什么这么不公平？

“我们最好下去吧。”她叹了一口气说。

“假如能找到一张双人沙发就好了。我想知道你的一切，伊丽莎白。比方说，你身体还好吗？”

“很好。只是脚和腿有点肿。”

“是吗？让我看看。”茹贝在楼梯口跪下，撩起伊丽莎白的裙子，用手指按着浮肿的小腿和脚背。“你水肿得厉害，宝贝儿。他没给你请医生看过？我不是说金罗斯那个老家伙——博顿医生。他根本算不上专科医生，是个典型的乡村庸医。你得从悉尼请个专家。”

她们向楼下走去：“我求亚历山大去请吧。”

“不，我告诉亚历山大，让他去请。”茹贝怒气冲冲地说。

伊丽莎白哧哧哧地笑了起来。“我真想看看你是怎样告诉他的。”她说：“那可就委屈你那两只可爱的小耳朵了。今天晚上，我的表现可是前所未有的文雅。”茹贝大声说，两个人一起走进客厅。“平常，谁都知道我尖酸刻薄，嘴比刀子还快。话说回来，开妓院的人没这两下怎么行呢？”

“听说你开过妓院之后，我觉得你令人作呕。”

“现在我还令你作呕吗？”

“当然不。实际上我非常好奇。妓院怎么个开法？”

“经营妓院，比政府管理国家还难。不过，马鞭能帮点忙。”

茹贝和伊丽莎白在一张沙发上坐下。女宾们显然都直盯盯地看着她们。尤佛罗尼亚·威尔金斯——金罗斯英国国教教堂神父彼得·威尔金斯的妻子——趁她们刚才不在，已经不失时机地把茹贝的过去和现在，告诉了鲁宾逊夫人、罗伯逊太太和别的女宾。罗伯逊太太听了这个故事觉得天旋地转，赶紧要嗅盐。鲁宾逊夫人却对苑贝的“传奇”极感兴趣，简直着了迷。

康斯坦斯·丢伊不得不和一个非常唠叨的女人坐在一起。这个女人准备嫁给一位内阁大臣为妻。康斯坦斯·丢伊分身无术，只能用嫉妒的目光看着茹贝和伊丽莎白。谁能预料到事情会是这样？她一边在心里问自己，一边面带微笑朝身边坐着的那个喋喋不休的女人频频点头。伊丽莎白和茹贝已经决定结为密友。哦，倘若亚历山大知道这事儿还不大发雷霆？活该！谁让他把一个可怜的女孩孤零零扔在山上，连一个朋友也没有！

男人们带着一股酒气、一团烟雾从餐厅出来，走进客厅。伊丽莎白站起身，心里纳闷，为什么亚历山大看起来自鸣得意，总理约翰·罗伯逊先生却神情沮丧？

“茹贝，听说你琴弹得好，歌也唱得棒，”她说，“今天晚上，能不能赏光给我们大家弹上一曲？”

“当然可以。”茹贝说，毫无推辞之意，更不像一般人那样扭扭捏捏。“先弹贝多芬和格鲁克[①]的咏叹调，然后再唱几首福斯特[②]的歌。”

伊丽莎白把她领到那架很漂亮的三角钢琴旁边，自己搬了一把椅子在旁边坐下。

亚历山大在康斯坦斯旁边坐下。男人们进来的时候，康斯坦斯不失时机地甩掉了那个让人厌烦的女人。查尔斯坐在康斯坦斯那边。

“她们俩真是如鱼得水，”茹贝开始演奏时，康斯坦斯大声说，“幸亏伊丽莎白肚子大得一眼就能看出怀着孩子，亚历山大，要不然人家以为你们是一家三口呢！”

“康斯坦斯！”查尔斯尖叫了一声，生怕惹恼亚历山大。

“嘘——”康斯坦斯发出一阵嘘声。

亚历山大朝康斯坦斯笑了笑，一双眼睛闪闪发光，舒舒服服地坐在那儿欣赏茹贝出色的演奏。看到女宾们一个个目瞪口呆，越发兴致大增。他相信，无论在伦敦还是巴黎，她们都不会听到比茹贝更精彩的演奏。

---

①格鲁克（1714—1787）：德国作曲家，曾任维也纳宫廷歌剧院指挥，倡导歌剧革新，主张音乐服从戏剧，对西方歌剧发展有很大影响，作品有歌剧《奥菲欧与欧律狄刻》《阿尔西斯特》等。

②福斯特（1826—1864）：美国作曲家，作有歌曲约二百首，曲调朴实流畅，具有民歌风格，流传最广的有《家园故老》《哦，苏珊娜》《老黑奴》等。

茹贝演奏完奏鸣曲和咏叹调之后，开始自弹自唱流行歌曲。伊丽莎白坐在那儿全神贯注地看着、听着，心里想，命运真是太不公平。这个女人至少应该是个公爵夫人！我过去虽然对她心存偏见，可是一想到一个十一岁的小姑娘被自己的哥哥强奸，就非常难受。现在，我更明白了，命运会多么残酷！哦，茹贝，我为你伤心！

注意到伊丽莎白那双挤在鞋里的肿胀的脚正折磨着她，茹贝突然停止弹奏。

“我得抽支烟。”她说，点燃一支方头雪茄。

女人们又一次目瞪口呆，几乎同时呼出一口长气。但是，被撩拨得心痒难耐的康斯坦斯看出，茹贝还是把一个女人在这种场合抽雪茄，“改造”成合乎礼仪的事情。茹贝，我一定要好好地了解你！以后，天启公司再开招待会的时候，我也不会再躲避你了。

茹贝手指间夹着雪茄，很专横地朝亚历山大打了个手势，招呼他过来。亚历山大走到钢琴跟前，脸上的表情似乎告诉客人们，每个男人的妻子和情妇都应该这样友好相处。

“伊丽莎白该上床休息了，亚历山大，”茹贝说，“把她送到楼上，把被子给她掖好。”

“你以前为什么不告诉我她这么好？”

“我要是告诉你，你能相信吗？伊丽莎白。”

“不能。”

玉和珍珠正在等她，可是伊丽莎白一只手放在他的外套上，没有让他马上走开。“孩子一生下，亚历山大，我就要去金罗斯。想去就去，”她仰着下巴说，“我想经常去看茹贝。”

他看起来有点烦。“不管你想干什么，亲爱的，现在最重要的是睡觉。”

第五章 为人之母

从悉尼来的产科专家给伊丽莎白仔细检查过身体之后，把亚历山大叫进卧室。

“有些话我不得不说，你们俩都得好好听着。”他说，神情严肃，话却简短。“金罗斯太太，你患了先兆子痫[①]。这是一种非常严重的疾病。”

“很危险吗？”亚历山大大吃一惊，连忙问道。

“是的。我觉得无论对我的病人，还是对她的丈夫，都没有必要轻描淡写这种疾病的严重性。”爱德华·韦勒爵士坦率地说，“如果我带来更精确的仪器，比如血流速度计，就可以查一查病人血的流速，检查的结果可能更准确一些，金罗斯太太。不过，我还是可以断定，你现在的症状就可能导致惊厥[②]。通常，这是一种致命的疾病。”他注意到，病人听了这番话似乎无动于衷，她的丈夫倒是非常紧张，一双眼睛充满了恐惧。“研究表明，惊厥是肾功能紊乱的结果，只发生在孕妇身上，常见于怀头胎的孕妇。”

“肾主要有哪些功能？”亚历山大问，脸色苍白。

“过滤体液，通过尿排泄有毒的物质。因此，我们必须假定金罗斯太太和她腹中的胎儿缺乏应有的和谐。这样一来，她就无法消除胎儿排泄的有害物质，最终自己中毒。”

“什么叫惊厥？”亚历山大问，开始在屋子里踱起步来。“怎么才能知道它是否发展？”

“哦，你会知道的，先生。这种病临床的症状是头疼，腹部疼痛，恶心，呕吐。接下去就是剧烈的痉挛。如果痉挛持续不断，病人就会陷入昏迷。一旦昏迷过去，再想恢复可就难了。”

“可是伊丽莎白只是脚和腿肿！”

①先兆子痫：怀孕期间出现的高血压状态，通常伴有水肿和尿蛋白。

②惊厥：怀孕时出现或之后随即出现的昏迷和痉挛，症状是水肿、高血压和尿蛋白。

“她对我说的可不只这些症状，金罗斯先生。过去的三个星期，她一直头疼、腹疼、恶心、呕吐。按照你妻子目前的症状，她的浮肿是水肿，和姿势、体位没有关系。”爱德华爵士语气肯定地说。

伊丽莎白躺在床上，大睁着两只眼睛，听那位医生不动声色地向亚历山大介绍她的病情。那口气，好像她必死无疑。听了这个消息，她觉得无所谓，死亡或许能把她从困境中解脱。但是，灵魂深处，另外一个声音在抗议。因为她热切地盼望怀一个健康的孩子，盼望有一个她爱的人。如果她没有对茹贝提起脚肿、腿肿，又会怎么样呢？两个星期前，她问萨默斯太太这件事的时候，女管家十分肯定地对她说，这很正常，用不着大惊小怪。萨默斯太太一辈子没生过孩子。她这样说是不是因为她太嫉妒伊丽莎白，巴不得她死？

“我该怎么办？爱德华爵士。”她问道。

“首先，卧床休息，金罗斯太太。尽可能左侧躺，这样不至于压迫心脏和肾……”

“还得限制她的饮水量。”亚历山大打断医生的话。

“不，不！”爱德华爵士大声说，“恰恰相反，保持肾功能至关重要。这就意味着要大量饮水，大量排尿。我要给她放点血，以便减少血液循环系统的压力。今天先放一品脱，以后，每个星期半品脱。如果我们能保证她在分娩前不痉挛，她就能闯过生孩子这一关。”爱德华爵士转过脸看着躺在床上的伊丽莎白。“金罗斯太太，你现在已经熬过三十个星期了，还有十个星期。这十个星期，必须在床上安安静静地躺着。唯一起来的时候就是解大便。至于尿，用尿壶接就可以了。多吃蔬菜、水果和黑面包，多喝水。我从悉尼派个护士过来，教几个当地的女人学习护理知识，好让她们照顾你。”

“萨默斯太太是很理想的人选。”亚历山大连忙说。

“不！”伊丽莎白边喊边直挺挺地坐了起来。“亚历山大，求求你。不，不要萨默斯太太。她要干的活已经够多的了。我宁愿要玉、珍珠和绢花。”

“她们都是些傻乎乎的小姑娘，什么也不懂。”亚历山大表示反对。

“照你这么说，我也是个傻乎乎的小姑娘。你就依我一次吧，求求你了。”

亚历山大沉着脸，和爱德华爵士一起走了出来。“如果我的妻子发病，她肚里的孩子会怎么样？还有成活的可能吗？”

“如果她在分娩时发生剧烈的痉挛，陷入无法避免的昏迷，可以在她断气之前，实施剖腹产。虽然不能保证婴儿成活，但这是唯一的机会。”

“剖腹产之后，她还有没有活下去的可能？”

“没有一个女人能熬过剖腹产这一关，金罗斯先生。”

“恺撒的母亲不就熬过了这一关。”亚历山大说。

“悟撒的母亲不可能做过剖腹产手术。她一直活到七十岁。”

“既然如此，为什么人们把剖腹产叫作‘恺撒手术’①？”

“恺撒大帝之后，叫恺撒的人多的是。”爱德华爵士说，“也许另外一个恺撒是剖腹产生的。他的母亲生他的时候便撒手人寰。因为在这种情况之下做剖腹产的女人必死无疑……必死无疑！”

“她临产的时候，你能来吗？”

“哦，不能。这趟旅行简直太艰难了。再说，我忙得很。”

“伊丽莎白的预产期在新年。过了圣诞节你就来，一直住到她分娩。把你的妻子、孩子都带来。还有谁想来，都可以。权当是来度假。我们这儿凉爽宜人，既不闷热，也不潮湿，爱德华爵士。”亚历山大极力讨好医生。

“不，金罗斯先生，我真的不能。”

但是爱德华·韦勒爵士临上火车前，终于答应过完圣诞节就回来。说定的报酬是，亚历山大送给他两幅拜占庭风格的圣像画——古玩珍品，而不是出诊费。爱德华爵士喜欢收藏圣像画。

---

①恺撒手术：英语中把剖腹产叫作 Caesarean section，故有此说。

亚历山大无法面对伊丽莎白，无法看她那张美丽的小脸。她那么年轻，那么弱不禁风。九月份刚过十七岁生日，看起来很可能活不到十八岁了。

他承认，事情进展得很不顺利。我身上有些东西一开始就让她反感。不，不，不是魔鬼般的胡子。那是无稽之谈！我做错了什么？我对她关心备至，慷慨大度。我把她造就成一个在苏格兰她做梦也不会想到的时髦女郎。她有价值连城的珠宝、华贵的衣服、舒适的生活，不必做任何苦活儿、累活儿。但是，我从来没有走进她的内心世界，从来没能让她蓝宝石一样的明眸闪出哪怕一点火花。我抚摸她的时候，没有感觉到她的心激烈地跳动，没有听到她急促的呼吸。她比一点磷火还难以捕捉。她的精神已经昏睡。我的伊丽莎白其实不是我的伊丽莎白。现在，这不曾预料的、可怕的疾病又威胁着我的妻子和孩子的生命。除了相信爱德华·韦勒爵士，我真是无计可施。可是，我怎么敢保证，他知道自己该做些什么呢？

“我怎么能保证呢？”他痛苦万分，对茹贝大声嚷嚷着。

“你没法保证。”她坦率地说，擦着眼睛。“哦，真糟糕！让我告诉你，我要怎么办，亚历山大。请弗兰诺瑞神父来给她做弥撒，每天都买价值一英镑的蜡烛点着。给那个可怜的老家伙雇一个不错的女管家。”

亚历山大听了，万分惊骇，目瞪口呆。“茹贝·康斯特万，别跟我说你是罗马天主教徒！”

“不，我什么教徒都不是，和你一样。可是，我向你起誓，亚历山大，那些天主教徒和上帝心灵相通，有时候能创造出奇迹。”

亚历山大只是因为心里非常难过，才没有笑出声来。“那么，就是讲迷信，对吗？或者在酒吧里听多了爱尔兰酒鬼胡说八道。”

“更多的是从我的表兄艾萨克·鲁宾逊那儿听来的。我随便问了赫尔克里斯·鲁宾逊爵士一句，和我那位表兄是不是有点亲戚关系。他像一只猫，仰起皱皱巴巴的脸，一口否认。他在中国，和圣方济各会修士一起待了几年，皈依了罗马天主教。我从来没有见过比鲁宾逊家更固执己见的人。”

“你是想让我开心。”

“是呀。”她得意洋洋地说，“好了，去吧，亚历山大。再挖一两吨金子。忙你的去吧，好人儿！”

他刚走，茹贝就流下了眼泪。过了一会儿，她戴上帽子和手套，自言自语道：“我看不出做几场弥撒、点几支蜡烛有什么坏处。”她在门口停下，脸上一副若有所思的表情。“也许，”她继续对自己说，“我能劝说亚历山大在金罗斯划拨一块地给长老会盖教堂。为什么非要得罪那些信仰不同的人呢？”

第二天，她来到伊丽莎白的病床前，怀里抱着一大把剑兰、金鱼草和飞燕草。这些花草都是从西奥多拉·詹金斯小姐的花园里采来的。詹金斯现在不在金罗斯。

伊丽莎白高兴得满脸放光：“啊，茹贝，你来看我真是太好了！亚历山大把我的病情告诉你了吗？”

“能不告诉吗？”她把鲜花塞到满脸不悦、浑身僵硬、死板板站在那儿的萨默斯太太怀里。“给你，玛吉。找个花瓶把花插上。换换你脸上那幅表情。你怎么总让我想起毛毛虫？”

“毛毛虫？”萨默斯太太怒冲冲地出去之后，伊丽莎白问道。

“她真的让我想起一种叫鼻涕虫①的玩意儿。不过，算了，算了。你还得和这个女人一起生活呢。”

“她让我害怕。”

“别怕她。玛吉·萨默斯是尖酸刻薄，可她怎么不了你。她得听她丈夫的，她丈夫又得听亚历山大的。”

“她嫉妒我肚子里的孩子。”

“这我能理解。”茹贝坐在一张椅子里，就像栖木上落着的一只羽毛极其华丽的大鸟。她凝视着伊丽莎白，两只眼睛闪闪发光，一对酒窝斟满微笑。“好了，小猫咪，别那么没精打采！我已经给悉尼拍了电报，买了

①鼻涕虫：蛞蝓，一种类似蜗牛的无硬壳动物。

些你喜欢看的书。越通俗的越好。我还买了一副扑克牌。我要教你打扑克，玩金罗美[①]。”

“长老会的教规不允许玩牌。”伊丽莎白说，言语间有点挑衅的味道。

“哦，眼下我倒是愿意站在上帝这边，可是让我忍受这种狗屁教规，简直是被人捅了屁股！”茹贝十分尖刻地说，“亚历山大说，你得卧床休息十个星期。这十个星期里，你只能这头喝，那头尿。所以，如果打扑克能消磨时间，我们就打扑克。”

“我们先聊聊天儿吧。”伊丽莎白说，觉得胸口堵得慌。“我想知道你的情况。玉说，你有个儿子。”

“是的，他叫李。”茹贝的声音变得温柔起来，脸色也柔和了许多。“他是我生命的阳光，伊丽莎白。我的玉猫。哦，我想念他！”

“他十一岁了？”

“是的。我已经两年半没有见他了。”

“你有他的照片吗？”

“没有。”茹贝难过地说。“太折磨人了。我只能闭上眼睛想他那副样子。那么可爱的一个小家伙！活泼、开朗。”

“玉说他非常聪明。”

“他学起语言，简直像只鹦鹉，快极了。不过，亚历山大说，他不应该到牛津大学学古典人文学课程——这是我的愿望。他好像更适合到剑桥大学学习科学。”

伊丽莎白看出，这个话题对于茹贝来说太沉重了，连忙改变“策略”：“谁是赫诺瑞娅·布朗？”

茹贝睁大了一双绿眼睛：“你也不知道？我不知道她是谁，只知道亚历山大认为她是所有女人的楷模。和赫诺瑞娅·布朗相比，我一钱不值。”

“他对我可不是这么说的。他说，和赫诺瑞娅·布朗相比，你更值得

①金罗美：双人牌游戏，以得同花色10张牌为胜，全手牌少于10点时可以摊牌叫停。

他赞美，更值得他爱。你真的不知道她是谁？”

“不知道。”

“怎么才能知道呢？”

“问他。”

“他不会告诉我们的。一提到这事儿，他总是那么神神秘秘。”

“这个该死的杂种！”茹贝说。

因为有了茹贝、书和扑克，日子一星期一星期过得飞快。后五个星期，康斯坦斯·丢伊也来了。伊丽莎白的病情没有多大变化。经常放血把她搞得没精打采，肿没怎么消，腹痛和呕吐倒是没再发生。从悉尼来的护士是个动作敏捷、充满活力、不说废话、弗洛伦斯·南丁格尔①一手训练出来的女人。现在，她像军士长操练最糟糕的士兵一样，训练那三个中国女孩儿。然后回去报告亲爱的爱德华爵士，金罗斯太太得到的照顾至少和她在悉尼可以得到的照顾一样好。

最着急的是亚历山大。他不能进妻子的房间，过问她的日常起居。起初是茹贝将他拒之门外，后来是茹贝和康斯坦斯。这两个女人联合起来，力量之大可想而知。但是，有她们的陪伴，伊丽莎白的精神确实好了许多。亚历山大从她卧室门口走过时，总会听到里面爆发出一阵笑声。他偷偷摸摸快步走过，觉得自己就像一条被鞭打过的狗，躲避着主人。他唯一的安慰就是工作。西屋电气公司生产的气闸终于到货。他兴致勃勃地安装着，分散了一点注意力。

“我发现，”他对查尔斯·丢伊说，“男人一结婚，心灵的平静和安宁、自由自在日子就再也没有了。”

“没错儿，伙计。”查尔斯说，“这是我们年老之后能有个老伴儿，

①弗洛伦斯·南丁格尔（1820—1910）：英国著名女护士，近代护理制度的创始人，红十字会创办人之一。

死了以后能有个继承人必须付出的代价。”

“老伴儿你倒是有了，可你的继承人都是些女孩儿。”

“实际上，我已经渐渐认识到，有几个女儿并不是什么坏事。你知道，女儿如果找回几个聪明能干的好女婿——如果我那几个丫头还说得过去的话——比你自己养几个儿子还强。你不能阻止儿子吃喝嫖赌，女儿却不会沾染上这种坏毛病，而且她们能管住自己的丈夫，不让他们养成这种恶习。索菲娅的未婚夫是个非常有商业头脑的聪明人，玛利亚的丈夫把丹利家园经营得远比我好。如果亨丽埃塔和两个姐姐一样，找个好老公，我就心满意足了。”

亚历山大皱了皱眉头：“你说得不错，有点道理，亲爱的查尔斯，可是女儿不能把你的姓一代一代传下去。”

“我看不出为什么不能，”查尔斯惊讶地说，“如果姓氏真的那么重要，为什么不能让至少一个女婿姓你的姓呢？别忘了，儿子也好，女儿也罢，他们生下的孩子血管里流淌的血都一样——只有一半是你这个老祖宗的血。你是不是觉得伊丽莎白要生女儿？”

“到目前为止，我的婚姻没有幸福可言。”亚历山大老老实实地承认，“所以，如果命运继续嘲弄我的话，完全有这种可能。”

“你是世界末日的预言家。”

“不，我就是我——你说的那种苏格兰人。”

后来，他在机车库里干活儿的时候，想起查尔斯的话，觉得他说的挺有道理。如果伊丽莎白只生女儿，一定把她们培养好，让她们找优秀的而且愿意改姓为金罗斯的丈夫。这就意味着，要让女儿们上大学，接受高等教育。但是，与此同时，绝对不能把她们教育成男人似的学究。

砰，砰，他用锤子使劲敲打着。亚历山大·金罗斯下定决心，没有什么力量能让他向命运屈服，从不爱他、而且得了惊厥的妻子，到没儿子、只有一大群女儿的金罗斯家族。他的生命有其自身的目标——他正为此而努力奋斗——这个目标的重要内容之一是，确保他为自己选择的这个姓氏永不消亡。

刚过圣诞节，爱德华·韦勒便和他的妻子来到金罗斯。他们被安顿在北塔楼。走进那套漂亮的房间，韦勒夫人高兴得差点儿晕过去。这个机会不但让她在夏天最炎热的时候离开悉尼，而且考虑周全的上帝将她置身于悉尼无法提供的奢华之中。悉尼的服务员都大胆无礼、盛气凌人，想来就来，想走就走。金罗斯饭店的侍者则是彬彬有礼的中国人，既服务周全又没有丝毫奴颜媚骨。他们干活儿很卖力气，一看就让人觉得他们收入不错，热爱这份工作。

伊丽莎白这期间只能老老实实躺在床上。她身子笨重、昏昏欲睡，连茹贝逗她的笑话也失去往日的“魅力”。

爱德华爵士和玉、珍珠、绢花一起走进伊丽莎白的卧室。他只是对她笑了一下，没有走过去询问病情。三个中国女孩端着盘子、瓶子、罐子和壶。爱德华爵士脱下外套，围上干净的白围裙，卷起衬衫袖子，露出肌肉结实的胳膊，仔仔细细地洗着手。直到他要用的医疗器械都摆好，他看了觉得满意，才拉过一张椅子，在伊丽莎白身边坐下。

“感觉怎么样？亲爱的。”他问道。

“现在的情况不如圣诞节前好，”伊丽莎白说，她喜欢也信任这位产科医师，“头疼得厉害，胃也疼。有时候头晕，眼前总觉得有黑点儿在晃动。”

“我得先检查一下肚子里的胎儿怎么样，然后再细谈你的病。”他说，走到床尾，朝玉和珍珠打了个手势，让她们俩揭开被子。“我是按照李斯特[①]的方法消毒的。”他一边轻手轻脚地检查一边说，显得很健谈。“所以，你一定要习惯那股石炭酸味儿。生完孩子好长时间，这股味儿还不会完全

①李斯特（1827—1912）：英国外科医生。1865年他证实了碳酸是一种有效的杀菌媒介物，可减少外科手术后由感染引起的死亡，首创用石碳酸溶液进行手术消毒及采用纱布和肠线。

散尽。”

检查完之后，他又坐了下来。“孩子已经露头，羊水随时都可能破。”他的声音变了，变得很严肃。“现在，伊丽莎白，我必须向你解释清楚，我有可能采取什么措施。我怕到时候你听不明白我的意思。通常，危急时刻只能由丈夫一个人做决定。可是，据我的经验，丈夫也很少敢轻易拍板，除非他们确信妻子已经全权委托我做我认为应该做的事情。”他清了清嗓子，“最近有的医学刊物鼓吹，惊厥初起之时，硫酸镁可以起到控制作用。不过，我必须告诉你，这种治疗方法临床还没有得到验证。”

“什么是硫酸镁？”

“一种相对而言没有什么副作用的盐。”

“这种药怎么用？喝下去？”

“不，用不着喝。硫酸镁是一种肠道外注射的药物，通过和一根空心针相连的注射器直接注射到腹腔。药物在腹腔内和人体自身的液体混合，很快进入血液。我相信，总有一天，人们会把这种空心针改进得细到直接将药物注射到血管里。”他充满渴望地补充道，“当然，我会把这种疗法告诉你丈夫，但是我必须首先知道你自己觉得怎么样。生命和危急之中的胎儿都是你的。我还注意到，你很容易患神经衰弱症。必要时，你愿意让我注射硫酸镁吗？”

“愿意。”伊丽莎白毫不犹豫地说。

“很好！那么，就让我们静观其变吧。”他轻轻地握了握她的手，“快活点儿，伊丽莎白。肚子里的孩子看起来很壮实。所以，你一定也很强壮。要生的时候，我把我的妻子介绍给你。她做我的助产士。”

“你们俩是在工作中认识的吗？”伊丽莎白问。

“可不是嘛。医生年轻时必须努力工作，所以没有机会和别的女孩子接触，只能从护士或者助产士中选择对象。”爱德华爵士很诚恳地说，“我的妻子是个极好的伴侣，也是个技术高超的助产士。”

亚历山大直到第二天才见到伊丽莎白。伊丽莎白因为服用了鸦片酊，睡得很香。爱德华爵士向亚历山大详细介绍了她现在的情况和他准备如何处置，还劝他等妻子醒来之后先见上一面。

他立刻发现，伊丽莎白的卧室已经被改造得面目皆非。多余的家具都搬了出去，剩下的几件也都蒙着洁白的单子。卧室一角，用白屏风隔开。玉和珍珠都穿着白大褂，空气里弥漫着一股淡淡的石炭酸味儿。

他向那张床走去，心里想，我真是个胆小鬼。这十个星期，我总是尽可能躲着她。她的皮肤黄黄的，眼睛里布满血丝，虽然侧身朝左面躺着，被单下面的大肚子仍然清晰可见。

“爱德华爵士和你都说了吧？”她说，舔了舔爆了皮的嘴唇。

“关于他的治疗方案？是的，说过了。”

“必要时，我希望他就按这个办法治，亚历山大。啊，我好累。”

“因为你服用了鸦片酊。这是很正常的反应。”

“不，不，我说的累，不是这个意思！”她烦躁地说，“是心累！躺在床上，朝左侧躺着，没完没了地喝水。一天到晚昏昏沉沉，可怜巴巴。天天如此！真是一种折磨！为什么这一切发生在我的身上？德拉蒙德家和默里家都没人得过这种病。”

“爱德华爵士说，这种病没有什么家族史。所以你一定不要埋怨遗传。”亚历山大冷冷地说，“爱德华爵士说，肚子里的孩子既健康又强壮。他希望你能振作起精神。”

眼泪顺着伊丽莎白的面颊流下。“我得罪上帝了。”

“哦，废话，伊丽莎白！”他生气地说，“爱德华爵士说，你之所以得这个病是因为坐了太长时间的船，再加上不习惯这儿的气候和食物，没有别的原因。为什么要责怪上帝呢？这不合逻辑。”

“不是责怪上帝，而是责怪我自己对上帝三心二意。”

“好了，”他说，嘴角挂着微笑，露出洁白的牙齿，“我有好消息告诉你呢。我已经捐了一块城里的好地。我准备在这块地上建造一座长老会教堂。这样一来，你这辈子都可以按照约翰·诺克斯关于上帝的理念到那儿做祈祷了。”

她拉长了脸。“亚历山大！为什么你要这样做？”

“因为为了这事儿，讨厌的茹贝·康斯特万没有一天不叨叨。”

“亲爱的茹贝。”伊丽莎白说，脸上露出灿烂的笑容。

“你有没有想过，如果上帝折磨你，是因为你和茹贝好得像一个人似的，所以他生你的气。”

伊丽莎白笑了起来。“别傻了。”她说。

他斜倚在椅子上，双手握成拳头，注视着窗外的风景。窗子朝南，把花园和远处的森林尽收眼底。他知道，此时此刻，不应该对她说这些不中听的话，可是……“我不理解你，”他面对窗外的景色说道，“也不明白你希望丈夫给予你什么。然而，我已经接受了我们这场婚姻的缺陷，就像你显然接受了我的情妇。我甚至清清楚楚看出，为什么你接受了她。因为你把和我做爱当成负担，而茹贝替你挑过了这副担子。瞧瞧你现在这副样子，为了尽婚姻的义务，病得就像一条中了毒的小狗。对于你，这也许是最好的证明——床第之乐是罪恶。天哪，伊丽莎白，你生来就应该是个天主教徒！倘若那样，就可以进女修道院，就会平安无事。你为什么要给自己带来这么多的痛苦呢？如果你学会享受生活，就不会有什么惊厥。我就是这样想的。”

她听着，心里并没有激起波澜。她知道，他是因为心里痛苦才说出这样一番恶毒的话。可是，她没有力量减轻他心中的痛苦。

“哦，亚历山大，我们是命中注定！”她大声说，“我不能爱你。你已经开始讨厌我了！”

“我有充分的理由。你拒绝了我提出的所有建议。”

“尽管这样，”她坚定地说，“我已经告诉爱德华爵士，如果他觉得需要，我同意他给我注射硫酸镁。你同意吗？”

“我当然同意。”他说，转过脸看着她。

“不过，”她继续说，“从某种意义上讲，如果我死了，我们的麻烦也就彻底解决了。就是孩子死了也没关系。你可以再找一个更适合你的妻子，替你生儿育女。”

“亚历山大·金罗斯决不向命运投降！你是我的妻子，我一定尽最大的努力，让你活着，永远做我的妻子。”

“即使我们的孩子活不了，或者我不能再怀孩子？”

“是的！”

除夕夜，伊丽莎白开始分娩。她的病情恶化，头疼欲裂，眩晕，呕吐，上腹部疼。好在分娩前期没有继续恶化。等到她开始翻白眼儿、面部抽搐的时候，爱德华爵士从妻子手里接过注射器，迅速扎进伊丽莎白的腹壁，然后抽了一点腹腔内的液体，弄确切是不是穿透了肠子。确信没有穿透之后，注射了五克硫酸镁。痉挛从面部开始，向双臂和手放射，然后整个身体变得僵硬，肌肉剧烈抽搐。她的嘴巴里塞了一个木头口塞，四肢绑在床上，以免受伤。她挺了过来，脸色青紫，呼噜呼噜地喘着粗气。第二次惊厥开始之前，爱德华爵士又注射了一次硫酸镁。婴儿——现在由韦勒夫人负责——在没有母亲帮助的情况下，在产道里艰难地向外挣扎。伊丽莎白虽然没有完全昏迷，但是几乎没有感觉到分娩时的痛苦。

茹贝和康斯坦斯在楼下客厅里等着，亚历山大把自己关在书房。

“楼上一点儿动静也没有，”康斯坦斯说，不由得打了个寒战，“没有哭声，也没有叫声。”

“也许爱德华爵士用氯仿把她麻醉过去了。”茹贝说。

“按照韦勒太太的说法，不可能用麻醉剂。如果伊丽莎白发生痉挛，即使不用麻醉剂，她的呼吸也会非常困难。”康斯坦斯抓住茹贝的手。“不，我想没有动静是因为我们那个可怜的孩子昏过去了。”

“耶稣基督，为什么这些事情非要发生在她的身上？”

“不知道。”康斯坦斯轻声说。

茹贝看了一眼落地大座钟。“已经过十二点了。这个孩子将在新年诞生。”

“那就让我们祝愿，一八七六年对于伊丽莎白是幸运的一年。”

萨默斯太太端着一个托盘走了进来。托盘里放着茶和三明治。她面无表情，无论茹贝还是康斯坦斯都看不出她心里在想什么。

“谢谢，玛吉。”茹贝说，把一支雪茄对着另外一支雪茄的“烟屁股”点燃。“听见什么动静了吗？”

“没有，夫人，什么也没有。”

“对我不满意，是吗？”

“是的，夫人。”

“那可太糟糕了。不过，有一件事情你要记住，玛吉，我这双眼睛可是总盯着你呢，所以，你要当心点儿。”

萨默斯太太昂着头，走了出去。

“哦，你又四处树敌了，茹贝。”康斯坦斯表情冷漠地说，“财富改变一个女人的社会地位。这种感觉是不是很妙？”

“没错儿。你要是当了天启公司的董事，为了五英镑小费，让她在桌子底下给你添屁股也行。”茹贝一边说，一边吐出一股青烟。

“茹贝！”

“好了，好了。我不说粗话就是了。”茹贝闷闷不乐地说，“我是为楼上那个小东西着急。她一定非常危险。我忍不住。我这个人爱冲动。”

亚历山大一方面非常希望此时此刻他是在伊丽莎白的房间里，另一方面又不得不面对这样的现实——女人生孩子的时候，男人不能在跟前，除非你是医生。爱德华爵士答应及时向他通报情况，玉每隔半个小时就从楼上跑下来，告诉他正在发生的事情。因为害怕和焦急，她的一双眼睛睁得老大。他从玉的嘴里得知，惊厥已经开始，爱德华爵士估计孩子很快就能出生。

伊丽莎白说的话都是真的吗？他真的开始讨厌她了吗？如果真的如她

所说，那种感觉也是不知不觉潜入他心中的。因为他无法忍受这样一种想法——他，亚历山大·金罗斯无法解决妻子提出的问题。

我离家的时候十五岁，从那以后，可以说，无往而不胜。现在，我年仅三十三岁，却已成就了大多数人七十岁也无法完成的事业。我有钢铁般的意志，我有无穷无尽的力量。我可以让悉尼大多数傻瓜对我言听计从。因为他们都想在政坛往上爬，而没有足够的收入供他们挥霍。我是世界历史上最富的金矿最主要的股东。我在煤矿、铁矿、地产都有投资。我拥有一座城市、一条铁路。然而，我却不能让一个十七岁的姑娘明白事理，让她喜欢我，更不用说赢得她的芳心。我给她珠宝的时候，她看起来嗤之以鼻；我抚摸她的时候，她冷得像块冰。我想和她谈话的时候，她只是被动地回答问题，除了让我觉得她冷淡、不感兴趣之外，不会有任何别的联想。她唯一愿意结交的朋友都是女人。她像一个贪婪的孩子，抓住茹贝不放。这可真糟糕。

他就这样坐在那儿胡思乱想，直到刚过凌晨四点，爱德华爵士满脸微笑出现在书房门口。他没有穿外套，衬衫袖子还高高地卷着，但是没有围沾了血迹的围裙。

“祝贺你，亚历山大，”他说，伸出手走过来，“你已经是一个健康的、八磅重的女孩儿的父亲了。”

女孩儿……哦，他猜就是个女孩儿。“伊丽莎白呢？”

“惊厥已经停止，尽管再过一个星期我才能宣布她脱离危险。痉挛随时都可能发作，但我个人觉得，硫酸镁确实管用。”爱德华爵士说。

“我能上去看看她吗？”

“我来就是陪你上去看她的。”

屋子里还散发着一股“来苏儿”的气味儿。这股味儿不怎么好闻，但是不会让你闻到血腥味儿或者腐烂的气味。伊丽莎白仰面朝天躺在床上。她已经被擦洗过，换上了干净的衣服，肚子又扁了下去。亚历山大小心翼翼走了过去，活到这把年纪，他还没有做好在这种场合和妻子相逢的准备。

她大睁着双眼，因为劳累，皮肤灰白，嘴角咧开，渗出分泌物。

“伊丽莎白。”他唤道，弯下腰吻了吻她的脸颊。

“亚历山大，”她说，脸上露出微笑，“我们有了一个女儿。很遗憾，不是个儿子。”

“嗐！我才不遗憾呢！”他说，打心眼儿里感到高兴。“查尔斯给我讲了许多生女儿的好处。你感觉怎么样？”

“好多了。爱德华爵士说，我还会痉挛，可我觉得不会。”

亚历山大拿起她的手吻了吻：“我爱你，你这个小妈妈。”

她明亮的眼睛又失去了光彩：“我们管她叫什么呢？”

“你想让她叫什么？”

“艾琳娜。”

“上学的时候，大家就会管她叫内尔。”

“叫内尔我也不介意。你介意吗？”

“不。这两个名字都好听。既不俗气又不做作。我可以看看我的女儿吗？”韦勒太太抱着一个紧紧包裹着的小包走进来，那是襁褓中的婴儿。她把婴儿放在伊丽莎白怀里。

“我还没看过她呢。”伊丽莎白说，连忙抱起孩子。“啊，亚历山大！她可真漂亮！”

小家伙长了一头浓密的黑发，一双眼睛被煤气灯照得闪闪发亮。皮肤光滑，圆圆的小嘴像字母O。“是的，”亚历山大说，喉咙一阵发紧，“她是很漂亮，我们的小艾琳娜。艾琳娜·金罗斯。听起来非常悦耳。”

“她可是爸爸的宝贝儿，”韦勒夫人乐呵呵地说，“第一个女儿都这样。”

“我就盼望这一天呢！”亚历山大说，从伊丽莎白的房间里走了出来。

教育，教育……先请一位女家庭教师，再请一位辅导教师，辅导女儿考大学。教育就是一切。

不能把她送到悉尼上学。那地方，我信不过。内尔——是的，和艾琳娜相比，我更喜欢这个名字——一定要在我的眼皮子底下长大，不管康斯坦斯如何劝我，我也不会非得让她和别的女孩子们一起长大，不会让她变成社会上的势利小人，或者那种喜欢卖弄风情的女人。是的，我已经描绘出女儿的未来。让她多学几种语言，还要学习历史。然后，和李·康斯特万结婚。如果我的气数未尽，伊丽莎白怀的二胎就该是个男孩。有一点应该注意，对内尔和李，我得不偏不倚。将来，他们生下孩子，血管里流淌着我和茹贝的血液。哦，真是不可思议的遗传！

伊丽莎白生下艾琳娜八天之后，爱德华爵士和韦勒夫人离开了金罗斯。伊丽莎白不但没有再犯病，而且恢复得很快。这位妇产科专家临走前告诉他们，六个月里不要过夫妻生活。不过他说，怀第二胎时会比较顺利，因为惊厥这种病一般只在第一次怀孕时发生。

他唯一担心的是伊丽莎白对奶妈的选择。因为她自己没奶，打算请玉和珍珠的表姐蝴蝶给孩子喂奶。蝴蝶几乎和伊丽莎白同时分娩，可是她生下的孩子不幸夭折。爱德华爵士提出疑问：吃中国人的奶？

“你不知道这对你的孩子会造成什么影响，”他一本正经地说，“人种有很大的不同。一个种族的母亲也许不适合给另外一个种族的孩子喂奶。金罗斯太太，你应该给孩子找个白人奶妈。”

“胡扯。”伊丽莎白说。她的脾气像所有苏格兰人一样固执。“奶就是奶。为什么猫可以给小狗崽儿喂奶，狗也让小猫吃它的奶？我知道，在美国，黑女人给白人小孩当奶妈。蝴蝶的奶非常好，足可以喂一对双胞胎，我为什么偏偏要找白人当奶妈呢？”

“那就随你的便了。”爱德华爵士叹了一口气说。

“这家人很古怪，”踏上开往拉特沟的火车之后，他说，“亚历山大·金罗斯难道没有听过那些政客们的观点吗？罗伯逊、帕克斯，还有那些粗俗不堪的家伙。他们认为工人阶级坚不可摧，中国人十分危险，应该坚决阻止他们移民到澳大利亚。有的人还想驱逐已经在澳大利亚安家落户的中国人。可是金罗斯和中国人一起建起一座城市，他的妻子想让自个儿的孩子吃中国人的奶。哦，天哪！如果他们坚持这种态度，会惹上麻烦的。”

“我不明白为什么会惹上麻烦。”韦勒夫人平静地说，“如果亚历山大剥削、压迫了这些中国人，他会给人家留下攻击的把柄。可是他没有。谁也没有理由干涉他的事情。”

“亲爱的，有些政客是不需要理由的。”

艾琳娜在中国奶妈的喂养下健康成长。六个星期的时候，她就可以一觉睡到天亮，三个月的时候就能坐起来了。

“真是个可爱的小宝宝！”茹贝一边充满柔情地说，一边亲了亲她的小脸蛋儿。“茹贝姨妈的宝贝儿！伊丽莎白，她让我想起我的小玉猫！他是那么可爱。”

“她的眼睛越来越蓝了。”伊丽莎白说。看见小艾琳娜那么愿意让茹贝抱着玩，她并不嫉妒。“不像我的眼睛是深蓝色，也不像我父亲那双天蓝色的眼睛。不过，我想她的头发会一直是黑色。你说呢？”

“是的，”茹贝说，把艾琳娜交给她的妈妈，“皮肤的颜色比你的深，更像亚历山大。除了眼睛，哪儿都像她爸爸。瞧那张长脸。”

她们正议论的那双眼睛看着茹贝，好像认识她一样，尽管三个月的孩子还不可能认人。茹贝心里想，小家伙也许知道她们在议论她。茹贝从钱包里掏出一封信。

“这是李寄来的信，伊丽莎白，你不想听听吗？”

“念念吧。”伊丽莎白一边说，一边玩着女儿的小手指。

茹贝清了清嗓子：“第一段我就不念了。我挑着给你念。第二段是这样写的：‘我现在已经开始上大龄儿童学校①，学习拉丁文和希腊文。我们的舍监马修斯先生是个好人。他不相信笞杖能解决问题。当然就我所知，我们这所学校人们似乎都不太赞成笞杖。因为学生都是外国人，而且都是

①大龄儿童学校：英国为 14 到 17 岁的学生设立的学校。

皇亲国戚、达官贵人的子弟。我数学比英语学得好。这就意味着我必须更努力地学习英语。马修斯先生说，由他监护的学生，绝对不能对文学一窍不通。他已经给我特别安排了阅读英国古典文学的课程，从莎士比亚、弥尔顿[①]到戈德史密斯[②]、理查逊[③]、笛福[④]和另外一百多位作家的作品。他说，我现在的阅读速度还不够快，但是很快就会加快。我承认，我对历史更感兴趣，尽管对玫瑰战争[⑤]之类没什么兴趣。那些战争大多数只是宗教派别之间的争斗，你争我夺，相互出卖，和科学、文化的发展没有什么关系。我喜欢希腊人和罗马人。他们的将军更优秀。他们的人民在这些将军的率领下，为更崇高的目标而战，为推动科学发展而战。’”

“他今年多大了？”伊丽莎白问。茹贝的声音里充满了骄傲，伊丽莎白面带微笑看着她。

“到六月满十二岁，”茹贝说，眼睛里含着热泪，“对于我来说，日子难熬；对于他来说，日子飞快。你还想听吗？”

“听呀，念吧。”

“‘这封信我准备从村里的邮局寄，所以，可以随心所欲地写。尽管按规定，学校不会检查信件，可是我从来不敢相信信送到学校邮局之后不被打开偷看。学校里的孩子各式各样，并非人人刻苦用功，个个品学兼优。我刚上小学的时候就听说，那些王公贵族的孩子们有时候为了把别人的东西据为己有，不惜偷盗，而且撒起谎来和英国人一样聪明。所以，为了掌

---

①弥尔顿（1608—1674）：英国诗人，对18世纪诗人产生深刻影响，代表作为长诗《失乐园》《复乐园》及诗剧《力士参孙》。

②戈德史密斯（1730？—1774）：英国作家，他在文学界的名声主要归功于他的小说《威克菲尔德的牧师》（1766），田园诗《荒村》（1770）和悲剧《委曲求全》（1773）。

③理查逊（168H761年）：英国小说家，其书信体小说《帕美勒》《塊拉丽樹和链尔斯·葛兰迪森爵士》对18世纪西欧文学影响深远，《帕美勒》被称为英国第一部小说。

④笛福（1659？—1731）：英国小说家，《鲁宾逊漂流记》的作者。

⑤玫瑰战争：英国历史上1455—1485年的内战，因兰开斯特家族的族徽为红玫瑰，约克家族的族徽为白玫瑰，故名。

握学生的新动态，老师完全有可能检查孩子们的信件。我非常喜欢读亚历山大写来的信。他在信里给我提出那么多好的建议，讲了那么多深刻的道理。’”

“亚历山大还给他写信？”伊丽莎白惊讶地问。

“比我写得还勤。他是亚历山大·金罗斯，世界上品位最高的金矿的主人，一位无可指责的通信者。我也说不上为什么，他在希尔山，第一次看见我的玉猫，就喜欢得不得了。”

“接着念吧。”伊丽莎白催促道。

“‘因为有钱，我在学校里的生活很自在。我不必畏畏缩缩，可以直视任何一个王公贵族子弟的眼睛；我可以像他们一样，身穿赛威尔街定做的校服；可以在老师的带领下，坐在伦敦大剧院的包厢里看歌剧。妈妈，你现在戴得起华贵的珠宝，把自己打扮得像一个真正的俄国公主。我真希望你为我拍一张照片寄来！还有爸爸的照片。求求你了。’”

“你快给他寄一张吧。”伊丽莎白说。

“是的，我是要为我的玉猫拍的。孙也非常想等巡回照相师下一次来的时候，穿上他最威严的袍子拍一张照片。”

“李真棒，茹贝。他的信写得真好。”

“‘我的数学学得很好，现在已经和准备上剑桥大学的同学们一起参加辅导班。马修斯先生说，我在数学上很有天分，但是我怀疑，他只是想让我步入学术生涯，可是我不想往这个方向发展。我更喜欢工程技术。我想用钢铁制造东西。

“‘我最好的朋友还是阿里和侯赛因。他们是波斯王的儿子。那里的生活紧张忙碌。似乎总有人想暗杀他们的父王，但是国王不会轻易被人杀死。他的保护措施十分严密，更不用说那些没有得逞的刺客被当众处死——杀一儆百。这是阿里和侯赛因告诉我的。’”

茹贝把信放下。“这些内容你可能感兴趣，伊丽莎白。剩下的都是和妈妈掏心窝子的话。如果我念出来，肯定会哭的。”她抬起胳膊，拢了拢头发。

“你看我像个俄国公主吗？当然要穿上从萨威吉做的新衣服，戴上我的钻石和红宝石。”

“我可以借给你亚历山大刚给我买的冕状头饰，上面镶嵌着闪闪发光的钻石。”伊丽莎白说，“告诉我，茹贝，这种冕状头饰什么场合才戴？”

“等哪位王子访问殖民地的时候，”茹贝冷冷地说，“亚历山大肯定要应邀去给他舔屁股。那就是你戴这种头饰的场合。”

“你从哪儿学了这么多新鲜的比喻？”

“从阴沟里，亲爱的伊丽莎白。我就是阴沟里长大的那种喜欢说粗话的穷人。”

艾琳娜出生六个月之后，妻子的“责任”又落到伊丽莎白头上。她并不假装自己欢迎“新时期”的开始，让她迷惑不解的是，为什么亚历山大明明知道她对“那事儿”不感兴趣，还会不遗余力地尽他的义务。他总是毫无爱意、毫无快乐地和她做爱。本能告诉她，如果亚历山大发现她和他的情妇背后探讨过这事儿，一定会气得发疯。于是，伊丽莎白决定亲口问他为什么会这样。

“你说我冷得像块冰，还说，因为我干‘那事儿’没有快乐，你也就没了兴趣。可是，话虽这么说，你还和我上床，而且照射不误。你怎么能这样呢？亚历山大。”

他耸了耸肩笑了起来。“因为上帝把男人造就成这个样子，亲爱的。如果看到一个裸体女人，男人就会作出反应。”

“如果那个裸体女人丑得要命、令人作呕呢？”

“这个问题我可没法儿回答，伊丽莎白。因为到目前为止，我看到的裸体女人还没有一个令人作呕呢！你只能说你对自己看到的东西的感觉。”亚历山大说。

“我和你争论，永远都赢不了你。”

“既然这样，为什么还要试一试呢？”

"因为你总是那么得意洋洋。"

"其实我并非你说的那样。只不过因为你我之间这种情况，你才这样看我。你拒绝挑战，我却敢应战。我不是想争个你高我低，但我想有个爱我的妻子。我没有错待过你，以后也永远不会。我只是想有几个孩子。"

"我父亲把我卖给你，得了多少钱？"

"五千英镑，再加上他从我接你来的那一千英镑中克扣下来的几百英镑。"

"九百二十英镑。"

他俯下身吻了吻她的额头。"可怜的伊丽莎白！你有生以来，接触的这些男人——你的父亲、默里牧师和我，都没有给你带来幸运。"他坐在床上，盘着腿，就像帕夏。"如果你有机会选择，你会选择一个怎样的丈夫？"

"谁也不会，"她喃喃着，"绝对不会。我宁愿像西奥多拉那样独身一辈子，也不会像茹贝，给人家做情妇。"

"是的，这话听起来还有点道理。一辈子都是个处女。"他伸出一只手，"好了，伊丽莎白，我们俩应该达成这样一个共识：虽然干'那事儿'的时候，你我都享受不到床第之乐，可是不干'那事儿'的时候，要尽可能和睦相处。我没有禁止你和茹贝结交，事实上，我不禁止你和任何人结交。可是，我发现，自从长老会建起教堂、请来牧师，你一次礼拜也没有去做。这是为什么呢？"

"因为就像萨默斯太太说的那样，你是个无神论者。我被你改变了。"她说，还没有注意亚历山大伸出的那只手。"说实话，我再也不想到教堂去了。有什么用呢？你想把艾琳娜培养成长老会教徒，还是别的什么教徒？"

"不，当然不会。如果她属于那种精神上必须依赖上帝的姑娘，她会选择自己的信仰；如果她像我，就绝对不会信教。但是，不管怎样，我都不会让她接受任何宗教的偏见、虚伪和排外。决不。我发现，自从女儿出世，你开始看悉尼出版的报纸。所以，你一定知道，这个殖民地就像整个澳大利亚一样，宗教派别之间的纷争多么激烈，多么难以理解。是的，我是无神论者，至少我自立于这种种纷争之上。艾琳娜也将这样。我将让她学哲学，而不是神学。在这个平台之上，她将获得足够的知识，为日后的选择打下坚实的基础。”

“我同意。”伊丽莎白说。

“你真的同意？”

“是的，我真的同意。我已经长大，懂得知识像浩瀚的大海，能给人更多精神上的自由。我希望我的女儿摆脱那些羁绊我的条条框框。我希望她成为一个人才，能和你一起谈地质、数学，和诗人、作家谈文学，和真正的历史学家谈历史，和周游世界的人谈地理。”

他抱住她，爆发出一阵大笑。“伊丽莎白，伊丽莎白！我真喜欢听你说这样的话！”

但是，紧紧的拥抱似乎破坏了那种氛围，伊丽莎白从亚历山大怀里挣脱，转过身假装睡觉。

艾琳娜的成长让人觉得，事实上，父母殷切的希望并非无稽之谈。因为，她的发育总是比实际年龄快得多。刚满九个月，她就开始咿咿呀呀地学说话。父亲又是高兴，又是惊讶，从那以后，只要有空，每天都要到育儿室看看女儿。艾琳娜喜欢爸爸，一看见他进来就张开双臂扑过去。爸爸抱起她，她就贴着他的脸叽叽喳喳说个不停。她身上最引人注目的是那双眼睛。这双眼睛离得很宽、睁得很大，蓝得像盛开的矢车菊。她神情专注地看着他，爸爸的出现，让她尽显孩提时代的美丽。没过多久，他就想，她应该有一只小猫，或者小狗。我的孩子不能像我那样度过童年，连一个宠物也没有。她一定要通过可爱的小动物的死，认识到死亡是生命的一部分。不要等到父母辞世时才去体验生离死别的痛苦。

让玉非常懊恼的是，蝴蝶给艾琳娜当完奶妈之后，接着给她当保姆。因为艾琳娜非常喜欢她，简直寸步不离。确实，许多时候，艾琳娜喜欢蝴蝶和爸爸胜过喜欢妈妈。伊丽莎白又怀孕了，一天到晚没精打采。所以，总是蝴蝶抱着艾琳娜到花园里，每天脱光衣服晒十分钟太阳。是蝴蝶领着她蹒跚学步，喂她吃饭，给她洗澡，用草药给她治牙，治肚子疼。亚历山大也喜欢艾琳娜长大了能说两种语言，所以蝴蝶和她说中文，他和她说英语。

“妈妈病了。”长到十二个月的时候，她皱着眉头对亚历山大说。

“谁跟你说的？内尔。”

“谁也没跟我说，爸爸。我看得出来。”

“真的？你是怎么看出来的？”

“她的皮肤发黄，”艾琳娜以十岁孩子的沉着回答道，“还吐。”

“哦，你说得没错。她是病了，不过没有什么大不了的。她要给你生个小弟弟或者小妹妹。”

“我知道，”内尔用嘲讽的口气说，“我们采康乃馨的时候，蝴蝶告诉过我。”

内尔的“早熟”让亚历山大非常惊讶。特别是他渐渐意识到，女儿对疾病比对玩具更感兴趣。玛吉·萨默斯头疼、玉因为以前骨折遇到阴天下雨胳膊就疼，她都知道。更让人不安的是，小内尔居然观察到珍珠隔一段时间就难受几天，尽管她对月经一无所知。亚历山大纳闷，这个小精灵已经用她那双可爱的、喜欢思索的眼睛观察周围的世界多久了？她看到了多少东西？

伊丽莎白显然受着病痛的折磨。因为怀孕引起的呕吐一直持续了六个月还没有停止的迹象。亚历山大派人去请爱德华·韦勒大夫。

爱德华爵士说：“她现在还没有惊厥的征兆。不过，一个月之后，我应该再来一趟。她觉得胎儿在动。就孩子来说，这是个好兆头，可是她自己的身体状况不是很好。她的气色不好，不过脚和腿还没有出现水肿，也许仅仅因为金罗斯太太怀孕不易。”

“你还是没有消除我的担忧，爱德华爵士，”亚历山大说，“她不会出现第二次惊厥吧？”

“那种情况很少发生。可是，眼下我还不能保证绝对不出问题。我的建议是，病人出现水肿之前，要多走动走动，经常活动活动四肢。”

“想办法让她渡过这道难关，爱德华爵士。我会再送你一幅圣像画。”

第二十五周再次出现水肿的时候，伊丽莎白主动在床上躺下。这次要躺十五个星期。

哦，难道我就得这样永远躺在床上？难道我就不能做我想做的事情，像弹钢琴，学骑马，赶车？我的女儿被别人一手带大，几乎不知道我是她的妈妈。她东倒西歪地走到我面前，问我感觉怎样，她一定要看我的脚，盘问我吐了几次，头疼没有。真不知道她小小年纪怎么会对疾病这样关注，但是我太难受了，没有精力去探究这个小精灵的思想。茹贝坚持认为，这个可爱的小家伙长得像我。可是我觉得她那张嘴像亚历山大，棱角分明，显示出她坚定的意志。她继承了父亲的聪明、他的好奇心。我想让大家都叫她艾琳娜，可是她似乎更喜欢人家叫她内尔。我想，中国人喜欢叫她内尔，也许因为发音更容易，不过并不排除是亚历山大开的这个头。

像第一次怀孕一样，这次又是茹贝陪伴她度过这一段难熬的日子。茹贝坐在床边和她玩扑克，给她读书，和她聊天，有事情来不了的时候，西奥多拉·詹金斯就来陪她。虽然和茹贝相比，她不是那种让人兴致盎然的人，但是自从到伦敦和欧洲大陆旅行，西奥多拉也可以讲比她家花园里鲜花盛开或者菜地里大白菜生了虫子更多的故事。

除了萨默斯太太，谁都替伊丽莎白着急。这个女人像平常一样高深莫测，对内尔最可爱的表现她都无动于衷。伊丽莎白曾经希望，萨默斯太太能在内尔身上发现小孩儿的天真和纯洁，不至于因为自己怀不上孩子就对这些美好的东西视而不见。然而，这位玛吉·萨默斯对内尔似乎避之唯恐不及。她对那四个中国女人也没有什么好感。伊丽莎白什么事情都让她们做，她们也从来不会让她失望。

“丽翠小姐，你总得吃点东西呀。”玉说，递给她一块非常可口的明虾烤面包片。

“我吃不下去。今天不吃。”伊丽莎白说。

“可是你必须吃，丽翠小姐！你那么瘦，这对肚子里的孩子没好处。你想吃什么，张都可以给你做。你只需说句话。”

“烤乳蛋糕[①]。”伊丽莎白说。其实这玩意儿她也不想吃，但是她知道，必须说出一样自己想吃的东西。至少要好咽，而且不至于刚咽下去就吐出来。鸡蛋、牛奶、糖，都是一个卧床不起的病人需要的营养。

“上面撒肉豆蔻吗？”

“无所谓。你去吧，别打搅我了，玉。”

“我很担心，”亚历山大对茹贝说，“内尔会成个没娘的孩子。”他的脸抽搐着，眼眶里溢满泪水，脑袋贴着茹贝的胸口，啜泣起来。

“好了，好了，好了，”她轻轻地拍打着亚历山大，直到他安静下来，“你会挺过去的，伊丽莎白也会挺过去的。我最担心的是，她要是再怀孕，就该走进死神敞开的大门了。”

他从她的怀里挣脱，用手擦了擦脸，为自己的软弱而羞愧：“哦，茹贝，我该怎么办？”

“爱德华爵士有什么高见？”

“如果能顺顺利利生下这个孩子，以后就不能再怀孕了。”

“哼，我刚才不也是这样说的嘛！她要是知道这个消息一定会非常伤心。”

“别那么傲气十足了！”

“忍了吧。抗争也没用。在这个问题上，你赢不了。”

“我知道。”他很生硬地说，戴上帽子，走了出去。

茹贝在她的会客室里走来走去，除了对亚历山大刻骨铭心的爱，别的

①乳蛋糕：一种食品，用牛奶、鸡蛋、调味品，有时再加糖混合而成，经蒸煮或供烤直至凝固而成。

似乎都难以把握。无论他希望或者需要她给予什么，无论他什么时候希望或者需要，她都会让他满足。然而，她对伊丽莎白的感情越来越浓。这实在是一件无法理解的事情。按道理，她应该轻视这个女人的无能、软弱、阴郁而又温顺的禀性。也许仅仅因为她年纪太轻——刚过十八岁，就又要生孩子，又一次面临死亡。她从来没有真正快乐地生活过。

我想，我现在的感觉是她妈妈才会有的感觉。真是笑话！她的“妈妈”和她的丈夫睡觉。哦，我多么希望伊丽莎白快快乐乐，希望她找到一个她爱的男人。这个世界什么地方肯定有一个她爱的人。这个人就是她唯一想要的、唯一需要的。她不需要财富，不需要奢华的生活，只需要一个她能够爱的人。有一点我知道，她永远不会爱亚历山大。对于他，这真是太可悲了，是对他苏格兰人的骄傲最大的伤害。他品尝到了他不习惯的失败的滋味。怎么会发生这样的事情？我们转来转去，转来转去，亚历山大、伊丽莎白和我。

第二天，她去看伊丽莎白的时候，心里一直想，也许应该谈谈她和亚历山大之间日趋恶化的关系。茹贝几乎可以肯定，伊丽莎白的病根儿就在这儿。哦，她的病当然不是想象出来的！茹贝这辈子和女人打交道的时间太长了，长得她都不想去计算了。可是，临进伊丽莎白的卧室时，她又改变了主意。也许应该劝她吃午饭，这对她可能更有好处。

“内尔怎么样？”她问道，在床边坐下。

“我也不知道。这阵子，我就没见过她。”伊丽莎白眼泪汪汪地说。

“哦，好了，宝贝儿，多看看好的一面！只剩下六七个星期了。熬过这段时间就好了。”

伊丽莎白苦笑着：“我这副样子看起来很可怜，是吗？对不起，茹贝。你说的没错儿，我会好起来的。如果能熬过来的话。”她伸出一双手。那双手瘦得像爪子。“就怕熬不过去。我不想死，可是我有一种可怕的预感，我的末日快到了。”

“末日总是向我们走来，”茹贝说，拿起伊丽莎白的手轻轻抚摸着，

“那天，亚历山大带我去看他在山里发现的金矿时，你不在场，只有查尔斯、孙和我。查尔斯把亚历山大的发现叫作‘天启’。你知道查尔斯那个人，他就喜欢用这种词说话。如果不用这个词，就用什么‘大变动’呀，‘难以置信’呀。但是，亚历山大一下子就看中了这个词。他说，‘天启’是个希腊词，意思是‘巨大的事件’，比如‘世界末日’。后来，我给李写信提到这事儿，他说这个词真正的意思是‘上帝的启示’。那时候他还没有学习希腊语。是不是很奇妙呀？不管怎么说，亚历山大认为，他发现这座金矿是‘巨大的事件’，所以就把自己的公司命名为‘天启公司’。然而，公司并没有因为这个名字完结，恰恰相反，一切刚刚开始，事业红红火火。‘天启公司’改变了所有和它有关系的人的生活。没有它，亚历山大就不会远隔万水千山，从苏格兰娶你为妻；没有它，我还在希尔山开妓院，孙还是个空有满脑子好主意、一事无成的中国人，查尔斯还是个普普通通的牧场主，金罗斯还是一座淘完沙金留下的废墟。”

“基督教有一本书就叫《启示录》[①]，”伊丽莎白说，“所以，李的解释是对的。亚历山大发现的金矿也是‘上帝的启示’。他告诉我们，我们大家究竟是什么。”

好，很好！茹贝想。她比几个星期前开朗多了。也许就这样，慢慢地可以除了她的病根儿。“我不知道《圣经》里还有这种说法，”她笑着说，“我对宗教一窍不通。说说看。”

“啊，我对《圣经》可是了如指掌！从《创世纪》到《启示录》，我都知道。要我说，亚历山大管他的金山叫‘天启’太合适了。从头到尾，一次又一次的启示。”伊丽莎白的声音怪怪的，一双眼睛闪闪发光。“四个人骑着马走过金山。白马上坐着死神。其余三个人骑着另外三匹马。那三个人就是亚历山大、你和我。因为我们现在就在做这件事情——按照上帝的启示，走过巍峨的金山。我、你、亚历山大，最终都将走到尽头。我们三个人谁

①《启示录》：指基督教《圣经·新约》的末卷。

都不再年轻，都难以与命运抗争。我们所能做的只是沿着这条路走下去。也许，等我们走到尽头，‘天启’会把我们一口吃掉，把我们当作他的囚徒。”

我该如何对待这种……这种预言？

茹贝哼了哼鼻子，轻轻拍了一下伊丽莎白的手掌。“胡扯！倘若亚历山大听了你这番话，会说你是中了邪，神经兮兮。”门口传来一阵响声，把茹贝从为难之中解救出来。茹贝转过脸，高兴得笑了起来。“午饭，伊丽莎白！我可是饿了。你呢，越发像是遭了饥荒。来，吃吧。”

“哦，我看出来了！你在装糊涂，茹贝。你对‘天启’四个骑马人的预言心里一清二楚。”

茹贝不知道，伊丽莎白为什么会以这种“预言家”的口吻说话，但是不管怎么说，她的‘病根儿’似乎有所松动。因为这顿午餐她吃得不错，吃下去也没有呕吐，后来还搂着内尔说了半个钟头话。小内尔虽然脸朝妈妈躺着不太舒服，但是没有表现出不耐烦。她躺在那儿，望着妈妈那张脸。依茹贝看，小东西脸上的神情让人觉得她比实际年龄大得多，那几乎是无限的同情和怜悯。她想，也许有的苏格兰人真的是精灵。伊丽莎白和她的女儿有她们的“来世”，像亚历山大这样一位脾气暴躁的工程师，怎么能应付得了她们？

四月份愚人节那天，爱德华·韦勒爵士又来看伊丽莎白，他看起来有点尴尬。同来的还有韦勒夫人。

“我……啊……我订的车票出了点差错，”他撒谎道，“我知道今天有来金罗斯的火车，临时决定来看看你的情况怎么样，金罗斯太太。”

“叫我伊丽莎白，”她高兴地微笑着，“一直这样叫，不要只是在我情况最不好的时候才叫。韦勒夫人，看到你真高兴。请你告诉我，你们订票出的差错大得足可以让你在我这儿住几天。”

“哦，实话说，韦勒夫人觉得今年夏天悉尼热得实在难受。事实上，这个夏天把她折腾得实在够呛。所以，如果你不介意的话，伊丽莎白，她想在你这儿多待几天。我呢，忙得实在无法分身，看看你的情况，今天就得赶回去。”

爱德华爵士说她的情况还好，只是太瘦了点儿，然后抽了一品脱血就走了。

“现在，他走了，”韦勒夫人压低嗓门儿说，好像密谋什么，“你可以叫我玛格丽特。爱德华是个非常好的人，可是自从被封为爵士，就有点飘飘然，非要叫我韦勒夫人不可。我想，这个头衔把他的舌头都改变了。他小时候家里很穷。父母省吃俭用供他念书、学医。他父亲打三份工，母亲给人家洗衣服、熨衣服。”

“他上过悉尼大学吗？”

“哦，亲爱的，没有。他没上过医学院校。事实上，他十八岁的时候，还没有悉尼大学呢！所以他不得不去伦敦圣巴多罗马[①]医院学习。那是世界上第二早的医院，似乎有一千一百年的历史。哦，一千一百年也许是最古老的医院——巴黎的主宫医院[②]。不管怎么说，圣巴多罗马也是非常古老的医院。那时候，产科和遗传生态学还是很新的专业，女人到医院里生孩子，很容易得产褥热，所以，爱德华的大部分病人都在家里分娩。他就一天到晚，背个黑箱子走街串巷。这种经历听起来似乎挺吓人，但是他却因此而积累了宝贵的经验。回家之后——他一八一七年生在悉尼——起初，他困难重重。你瞧，我们都是犹太人。人们都看不起我们。”

“就像看不起异教的中国人一样。”伊丽莎白轻声说。

“没错儿。我们都不是基督教徒。”

“可是他成功了。”

“是的。他那么出色，伊丽莎白！远远超过那些把自己称为产科男医

①圣巴多罗马：耶稣十二使徒之一。

②主宫医院（Hotel Dieu）：世界上最古老的医院，也是法国某些城市的主要医院名，其最主要部分为设置病床的大厅。

师的兽医。后来，有一位名门望族家的女人难产，爱德华救了她和她的孩子。从那以后，他就不再有什么麻烦。人们蜂拥而至，顾不得犹太人不犹太人了。他有用嘛。”玛格丽特冷冷地说。

“你呢？玛格丽特。你也生在悉尼吗？你听起来没有当地的口音。”

“可不是嘛。我本来是圣巴多罗马医院的助产士。在那儿和他相识，结婚以后才跟他来到新南威尔士。”她脸上洋溢着幸福的微笑。“他特别爱看书，伊丽莎白！产科方面一有新的研究成果，他就如饥似渴地学习，把它变成自己‘武器库’里的‘武器’。比方说，最近他读了一篇文章。这篇文章介绍去年意大利有一位产妇做‘恺撒手术’，也就是剖腹产手术之后，依然健在。我们就决定九月份到意大利向那位外科医生请教。那位医生也叫爱德华。如果我的爱德华能救做剖腹产手术的母亲和婴儿的话，他就是世界上最幸福的人。”

“他的父母亲怎么样了？”

“他们活的年纪都挺大，享受到了爱德华成功的喜悦。上帝总是公平的。”

“你们的孩子多大年纪了？”伊丽莎白问。

“罗丝快三十岁了，嫁了一个犹太人医生。西蒙在伦敦圣巴多罗马医院。在那儿学习完毕之后，回来和父亲一起开业。”

“你能来这儿，我非常高兴，玛格丽特。”伊丽莎白说。

“我也很高兴。如果你觉得和我合得来，我想和你一起待到你分娩的时候。等你生完孩子，我和爱德华再一起回悉尼。”

伊丽莎白嘴角露出微笑：“我想，亚历山大和我都非常欢迎你，玛格丽特。”

两天后，伊丽莎白的病情突然恶化，刚开始分娩，惊厥就发作了。亚历山大打加急电报到悉尼，请爱德华爵士马上来金罗斯。但是他心里很清楚，这位产科专家在二十四小时之内不可能赶到。现在，伊丽莎白和孩子的命都交到韦勒夫人手里。她选择茹贝当她的助手。两天前，爱德华爵士因为情况紧急来看伊丽莎白时，为了防备万一，让妻子带来全部器械和药品。这样一来，即使自己不在场，韦勒夫人也可以抵挡一阵子。现在，玛格丽特·韦勒站在丈夫的位置，给伊丽莎白注射硫酸镁，控制伊丽莎白的惊厥。茹贝负责接生。她大声向这位颇具权威的助产士提问题，然后按照韦勒夫人大声回答的办法，一步一步操作。

这一次，惊厥发作的次数更多，间隔的时间更短。孩子生出来的时候，伊丽莎白还处于昏迷之中。孩子又瘦又小，因为充血，浑身青紫，一动不动。韦勒夫人不得不把伊丽莎白交给玉，自己去帮茹贝，赶快让这第二个女儿苏醒过来。她们拍打、按摩婴儿瘦弱的胸口，忙活了足足五分钟，小东西才喘过一口气，抽动着，发出微弱的哭声。把孩子交给茹贝照顾之后，韦勒夫人又去看伊丽莎白。两个小时后，惊厥终于停止，尽管是暂时停止。伊丽莎白还活着，没有陷入导致死亡的昏迷。

两个女人停下来喝了一口绢花递上的茶。眼泪顺着绢花的面颊潸潸流下。

“她能活吗？”茹贝问。她累得筋疲力尽，一屁股坐在椅子上，脑袋放在膝盖之间。

“我想，没什么问题。”玛格丽特·韦勒低着头看自己那双手。“我忍不住颤抖。”她说，声音里有一种疑惑和惊愕。“哦，这差事真可怕！我可再也不想干这种事儿了。”她转过头，面带微笑看着站在伊丽莎白身边的玉。“玉，你真是太棒了。没有你，我可干不了这活儿。”

这个娇小的中国姑娘满脸通红，手指搭在伊丽莎白的手腕上，摸她的脉搏。“我情愿为她死。”她说。

“你有没有时间来看看孩子？”茹贝站起身问。

“好的。玉，如果她的情况有什么变化，赶快叫我。”韦勒夫人向婴儿床走去。那个瘦弱的小东西躺在那儿无声地啜泣，皮肤已经从青紫变成粉红。“是个女孩儿，”她说，撩起茹贝松松地裹在婴儿身上的布，“刚满八个月，也许稍微多几天。得给她保温。可是又不能让伊丽莎白这儿太热。

珍珠！”她大声喊道。

“我在这儿，夫人。”

“马上把育儿室的火点着。用一个热平底锅做一张‘小床’，烧块热砖头，用布严严实实包起来，别着了火。快点儿！”

珍珠一转身，飞奔而去。

“玉，”玛格丽特·韦勒说，又走到床边，“等珍珠准备好婴儿床，你就把孩子抱到育儿室，放到床上。要注意保暖，但又不能太热。从现在起，小家伙就归你照看了。我不能离开伊丽莎白，康斯特万小姐也离不开。你尽力照看她，如果她又变紫，马上叫我们。内尔到蝴蝶的房间里睡。所以告诉珍珠，你把婴儿抱到育儿室之前，让她先把内尔的小床搬出去。”

眨眼之间似乎一切都已安排妥当。玉和韦勒夫人换了位置，向婴儿床走去。茹贝把孩子抱起来交给她。玉俯身看着那张痛苦中轻轻抽搐的小脸，一股柔情蓦地涌上心头。“我的宝贝儿！”她喃喃着，把襁褓中的婴儿贴在胸口。“这个孩子是我的宝贝儿！”

玉走了，韦勒夫人和茹贝守候在伊丽莎白那张窄窄的小床两边。她刚开始“受难”，她们便把她移到这张床上。

“我想，她只是在睡觉。”茹贝说，目光越过躺在床上了无生气的伊丽莎白，看着助产士拉长了的脸。

“我也这么想。不过，你应该有个心理准备，茹贝。”

“你的意思是，伊丽莎白不能再生孩子了？”茹贝说。

“是的。”

“玛格丽特，你见多识广，对吧？”茹贝问，尽量把话说得婉转一点，以免玛格丽特听了心里不舒服。“我的意思是，你一定经历过许多事、接触过许多人。”

“啊，是的，茹贝。有时候，我甚至想，我见到的事儿太多了。”

“我知道，我也经历过许多事情。”

抛出这个话题之后，茹贝陷入沉默，坐在那儿，咬着嘴唇。

“我可以向你保证，你无论说什么，都不会让我吃惊，茹贝。”韦勒太太轻声说。

“不，不是我的事儿，”茹贝说，尽可能把话说得玄乎点儿。“是关于伊丽莎白。”

“那么……告诉我。”

“嗯……关于性。”

“你是不是问，伊丽莎白以后不能再过性生活了？”

“是，也不是，”茹贝说，“不过，话还是从这儿说起为好。我们都知道，伊丽莎白不能再冒险生孩子了。这是不是意味着，她必须避免性生活？”

玛格丽特皱了皱眉头，闭上眼睛，叹了一口气。“我希望能给你一个答案，茹贝。可是，我不能。如果她能保证不怀孕，过正常的夫妻生活当然也无妨，可是……”

“哦，你说的那些‘可是’我都知道，”茹贝说，“我开过妓院。谁能比一个老鸨更懂得如何避孕呢？用灌洗器冲洗，计算‘安全期’，体外射精。但是，麻烦在于，有时候，这些把戏都不灵。实在没办法了，就在怀孕六个星期的时候服用麦角碱，然后就祈祷，盼望那玩意儿能管用。”

“那你就知道问题的答案了，对吗？唯一安全的办法就是不要性交。”

“狗屁！”茹贝说，挺了挺胸。“她丈夫在楼下等着呢，你想让我对他说点什么？”

“让他再等一个小时。”韦勒太太说，“如果伊丽莎白的情况没有变化，你就可以告诉他，她会挺过去的。”

一个小时过去了，茹贝轻轻地敲了敲门，走进那个挂着暗绿色帷幔的房间。

他坐在平常坐的地方——宽大的窗户前面——目光越过金罗斯镇，眺望远处的群山。夜幕还没有降临，伊丽莎白面临的严重危机将过去的九个小时压缩成一个永恒。手里的书落到膝盖上，落日的余晖照耀着他的脸。

他茫然失神地凝望着愤怒的天空。听见茹贝的敲门声，他吓了一跳，连忙转过身，笨手笨脚地站了起来。

“她挺过来了，”茹贝握着他的手轻声说，“虽然还没有完全脱离危险，但是玛格丽特和我都相信，她会好起来的。你是另外一个小姑娘的爸爸了。”

亚历山大身子一软，跌坐在椅子里。茹贝在他对面坐下，努力做出一个微笑。他看起来苍老了许多、苍白了许多，好像他虽然有使不完的力气，但是终于碰到一个更强大的敌人，输了这场战斗。

“如果你能打起精神，就给我点支雪茄，再倒上一大杯法国白兰地。我可有点熬不住了。”她说，“我不能关门，因为她们随时都有可能叫我。可是，我能竖起一只耳朵喝酒，抽烟。”

“当然，我的爱。你是我的爱，你知道。”他边说边给她点燃一支方头雪茄，“不会再有孩子了。”他说，走到餐具柜旁边倒了两杯白兰地。“这是显而易见的事情。哦，可怜的小伊丽莎白！也许她现在可以安心了。也许她现在可以享受生活了。她的床上不会再躺个亚历山大了，对吗？”

“这是大多数人的意见。”茹贝说，接过酒杯，喝了一大口，然后深深地呼了一口气。“哦，耶稣基督，好酒！我再也不想经历这种场面了。你的妻子受尽了折磨，但是没觉得痛苦。这是不是太异乎寻常了？然而，正因为这样，我才能眼巴巴地看着她的痛苦，咬着牙坚持下去。一个人自己生孩子的时候，看不到那份苦难。不过，我生李的时候，很顺利。”

“他一定已经……十二岁，还是十三岁？”

“你想改变话题？亚历山大。到六月六号，他就满十三岁了。冬天生的孩子。秋天挺着个大肚子还容易点儿。尽管上帝知道希尔山的天气蛮热的。”

“他将是我的第一继承人。”亚历山大说，呷了一口白兰地。

“亚历山大！”茹贝大睁着一双眼睛，挺直了身子。“可是，你现在已经有了两个继承人！”

“都是女孩儿。正如查尔斯所说，女孩子可以找个远比你自己的儿子更优秀的男人做女婿。他们甚至可以改姓金罗斯。但是，我一直认为，李最终对于我将非常重要，他绝不仅仅是我最亲爱的情人的儿子。”

“你打算让他骑哪匹马？”茹贝恶狠狠地问。

“什么意思？我没听明白。”

“没关系。”茹贝的鼻子伸到了酒杯里，“我爱你，亚历山大，永远爱你。但是，此时此刻你妻子正在死神门口徘徊，我们不应当说这种话。这样不好。”

“我不同意你的看法。我想，伊丽莎白也不会同意。我们大家都承认，我的婚姻是个错误，但全是自找的，谁也不怪。当年，我的自尊受到极大的伤害，一心想让那两个老东西看一看，我可以主宰整个世界。”他脸上露出微笑，突然间变得心平气静。“我的婚姻虽然造成那么多不幸，但是我依然认为，是我把伊丽莎白从苏格兰金罗斯的苦难中拯救出来。她也许不这么认为，但这是事实。现在，既然我永远不能再和她同床，她可能会好受一点。我将尊敬她，给予她最崇高的礼遇，但我的心属于你。”

“谁……”她问道，觉得机会来了，“谁是赫诺瑞娅·布朗？”

他看起来一脸茫然，然后哈哈大笑起来。“第一个和我做爱的女人。她在印第安纳州有一百英亩好地，留我在她家住了一夜。她丈夫在美国南北战争中丧生。她不但把她给了我，还愿意把一切都给我，只要我能留下来，和她结婚，和她一起种地。我要了我想要的——她的肉体——拒绝了别的东西。”他叹了一口气，闭上眼睛。“迄今为止，我还没有变。我怀疑，以后怕也很难改变。我对她说，我人生的目标不是做一个印第安纳州的农民。第二天早晨就带着那五十五磅黄金，离她而去。”

茹贝一双绿眼睛里泪光闪闪。“啊，亚历山大，亚历山大，你给自己造成那么多痛苦！”她大声说，“给你的女人们带来那么多痛苦！她后来怎样了？”

“不知道。”他放下手里的空酒杯。“我可以去看看我的妻子和小女儿吗？”

“当然可以，”茹贝说，吃力地站起身来，“不过，我得告诉你，她们俩谁也不会知道你去看她们。婴儿是伊丽莎白昏迷时出生的，浑身青紫。我和玛格丽特花了五分钟，才把她抢救过来。她早产了一个月，所以很小，也很弱。”

“她会死吗？”

“我觉得不会。不过，她和内尔可没法比。”

“伊丽莎白不能再尽妻子的义务了？”

“韦勒夫人这么说。风险太大。”

“是的，确实太大。两个女儿。我必须知足了。”

“内尔是个天才。你很清楚。”

“当然。不过她的思想倾向于对周围生活的探究。”

茹贝在楼梯上慢慢走着:“她才十五个月大,亚历山大,很难说倾向什么、探究什么。李小时候也这样,聪明过人,可是你能说他倾向什么吗？只能说，内尔的智力永远都会比她实际年龄高出一大截，就像李。至于她喜欢什么，那是以后的事儿。现在说不上。孩子们的变化大着呢！”

“将来，我想让她嫁给李。”他说。

茹贝背靠伊丽莎白卧室的门,满脸愤怒,两手使劲抓着亚历山大的头发,亚历山大不由得向后退了两步。“听着，亚历山大·金罗斯！”她咝咝地说，“我永远不想听你再说这种话！永远！你不能像摆布矿山和铁路一样，摆布别人的生活！让我的儿子和你的女儿自己找他们的伴侣！”

他没有说话，推开门走了进去。

伊丽莎白已经恢复知觉，她在枕头上转过脸，朝他们微笑着。“我又挺过来了，”她说，“我以为这回可完了，可是没有。玛格丽特说我们又有了个女儿，亚历山大。”

他俯身温柔地吻了吻她的额头，握着她的手，说：“是的。茹贝已经告诉我了。太好了。你有没有气力给她取个名字？”

伊丽莎白皱了皱眉头，嘴唇翕动着。“取个名字，”她说，好像有点迷惑不解，“名字……我想不出来。”

“那就以后再说吧。”

“不，她应该有个名字。你觉得叫什么好？”

“凯瑟琳怎么样？或者珍妮特？要么就叫你的名字伊丽莎白？或者安娜？也许可以叫玛丽？弗洛拉？”

“就叫安娜吧，”她满意地说，“是的，我喜欢安娜这个名字。”她拿起他的手贴在自己的脸上。“恐怕我们还得找个奶妈。我不会有奶了。”

“我想，萨默斯太太已经找到人了。”亚历山大说，轻轻抽出手。她的手瘦得就像秃鹫的爪子。“是个爱尔兰女人，名叫贝迪·凯利。她的孩子患假膜性喉炎前天刚死。她对萨默斯太太说，如果她还有奶，想给我们的孩子当奶妈。雇她好吗？还是你想让我求孙再找个中国人当奶妈？”

“算了，这个贝迪·凯利听起来就挺合适。”

茹贝皱了皱眉头。看起来，玛吉·萨默斯又找到了打入这个家庭内部的办法。这个贝迪·凯利毫无疑问是天主教徒、玛吉·萨默斯的密友。她会到处传播她听到的“小道消息”。她至少要在这儿待六个月，这期间，一定会到处窥探人家的秘密，一天到晚泡在厨房里，飞短流长。金罗斯人现在还不知道的事儿，很快就会不胫而走。

第六章 启示录

如果内尔出生之前，玉想给她当保姆的愿望没有实现的话，安娜的到来满足了她的心愿。贝迪·凯利给小安娜喂了七个月奶之后，安娜就开始喝牛奶。她喝得很习惯，没有任何不良反应。萨默斯太太失去密友，自然十分沮丧，玉和茹贝却松了一口气。茹贝高兴地看到，这位女管家失去了楼上的消息来源。但是茹贝的激动还比不上玉。因为现在，安娜完完全全属于她了。

伊丽莎白虽然恢复得很慢，但是没有旧病复发。等第二个女儿长到六个月的时候，她就可以像健康的年轻女人那样，想做什么就做什么。钢琴课又恢复了，她还经常去金罗斯城。亚历山大还找了一个信得过的人教她骑马，教她赶一辆两匹淡黄色小马拉的漂亮的双轮轻便马车。她还有一匹雪白的阿拉伯母马，鬃毛和尾巴飘飘洒洒，她给这匹马取了个名字“水晶”。她特别喜欢给“水晶”梳理皮毛，直梳得像缎子一样光滑。她花一个又一个小时在马厩里侍弄那匹马，却很少过问女儿安娜。她之所以对女儿疏于照看，部分的原因是玉简直把安娜当作了自己的孩子。玉毫不隐讳，她把安娜的妈妈看作自己的竞争对手。不过，伊丽莎白老老实实承认，她其实很喜欢这种方式，或者说，这种方式很适合她。

亚历山大专门用石子铺了一条路，直通金罗斯。这条路尽管弯弯曲曲，而且离城足有五英里，但是免除了伊丽莎白坐索道车的麻烦。如果坐索道车，就得首先告诉萨默斯或者他手下那些一脸不高兴的家伙把车从山下调上来。而骑“水晶”或者坐马车去，只需和马夫打个招呼。因为萨默斯管不了马厩的事儿。这真是一件好事！事实上，生活突然在她面前敞开一扇大门。而解除了对丈夫的义务，两个人只保持一种若即若离的关系，更让她生出“别有洞天”之感。

茹贝作为信息传递人，把爱德华·韦勒爵士和他的妻子认为她不能再过夫妻生活的消息告诉伊丽莎白的时候，伊丽莎白高兴得差点儿叫起来。她眼帘低垂，强忍着心里的快乐。茹贝以为她会想“那事儿”。伊丽莎白知道，她才不会呢！

马背是她最喜欢的逃避孤独与寂寞的地方。因为骑马意味着她不必非得沿着那条石子路走。碰到灌木丛不太稠密的地方，她就可以放开缰绳，走进森林。这样一来，她发现了不止一条隐蔽、幽静的溪谷，那景色真是美不胜收。她喜欢坐在天然的石椅上，一个小时又一个小时地看难以计数的林中动物从眼前走过，从琴鸟，到小袋鼠，到令人惊叹不已的昆虫。要么就带一本书，坐在那儿读，用不着担心被人打搅。有时候，她抬起头，畅想真正的自由。那些羽毛华丽的鸟儿、动作敏捷的走兽、色彩斑斓的昆虫无疑把它们的存在看作理所当然的事情。

后来，她碰到一个深潭。深潭在小河上游。有一天，不知道为什么，她的犟劲上来，非得催促“水晶”沿河岸向上游走去。那天，她似乎特别想摆脱一切束缚和限制。从看到深潭那一刻起，只要骑马到森林，除了那儿，她哪儿也不去。

深潭面积不大，水深得像块碧玉。一股清泉从一块块卧牛巨石上飞泻而下。巨石上长着一层厚厚的苔藓。这种苔藓在苏格兰没有见过。巨石四周长满了掌叶铁线蕨。潭里的水清澈见底，每一块小石子仿佛都从水底跃入眼帘。水里有鱼，还有很小的虾。那虾透明得像玻璃，看得见针头大小的、红颜色的心脏不停地跳动。深潭尽管浓荫覆盖，但是到了中午，阳光直射而下，一潭碧水金波粼粼，流光溢彩。森林里的活物都来饮水。伊丽莎白给“水晶”找了个风吹不着、雨打不着的好地方。这地方离深潭有一段距离，不至于吓跑那些来饮水的飞禽走兽。她在潭边给自己找了一个舒服的“石椅”，让灵魂和思想自由飞翔。

深潭是她的，完完全全是她的。山顶的森林除了金罗斯先生和金罗斯太太有权力进去之外，任何人不得靠近。即使有人贸然进入，也不会发现深潭。因为它在很远的上游，很难到达。

亚历山大心里想什么，别人很难搞清楚。在公馆里的人看来，他已经拿定主意和妻子保持一种“相敬如宾”、合乎礼仪的关系。这种关系只限于在餐桌上或者茶余饭后聊聊矿山、时事，聊聊亚历山大的新项目、报纸上有什么新闻。比如亨利·帕克斯爵士升为艰难挣扎中的政府的首脑；约翰·罗伯逊先生荣获圣迈克尔和圣乔治勋章。

“约翰·罗伯逊先生，”伊丽莎白若有所思地说，“既不是英国国教教徒，又是个出名的好色之徒，女王怎么会授给他爵位呢？我真不明白。因为一般来说，她对这种男人的评价很低。”

“我怀疑，压根儿就没有人向她报告过约翰·罗伯逊先生是个好色之徒。”亚历山大冷冰冰地说，“不过，他被封爵我并不感到惊讶。”

“为什么？”

“因为约翰·罗伯逊先生在政治上已经没有用处。一个政客一旦走到这一步，同僚就会请求女王加封于他。可以说，这是要他退出政坛的信号。”

“是吗？”

“是的，亲爱的。你应该注意到，走马灯似的换人的政府全无真正的目标。记住我的话，用不了多久，罗伯逊就会退出立法院。他们也许会推举他为上议院终身议员，到咨询委员会谋个闲差。帕克斯在下议院当头。”亚历山大哼了哼鼻子。“呸！”

“可是帕克斯现在也被封为爵士了，”伊丽莎白表示反对，“我还看不出他有退休的迹象。”

“那是因为帕克斯的脑袋肿得太大了，”亚历山大笑着说，“眼睛周围都是肉，挡得他什么也看不见。这当然是比喻了。他是吹出来的。吹成个亨利爵士。过去靠大吹大擂，以后也得靠大吹大擂。而且，他爬得太高了。对于一个没有经济实力的政客，这其实是很危险的事情。罗伯逊是富人。和他比起来，帕克斯简直是个叫花子。表面上看，议会成员没什么油水，实际上，当个总理，额外津贴、不明收入多的是。”他耸了耸肩，“各种方法、各种手段，都被他们用到了极致，伊丽莎白。”

“那天晚上，他来我们家吃饭的时候，我还挺喜欢他。”

“是的，他这个人很会讨人喜欢。他对州儿童教育的态度，我也举双手赞成。我不敢相信的是他那种看风使舵的禀性。亨利爵士是棵‘墙头草’。”

一八七八年一月末，安娜十个月的时候，内尔到书房里找到爸爸。

“爸爸，”她说，爬到亚历山大的腿上，“安娜怎么了？”

亚历山大回转身，抱起两岁大的女儿，凝视着她的眼睛。小家伙长得越来越像他。乌黑的剑眉，瓜子儿脸，长在小孩儿身上不一定好看，可是长在一个成熟了的女人身上就非同一般，很有吸引力。她的眼睛蓝得令人吃惊。现在，直盯盯地看着爸爸，目光中充满焦虑，和一个两岁大的小孩很不相称。

“你认为安娜怎么了？”他问道，突然意识到，自己几乎没怎么见过二女儿。

“有事儿，”内尔语气坚定地说，“我记得，我像她这么大的时候，都会说话了。我现在还记得你对我说的每一句话，也记得我对你说的每一句话，爸爸，每一句！可是，到现在安娜还不会坐。玉骗人。我每次去看安娜，都是玉把她扶起来。但是，我能看出，她不会坐。安娜的眼睛也有问题，爱翻白眼，流口水。我坐在便壶上呸、呸地玩，安娜却不会。哦，爸爸，她是一个那么可爱的小宝宝，我的好妹妹！可是，她有毛病，真的。”

他觉得嘴发干，舔了舔嘴唇，尽量让自己看起来不是对女儿漠不关心，而是不觉得这是一件令人震惊的事情。“几点了？”他问。

他是问着玩儿。书房墙角放着一架落地大座钟。他教内尔认时间，内尔从来没出过错，现在当然也没出。

“六点，爸爸。蝴蝶要来找我了，”她咯咯咯地笑着说，“随时都会来。”

“你为什么不去找她，让她吃一惊呢？”亚历山大问，把内尔放到地板上。“如果已经六点，我必须去找你妈妈了。一个小时内，茹贝姨妈要来吃饭。”

“哦，我要留下！”内尔喊了起来。“我几乎像喜欢蝴蝶一样喜欢茹贝姨妈。”

“比喜欢妈妈还喜欢？比喜欢我还喜欢？”

“不，不，当然不！”内尔说出自己的新看法，“我们都是家里人，爸爸，这你是知道的。”

“快去吧，小学究。”父亲会心地微笑着，轻轻推了她一把。

找伊丽莎白之前，他先去了一趟育儿室。自从安娜出生，内尔就再也没有搬回来。因为韦勒夫人觉得，早产儿安娜需要安静，而正在东倒西歪学习走路、喜欢吵闹的内尔只能添乱。蝴蝶一直带内尔睡觉，可是内尔最近一直吵吵着要自个儿住一个屋子。

玉无论白天还是黑夜，都待在育儿室，服侍伊丽莎白的事交给了珍珠和绢花，自己把全部时间和精力都花在安娜身上。亚历山大问自己，身为人父，怎样才能时时刻刻惦记着一个婴儿，尤其这个婴儿是第二个女儿。内尔不同，她聪明，充满活力，好奇心强，一天到晚忙忙碌碌，无所顾忌地闯入你的生活。内尔不允许你忽略她的存在。从来不，就连她刚生下来的时候也不。小手指握着你的手指，仿佛无所不知的凝视，吐着小泡泡，扭歪着脸，咯咯地笑，咕咕地叫。安娜却无声无息，仿佛从你的生活中消失了一样。而且，她们似乎总有理由，不让他走进育儿室。

今天晚上，他没有敲门，也没有征得玉的同意，推开门径直走了进去。安娜坐在玉的腿上，玉一只手扶着她的脖子，喂她吃小勺里的糊糊。看见亚历山大进来，玉大吃一惊，连忙抱着安娜站起身来。

“金罗斯先生！”她喘着粗气说。“你现在不能看安娜。我正喂她吃东西。”亚历山大走到一把厨房里用的椅子跟前，抓着椅背，把椅子放到女儿和保姆面前。他铁青着脸，在椅子上坐下。

“把孩子给我，玉。”

“不行，金罗斯先生。她的尿布很脏，会把您身上弄出一股味儿。”

“我以前身上也有股味儿。现在还想再有味儿。把她给我，玉。给我。”把安娜递过去不是件容易的事儿。小东西就像一个布娃娃，东倒西歪，连头也抬不起来，不过，最终还是放到了亚历山大的怀里。被“剥夺”了孩子的玉站在那儿浑身颤抖。她那张典雅、美丽的脸仿佛凝冻成一副充满恐惧的面具。

亚历山大第一次仔细端详自己的二女儿。他立刻看出，内尔说的一点儿没错。安娜虽然只有十个月，但是长得比内尔漂亮，圆圆胖胖的，照料得很好。她黑头发、黑眉毛、黑睫毛，灰蓝色的眼睛目光散乱，而且似乎很难集中起来。如果说她小小的头颅里有什么思想的话，那就是，她显然认出抱她的那双手有点异样，她坐着的不是玉的腿。她在父亲的怀抱里扭动着身体，拍打着双手，发出阵阵呜咽。

“谢谢你，玉，你可以把她抱走了。”亚历山大说，注意到安娜脸上那种迷惑不解的表情很快就消失了。玉刚把她抱过去，她就不再哭泣，只顾张开嘴吃勺子里的糊糊。

“现在，”他很平静地说，“把真实情况告诉我，玉。你知道安娜智力有问题，多长时间了？”

泪水像断了线的珠子，顺着玉的脸颊滚下。她没法擦掉眼泪，因为得两只手抱着孩子。“她出生不久我就知道了，”她抽泣着说，“贝迪·凯利也知道。萨默斯太太也知道。哦，她们俩在厨房里那个笑呀！我拔出匕首，对这两个女人说，如果她们胆敢在金罗斯把安娜的情况透漏出去，我就割断她们的脖子。”

“她们信吗？”

“哦，当然信。她们知道我这个人说到做到。我是异教的中国人。”

“安娜的病情有没有变化？”

“比以前好多了，金罗斯先生，真的！可是，什么事儿都需要时间，需要很长的时间。她现在已经能吃一小勺饭了。你看见了吗？这已经很不容易了，可是她一定能学会。我去问过药铺里的洪琦，他教我如何给安娜按摩脖子，让她慢慢抬起头来。”玉俯身用面颊贴着安娜乌黑的鬈发。“我愿意照料安娜，先生，我起誓！安娜是我的宝贝，除了我，谁也不能照顾她。珍珠、蝴蝶，或者别的什么人都不能。哦，求求你，求求你，别让我离开安娜！”玉又哭了起来。

亚历山大像个老人，慢慢站起来，一只手放在玉的头上。“别为这事儿着急，亲爱的。我不会让你离开安娜。你对她这样尽心尽力，我谢还谢不够呢！你说的对，安娜是你的孩子。”

从育儿室出来，向下走一小节楼梯，就是伊丽莎白的房间。自从她离开病床，亚历山大就再也没有走进这间屋子。他注意到，屋子里的陈设全变了。先前，他想通过悉尼饭店办事处购置家具的计划搁浅了。现在，屋子显然是按照伊丽莎白的趣味布置的。富丽堂皇的家具少了，镜子也少了。印花棉布代替了锦缎帷幔，而且都是蓝色，蓝色，蓝色。茹贝说，这是忧郁的色调。

我是怎么了？自从安娜出生，发生了这么多事情，我，作为一家之主，居然一无所知。是的，我经常出去。勘测、修建到拉特沟的路，我信不过别人，只有亲自出马才放心。可是，没有人向我请示过什么，也没有人向我汇报过什么。最终，竟然是我两岁的女儿说出事情真相。在这个全是女人的家里，我是局外人。玛吉·萨默斯……我这张网上的一只胖蜘蛛。我早就应该知道这一点。伊丽莎白一直就不喜欢她，现在我明白为什么了。好了，可以让她和萨默斯从三楼搬出去，在金罗斯再给他们找一幢房子。让她就住在那儿。我要雇新管家。一直雇下去，直到发现一个合适的人选。这个人不能讨厌中国人，不能像贝迪·凯利那样有一大堆狐朋狗友，每逢星期日到教堂做礼拜时，就飞短流长、造谣生事。

"伊丽莎白！"他喊道，只走到化妆室就停下脚步。

伊丽莎白立刻就走了出来。她还穿着酒红色骑装，眼睛睁得老大。

"你骑一匹白马，用这个颜色的面料做骑装不合适，"他说，朝她鞠了一躬，"沾上白毛就不好看了。"

她笑了笑，似乎有点后悔，屈身还礼，说："完全正确，亚历山大。下一套骑装是乳白色的。"

"你每天都出去骑马，是吗？"他问道，慢慢走到窗前。"我喜欢夏天，白天长。"

"我也喜欢夏天。"她有点紧张地说，"是的，我几乎每天都出去骑马。除非突发奇想，赶着马车到金罗斯转上一圈儿。"

一阵沉默，他继续凝视着窗外的景色。

"有什么事吗？亚历山大。你为什么来这儿找我？"

"你经常去看安娜吗？比方说，你去看马的次数多，还是去看你女儿的次数多？"

她急促地呼吸着，开始颤抖。“不，我想我去的次数不多，”她闷闷不乐地说，“玉把安娜亲得要命，总让我觉得，在育儿室我是不受欢迎的人。”

“这话从一个当母亲的人嘴里说出来，伊丽莎白，只能让人觉得是个借口。我想，你当然知道，玉是你的仆人，她得听命于你。在这个问题上，你做过努力吗？”

伊丽莎白苍白的脸上飞起两朵红云。她两手紧握，不由得向后退了一步，好像一只脚被钉在地板上，只能在很小的范围之内转圈子。“没，我没有做过什么努力。”她轻声说。

“你今年多大了？”

“到九月就二十岁了。”

“时间过得真快呀！十九岁就生了两个孩子，十九岁就两次和死神擦肩而过。现在，你终于从这痛苦中永远解脱了。不！”他大声说，“不要哭，伊丽莎白！现在不是流眼泪的时候。听我把话说完。有你哭的时候。”

伊丽莎白从她站的位置看过去，只能看见亚历山大的背影。出什么事了？他为什么那么痛苦？他确实受着痛苦的煎熬。她看见他抻了抻肩膀，渐渐控制住自己的情绪，再开口说话的时候，语气温和了许多。

“伊丽莎白，你把孩子交到像蝴蝶和玉这样两个忠心耿耿的中国女人手里，我没有丝毫责备之意。特别是你自己没有过少女时代，一切都可以理解。我想，每天出去骑骑马，或者赶着两轮马车到金罗斯兜兜风，这不期而至的自由让你像喝了香槟酒一样，晕晕乎乎。其实，这并没有什么不对。你已经尽了人妻之责，即使老默里的上帝也不能对你提出更高的要求。现在，责任已经完结，倘若我是你，也会尥尥蹶子。”他叹了一口气，“然而，虽然你对我已经不再有什么义务，但是，你对你的孩子还负有不可推卸的责任。我不禁止你骑马、赶车、散步，或者做别的你想做的事情。因为我知道，你喜欢的这些活动都是正当的。可是，你绝对不能忽视两个女儿的存在。再过两三年，内尔就长大了，我可以把培养她的责任从你手里接过来。可是，恐怕安娜不像内尔。”伊丽莎白脸上的红云渐渐散尽，她坐在椅子里，双手捧着脸颊。“你也看到了？”

“这么说，你还不是一无所知？”

“不是。尽管玉总是对我说，安娜身上不舒服，感冒了，或者腰扭了。我一直纳闷，但是从来没有去证实一下自己的怀疑。你太好了。你怎么责备我，怎么批评我，都不为过。你怎么发现安娜的发育有问题的？”

“内尔今天晚上问我，安娜怎么了？我们的大女儿说，她的脑袋抬不起来，还爱翻白眼。我就到育儿室，硬让玉说出实情。”他转过身，面对着妻子，脸色平静，目光冷峻。“安娜不是发育有问题，伊丽莎白，她是智障。”

伊丽莎白无声地抽泣着。“这是她出生时难产留下的后遗症，”她说，“玛格丽特和茹贝花了五分钟才把她抢救过来。不是遗传性疾病，亚历山大。我向你保证，绝对不是遗传性疾病！”

“我明白，”他不耐烦地说，“也许这一切背后都有原由，尽管什么原由我不知道。我们有一个非常聪明的女儿，又有一个智障的女儿。也许就这样扯平了。谁能说清楚呢？”

他离开窗户，朝门口走去，走了几步又停了下来。“伊丽莎白，看着我！看着我！这种情况继续下去之前，我们必须做出决定。那就是，安娜该怎么办？可以把她留在家里，也可以送给别人抚养。如果留在家里，你和玉就得一辈子照顾这个永远无法自理的、可怜的孩子。我也可以给她找个好人家。绝对不让她受到虐待。这种事儿，花钱就行。你想怎么办？”

“你的意见呢？亚历山大。”

“当然留着她。”他说，那声音连他自己也吃了一惊。“但是，这个包袱不能由我来背。如果玉出了问题，你怎么办？你能怎么办？”

“留下她。”伊丽莎白说，“我一定要把她养大。”

“那么，在这个问题上我们达成了共识。还有一件事情，我准备解雇玛吉·萨默斯。这样做，在一段时间内可能给我们的生活带来不便——我想让她明天就离开这儿，一天也不能多留。我为萨默斯难过。她对我唯命是从，肯定不愿意去金罗斯。但是，必须这样做。我要在《悉尼先驱晨报》

登广告，雇管家。”

“为什么不找那种负责家政服务的中介公司呢？”

“因为我要亲自面试。”他掏出金怀表，打开表盖，瞥了一眼。“你最好快点儿吧，亲爱的。茹贝七点钟来。”

“我不想下去吃饭了，请原谅。我得找玉谈谈，详细了解安娜的病情。”

他拉起她的手，轻轻地吻了吻。“随你的便吧。谢谢你，伊丽莎白。你即使愿意把安娜送出去，我也不会责怪你。但是，你没有那样做，我很高兴。”

安娜智障的消息就像一瓢滚烫的水浇在茹贝的身上。亚历山大并没有马上把这件事情告诉她。他们先到书房抽了支雪茄，喝了杯白兰地。亚历山大说，伊丽莎白身体不适，所以不能作陪。但是茹贝灵敏的“嗅觉”告诉她，金罗斯公馆肯定出了什么事儿。因为她远比伊丽莎白更了解亚历山大。他眼睛里的神情、脸上的表情都让她对此深信不疑。自从安娜出生，她在他脸上没有再看到这样的神情，仿佛他对伊丽莎白不再抱什么希望，已经把她推到心里很不重要的一个角落。可是现在，她又看到了那种神情。

他对她讲起安娜的情况——他是如何发现她智障的，伊丽莎白对此反应如何——那表情因何而来便一清二楚了。茹贝喝了一大口白兰地，让自己紧张的神经放松一点。

“哦，天哪，天哪！真让我难过。”

“不会比我或者伊丽莎白更难过。事已至此，既不能改变，也无法回避。伊丽莎白认为——我也同意她的看法——安娜脑子的损伤是出生时造成的。她没有通常智障孩子那种傻呵呵的样子。事实上，她长得非常漂亮，身体的比例也很匀称。如果她躺在小床上，不看她那双眼睛，什么毛病也看不出来。正如内尔所说，那双眼睛转来转去，却没有任何目标。玉说，她能学习。尽管光从勺子里吃东西，就学了好长好长时间。”

“这个守口如瓶的小娼妇！”茹贝说，又喝了一大口白兰地。“我是说玉。”看见亚历山大扬了扬眉毛，她补充道。“早一点知道，也许会有好处。伊丽莎白说的没错儿。那孩子刚生下来时确实没气儿。假如当时知道会是这样一个结果，我干吗费那么大劲儿抢救她呢？可是那时候，我什么都不知道，只想着不能让伊丽莎白的苦难一无所获。”

“天意，茹贝，都是天意。”他说，紧紧握住茹贝的手，“古希腊人说，骄傲是对众神犯下的罪恶，迟早会受到惩罚。我太骄傲了——太大的成功、太多的财富、太大的……权力。安娜来到这个世界就是对我的惩罚。”

“可是，关于安娜的病情，城里连一点风声也没有传出。尽管贝迪·凯利喂了她七个月奶。”

亚历山大咧开嘴笑了，露出洁白的牙齿。“这得归功于玉。有一天，她听见她和玛吉·萨默斯在厨房里嘲笑安娜，她就拔出匕首，正告她们，如果胆敢把这事儿说出去，她就割断她们的喉咙。她们相信她说到做到。”

“这个玉，真是好样的！”

“我已经告诉萨默斯了，玛吉·萨默斯明天就从这儿搬出去。”

茹贝在椅子里动了动，好像因为坐得不舒服，然后把亚历山大两只手握在自己的手里。“你是不是打算继续把这件事情隐瞒下去？”

“哦，不，当然不！隐瞒就意味着把可怜的安娜永远禁闭起来。孩子智障不是什么丢人的事情，茹贝。至少我不这样认为。我想，伊丽莎白也不会这样认为。等安娜学会走路之后——她肯定能学会——我希望她到处走走。我希望所有金罗斯人都明白，财富和特权不会让一个家庭远离悲剧。”

“你还没有告诉我，伊丽莎白到底怎么想，亚历山大。她知道安娜是智障吗？”

“恐怕还没有。她一直想让自己相信，孩子只是发育缓慢。有点缓慢！”他笑了起来，但那是无奈的苦笑。“我的妻子只顾忙着照料那匹该死的马，好像那是她的女神，给它梳理鬃毛、刷洗、抚摸。我真不明白，年轻女人和马之间会有什么关系。”

“对力量的崇拜，亚历山大。肌肉在美丽的皮肤下面运动表现出来的力量之美。在那力量面前，自己相形见绌。你很聪明，给她的是一匹母马。倘若她看见一匹种公马的那玩意儿，可就太过分了。”

“你真是个让人最难满意的‘红粉知己’。你就不能把话说得好听点儿吗？”

“嘿！”茹贝说，手指和他的手指缠绕在一起。“好听有什么用？”她坐到他的腿上，脸贴着他的头发，突然之间变得神情沮丧。“你现在对伊丽莎白心里的想法是不是比以前了解的多了一点儿？”

“不，一点儿也不。”

“自从安娜出生，她就变了。和我的接触也是平平淡淡。如果西奥多拉在，她就邀请我一起吃午饭；要么就是你在的时候，我们三个人一起共进午餐。她不像以前那样，和我好得像一个人似的。那时候，我们俩无所不谈。现在，她好像有了完全属于她自己的一片天地。”茹贝难过地说。

“我需要你，”亚历山大说，脸贴在她双乳之间，“今天夜里我去金罗斯找你，如果你能收留我的话。”

“我永远，”茹贝说，“永远为你敞开着心扉。”

她独自一人坐索道车下山，目光越过煤气灯照耀的金罗斯城。淡绿的灯光星星点点洒在远山近水之间。发动机发出轧轧声，火光照亮一座座工棚。天启公司的矿石正在变成天启公司的黄金。远处，孙的山上，月亮爬上宝塔顶，皎洁的月光下，宝塔闪着幽幽的光。我是这场苦难的一部分，尽管我从来没有想过要成为它的一部分。爱会施行多么可怕的报复！如果不是有了亚历山大·金罗斯，我只能是命运试图造就的那个女人——即使不濒于死亡，也是在穷困中挣扎。

自从知道安娜的残疾之后，伊丽莎白就开始到教堂去。不过，她不去长老会的小教堂。灾难降临后第一个星期日，她就牵着内尔的手出现在英国国教的圣安德鲁教堂。玉把安娜放到婴儿车里，一直推到教堂门口。然后找个僻静的地方等待礼拜结束。这个娇弱的中国女孩不愿意在这种场合抛头露面。

彼得·威尔金斯神父看到伊丽莎白，喜出望外。他对金罗斯城第一夫人的到来表现出恰到好处的尊敬。他告诉伊丽莎白，右边第一排的靠背长凳一直为金罗斯府邸的家人留着。城里纷传萨默斯太太被解雇的消息，还有谣言说，金罗斯家出事儿了。所有这一切都让神父加倍小心。

“谢谢，威尔金斯先生，”伊丽莎白冷冷地说，“不过，我情愿坐在后面。我的小女儿安娜，智力有点儿问题，说不定什么时候就会发脾气，坐在后面出去时方便。”

就这样，她们在后面坐了下来。金罗斯的人们由此得知，所谓金罗斯家出的事儿，只不过是小安娜智力有点问题罢了。遥言不攻自破，玛吉·萨默斯的阴谋没有得逞。

和玉的“交易”不算太难。两个女人一把鼻涕一把泪哭了一场之后，高高兴兴达成共识：一起照看安娜。这样一来，伊丽莎白不给“水晶”梳理鬃毛，或者不去深潭游玩时，玉可以做点别的事情。去教堂做礼拜开始了金罗斯公馆的“新体制”。公开安娜有残疾也像一张告示，告诉人们，金罗斯太太和她丈夫不一样。她不是无神论者。现在既然已经恢复健康，她便开始去教堂。光荣属于上帝！

倘若那些做礼拜的人看见伊丽莎白从教堂出来，第一站去的是什么地方，也许这种“光荣”或多或少会失去光彩。她去金罗斯饭店和茹贝共进午餐。茹贝非常热情地欢迎她，亲吻她，拥抱她。

“这是不是表明，你又开始过正常的生活了？”茹贝问。她拉着她的手，从一臂之遥的距离端详着她，一双眼睛闪闪发光。

“是的，”伊丽莎白面带微笑说，“如果你的意思是，我们是最好的朋友，在亚历山大身上享有相等的‘股份’。你瞧，我终于长大了。”

“哦，真没羞。”茹贝从婴儿车里抱出安娜，“哦，小宝贝儿，小亲宝，不要哭！除了玉和妈妈，你还得习惯和别人相处。伊丽莎白，以后当着内尔的面说话要小心点儿。人小心大，何况这个小人儿可是个聪明的鬼精灵。

午饭想吃什么？蘑菇烤面包片、烤鸡肉，好吗？别不高兴，内尔！总有一天，你会怀念这道菜的。就像我现在，想起小时候吃过的已经放陈了的面包、有股汗味儿的奶酪，比什么美味佳肴都好吃。”

亚历山大因为伊丽莎白对安娜疏于照管狠狠责备了她一顿。伊丽莎白牢牢记着他对自己的指责，拒绝抛下孩子陪他去悉尼。他是个音乐迷，喜欢到剧院里看歌剧。他看不出为什么要错过享受这种快乐的机会，便和茹贝一起去悉尼看戏。从一八七八年进入一八七九年之后，去得更勤了。因为正如亚历山大所说：“新南威尔士现在离大不列颠似乎不那么遥远了，演出公司组织歌舞剧团来表演的机会很多。轮船上都安装着用煤做动力的蒸汽机，如果走苏伊士运河，五个星期就能到达澳大利亚。”

他和茹贝在悉尼看过《威尼斯商人》，看过来表演的每一场歌剧和一出名为《H.M.S. 围裙》的非常热闹的音乐剧，作曲家名不见经传，一个叫吉尔伯特，另一个叫沙利文。他们还去参观悉尼国际博览会。博览会在专门为它建造的一座辉煌的殿堂举行。为了看展览更方便，亚历山大只好换了个旅馆。先前住的那家旅馆实际上已经不适合居住。因为新修的蒸汽机有轨小火车，沿着伊丽莎白大街奔驰，不但吼叫声不绝于耳，而且不断地喷吐着黑烟，旋卷着小火星。

他们在展览大厅里慢慢走着，赞赏着不同展馆的展品。这时候，亚历山大开口说：

“我准备很快就去一趟英格兰。”

茹贝停下脚步，看着他：“怎么突然想起要去英格兰？”

“说实话？”

“当然要说实话。”

“我烦透了这个全是女人的家。我们很快就要进入一个新的十年，再有二十年就要进入一个新的世纪。我想去看看英格兰、苏格兰和德国正在发生什么变化。听说，他们已经用新的炼钢炉炼钢，用新的方法架桥。他们采用新技术发电，不起眼儿的装置就能产生巨大的能量。还有传闻说，发动机也发生了革命性的变化。”亚历山大说，一双眼睛闪闪发光。“要不是安娜的缘故，我很想带内尔和伊丽莎白一起去，可以把她们安置在伦敦西区一幢很舒适的房子里。也可以把那儿当作我的‘大本营’。可是，无法做到这一点。其实，从骨子里讲，我倒很喜欢这种安排。我需要和女人暂时分开一段时间，茹贝，包括你。”

“我完全理解你。”她又迈开脚步，“如果有可能，你会不会去看看李？”

“看李是我日程的第一项安排。事实上，每到学校放假，我就要把他带在身边。对于一个未来的工程师，这是难得的学习机会。”

“哦，亚历山大，太好了！谢谢你！”

这次，他停下脚步看着她：“有个问题，我一直想问你，茹贝。也许因为我认识李没几天，他就远去英格兰，而那时，我和你的关系还不像现在这样亲密，所以我没好意思问你，既然李的身份是中国王子，怎么可以让他姓康斯特万？”

茹贝听了哈哈大笑，周围看展览的人都回过头来，毫无顾忌地凝视着他们。亚历山大·金罗斯胳膊上挎着这么漂亮的一个女人，自然会引得人们驻足凝望。不过平常人们都是偷偷地瞥上一眼。谁都知道，这个气度不凡的女人不是他的妻子。

“亚历山大，李都快十五岁了！你花了整整六年时间才问这个问题。我按照孙的意思，对学监说，李之所以隐姓埋名是为了保护他的父亲。因为他父亲的仇人千方百计想抓住他，包括拐骗他的儿子，‘引蛇出洞’。整个学校的老师、学生都蒙在鼓里。李说，听他们猜测他的真实身份，特别好玩儿。如果学校里还有别的中国孩子，可能难办点儿。可是直到去年，李是那所学校唯一的中国人。今年倒是又来了两个。不过他们是从黄浦来的富商的公子。李说，他们对北京政坛的事儿漠不关心。”

“好，好。”亚历山大笑着说。

“你会错过好几项重要的立法，”她说，“听说，帕克斯要取消对天主教教会学校和其他教派学校的财政补贴。不过，这些学校不太在意，因为他们有别的有钱的势利小人支持。去教会学校念书的都是穷人家的孩子。”

“他是个激进的新教教徒。”

“他们提出一项新的土地法案和一项限制中国人移民的法案。还有几项和选举有关的法案。为什么这些政客总爱改变选区的划分呢？”

“争取更多的选票嘛。茹贝，别用这种反诘句说话。”

“呸！我着急的是他们会制定什么样的烟酒专卖法，会不会授权给行政区颁布禁酒令。哦，那些该死的清教徒！”

“放心吧，茹贝，”他说，挽着她的胳膊，“金罗斯不会投票通过禁酒令的。我们这个地方已经很节制了，而且那么多中国人根本就不喝酒。那些清教徒拉不到多少选票。因为中国人没有选举权，白人又都嗜酒如命。”

“不管怎么说，我的饭店是可以住人的旅馆，不是只卖酒的酒馆。我可以贿赂警察，就像希尔山那些地下酒吧间一样。”

“用不着，我向你保证。”他的语气有点改变。“如果我走的时间比较长，你不要焦急，也不要觉得奇怪。”

“你说的‘时间长’是个什么概念？”

“两年、三年，甚至四年。”

“天哪！等你再回家的时候，我那玩意儿又长到一起了——我将第四次成为处女。”

“那我就拿你当处女，我的宝贝儿！”

“你的意思是不是在那儿就把李送到剑桥大学？”

“是的。等他学成之后，天启公司或许可以给他安排一个教授的职位，或者建立一个研究实验室。”

“李真幸运。我祈祷，让他知道这一切。”他的妈妈说。

“哦，我想他会知道的。”亚历山大微笑着说。

一八七九年年底，亚历山大离开金罗斯。伊丽莎白虽然觉得突然，但是看他远去，毫无惜别之意。倒是内尔难过得要命。爸爸已经开始带她到车间，到选矿厂，自从新年内尔满三岁后，甚至带她下过矿井。现在她该怎么办？难道只能一天到晚待在家里？

亚历山大的回答是，给她雇个男辅导老师，而不是女家庭教师，教她学习读和写。还要教她拉丁文、希腊语、法语和意大利语，把她总是那么活跃、喜欢探究的思想塞得满满的。辅导老师是个腼腆的年轻人，名叫威廉·史蒂芬斯。亚历山大让他住在金罗斯公馆三楼一个大房间里。孙送来三个非常聪明的中国男孩儿，彼得·威尔金斯神父送来他的儿子多尼，这个孩子也很聪明。亚历山大又设法找来三个小姑娘。他们的父母说，等他们长到十岁左右，就可以送他们到山上的学校读书。内尔年纪最小，将近四岁。三个中国男孩儿、多尼·威尔金斯和那几个女孩儿都比她大五岁。

哭闹了几天之后，内尔表现出和父亲完全相同的禀性，挺起小小的胸膛，勇敢地接受命运的挑战。总有一天，她会长大，和爸爸一起远走高飞。这之前，唯一让自己的心灵保持平静的办法就是成为教室里最优秀的学生。

六个女管家走马灯似的转了一圈儿，直到格特鲁德·瑟蒂斯太太最终作为合适的人选正式上岗。格特鲁德·瑟蒂斯太太是个五十多岁的寡妇，她的两个孩子都已经长大成人，分家另过。康斯坦斯·丢伊发现她之前，她一直管理一幢破旧的公寓。瑟蒂斯太太是个性格豪爽、临危不乱的女人。她不许内尔或者厨师张胡来，把别的中国仆人也管理得头头是道，而且对他们态度十分和善。她甚至设法和吉姆·萨默斯和睦相处。而亚历山大宣布他要到英格兰之后，最后这一点显得尤为重要。因为萨默斯这次不和他一起离开金罗斯。玛吉·萨默斯得了一种怪病。究竟是什么病，她丈夫不愿意多讲。

尽管亚历山大不在期间，行政管理大权并没有移交给萨默斯，孙还是脱下锦缎长袍，开始经营管理矿山以及与天启公司相关的一切具体事务：拉特沟的煤、铁和砖，离拉特沟不远的雷斯通水泥厂，威林顿周围几块面积很大的麦田，北昆士兰的锡矿，悉尼一座生产蒸汽机的工厂，一座新的铝矾土矿。

仿佛为了对亚历山大的“好动”做出回应，伊丽莎白决定趁他外出期间，按照自己的趣味，用自己喜欢的织物、家具把金罗斯府邸重新装饰一遍。亚历山大有言在先，她怎么折腾都可以，但是有两个条件：第一，他的书房不能动，第二，不能用蓝色。因为这种颜色容易让人情绪消沉。

“你知道，他喜欢红色。”茹贝说。

“可是我不喜欢。”伊丽莎白说。她始终没有摆脱这样一种观念：大红是妓女的颜色。她看起来目光朦胧，如在梦中。“有几个房间是杏黄色和淡紫色，另外几个房间是深紫色和奶油硬糖色，透露出星星点点的黄色，还有一两个房间是黄绿色和深蓝色，夹杂些许白色。”

“很现代，也很好看。”茹贝承认。

因为茹贝和康斯坦斯都喜欢逛商店，三个女人便带着安娜、玉、珍珠、绢花和桃花定期到悉尼挑选布料、壁纸。不试衣服、鞋、帽子的时候，就去看家具。一群女人挑来拣去，真能把那些家具销售商搞成神经病。内尔对这种事情毫无兴趣，就和蝴蝶、瑟蒂斯太太、威廉·史蒂芬斯先生一起待在家里。

所有因精通儿童智障闻名的医生都来看过安娜，诊断的结果都一样：恢复的希望很小。因为到两岁还不会走路、不会说话的孩子肯定一辈子都是精神病患者。

可是安娜的病情似乎在一点一点好转，十五个月的时候，她已经学会抬头，而且目光可以集中到想引起她注意力的人身上。一旦目光可以集中，她的美丽越发无与伦比。长长的黑睫毛不停地扑闪着，灰蓝色的大眼睛像妈妈那双眼睛一样清澈明亮。

两岁的时候，她不用人扶，就可以坐在高脚椅子①上自己吃饭。虽然吃得一塌糊涂，但是玉把这一进步看作巨大的胜利。倒是当妈妈的伊丽莎白

①高脚椅子：专门用于小孩吃饭时坐的椅子。

看了觉得反胃。安娜只对玉一个人依恋，尽管学会坐在高脚椅子里吃饭时，她已经能够辨认出妈妈。她不会走路，也不会说话。安娜对内尔似乎情有独钟，一看见姐姐就高兴得吱哇乱叫。

玉在中药店掌柜洪琦的指导下，坚持按中医的办法给安娜治疗。对于安娜的病，东方人的智慧远胜于悉尼那些大夫开的“灵丹妙药”。洪琦的办法是，坚持锻炼，调节饮食，要以极大的耐心一遍又一遍地教她某一个动作。他还用一根细细的银针给安娜针灸，帮助她终于抬起了头。伊丽莎白对针灸的疗效虽然表示怀疑，但是并不禁止。所以，安娜抬起头之后，洪琦又要开始新的疗程，帮她学习走路时，她很支持。奇怪的是，安娜很愿意洪琦给她扎针。也许因为她喜欢洪琦。

哦，看到安娜学会在便壶上坐之后，大家真是欣喜若狂。当然，无可否认，此后的六个月里，她也有坐不稳摔倒在便壶旁边的时候，但是总的来说，她坐得很稳。一八七九年年底，亚历山大离开金罗斯到英格兰。那时，安娜快三岁了。爸爸刚走，她就学会说“妈妈”“玉”和“内尔”。虽然这是她的全部“词汇量”，但是她用词准确，不会搞错。三岁半的时候，她学会第四个词——“多莉”。多莉是与她朝夕相伴的脏兮兮的布娃娃。无论睡觉，还是针灸，或者坐在高脚椅子上吃饭，她都把多莉放在身边。多莉至少每星期要洗一次，可是伊丽莎白如果想给她换个新布娃娃的时候，安娜又哭又叫，直到再把多莉还给她才罢休。

“很好，”茹贝说，“这说明安娜知道两个娃娃不一样。”

“瑟蒂斯太太建议，我应该让中国裁缝阿文照着安娜的多莉再做一个一模一样的布娃娃，让布慢慢褪色，还要给娃娃画上那些洗不掉的黑点儿。这样一来多莉散架——这是迟早的事儿——之后，可以悄悄地换成这个新的‘旧’娃娃。”

“瑟蒂斯太太能想到这一点真不错！她可是个好人，伊丽莎白。”

伊丽莎白每星期还可以骑着“水晶”去深潭两次。这几乎就是她唯一的活动。因为她的马不喜欢涉水走到上游，伊丽莎白就用一把弯刀在森林里开了一条小路。从心里讲，她担心亚历山大回来之后发现她的秘密之地。不过，那是以后的事儿，现在，管不了那么多。亚历山大已经走了十八个月，他信里说的很清楚，不急着回金罗斯。

他写给妻子的信很简单，三言两语；写给茹贝的信却很长，消息也多，当然主要是介绍李的情况。到一八八一年，他就满十七岁了。

“你把他送出来念书实在是做了一件大好事，茹贝。”他在一封信里这样说，“尽管看得出，他非常想念妈妈。他像海绵吸水一样，如饥似渴地听我讲关于你的消息。看了我给他带去的妈妈的照片，他高兴极了，骄傲地挂在屋子里最显眼的地方。他现在已经是高年级学生，所以一个人住一间卧室，还有一个书房。那两位波斯王子住在两边。他的英语棒极了，举止高贵优雅，全无骄横之气。随信寄去他穿新校服拍的照片。他不太愿意拍照片，因为他似乎受了同学中间流传的那种迷信说法的影响——照相机能偷走人的灵魂。所幸他有一副工程师的头脑，不太相信这种话，所以就拍了这张照片。

“他已经六英尺高。舍监说，看样子，还得长。我估计，这个家伙对男孩子的成长、发育很有经验，不是在那儿信口开河，所以你就准备迎接一个身材高大的宝贝儿子吧！穿上划艇比赛时穿的服装，你可以看到，他的体形非常漂亮，不像白人男人那样，大腿以下不堪一击。他小腿肚子的肌肉非常发达，典型的中国人的腿。他是赛跑冠军，划艇比赛也表现得相当出色。他板球和棒球一样，都打得非常出色。他希望长大以后，能代表剑桥大学参加划艇比赛，至少代表学院参加板球比赛。他要念的学院也许是卡尤斯，因为这个学院不限制外国人。从以上种种你可以看出，他很可能明年十月就升入大学。我现在正尽力周旋，给剑桥大学的权贵做工作，为他下一步深造铺平道路。因为他虽然说一口标准的英语，但他不是英国绅士。在英格兰，他不会一帆风顺。那两个波斯小伙子也想读剑桥。他们很依赖李。普罗克特学校别的孩子也非常信任他。你的儿子具有一种难得的品质：坚定的意志。”

茹贝神采奕奕，满脸骄傲，从伊丽莎白手里拿过信，把照片递给她。“这就是李。”

照片上的李坐在椅子上，跷着二郎腿。伊丽莎白仔细端详着，尽量不受茹贝母亲的骄傲和亚历山大令人吃惊的、感情色彩极浓的描绘的影响。她不得不承认，从来没有见过一位如此英俊的小伙子，也没有见过这样一位具有“异国情调”的青年人。就连潇洒倜傥的孙——李和他长得很像——也很难和他比美。因为他身上又有茹贝的影子。李面对照相机微笑着，嘴角现出的酒窝和茹贝那两个漂亮的酒窝一模一样。那双白种人的眼睛颜色有点浅。更重要的是，目光中闪烁着睿智。

“他是非常出色，”她说，把照片还给茹贝，“他的眼睛和你一样绿吗？”

“不像我这样绿，但是是绿色。你觉得好看吗？”

“哦，好看。他的头发向后梳得溜光，就像抹了头发油。他的椅子靠背上一定套着罩子。”

“不，他不是抹了头发油，而是留着辫子。”

“辫子？”

“是的。孙希望他留辫子。”

“已经过去八年了。再有四年你就能看到他了。”

还有四年，乘索道车回金罗斯时茹贝心里想。熬过了漫长的岁月，眼前还是漫漫长路。我没有听到他声带变声，没有看到他下巴生出第一抹胡须，也没有体会过儿子突然长成大人将母亲拒之门外时那种令人心碎的痛苦。他写给我的每一封信我都用玉一样碧绿的缎带扎着，放到一个玉盒子里。我把每封信每一个字都牢牢记在心里。可是，等他回来，站在我面前的一定是个陌生人。我怎么能告诉伊丽莎白，连我自己也几乎认不出照片上的儿子。我曾经为我和他蒙受的损失嘤嘤啜泣了好几个小时。唯一的安慰是，照片上那双眼睛清澈宁静，目光坚定，没有痛苦和不安全感。经历了最初离别的痛苦之后，他在学校里的生活一定很愉快，一定让他心满意足。我也只能问一问这些情况，只能寄希望于他将来择偶时，能有充足的理由说明为什么选择那个女人为妻。亚历山大一心想让内尔成为他的妻子，不过我很怀疑内尔会不会长成他喜欢的那种姑娘。五岁的时候，她就已经充满活力，一本正经，显示出非常强的独立性。也许因为伊丽莎白不得不把时间和精力都放到安娜身上，内尔才有机会“我行我素”。她特别像亚历山大。李虽然很崇拜亚历山大，但是我想，他不一定因此而崇拜内尔。不管怎么说，这都是将来的问题。再有四年我才能真正弄明白我的儿子究竟是个什么样的人。等李回来，就已经二十一岁，什么事情都可以自己做主了。我的宝贝儿子成了“法人”，我会把他在天启公司的股份都给他。他将以董事的身份坐在董事会的桌子旁边，在我眼里，全然是个陌生人。

也许因为这种沉思默想太沉重，充满了痛苦，茹贝回转头，把注意力集中到金罗斯城。金罗斯已经发生多大的变化！肮脏与丑陋不复存在，代之以碎石铺成的马路。马路两边都有排水沟，镶着路边石，种着树。几幢漂亮的楼房，包括金罗斯饭店和圣安德鲁教堂矗立在绿荫之间。金罗斯广场——绿草如茵、鲜花盛开——旁边，一座新的建筑物拔地而起。那是亚历山大最喜欢的歌舞剧院。为什么古尔贡可以有方圆百里唯一一座歌剧院，巴瑟斯特可以有三座戏院，而金罗斯一座也没有？金罗斯人所有的住宅都是木头建造的房子。学校搬到一幢更大、更明亮的砖木结构的楼房里面之后，最后一幢抹灰篱笆墙建筑被拆除。医院房屋的质量也相当不错。金罗斯河两边是水泥修筑的堤坝，河岸上绿树成荫，树阴下安放着公园里常见的长椅，还有装饰得很漂亮的煤气灯。尽管河水和过去一样脏。

城镇和山脚之间是工业区。那里有铁路、各式各样的机器、发动机、精炼厂、几十个波纹铁皮盖顶的车间和喷吐着烟雾的烟囱。黄金的产量仍然居高不下，配套设施更为齐全，有煤气厂、发电厂和制冷设备。金罗斯人现在可以吃上从巴瑟斯特运来的新鲜牛奶和肉，从悉尼运来的鱼和水果。

如果没有亚历山大和制冷大王塞缪尔·毛特这样的人物，这块殖民地会是个什么样子呢？在英格兰，他们也许一事无成。可是在这儿，在新南威尔士，他们却飞黄腾达，干成了大事业。我的祖父理查德·摩根和我的母亲都是被送到这里的流放犯。倘若他们看到这块土地的变化会作何感想？瞧瞧我，茹贝·康斯特万，曾经是一个老头的小情人，后来当过鸨母，现在却是一家大公司的董事。一切的一切都不以人的意志为转移。他们指点江山，永远改变了世界的面貌，特别是像亚历山大和塞缪尔·毛特这样的人。茹贝这样想着，回到她那座豪华的饭店。

日月如梭，光阴似箭。由于公务人员自身的弱点，公共事务方面出现的种种问题令人沮丧。总理亨利·帕克斯爵士在国会发表讲演，鼓吹必须遏止爱尔兰移民的势头，因为要确保英国人在殖民地占主导地位，确保新教的优势，就必须这样做。金罗斯有一部分居民是爱尔兰来的移民，听了他的讲话，个个义愤填膺。这位总理还说，他希望一定要保证新教的道德体系广为传播，在社会上产生积极的影响。因此，对爱尔兰人和天主教的信条不能给予任何形式的支持。事实上，这一地区已经太爱尔兰化、太天主教化了。总理愚蠢的讲话加剧了爱尔兰天主教徒和从英伦三岛来的新教教徒之间的矛盾，也加剧了工人阶级和他们之上各阶层之间的矛盾。因为工人的主体是爱尔兰人和天主教徒。关于“蒙古人和鞑靼人游牧部落”也有一些说法，尽管他们甚至连天主教的边儿也沾不上。可是，当位居州总理这样的大人物以他们的固执与褊狭影响整个社会时，足以反映这种逆社会潮流而动的情绪多么严重；这些达官贵人不以团结各族人民为己任，偏偏以分裂民族团结为能事由此可见一斑。

一八八一年一月，殖民地召开联席会议，讨论限制中国移民，并且向英国政府提交了一份文件，抱怨澳大利亚殖民地不应该按照英国政府的政策办事。那时候，英国对华政策比较宽容。他们还坚决反对西澳大利亚政府决定帮助中国移民到农场当农工或者到白人家里当仆人。

孙和另外几个著名的中国商人表明了华人在这个问题上的立场。他们请殖民地联席会议注意这样一个事实，那就是，和这样一块辽阔的、人烟稀少的土地上辛勤劳作的几百万人作对愚蠢至极。

“……如果你们一意孤行，用独裁、暴力、仇恨和嫉妒替代正义、法律和权利，也许你们会取得某种成功；你们依靠武力，依靠人多势众也许会赢得暂时的胜利，但是你们在世界各国人民面前将名誉扫地；你们为之骄傲的那面旗帜，将不再是被压迫人民自由与希望的象征，而将和虚伪、背叛联系到一起。”

事实上，亚历山大期待已久、寄予无限希望的新的十年开局不尽如人意。澳大利亚许多社会集团、派别之间都充满矛盾和怨恨。妇女反对教育部门对女性的性别歧视。斗争取得明显的成果，悉尼大学决定对女性开放除医学院之外的所有学院。因为，只要想到一位女医生要检查、摆弄男人的阴茎、阴囊，就让人无法忍受。

因为大多数金罗斯人都看报（现在又加了《每日电讯》和一本专门发表评论文章的周刊《新闻快报》），所以外面发生的事情人们都知道，而且都议论纷纷。不过，就茹贝和别的酒馆老板而言，那些拘泥于清规戒律的家伙在国会的权力越来越大。立法机关已经通过一项法律，饭店和酒吧从星期一到星期六，晚上十一点必须关门，星期日全天不得营业。就像全州范围内许多同人一样，茹贝也向酒业委员会提出，鉴于他们经销酒类的营业执照是在实施旧法律时颁发的，有效期到一八八二年六月，因此，营业时间还得按旧规定办，直到一八八二年六月为止。事情也就这么办了。

对于伊丽莎白来说，时间似乎只是以孩子们的生日来计算。到一八八二年新年，内尔满六岁；到四月六号，安娜满五岁。生活就像十八世纪戏剧舞台上上演的一出粗俗的讽刺剧，只不过少了几分幽默。内尔不但词汇量已经相当大，而且已经开始学习三角和代数。安娜却连走路也没有学会，还是只会说“妈妈”“玉”“内尔”和“多莉”。不过，安娜也在积蓄力量创造“奇迹”。过五岁生日时，她又笑又叫，爬过育儿室的地板，一直爬到站在对面哄她玩的玉跟前。

伊丽莎白坚持不懈履行自己的职责，但是很难让她打心眼儿里就愿意伺候女儿。玉显然什么辛苦都不在乎，伊丽莎白觉得自己身为孩子的母亲，却不肯任劳任怨，一定出了什么问题。她当然知道，安娜像一枚钉子，在生活之中把她永远定位于亚历山大·金罗斯的妻子这样一个角色。安娜出生前，她卧床不起好几个星期。那时候，她就想，如果把亚历山大平日里非常慷慨地给她的零花钱积攒下来，有朝一日她就能离开他，回到苏格兰，以一个受人尊敬的老姑娘的身份，在一所茅舍里生活。她想，孩子们没有她也会生活得很好。内尔不就这样吗？可是，看清安娜的命运之后，她改变了自己的想法。她怎么能离开这个可怜的小东西呢？命中注定，她一辈子都是这个家庭的负担。她不能离开她，绝对不能！这意味着她爱安娜，不管她多么不想照料她。

哦，弯腰曲背，趴在和小安娜一样高的椅子上，一遍又一遍地重复同一个词，比如“喂，喂”“呸，呸”“唔，唔”。有时候，看着这毫无用处的训练，她简直要发疯。但是茹贝对智障的孩子表现出让人难以置信的耐心。不管安娜把口水流在她价格昂贵的裙子上，还是吐在她身上，或者因为高兴，干脆拉在她身上，她连眉头都不皱。相反，如果安娜对伊丽莎白做了这些事情，她就会恶心，反胃，赶快从屋子里跑出去。伊丽莎白一再对自己说，身为人母，她缺乏应有的庄重和慈爱。翻江倒海般的胃和那种可怕的令人作呕的感觉都说明，她也许爱安娜，但是她的爱还不足以战胜照顾智障孩子时心里的恐惧。

亚历山大有一次夸我是个好女人，可我不是。她这样责备自己。我是女人里最坏的，我是一个不合格的母亲。母亲应该有能力对付自己的孩子，可是这两个孩子我连一个也对付不了。如果安娜只是块会动的生面团，无法和她交流，内尔却是个遥不可及的奇才，很难和她沟通。你要是给她个玩具娃娃，她立刻就用一把锋利的刀，给“娃娃”开膛破肚，掏出肚子里面填的东西，还要学究气十足地讲解“内脏”的作用。然后她就照亚历山大那本人体解剖图册里的图准确地画出人体各个部位。亚历山大很喜欢那本图册，据说那里面的蚀刻画都出自丢勒[1]的手笔。不画图的时候，内尔会半夜里跑到房顶上，用亚历山大给她的望远镜看月亮，或者大惊小怪地嚷嚷，看见哪颗星星周围出现了光环。我简直就是生了一个小亚历山大和一棵大白菜，从内心深处讲，她们俩我谁也不想照料。但是我爱她们。因为我怀了她们，她们是我的一部分。

她不知道安娜想些什么——如果她真的有思想，玉发誓她有——而内尔又以她独特的方式，证明她和安娜一样，是个让你无法接近的怪物。她专横跋扈，好动，狂妄，胆大，坚定，好奇心极强。尽管她的眼睛是蓝色不是黑色，但是剑眉下那双眼睛凝视她的时候，她觉得仿佛就是亚历山大在看她。她才六岁，就认为妈妈的智商只比安娜高一点儿。她讨厌被人拥抱、亲吻，凡是女孩子喜欢的东西，她一概嗤之以鼻。去年过生日时，伊丽莎白送了她一箱子她不要的衣服，让她打扮自己玩。换了别的女孩，肯定会把这个箱子当作百宝箱，欣喜若狂，可是她却整整放了一年，动也没动。她用不屑的目光看着妈妈，仿佛说，妈妈，你把我当成什么人了？你以为我像安娜一样，是个白痴？

两个女儿我都爱，但是她们一个智力发达得让人难以置信，无法靠近，另外一个的习惯让人看了就反感。

哦，亲爱的上帝，请你告诉我，我哪儿做错了？我缺什么？

后来她和茹贝说起这事儿，茹贝不无嘲讽地哼了哼鼻子。

“说实话，伊丽莎白，你对自己太苛刻了！有的人，像我，面对肮脏的东西从不反胃，从不介意。也许因为我们就是在肮脏之物的包围之下成长起来的。你在苏格兰人一尘不染的家里长大，窗明几净，哪儿都收拾得干干净净。没有人因为喝多了酒，吐得昏天黑地，或者喝得不省人事，到处拉屎撒尿；或者忘了洗锅刷碗，直到发霉；或者垃圾放在屋子里，直到

①丢勒（1471—1528）：德国画家、版画家和理论家，将意大利文艺复兴精神和哥特式艺术风格相结合，主要作品有油画《四圣图》、铜版画《骑士、死神和魔鬼》等。

发臭。耶稣基督！我是在污水坑里长大的，伊丽莎白！如果你的胃经不起折腾，那也没有什么了不得的。不管你多么努力，你都控制不了，我的小宝贝儿。至于内尔，我倒同意你的看法，她确实是个怪物。她永远都不会让人一见钟情，更像是一个把大多数人都拒之门外的女孩。你因为自己没有受多少教育而感到痛苦，是亚历山大让你产生这种感觉。我也没有受过多少教育，可是我碰到他的时候，已经不再是个十六岁的不成熟的姑娘。高兴点，不要总是自责。爱你的孩子远比喜欢她们更重要。”

一八八二年五月的一个早晨，伊丽莎白骑着“水晶”，走过从家到深潭的三英里路。该下雨了，她心里想。深潭让我保持了健全的心智。没有它，我就会被禁闭起来，听他们没完没了叽叽喳喳地讲些蠢话，最后完全屈从于他们的意志。这里万籁俱寂，我什么也听不到，只有一片宁静。自艾自怜，伊丽莎白，是万恶之最！因为它给人们造成错觉，让人们总觉得自己受了伤害，不去了解别人的感受。不管你是怎样一个人，不管你经历了什么，都是自作自受。你可以对父亲说“不”，可是除了打你一顿，再让你去见默里神父，他能做什么呢？你也可以对亚历山大说“不”，可是除了把你送回家，让你蒙羞受辱，他又能做什么呢？茹贝说的对。我对自己和自己的过错想得太多。我应该多想想深潭，在这里可以忘记令人不快的往事。

她催促母马沿着小路向前走着。这条路已经清晰可见。任何人如果愿意，或者被允许，都能“顺藤摸瓜”找到深潭。但是她从来没有想过，深潭会被除她之外的任何人“入侵”。

可是，走到距离深潭大约三百码远的地方，伊丽莎白突然听到一阵男人轻松、快乐的笑声。她勒住马缰，从“水晶”身上爬下来，把它拴在一个树杈上，拍了拍它油光水滑的洁白的皮毛，轻手轻脚地向前走去。火气不由得从伊丽莎白心中升起，这个家伙怎么敢入侵金罗斯的领地？她虽然不害怕，但还是十分谨慎，心里想，首先要弄清“入侵者”是谁。如果是藏匿在丛林里的逃犯，她就悄悄回家，用亚历山大临走前给她安的那个新鲜玩意儿——电话，向金罗斯警察局报告，同时通知萨默斯家。她家的电话虽然只通这两个地方，但是遇到麻烦可以及时得到帮助。另外一种可能是土著人，虽然可能性不大。因为，即使他们敢到白人聚居区，也不会跑到这儿。他们害怕矿井。方圆几百英里到处都是没有人烟的原始森林，可以活动的空间很大很大，人口不多的土著人部落宁愿远离腐化堕落的白人，保卫自己的纯洁和个性。

附近没有拴着的马，也没有逃犯或者土著人留下的蛛丝马迹，只有一个人背对她，站在深潭上方那块宛如肩胛骨一样突出的、风雨剥蚀的巨石之上。伊丽莎白屏着呼吸，慢慢向前走着，终于停下脚步。他赤身露体，阳光照耀着金色的皮肤，乌黑的头发像瀑布一样顺脊柱流泻下来，直到腰部。中国人？然后，那人向她这边转过脸，张开双臂，纵身一跃，潜入水底，几乎连一个水花也没有激起。他转身那一刹那，伊丽莎白定睛细看，认出那张脸，就像看到镜子里自己的影像。李·康斯特万！李·康斯特万回家了！她双膝一软，坐在地上，然后意识到，他浮出水面换气时一定能看见她。哦，那将是怎样的邂逅！怎样的尴尬！她能说什么？她手忙脚乱，刚好来得及钻进旁边的灌木丛。他像一条鱼，哗啦一声跃出水面，把水淋淋的头发从脸前甩开，毫不费力地攀上那块巨石，着了迷似的向四周张望着，然后四仰八叉在岩石上躺下来晒太阳。伊丽莎白像一只蜥蜴一动不动趴在灌木丛里，直到李再次跃入深潭，才悄悄溜走。

仿佛是“水晶”自个儿把她送回家——究竟怎么走完那条路的，后来她也说不清楚。她眼前、心里、整个灵魂都充斥着对李的记忆。那美丽的、绝妙的身体，没有半点瑕疵，肌肉在锦缎般细腻的皮肤下滑动，全神贯注的脸洋溢着快乐。她一生都渴望自由，但是此刻之前，还没有在任何一个地方看到这种自由的化身。一种启示。

李·康斯特万回家了！

第七章 新的痛苦

伊丽莎白刚刚洗完澡，换上下午穿的裙子，茹贝就来了。

“李回来了！”她大声叫喊着，一张脸激动得变了形。“哦，伊丽莎白，李回来了！我做梦也没有想到！”

“太好了。”伊丽莎白机械地说，就像嘴里塞了一团羊毛。“上茶，瑟蒂斯太太。”

她把高兴得昏了头的茹贝领进暖房，让她在椅子上坐一会儿，平静一下，自己心里也终于安然了许多，微笑着说：“茹贝，亲爱的，冷静点儿，我想让你马上把这件事情的全过程告诉我，可是你现在这副激动的样子能讲什么呢？”

“他是昨天夜里乘从拉特沟来的火车回来的。真像从天而降。我一直纳闷为什么火车来得这么晚，现在看，显然是等他把车厢挂钩从悉尼来的慢车上摘下来。我正和主教、他的妻子一起在休息室里坐着——他来访问我们这个教区。”茹贝喋喋不休地说。

“我知道。他今天晚上来吃晚饭，你还记得吗？这回你可以带着李一起来了。”

“就在那时，李走了进来！啊，伊丽莎白，我的玉猫已经长成大人了！那么英俊！个子那么高！你该听听他说话。他的英语棒极了，听他说话就像是英格兰的花花公子，字正腔圆！”她抹了抹眼角的泪水，脸上挂着微笑，陶醉在幸福之中。“凯斯特维克主教一听到李说话，就佩服得五体投地。等他知道这个仪表堂堂的小伙子原来是我的儿子，我在他心目中的地位一下子就提高了！”

“我不知道，你在这方面原来也雄心勃勃。”伊丽莎白说，希望自己的心不要这样剧烈地跳动。

“哦，也不完全是这么回事儿。那个老家伙虽然不太清楚我在金罗斯的地位，但是也不敢拿我当妓女看。他知道，我是天启公司的董事，是教堂一位有潜力的捐助人。不管怎么说，他一看见李，就认为我过去是被人们冤枉了。我的儿子上的是普罗克特那样举世闻名的学校。哦，伊丽莎白，我好幸福！”

“瞎子也能看出你有多么幸福，亲爱的茹贝。”伊丽莎白舔了舔嘴唇。“亚历山大是不是也回来了？他是在悉尼，还是晚些时候回来？”

看见伊丽莎白眼睛里的神情，看见她仿佛又戴上那副老面具，茹贝的快乐消失了许多。“不，亲爱的。亚历山大还在英格兰。他让李回来过暑假。亚历山大在信里说，他不忍心让我再等上三年多才看到我的玉猫。李能在家里待到七月。然后坐船回英格兰。”

茶上来之后，伊丽莎白给苑贝倒了一杯。“那你来干什么，茹贝？你应该一刻不离陪着他才对呀！”

“哦，李来和我们一起用茶。”茹贝说。她看起来就像只有二十五岁，浑身洋溢着青春的活力。“你不想等到晚饭时再让我把儿子介绍给你吧？他说先到金罗斯城看看，喝下午茶时再来。”她皱了皱眉头。“这个小东西！他晚了。”

“等他来了，再烧点茶就是了。”

又过了半个小时。这时候，伊丽莎白已经镇定下来。她惊讶地发现，听到亚历山大还没有回来的消息，自己心里竟然有点怅然若失的感觉。看到他回来，至少内尔会高兴得跳起来。当然她也理解，为什么这次茹贝没有因为亚历山大久别未归而难过。儿子和情人是最好的朋友，她很难在他们俩之间周旋得无懈可击，更难瞒过李的眼睛，不让他知道亚历山大对于她意味着什么。

李走进暖房，长发编成一根辫子，垂在脑后。他穿一条干净的旧蓝斜纹布裤子，棉布衬衫，袖子高高卷起。伊丽莎白站起身，全然没有意识到，自己脸上的表情立刻变得超然、冷漠。她向年轻人伸出一只手，唇边挂着一丝微笑，眼睛里却没有笑意。茹贝说得对，李英俊潇洒，像孙也像母亲。

孙眉清目秀，有一种贵族气派，茹贝举止端庄，有一种内在的魅力。但是他那双眼睛不像父亲也不像母亲。浅绿色的虹膜四周，环绕着一圈深似一圈的绿色，使得他的目光那样犀利，仿佛能穿透一切。是的，这样一双浅色眼睛镶嵌在睫毛乌黑的眼眶里，映衬着古铜色的皮肤，看起来不大协调，然而，正是这种不协调越发让人觉得他魅力无穷。

“你好，李。”伊丽莎白问候道，言语之间没有什么感情色彩。

白天的兴奋和喜悦已经如潮水般退去，他稍稍偏着头打量着她，目光中似乎有一种迷惑不解。

“很好，金罗斯太太。”他说，握了握她软绵绵的手。“你好吗？”

“很好，谢谢。叫我伊丽莎白就行了。请坐，瑟蒂斯太太马上就上新茶。”他在能看得见两个女人的地方坐下，听妈妈说话。这就是亚历山大的妻子，亚历山大没怎么和他提起过。也难怪，李心里想。她不是一个热情的、韵味儿十足的女人，而是那种可以冷得像冰一样的、沉着镇定的人。但是，她又是他见过的最漂亮的女人。乳白色的皮肤，乌黑的头发，深蓝色的眼睛，丰润的红唇紧紧地抿着，显示出一种和她那天生的美丽轮廓不相称的坚定。她脖子修长，非常优雅，一双手也很好看。两只手的无名指上都戴着很大的戒指，看起来有点戴得不是地方。伊丽莎白·金罗斯不爱炫耀，但是亚历山大愿意给她买这些戒指。他毫无疑问是个喜欢炫耀的人。我真希望他和我一起回来。李心里想。我想念他。我相信，他不在家，我就看不到金罗斯的精髓。他的妻子不希望我待在这儿。

“亚历山大怎么样？”能插上嘴的时候她问。

“不错。”李微笑着说，脸上现出两个和茹贝一模一样的酒窝。“今年夏天，他一直在德国，和西门子兄弟[①]待在一起。”

①西门子兄弟：指德国工程师恩斯特·维尔纳·冯（1816—1892），他在电报与电子设备方面做出过显著的改进工作，其弟卡尔·威廉，也就是后来的查尔斯·威廉·西门子爵士（1823—1883），发明了一种回热蒸汽发动机，并设计了一种铺设长距离缆绳的汽船。

“参观他们制造的发动机和别的机器？”

“是的。”

“他去没去过苏格兰那个金罗斯，你知道吗？”

李似乎吃了一惊，张开嘴想说，亚历山大肯定写信告诉过她这事儿，可是话到嘴边又咽到肚里，只是非常简单地回答道：“没有，伊丽莎白，没去过。”“我估计他就没去过。你经常和他待在一起吗？”

“只要学校没事儿我就和他待在一起。”

“这么说，你很喜欢他。”

“和孙相比，他更像我的父亲。当然，我这样说绝对没有批评谁的意思。我爱也尊敬我的生身父亲，可我不是中国人。”李有点生硬地说。

茹贝看看伊丽莎白，再看看李，心里有点沮丧。她最亲爱的儿子和最亲爱的朋友初次见面不应该是这个样子！他们话不投机。不，比话不投机还糟。伊丽莎白明显地流露出不喜欢李。她像冰一样冷！伊丽莎白，别这样对我！别将我的玉猫拒之门外！她站起身，戴上帽子。

“啊，太晚了。走吧，李。现在走还来得及。凯斯特维克主教今天晚上要来这儿吃晚饭，七点半，你和我得陪主教夫妇一起来。”

“我等你们。”伊丽莎白神情木然地说。

“你觉得亚历山大的妻子怎么样？”坐索道车回金罗斯的时候茹贝问李。

李没有马上回答，过了一会儿回过头看着妈妈那双眼睛。“亚历山大从来没有和我谈论过她，妈妈。不过见了她我便明白，为什么你到现在还是他的情人。”

茹贝急促地呼吸着。“这么说，你知道这件事情？”

“他不对我保密，因为他心里明白，我迟早都会知道。他对我讲的时候，就是这样说的。关于你，我们做过长长的谈话。我因此而爱他。提起你，他总是满怀柔情。他说，你是他的生命之光。但是，他从来没有说起过伊丽莎白，也没有解释为什么他还和你保持这样的关系。他只说，他的生活中不能没有你。”

“我也不能没有他。我想你不会反对吧。”

“当然不会，妈妈。”他朝金罗斯城微笑着，凑到妈妈身边。“那是你们俩的事儿，不是我的事儿，不影响你和我，对吗？我只是觉得非常高兴，我的母亲和我自己选择的父亲相亲相爱。”

“啊，我的玉猫，”她用沙哑的声音说，紧紧握着儿子的手，“你在许多方面都和你的义父一样。你们都有一种实事求是的精神，都可以客观、公正地接受那些无法改变的事实。”

“就像你和亚历山大。”

“就像我和亚历山大。”

他们从索道车上下来，从天启公司一幢幢波纹铁盖顶的巨大的车间中间走过，走上金罗斯大街。

“今天下午，你看过选矿厂、煤气厂、蒸馏车间和别的设施了吗？”她问道，两个人走过金罗斯广场的草坪。

“没有，我到丛林里去了，妈妈。欧洲到处都是工厂，没有丛林。我最想看到的就是茫茫无际的丛林，闻桉树清香的气味，看丛林里奔跑的动物和羽毛像彩虹一样美丽的小鸟。欧洲的鸟唱的歌都很凄凉，只有夜莺的歌声那么动听。”

“你没看见伊丽莎白吗？”

“没有。我能在那儿碰到她吗？”

“没准儿。今天是她骑马的日子。每逢这时，她总是到丛林里转悠。”

“骑马的日子？”

“她每周都有几天到育儿室替玉看安娜。我想，你一定听说过安娜。”

“哦，听说过。”

他们走进饭店大厅。“今天晚上你肯定能见到内尔。伊丽莎白让她一直待在家里，直到见完所有来吃晚饭的客人。”茹贝苦笑着说，“依我看，她是想通过这种方式，让人们知道，虽然她一个孩子是智障，另外一个孩子却非常聪明。”

“可怜的伊丽莎白。”他说，“今天晚上要穿正装吗？”

“当然。”

“孙来吗？我心里很内疚，没有先到山顶那座令人叹为观止的宝塔城去问候他，而是跑到丛林里看风景去了。”

“你可以明天去看他，李。他的宝塔城的确是我们这一带一大奇观，对吗？孙今天晚上不来金罗斯公馆。他是异教中国人。今天晚上来的客人或多或少都和金罗斯的教堂有关系。”她咯咯咯地笑着，“除了康斯特万母子。我们不是中国人，但我们是不折不扣的异教徒。”

“非常富有的异教徒！”李说，消失在走廊那头他的房间。

尽管离家多年，你还是那么机灵，李。茹贝想。她觉得空气中还弥漫着他的气息。他让我相形见绌，她想。我不知道他到底已经长得多大，不知道他会成为我和孙多么奇妙的结晶。李，我的李！

到育儿室看过安娜之后，伊丽莎白又回到自己的房间，坐在窗前，眺望远方。但是，她并没有看见连绵逶迤的群山和郁郁葱葱的森林，眼前只是晃动着深潭边李·康斯特万——那个焕发着阳刚之美的、自由自在的年轻人的身影。我已经到深潭玩耍多年，可是从来没有想过脱光衣服和鱼儿一起在水中嬉戏，更没有想过我自己就可以是一条鱼！不是因为深潭的水深，可以到浅的地方游。我早就应该知道他今天才知道的一切。哦，伊丽莎白，老实承认吧！你没有那样做是因为你不能做。即使在你骑着“水晶”驰骋的日子里，你也不能无忧无虑地嬉戏。你把自己和一个压根儿就不爱的丈夫、两个爱却不喜欢的孩子拴到一起。他们就像一块千钧重的铅压垮了你。继续你自己的生活，展翅高飞吧，李·康斯特万！

即使这样，她还是为今天晚上的活动特意挑选了一条裙子——浅海军蓝塔夫绸做的长裙，腰垫装饰着漂亮的缎带，胸口也是同样的花边，白皙的肩膀下面是短短的衣袖。这些天，按照茹贝教给她的办法，伊丽莎白刮掉了腋毛。茹贝指责那些不懂得刮腋毛的女人，说她们："裙子穿得倒是挺大胆，可是一抬起胳膊，就露出一团又浓又密的毛，把她们那点魅力破坏得荡然无存。珍珠会用剃刀，她可以帮助你把腋窝刮得干干净净，伊丽莎白。没有腋毛，汗就不会总存在腋窝里，身上的气味也清爽了许多。"

"下边的毛呢？"她问，脸上挂着诡谲的微笑。

"下边的我不刮，因为再长出来，扎得你直痒痒。不过我会用剪刀修剪。"茹贝厚着脸皮说。"谁愿意下面长一团黏乎乎的胡子呢？"她哧哧哧地笑着说。"除非那是男人的胡子。"

"茹贝！"

她想，至少茹贝在这方面给了我良好的教育。那一套蓝宝石和钻石首饰和这条裙子配起来非常好看。首饰包括头饰、耳环、项链和两只挺宽的手镯。她没有按照平常的式样把头发做成蓬松的发卷儿，而是先梳成辫子，再盘到头顶。她的脖颈和耳朵都曲线优美，没有必要遮遮掩掩，所以犯不上用那种蓬松的发式影响面庞的美丽。她最后喷了点茉莉香水，便做好面对金罗斯英国国教主教大人的准备。

在这个地区——即使不是整个新南威尔士——无论什么人，在这两位最重要的女人面前，都显得黯然失色。

"请您原谅，男主人不在家，阁下。"伊丽莎白对主教说。主教已经被眼前的奢华、美丽、优雅、精巧搞得步履蹒跚。

"李，欢迎你。"她对茹贝的儿子说。此时此刻的李仿佛压根儿就不知道蓝斜纹布裤子和软塌塌的棉布衬衫为何物。他身着精工制作的晚礼服，系一条最近一期时装杂志介绍的宽大的锦缎领带。伊丽莎白觉得用她刚学会的一个新词儿"傲慢"形容他，恰如其分。与此同时，他又像茹贝一样，魅力四射，落落大方，很快就让主教围着他团团转。康斯特万母子脸皮都挺厚。

伊丽莎白右边坐着凯斯特维克主教，左边坐着彼得·威尔金斯神父，其他宾客坐在桌子两边，总共十一个人。对面亚历山大的位子空着。有一会儿，她想让李坐在那儿，可是转念一想，毕竟他还年轻，不到十八岁，便打消了这个念头。关于这一点，主教很快就发表了自己的看法。

“你现在就喝酒，是不是早了点儿？先生。”

李眨了眨眼睛，朝这位神职人员甜甜地笑了笑。“耶稣，”他说，“是个犹太人。出生在一个认为酒比大多数饮料都健康的国家和时代。我想，在犹太法律关于成年人才能饮酒的戒条颁布之后，他还在饮酒。也就是说十二三岁之后，直到他过了十六岁生日，或者大约那个时候，他才开始喝水。酒是上帝的馈赠，阁下。适量饮用并无坏处。我向您保证，我不会喝醉。”

主教不知道说什么才好，因为李的话听起来既礼貌周全，又态度坚定。

茹贝咧嘴笑着，一双闪闪发光的绿眼睛看着儿子，无声无息地说：“去他的！”

哦，天哪！伊丽莎白想，看清了茹贝的口型。让我平平安安主持完这场晚宴吧！康斯特万母子和英国国教的主教、神父坐在一张桌子上吃饭，简直就是一场灾难。

所幸张做了一桌上好的饭菜，堵住了大家的嘴巴。法式砂锅——加了蘑菇的、味道十分鲜美的羹汤，烤海鲂片，必不可少的果汁冰糕，烤完全用谷物育肥的小牛肉，上面撒着西番莲果的冰淇淋。

“太棒了！太棒了！”主教大声说，品尝着美味的甜点。“你们怎么能让这些玩意儿结冰？金罗斯太太。”

“我们有冷冻设备，阁下。塞缪尔·莫特先生在拉特沟建起第一家冷冻工厂之后，我丈夫就看出它的优越性。以前我很想吃条鱼，可是这地方连根鱼刺也没有。现在我们可以直接从悉尼运来新鲜鱼，不必担心吃了死鱼会中毒。”

“这儿也有鱼。”李说。他虽然吃得津津有味，但是仍然不忘自己的吃相。对于一个十七岁的小伙子，做到这一点并不容易。

“没有，这儿没鱼。”茹贝说。

“我向你保证，妈妈，肯定有。是我今天到丛林里玩的时候亲眼看见的。在小河上游的一个深潭里。”他朝伊丽莎白很温柔地笑了笑。她为什么不能“解冻”，变得无拘无束呢？“你一定知道那一潭碧水，金罗斯太太。我是沿着一条小路找到那儿的。我想，那个地方，恐怕只有你去过。”

他可真聪明，有别人在场，我就不是伊丽莎白，而是金罗斯太太了。“是的，我知道那潭碧水，也知道那里面有鱼，李。不过，不管多么想吃鱼——事实上，那是以前的事儿了——我也不忍心抓它们吃。它们那么自由，那么快乐，无忧无虑。今天它们有没有跃出水面？”

他脸红了一下，看起来有点懊悔。“啊，没有。恐怕没有。我假装自己是条鱼，吓唬它们。”

我在她的盔甲上找到一条裂缝，他想。一条被中国人找到的裂缝。哦，好一个双关语[①]，李，虽然我并非刻意运用这样一种修辞手段。她嫉妒鱼。她觉得自己不自由，不快乐，不无忧无虑。这座房子和她的生活是无法逃脱的樊笼。可怜的伊丽莎白！不知道她多大年纪。女人们一旦穿上这种她们不得不穿的华贵的衣服，就很难看出多大。妈妈快四十岁了，伊丽莎白比她小。也许三十二三？“她走过来，一个美人儿，宛如星光闪烁的、无云的夜空。”拜伦怎么能知道澳大利亚的夜空呢？她令人难忘，因为她的超然和冷漠。但我不会喜欢她这样的人。我纳闷，亚历山大会吗？

男人们喝完葡萄酒，抽完雪茄，走进客厅。李看见伊丽莎白坐在一张椅子上，又拉过一张椅子放在旁边。茹贝不无感激地看了儿子一眼，在钢琴旁边坐下。

“你知道，”李压低嗓门儿对伊丽莎白说，“我母亲是个真正了不起的音乐家。我敢肯定，这座小城的人们之所以接受她，一方面因为她有钱，另一方面因为她音乐方面的天才。下索道车的时候，我听见别的客人都说，非常想听妈妈弹琴、唱歌。”

①前面所说的“裂缝”和后面所说的“中国人”在英语中都是chink，故有此说。Chink是对中国人的蔑称。

"我知道她很有天分。"伊丽莎白一本正经地说。

"非常抱歉，我今天贸然跑到你喜欢去的地方，"他说，"我向你保证，以后不会再去了。你那些鱼可以在水里自由自在地嬉戏。"

"无所谓，"她说，"我也不是每天都骑马，只是星期三和星期六。星期日，我去金罗斯教堂做礼拜。星期四，到饭店和你妈妈待上几个小时。如果你想去玩，星期一、星期二、星期四、星期五都可以去。我觉得你不是个去教堂的人，所以如果你愿意，星期日也可以去。"

"谢谢，不过我可以到别的地方。"

"为什么？其实那些鱼倘若有人打搅一下，对它们也有好处。"

有人打搅一下，对你会有好处，他想。你总是那么温文尔雅、彬彬有礼，不偏不倚。那潭水对你意味很多很多东西，伊丽莎白·金罗斯。但是你不可能、也不愿意让我看到那是些什么东西。

"我想见见你的孩子。"他说。

"如果明天中午你在家里吃饭，就能见到她们。星期日，我和孩子们总是跟你妈妈一起吃午饭。"

"你一直沉默不语。"茹贝对儿子说。母子俩在金罗斯府邸的花园里漫步，等索道车回来接他们。身穿晚礼服的女人，占的空间远比矿工或者穿晚礼服的男人大，所以他们先让索道车把她们送下去。

"我在想伊丽莎白。"

"是吗？想她什么？"

"她多大年纪？你知道，亚历山大从来没有和我提起过她。"

"到今年九月，伊丽莎白就二十四岁了。"

"你真会开玩笑！"他倒吸一口凉气说。"她结婚已经七年了！"

"是呀。亚历山大和她结婚的时候，她十六岁。他是从苏格兰娶的她，压根儿就没见过她。如果他从来没有跟你提起过她，那是因为他们俩的关系一直就不好。否则，他怎么还会找我呢？毫无疑问，在欧洲，还有别的女人给他抚慰，对吗？”

“哦，妈妈，这话你可说错了。在欧洲，他简直就是个苦行僧。”李咧开嘴笑了，“不过，这并不妨碍他雇最美妙的‘极乐鸟’教给我性的奥秘。”

“唔，他能这样做真是太好了，”她很真诚地说。“我一直为这事儿担心。淋病，梅毒，根本就不适合你的姑娘，用色相骗取钱财的女人。她们一定在普罗克特这样的学校周围转来转去，勾引那些没有经验却有钱的小伙子。”

“亚历山大也这样认为。他说，凡事要做出正确的判断。爱情主宰你一生，性却不能。”

“他说的很对。眼下，你有‘极乐鸟’吗？”

“哦，还是先前那个。我喜欢在女人怀抱里嬉戏，但不喜欢乱交。只有一个。我和她住在离普罗克特挺远的公寓里，免得让人说三道四。等我上了剑桥大学，就让她住在一套更大的公寓里。能经常请朋友们来玩玩。”李说，听起来很快活。

“你不在的时候，她会骗你。”

“不，她不会。她知道奶油该往面包哪面抹，妈妈。尤其那上面还要撒钻石呢！”

“你对伊丽莎白还有什么看法呢？”

“没有了，妈妈。”他含含糊糊地说。

他知道，妈妈看得出他说的是假话，但是他不想再和她分享自己的思想。伊丽莎白才二十三岁！简直是刚走出教室就走进婚姻的殿堂。这便可以回答他的许多疑问了。因为他认识许多十六岁的姑娘。有的是英国同学的妹妹或者表妹。不过，女孩儿就是女孩儿，不会因为民族、国家不同而有什么不同。这些姑娘大多数都不因贫穷和严格的宗教信仰而禁锢自己的思想，限制自己的行为。所以，她们总是哧哧地笑着，飞短流长，看到自己爱慕的小伙子就欣喜若狂，梦想浪漫的婚姻，尽管事实上，婚嫁之事都是父母包办。除了新郎是早已认识的熟人，她们都盼望他是某位达官贵人年轻英俊的儿子，而不是父亲的老朋友。她们还算走运，嫁给“年轻英俊的儿子”

比嫁给“老朋友”的人多。除了这些姑娘，李还认识罗克莱斯女子学院的姑娘。这所学校离普罗克特学校不远。两所学校安排孩子们一起举办舞会，还参加一年一度盛大的五月节舞会。大家都把这种交际称之为孩子们将来参加社交活动的预演。

他暗想，伊丽莎白从小到大一定不曾有过这样一种生存状态。本能告诉他，亚历山大对苏格兰金罗斯，对长老会牧师和伊丽莎白所属的德拉蒙德家族一定深恶痛绝。如果亚历山大说的是实话，金罗斯未婚的姑娘一定都大门不出二门不迈，被类似于深闺制度的信条锁闭着。伊丽莎白就是从这种锁闭状态走出来，嫁给一个比她大得多的男人。到去年四月，亚历山大已经三十九岁。正如礼服显示男人的身份，美丽对于她就像一件衣裳，向这个世界宣示，亚历山大认为她是哪个类型的女人。

她为什么不喜欢我？难道因为我是混血儿？不，不可能。如果伊丽莎白是个充满偏见的种族主义者，妈妈不会那么喜欢她。她们俩之间的“联盟”也是件奇怪的事情。她一定知道妈妈和亚历山大的关系。

“伊丽莎白知道你和亚历山大的事儿吗？”他问道。

“哦，知道。他极力想把我们分开，可是没有成功。我们俩也算是一见钟情，后来就成了非常好的朋友。”茹贝说。

又一个问题得到回答。但是奥妙似乎越来越多，事情的来龙去脉也越来越曲折。明天吃午饭的时候，当我点燃我的“炸药”，她们会说什么呢？我简直等不及了。

进入梦乡之前，朦胧中，李看到的最后一样东西仿佛是伊丽莎白的嘴，想到的最后一件事情是吻这张嘴会是怎样的感觉。

“真奇怪，昨天晚宴之前，内尔怎么没有回来，”茹贝说，拥抱着李。“孙怎么样？”

李也抱了抱妈妈，拉了拉衣服的硬领。“我必须穿着这套衣服吃午饭吗？今天可是星期日。”

“是的，必须。伊丽莎白今天到教堂做礼拜，她得戴帽子，穿漂亮衣服。你还没告诉我，孙怎么样呢！”

“当然很好。依我看，爸爸当富豪比他当北京的王爷更合适。见到我，他非常高兴。我想，他一定后悔当初没有得到抚养我的权利。”

“你还是个胖娃娃的时候，他哪里能预料到你有今天？”茹贝面带微笑说，“他的损失，我的收获。”

“我记得你说过，昨天晚上，内尔要参加晚宴，可她连面儿也没露，是不是有点怪呀？”

“可不是嘛。也许因为内尔相信达尔文的进化论，见了主教、牧师就会反驳上帝创造世界的说法。”

“她才六岁就信仰什么进化论？这可能吗？妈妈。”

“内尔是个天才、神童，我的儿子。她的兴趣主要在科学上，不过她也学习绘画、雕塑，钢琴和竖琴弹得特别好。等她的手长到能弹八度音阶的时候，就有人能和我比个高低了。我觉得她挺可爱，可是许多人都不喜欢她。”她脸上露出微笑，“她总是不断地发表些奇谈怪论，让人们听了目瞪口呆。这话听起来是不是有点耳熟？想想看，这当然是昨天晚上伊丽莎白不让她参加宴会的原因。内尔会一下子就抓住主教的本质，然后大讲特讲阴茎疲软时和勃起时的不同状态。她对解剖学极感兴趣，而且没多久就意识到，如果找对了听众，大谈某些部位会引起轰动效应。”

李哈哈大笑起来：“真是个小荡妇！我也喜欢她。”

“我知道伊丽莎白日子过得很苦，”茹贝说，“可是我非常担心，内尔将来的日子会更苦。”

“怎么会呢？她可是金罗斯家的人，妈妈。内尔是澳大利亚的贵族。”

“她是金罗斯家的人，可她是女人，李。一个偏偏对男人认为是他们专利的东西感兴趣的女人。她是个地地道道的才女！亚历山大当然为此而骄傲，可是他不能一辈子保护她不受别人的反对和错待。”

就这样，到教堂做完礼拜的几个人走进金罗斯饭店的时候，李十分好奇地看着内尔。他仿佛看见了亚历山大。假如剪掉头发，穿条短裤，站在面前的就是一个六岁的亚历山大。爱的波澜在李的胸中涌动。但是内尔会不会报以同样的爱，就要看他能不能通过她的“测试”。

但是，他首先必须问候伊丽莎白和安娜。安娜真是个漂亮的孩子，除了眼睛，别的地方和伊丽莎白一模一样。

“来见见李，安娜。”伊丽莎白说，怀里抱着安娜。“李——你会说李吗？”

“多莉。”安娜说，摇了摇手。

“我抱抱她好吗？”李问道。

“她会哭的。我不能让她哭哭啼啼。”伊丽莎白说，拒绝了李的好意。

“不，她不会。”李平静地说，从妈妈怀里抱过安娜。“瞧，她没哭吧。你好，安娜——”他在她脸上吻了又吻。这让她非常快乐。是不是从来没有人这样吻过她？“我是李，安娜。你能说‘李’吗？李——李——李。”

安娜转过身，搂着李的脖子，发现他那条辫子。“蛇！”她说，一把抓住那条辫子。

伊丽莎白目瞪口呆：“玉，我不知道她会说‘蛇’！”

“我也不知道，丽翠小姐。”玉茫无表情地说。

“不是蛇，是辫子。”李说。虽然安娜使劲揪着他的头发，但是他没有退缩。“我是李，李，李。”

“李，”安娜搂着他的脖子说，“李，李。”

大家听了又是惊讶，又是高兴，似乎还有点懊恼。

李心里想，她们怎么能把安娜交给玉呢？玉抱过安娜向厨房走去，在那儿将和山姆·文一起度过这段时光。

李、茹贝、伊丽莎白和内尔一起在茹贝的小餐厅坐下。内尔个子不够高，在椅子上面垫了一个靠枕。

“我爸爸做什么呢？李。”

“在德国和厄恩斯特·西门子、弗雷德里克·西门子一起考察电报系统如何运作。”

“哦，是的。西门子和哈尔克。”内尔说，皱了皱眉头。“我认为，叫 Wilhelm[①]的那个人是最有眼光的一个‘西门子’。”

“我完全同意你的看法，内尔。这位 Wilhelm 现在叫 William，住在英格兰。因为英格兰的专利法比德国健全多了。”

“他们连一个统一的国家也算不上，”内尔说，“当然只能这样。”

“你得给冯·俾斯麦[②]伯爵点时间，内尔。”

“他的教名叫奥托。”

“你挺自负。”李说，声音很温和。

“我才不自负呢！”

“不，你是挺自负。真正博学的人不会引用那些不必要的东西显示自己比不太有知识的兄弟姐妹强。你知道他的教名是奥托，碰巧我也知道他叫奥托，可是我就不会为了给听众留下印象，借机夸耀自己的学问。”

内尔像一株含羞草，被人一碰就合上叶子。她满脸通红，眼帘下垂，两片嘴唇像亚历山大一样，紧紧抿着。李的话对内尔的自尊无疑是沉重的打击。大家都沉默不语，伊丽莎白和茹贝不知道该说什么，该做什么，最后决定由他们去吧。茹贝之所以这样想，是因为她觉得教训一下内尔对她以后的成长有好处。伊丽莎白则因为有人做了她想做却做不到的事情——这个目中无人的小东西找到自己的位置——而激动。李高高兴兴吃着中式煎蛋卷儿，就像什么事情也没有发生。

伊丽莎白坐在小圆桌旁边，正好和李相对，不可能不看他。这样近距离的凝视，她心里有一种怪怪的亲密感。嘴的开合，面颊肌肉的运动，吞咽的动作，一切都简洁而完美。他突然抬起头，看着她那双眼睛。她断定，他从她的目光中捕捉到了她的思想。她没有脸红，但是有那么一刹，他仿

---

① Wilhelm 是 William（威廉）的德语形式，故有此说，以及下文的说法。

②冯·俾斯麦（1815—1898）：德国政治家，德意志帝国第一任首相，通过王朝战争击败法、奥，统一德意志，有“铁血宰相”之称。

佛看见一头受了惊吓的害羞的小动物。然后，心灵的闸门关闭，她开始津津有味地吃煎蛋卷儿。李却认为，那“津津有味”是装出来的。伊丽莎白，你平静的背后隐藏着什么？你刚才那样打量我的时候，心里在想什么？告诉我你那个隐秘的自我。

“你去英格兰念书的遗憾之一是，”茹贝说，“在金罗斯没有交下同龄的朋友。所以，恐怕你的十八岁生日只能由我和伊丽莎白这样一些让人厌烦的老太太给你过了。我们只能邀请教堂的牧师，当然市长一定会来。他就是孙。”

“我真的不需要搞什么生日宴会，妈妈。”

“谁也不需要什么生日宴会，但是这并不能改变我们一定要举行这样一个宴会的事实。”茹贝看起来就像个小顽童。“真可惜，你没把你的‘极乐鸟’带回来。”

伊丽莎白看起来迷惑不解：“‘极乐鸟’？”

“内尔，别瞎摆弄你盘子里的饭了，吃完就出去玩吧。”

内尔离开餐厅，临走时狠狠地盯了茹贝一眼。

“‘极乐鸟’，”内尔刚走出去，李就说，“是一个有魅力但没有什么贞洁的女人。我在英格兰就有这样一个女友。”

“天哪！你们康斯特万家的人这事儿可是开窍开得早！”伊丽莎白尖刻地说。

“我们康斯特万家的人至少不是干巴巴的连点水也没有！”李生气地说。

伊丽莎白铁青着脸站起身来。“我要回家了。”她一边往出走，一边喊玉。

李凝视着母亲，一条眉毛扬了扬。“我终于让‘冰川夫人’也发了一次火。”

“这是我的错，我不应该提这事儿。哦，李，我怎么总是适得其反！”茹贝大声说，“我一心想让这个可怜的女人从单调、无聊的生活中解脱出来！平常，她也发现我那些粗俗的玩笑很好玩儿，常常逗得她捧腹大笑。今天，她怎么会大发雷霆？”

“话从我嘴里说出来就不同了，妈妈。不知道因为什么，伊丽莎白不喜欢我。”他耸了耸肩，“不管怎么说，我不愿意让她说了贬你的话，还能轻轻松松一走了之。显然，没有人教过她，你攻击了人家，就要做好被人家攻击的准备。”

“哦，李，我真希望你能和她友好相处！”茹贝抓着他的胳膊，“我觉得我们应该道歉。”

李的一双眼睛变得冰一样冷。“我死也不会为这事儿道歉！”他恶狠狠地说，站起身，大步流星地走了出去。

第一道菜刚吃了一半，几个人就全都拂袖而去。茹贝坐在那儿，两手捧着脑袋，皱着眉头盯着眼前的盘子。

换上蓝斜纹布裤子和一件旧衬衫，李跑到停放火车头的车间。因为是星期日，车间里空无一人。他发现有一个拆卸开的火车头停放在那里。找到毛病之后，他把它重新安装好，借此排除心中的烦闷。过了好几个小时，他才想到，还没有引爆他的“炸药”。现在既然伊丽莎白已经和糟透了的康斯特万家断绝了“外交关系”，他怎样才能帮助亚历山大达到目的呢？

很难说伊丽莎白和内尔两个人谁更生气。一家人回金罗斯府邸的时候，谁也不说话，只有安娜一遍又一遍地喊那个高傲的小伙子的名字：“李！李！”打破仿佛暴风雨来临前的寂静。内尔不像妈妈那样内向，终于忍耐不住，大声嚷嚷着，让安娜闭嘴。这句话的感情色彩太浓了，小安娜听得懂它的意思，立刻号啕大哭起来。

哦，和金罗斯饭店这帮人搅和到一起，我纯粹是自讨苦吃，伊丽莎白心里想。茹贝一个人就够受了，不需要再加上她那个宝贝儿子，就像个淫荡的小丑。受了那么多教育，装模作样，好像有什么了不起，可是他最大的本事就是侮辱我。我估计他知道我不和亚历山大一起睡觉，但是他怎么能影射我“干巴巴的连点水也没有”？好像我已经彻底完蛋，束之高阁，难为人妻。只有他和他的“极乐鸟”才有快乐！

她还在失闷气，内尔小声问：“妈妈，我自负吗？”

“是呀！极端自负！你比你爸爸有过之无不及。而上帝知道他是个多么自负的人！”

安娜又号啕大哭起来。内尔在前面跑着，一阵风似的爬上楼梯，冲进自己的房间，当着蝴蝶的面，砰的一声关上房门。伊丽莎白也甩下玉和安娜，回到自己的房间，哭泣起来。不再流泪的时候，她又想起他站在深潭边巨石上的样子。她可怜巴巴地想，他把我的一潭碧水糟蹋了。我再也不去那儿了。

这天夜里，有两盏灯彻夜未灭。一盏在金罗斯饭店茹贝的卧室，另外一盏在金罗斯府邸伊丽莎白的卧室。两个女人都踱来踱去，难以成眠。李却因为干了一天活儿，睡得像死过去一样，伊丽莎白没有闯入梦境打搅他。他已经拿定主意，从现在起到回英格兰，绝对不见亚历山大的妻子。

早晨，他吻了吻妈妈，跟她道别，然后骑着马到丹利的丢伊家。丢伊一家早就想见他。茹贝随后也坐着马车来到丹利。她想在这儿举行宴会给李过生日。亨丽埃塔只比李大一点，还没有碰见过吸引她的男孩子。谁知道呢？茹贝暗自思忖，他们俩也许会看上对方。我想，丢伊夫妇肯定不会反对。

可是，就像当年亚历山大和索菲一样，亨丽埃塔被李深深地吸引，李却压根儿没有注意到她。

“唉，孩子们也不知道是怎么回事儿！”茹贝对康斯坦斯说。

“简而言之，他们和我们想的不一样，茹贝。不过我觉得，不是亨丽埃塔和李让你心烦，那么，是什么事儿惹你不高兴呢？”

“李和伊丽莎白闹得挺僵。他们俩都讨厌对方。”

“唔。”听了这个消息，康斯坦斯没有多说，只“唔”了这么一声。

可是，她开始在李的“水”里下“钓饵”。她兜着圈子问了李许多问题，然后解读李兜着圈子做出的回答，很快得出结论：他太喜欢伊丽莎白了。

康斯坦斯由此推论，伊丽莎白也太喜欢李了。康斯坦斯断定，因为他们都是有身份的体面人，完全无意识地制造了这么一场争吵，达到相互远离的目的。亚历山大，你很幸运，对这一切一无所知。

就这样，李回家度假的两个半月，在别的地方待的时间比在金罗斯待的时间还要长。茹贝非常快乐，陪伴着儿子穿梭于丹利和悉尼之间：出席各种聚会，到戏院看戏，到歌剧院看歌剧，参加舞会，招待会。年轻妇女都盼望他留在悉尼，或者邀请他到父亲的乡间别墅小住。有妈妈陪伴在身边，他肆无忌惮地打情骂俏。有那么六七个姑娘梦想他对她们感兴趣，但是他太聪明了，不会让自己落入“圈套”。年轻小伙子对他自然不那么欢迎，直到后来，有个家伙喝多了酒，请他到外面比个高低。李慨然应允，表现出普罗克特学校不只是一座徒有虚名的培养达官贵人子弟的贵族学校，关键时刻，它的学生也能用拳头保护自己的荣誉不受伤害。对手使坏的时候，李不仅能用拳头对付他们，还能用中国人的武术，把他们打得落花流水。从那以后，大家都认为他是个了不起的家伙，留着辫子……除此而外，人们还传言，因为亚历山大·金罗斯没有儿子，他将是金罗斯家族的主要继承人。

一切结束得那么突然。前些日子还前呼后拥，赞美之声不绝于耳，几天之后，就该启程回英格兰了。这就意味着，回金罗斯不可避免。那包“炸药”他还没有“引爆”。最后，他决定分两次“引爆”：先告诉妈妈，再找一个合适的机会和伊丽莎白单独谈。

“妈妈，亚历山大让我给你带来一个口信，”他深深地吸了一口气说，“他让你二月份，和伊丽莎白、内尔、安娜一起到英格兰。”

“李！”

“我知道这件事情完全出乎你的预料。可是如果你不去，亚历山大一定会生气。他想在他回来之前，领你们到大不列颠和欧洲旅游。”

“那当然好！”刚刚出现在脸上的快乐骤然消失，“可是伊丽莎白会怎么想呢？我们之间的友谊完蛋了，李。”

“胡扯！伊丽莎白恨的是我，不是你。再说，我很快就到剑桥大学读书去了。我会很忙，根本没时间掺和亚历山大的家务事。我只在乎你，妈妈。你有空就去看我。”

“伊丽莎白知道吗？”

“还不知道。我现在就去告诉她。”他一脸苦相，“尽量弥补我的过失吧。一旦意识到以后和我不会再有什么干系，我敢保证，她会为这个主意欣喜若狂的。”

他穿一套旧工作服去看她，手里拿着一顶捏扁了的帽子，站在门廊，问瑟蒂斯太太能否请金罗斯太太赏光到花园里见他一面。女管家凝视着他，眼神怪怪的，点点头，快步走去。李走到玫瑰花坛跟前。玫瑰刚刚修剪过，光秃秃的谈不上赏心悦目。

“这个海拔的高度玫瑰长得非常好——天气比较凉。”李说。伊丽莎白走过来的时候，一脸警惕。

“是的，很快就发芽了。澳大利亚的春天来得早。”

“和苏格兰金罗斯相比，这儿的冬天很短。”

“应该说，这地方根本就没有冬天。”

这个头开得可不好，他心里想，有点绝望，不能拿季节说事儿了。他朝她微微一笑，很清楚这微笑对于所有年龄段的女人都极具魅力。可是伊丽莎白似乎不为所动。天哪，怎样才能接近她？

“你最近怎么样？”他问道。

“很好。这段时间你和茹贝在金罗斯没怎么露面儿。”

“是我太自私了，从你身边抢走了妈妈。不过，她总在这儿待着，挺需要出去走走。”

“恐怕我们大家都需要。”

“包括你？”

“大概是吧。”

他乘虚而入。“要是这么说，我可给你带来个好消息。实际上是亚历山大给你捎的话。他想让你、内尔、安娜和我母亲二月份一起到英格兰，出去走走，休息一段时间。”

伊丽莎白一双眼睛闪烁着惊恐不安，李仿佛看见她踉踉跄跄撞到一面墙壁上，又撞到另一面墙壁上，尽管头破血流，弹起来又撞过去。可是，他走过去要扶她时，她连连后退，好像他要杀她。

“不，不，不，不！”她哭了起来，无声地叫喊着。

李不知所措，站在那儿凝视着她，就像凝视一个陌生人。“是因为我吗？”他问道，“是因为我吗？伊丽莎白。如果因为我，你就没必要担心了。我不会和你们待在一起。我要到剑桥大学读书。带着我的……我的‘极乐鸟’。你再也不会看到我了，我向你起誓！”他啜泣着说，觉得心都快碎了。'

她双手捂着脸，说：“我和你没有关系，什么关系也没有！”

他擦掉眼泪，向前跨了一步。“如果不是因为我，那是因为什么？因为什么？伊丽莎白。”

“不因为什么。”

“胡扯。当然有原因！告诉我，求求你。”

“你还是个孩子。对于我，你什么都不是，什么都不是！”她放下一双手，露出两只冷漠的眼睛。“没有你能理解的原因。告诉亚历山大，我不能去就得了。我不去，绝对不去！”

“好了，坐下，免得摔倒。”他鼓起前所未有的勇气，两只手抓着她的肩膀，硬让她在草地上坐下。哦，她那么瘦弱，弱不禁风！奇怪的是，她没有从他双手间挣开，而是向他倚靠过来，直到闻得见她身上散发的那股幽香——茉莉和栀子的清香，淡淡的，一点儿也不浓烈。他垂下手，弯腰盘腿在她身边坐下，但是离得不特别近。

“我知道，在你眼里我只是个孩子；我知道，对于你，我什么都不是。但是我已经长大，我也有一份男人的感觉。你一定要告诉我为什么。如果我知道其中的原委，就可以帮助你调整一下关系，也调整一下我自己的关系。是不是因为孩子的缘故？安娜身体不好，你怕到一个新地方太辛苦。”伊丽莎白没有答话，李连忙说：“我向你保证，这不是问题。亚历山大想让文家五姊妹和蝴蝶陪你们去。他已经包了轮船上的特等客舱。你们将在奢华中度过这一段愉快的旅程。亚历山大在莱茵公园租了一幢大房子。到伦敦之后，你们就住在那儿。这幢房子正对公园大门，景色宜人，有马厩，出租的马，马车。还有一个从仆役长到女仆的班子为你们提供服务。绝对豪华！”

她还是一言不发，只是直瞪瞪地看着他，就像看着一个并非陌生人的陌生人。怎么会是这样呢？

“那么，是因为我的母亲？我可以向你担保，亚历山大不会因为我妈妈的缘故，让你尴尬。她将以你最好的朋友的身份出现在你们碰到的人面前，是为了帮你照顾两个孩子才陪你的。伦敦不像悉尼，亚历山大发誓谨慎行事。所以，如果是因为妈妈的缘故，你尽管放心。”

他这样滔滔不绝地说着，急于找到能劝她出行的理由，但是伊丽莎白还是面不改色心不跳。

“我不想去！”她从牙缝里挤出几个字，好像她确实看透了他的心思。

“别傻了。你需要度度假，伊丽莎白。想想你要见到的人！女王年纪大了，身体欠佳，未必会见你。可是威尔士王子现在是上流社会的中心，亚历山大和他已经相当熟悉。”

沉默。李继续说：“你们将到湖泊地区[①]旅游，到康沃尔郡[②]和多塞特[③]。如果你愿意，还可以回苏格兰和金罗斯看一看。还要去巴黎、罗马、锡

①湖泊地区：英格兰西北部的一个风景区，包括坎布里亚山脉和大约 15 个湖。该地区之所以吸引大量游客是因为它与 19 世纪的湖畔派诗人如著名的华兹华斯、柯尔雷基和绍迪联系在一起。

②康沃尔郡：英格兰西南端的一个地区，位于一座由大西洋和英吉利海峡环绕的半岛上。此地的锡和铜在古希腊商人中很有名。

③多塞特：英格兰西南部地区，位于英吉利海峡之畔。盎格鲁-撒克逊王国之一韦塞克斯王国的一部分，被用作托马斯·哈代许多小说的背景。

耶纳[①]、威尼斯、佛罗伦萨[②]。看西班牙的城堡、巴尔干半岛萨拉森人[③]的要塞。坐着船在希腊诸岛间巡游。去卡普里[④]和索伦托[⑤]。去马耳他[⑥]和埃及。"

可她还是一言不发，就那样怪怪地凝视着他。

"如果你不愿意为亚历山大，就为我母亲做这件事情。"他说，"求求你，伊丽莎白，求求你！"

"哦，"她有点厌倦地说，"我知道，不去不行。只不过太出乎预料了。如果我不去，只能把事儿搞得更糟。我毕竟跑不掉。我有两个孩子。虽然一个希望生活中没有我，但是另外一个又离不开我。不管怎么说，我都得讨亚历山大的欢心。"

她和亚历山大的关系难道这么糟？他当然有我的母亲，可是伊丽莎白除了孩子，什么也没有。

"你不爱他？"李问道。

"有这个原因。"

"如果你需要朋友，我随时在你身边。"

她向后缩了一下，比海葵躲得还快。他看见她的目光、她的面颊都冰冷如霜。冰冷如霜。

"谢谢，"她没精打采地说，"可我不需要。"

---

①锡耶纳：意大利中西部一城市，位于佛罗伦萨南部，由伊特鲁里亚人建立，12世纪时获得自治，并逐步发展成为一座富饶的城市，特别因其在锡耶纳派艺术（13—14世纪）中的领导地位而闻名。

②佛罗伦萨：意大利中部一城市，位于比萨城东的阿尔诺河畔。最初为一片埃特鲁斯坎人的拓居地，后成为罗马的一个城镇，在意大利文艺复兴时期是一座在美第奇家族统治下的强大城邦，并涌现出了以乔托、米开朗基罗、莱昂纳多·达·芬奇、但丁和拉斐尔为代表的一批杰出艺术家。

③萨拉森人：古希腊后期和罗马帝国时期的一支阿拉伯游牧民族。

④卡普里：意大利南部一岛屿，位于那不勒斯湾的南部边界。自古罗马时代以来就是一个度假胜地，以其蓝色洞穴——该岛高而陡峭的海岸上的一处风景优美的洞穴而闻名。

⑤索伦托：意大利南部的一个城镇，位于索伦托半岛，把那不勒斯湾与萨勒诺湾分开，该城是一个深受欢迎的旅游中心和避暑胜地。

⑥马耳他：地中海的岛国。

他站起身，向她伸出一双手。她没有理会，自己从草地上站了起来。

“我现在好了。”她说。

“这是不是意味着你至少已经原谅了我的无礼？”

“冰霜”骤然融化，她微笑着，明亮的目光充满真诚：“本来就没什么可原谅的，李。”

“我送你回家好吗？”

“不必，我想自己回去。”

她转身离开花园。

我将把这微笑永远记在心间。

他三言两语把这件事情的结果告诉了妈妈。“伊丽莎白说，她二月份和你一起走。听了这个消息，她并没有多么高兴。我觉得，亚历山大不和她在一起的时候，她更快活。”

茹贝皱着眉头，凝视着儿子，有点迷惑不解。这种变化是什么时候发生的？肯定不是今天下午，而是自从李回来之后的某个时刻，他从一个小伙子长成大人。只是今天之前，她没有注意到罢了。

意识到妈妈看出他身上发生了某种变化，李连忙走了出去，忘记告诉她，在这次旅行中，她的角色只能是伊丽莎白最好的朋友。等他再看到她的时候，更把这件事情忘到九霄云外。

这天晚上铺床准备睡觉的时候，茹贝突然想到，亚历山大很难同时做两件不相容的事而双收其利。在新南威尔士，他们俩的事儿早已是尽人皆知的“旧闻”，谁也不会再做什么评论。可是到了伦敦又会怎么样呢？亚历山大周旋于上流社会，不能也不应该维持这样一种局面——同时带着老婆和情妇出入各种社交场合，让伊丽莎白蒙羞受辱，永远处于尴尬之中。不，绝对不能！让伊丽莎白自己去吧。这样做最好。亚历山大和我是一对大孩子，我们不会停下来去想这些事情。

可是，怎样才能让她没有我的陪伴自己就去呢？如果我不去，她一步也不会离开金罗斯。所以，我得让茉莉和桃花和我合谋才能办成这事儿。

是的，为什么要让她们失去这次旅游的机会呢？她的另外三个姐妹都去。我可以让她们给亚历山大捎封信，他会理解我的良苦用心。

我可以假装上船之后，因为晕船不等船离开停泊地，就先到下面的舱房，让茉莉和桃花锁上门，任何人，包括伊丽莎白，都不能进去。我会找到船上的医生，让他替我保密，我相信，多给他两百英镑，肯定能办成。等茉莉和桃花把信交给伊丽莎白，她再想回头也晚了。那时候，木已成舟，船也许已经到了印度洋。

孙和我留在金罗斯，跟查尔斯一起管理天启公司。我已经见到我的玉猫，和他一起度过了一个美妙的冬天——他少年时代的最后一个冬天。下次再见面，我今天看到的这个小伙子，将是一个堂堂男子汉。只是，如果亚历山大一直让他留在英格兰，我该怎么办？

第八章 信

最亲爱的伊丽莎白：

如果一切按计划进行，此时此刻，你站在船头，锡兰[①]经遥遥在望。我让茉莉把这封信交给你。或许，你以为，你可以从科伦坡再坐一条船回来，但是，我要告诉你，到科伦坡已经走了一半的路程。所以我劝你，还是继续往前走。

去年七月底，李把亚历山大捎来的话告诉我们、然后就扬长而去之后，我终于“长大”了。亚历山大总说，他最喜欢的就是我的“孩子气”。我知道他是什么意思。我心里总是不搁事儿，喜欢开玩笑，恶作剧，经历过那么多事儿——好事儿、坏事儿——

①锡兰：印度以南一岛国，现在的斯里兰卡，首都为科伦坡。

还是“痴心不改”，总是轻易否定别人的意见，认为人家说的都不重要。如果我是个出身高贵的女人，也许情况就不同，但是我生来一无所有，也就不怕失去什么。事实上，我也没有听到过什么好意见。他们那些“好意见”又有什么用呢？所以我一直和亚历山大肆无忌惮地招摇过市，在悉尼也不例外。当然，我一直认为我有权利优先得到他的爱。他娶你之后，又回到我的身边，我觉得理所当然。我不是一个讲道德的人，真的不是。

李告诉我们这个消息之后，我只想着又能和他见面是一件多么美好的事情。我觉得，亚历山大之所以叫我们去，是因为他近期不可能回金罗斯。我一心想着躺在他怀抱里。哦，好一幅温馨美好的图画！我知道你不会反对，因为有了我，就可以减轻你的负担。

后来，我突然想到，也许他想带着情妇和妻子坐在同一辆敞篷马车里招摇过市，让自己觉得比本杰明·迪斯雷利[①]还了不起。可是，绝对不能这样做。这样的丑闻很快就会轰动伦敦。

对于我来说，什么丑闻不丑闻，无所谓。可是对于你，那是可怕的灾难！我知道亚历山大心里是怎么想的，他想让我们俩作为最好的朋友出现在别人面前，把我们之间真正的关系隐瞒过去。可是，从悉尼到英格兰，特别是到伦敦的人川流不息，用不了多久，事实真相就会尽人皆知，亚历山大可不是威尔士王子！

这就是我为什么要留在家里的原因，亲爱的。你出头露面的时候到了，抓住机会，当作我的馈赠。你知道，麻烦在于，我们三个人都是小城镇的产物，现在也依然生活在小城镇。由于天启

①本杰明·迪斯雷利（1804—1881）：英国政治家，曾任首相（1868和1874—1880），为扩大英帝国的权力和范围起了很大的推动作用。

公司的黄金，我们可以在这里随心所欲，过我们想过的日子。在悉尼，也许还过得去，可是在伦敦，寸步难行。

高兴起来，伊丽莎白，四处走走看看，自己找乐子，让亚历山大见鬼去吧。请替我问候李。为了我，尽量和他相处得好一点。

深爱你的茹贝

一八八三年一月，金罗斯

哦，茹贝！

我从科伦坡给你写这封信，因为有一个邮袋要寄往悉尼。三四个星期之后，你就可以收到了。如果我决定返回去的话，那时便可以与你相见。

你可真有能耐！马克罕姆医生、茉莉、桃花把我瞒得严严实实。我一直以为你在甲板下面的船舱里受苦受难。因为我还清清楚楚记得，我离开老家坐奥罗拉号来新南威尔士和亚历山大结婚的路上，沃特森太太因为晕船遭了多少罪。穿过澳大利亚海湾时，我有点儿晕，不过，我真是个相当不错的“水手”，很快就什么事儿也没有了。内尔、安娜和我一样，也没问题。几个中国姑娘都晕船，不过印度洋就像一个大水池，船过佩思之后，她们就都恢复正常了。

不知道是不是因为船不停地移动，给了安娜某种启示，她开始学习走路。她跌跌撞撞、踉踉跄跄，但是一旦明白腿的用处，只要醒着，她就到处乱走。她已经不再显得肥胖，而是越来越苗条，身材越来越好看。她最喜欢说的还是“李！”边说边叫。会说的词也越来越多——船、岸、绳、烟、人。现在，在科伦坡，她开始学两个音节的词，比如：水手、海港、女人。

非常感谢你为我想得那么周全。但是上船之后，李一直对我说，你认为我们俩完全可以像最好的朋友那样出现在人们面前。现在，等他知道你压根儿就没在船上，他又会说些什么？一想到这一点，我就两腿发软。茉莉转告我，你还给亚历山大写了一封信，等我们到了英格兰就交给他。

最亲爱的茹贝，我完全理解你这样做的初衷，万分感激你为我做出的牺牲。对李，我将给予应有的尊敬，我向你保证。

深爱你的伊丽莎白

一八八三年三月，锡兰

我的宝贝儿，让人扫兴的家伙：

谁都不会知道我们的底细！假如伊丽莎白不是一个非常漂亮的女人，人们或许会胡乱猜疑。可是，倘若我身边有个可以介绍给任何一位达官贵人的妻子，即使有人发现你我的关系，又能怎么样呢？什么都不会得到证实，因此也不会有人对我们实施报复。事实上，这种事情在这儿的上流社会相当普遍——妻子和情妇同时出现在同一个社交场合。当然，我得承认，他们的情妇都是别人的老婆，没有一个是你这样执著爱我的未婚的老姑娘。

现在说什么也没用了。我会尽职尽责，陪伴美丽的妻子到处走走，身边没有她最好的朋友。

想念你，爱你，亚历山大

一八八三年四月，伦敦

最亲爱的茹贝：

最不同寻常的事情发生了！你对这件事情一定有所预感，所以选择了留在家里，因为如果你来，如果你的真实身份透露出去，就什么事情也不会发生了。你看，亚历山大全然没有想到会有这事儿。

我现在是金罗斯夫人了！亚历山大被封为第二级爵士，获蓟花勋章，这就意味着，他的地位已经超过亨利·帕克斯和约翰·罗伯逊，与圣迈克尔勋爵、圣乔治勋爵同属一列。维多利亚女王亲自主持仪式为他封爵。亚历山大自然又为我买了一套珠宝。因为参加这样的仪式必须穿白色礼服，头上插一根白鸵鸟羽毛。我觉得自己就像一匹打扮俗丽的白马，拉着灰姑娘的马车去参加舞会。我估计，亚历山大之所以被封为第二级爵士，因为他是苏格兰人，妻子也是苏格兰人。老女王喜欢苏格兰人，尽管有传言说，她爱一位苏格兰人，胜过爱我们所有其他人。

伦敦使人畏缩又使人迷恋。亚历山大给我们租的房子既宽敞又漂亮，里面的摆设和金罗斯府邸以前的摆设差不多——丝绒台布、锦缎帷幔、描金镶银的家具、水晶枝形吊灯，还有电话，你能想象到吗？两个女儿都有自己的房间，亚历山大给内尔雇了一个辅导老师，这个人是某位大教堂教士的第几代子孙，不得而知。内尔不喜欢他，但是承认他很有学问。安娜现在可以走挺长一段路了，不过玉还是随身带了一个叫作“小推车”的玩意儿——四个轮子、帆布车篷、两个把手。我们不得不在小推车里势些褥垫之类的东西，因为安娜还尿裤子，不过她已经好长时间没有把自己搞得一塌糊涂了。

关于安娜的病情，伦敦最著名的神经病理学家，包括休林斯·杰克逊先生和威廉·高尔先生，都来做过全面检查。用杰克逊先生的话说，没有找到造成她痴呆的“病灶”——这是他使用的医学术语。由此可见，我估计她的整个脑子都受到了影响。可是，她掌握了很少一点词汇、而且开始学习走路的事实告诉杰克逊先生和高尔先生，最终的结果可能是，她的头脑非常简单，智力水平和白痴不相上下。最糟糕的是，高尔先生（此人更好接近）说，她的身体将像正常人一样发育。她会有月经、乳房，简而言之，女人该有的都会有。他们都说，她的病和遗传无关，是出生时造成的。

但是我没有对亚历山大说实话。他那么忙，让我一个人带着孩子看医生。高尔先生对我说，他认为如果我第三次妊娠，不会再出现惊厥——他们的语言多么专业！他那些令人惊讶的仪表测了我的血液、心脏、血液循环和天知道别的什么。检查结果表明，我的健康已经恢复得相当不错。他认为，严格地限制日常饮食，多吃水果、蔬菜和黑面包，少吃黄油，我的浮肿就会减轻。但是，我不能把这一切告诉亚历山大。

我不是不想再要孩子，茹贝，而是实在不想再尽妻子的责任。如果他知道了高尔先生的意见，一定会强迫我再回到先前那种生活。倘若那样，我会发疯的。

求求你，不要把这个秘密说出去！我不得不告诉什么人，而除了你没有别人可以倾听我的心声。

深深的爱，伊丽莎白

一八八三年十一月，伦敦

亲爱的伊丽莎白：

我会守口如瓶。不管怎么说，你这样做，我占了便宜，你说呢？另外，爱德华·韦勒爵士当年也说过，你再生孩子不会出现惊厥，可结果还不是差点要了你的命！他们说得轻巧，因为他们都是男人，孩子不用他们生。

你在信中没有提李。你看见我的玉猫了吗？他现在更像一只公猫！但是在我眼里，他永远是我的小玉猫。

深爱你的茹贝

一八八四年一月，金罗斯

亲爱的漂亮妈妈：

亚历山大·金罗斯爵士（哦，真是出人意料！）捐赠剑桥大学一座冶金学实验室。校方自然非常高兴。从利物浦大街到剑桥有一趟火车，他经常坐车来看我。如果星期六纽马克特[1]有赛马，他就接我去看。我们主要是为了看骏马驰骋的英姿，而不是为了赌博，尽管如果我们去赌，大多数时候会赢。

金罗斯夫人来看望过我。因为我没法在公寓里招待她，就请她到学校公共休息室用茶。她在那儿见到了我所有的同学。你如果在场，一定会为她骄傲。反正我很以她为荣。她穿一条淡紫色缎子长裙，戴一顶漂亮的小帽，帽檐上插着羽毛，戴一副小山羊皮手套，穿一双十分精巧的皮靴。由于我的“极乐鸟”卡罗塔的缘故，我对女人的时尚也称得上一个“鉴赏家”。卡罗塔在典雅时髦的女装营业室表现出来的趣味比西班牙伯爵夫人还高雅。

我觉得伊丽莎白从往日的痛苦中解脱了一点，她对我的同学们微笑着，谈话的时候不时闪烁出智慧的火花。她离开的时候，大家都爱上了她。于是一首又一首拙劣的诗歌，甚至更糟糕的钢琴奏鸣曲应运而生。校园里开满了黄水仙花，我们便带着她去散步，然后依依不舍地把她送上马车。

我将以优异的成绩结束剑桥大学第二年的学习生活。我爱你，

①纽马克特：英国英格兰东南部城镇，著名的赛马中心。

非常想念你，但我理解你为什么要留在金罗斯。你真是一个奇人，妈妈。

永远爱你的玉猫　李

一八八四年四月，剑桥

亲爱的亚历山大、伊丽莎白：

不知道这封信你们在哪儿才能收到——现在你们在意大利旅游，我相信，意大利的邮政很不可靠。这些小国家都不行，就像德国，正在为统一而打仗。但愿你们不要卷入革命或者别的什么事变。

向你们报告一个坏消息。一个星期前，查尔斯·丢伊在家里去世，已经埋葬了。康斯坦斯说，他死得非常突然，没有痛苦。正喝着威士忌，心脏就停止了跳动。他就这样死了，嘴里留着他最喜欢的酒香，脸上一副幸福、安详的表情。我的心里特别难过，此刻，给你们写信的时候，泪水又迷住眼睛。他是个“乐天派”，生活给予他那么多快乐。如果天堂像牧师们描绘的那个样子，他的厌倦一定无法用语言表达。康斯坦斯也一样，她的神情怪怪的，一直念叨他的络腮胡子。

我们金罗斯蚊蝇成灾，大概和污水处理厂有关系。亚历山大，你有空的时候，应该过问一下这件事情。孙和波对于如何处理粪便一窍不通。波倒是从悉尼请来几位专家，不过，我根本就不认为这几位专家比他懂得多。波，想起他是谁了吗？大概早忘了。

我的玉猫很出色，对吧？他说，一旦拿到学位，他就不会再回家——他说，他要到爱丁堡读博士学位。我想念你们大家。

深深的爱，茹贝

一八八四年六月，金罗斯

亲爱的茹贝姨妈：

我又和我的辅导老师法尔德斯先生闹翻了。他又向爸爸告我的状。这回的罪名是：对自己的行为举止、风度仪表、社交礼仪、宗教信仰毫无兴趣；想学微积分学，故意证明他算错了题，我算对了，并且自鸣得意，弄翻了墨水瓶，嘲笑他居然相信上帝在七天之内创造了世界。哦，他可真是个讨厌的家伙，茹贝姨妈。

他气得暴跳如雷，一只手揪着我的耳朵，一直把我揪到爸爸的书房，历数我的“罪行”。批判完我之后，就给爸爸上了一堂“大课”，大谈特谈试图把女孩培养成男人的竞争对手，纯属妄想。他说，上帝不允许这种事情发生。爸爸非常严肃地听着，然后问他，可不可以先松开我的耳朵。法尔德斯先生盛怒之下全然忘记还揪着我的耳朵，连忙松开。爸爸问我，有什么为我自个儿辩护的话要说。法尔德斯先生听了觉得对他是个侮辱。我对爸爸说，我的数学和机械学学得和任何一个男孩一样好。我的希腊语、拉丁文、法语、意大利语比法尔德斯先生还好。而且我完全有资格对拿破仑·波拿巴做出自己的判断，即使人们对他的赞美之词远远超过对傻乎乎的老威灵顿[①]的赞美。威灵顿如果没有普鲁士军队的支持，不可能赢得滑铁卢战役的胜利。而且不管怎么说，作为首相，他也业绩平平。在法尔德斯先生的教科书里，英国人永远没错儿，而世界其他各国永远不对，特别是法国和美国。

爸爸听完之后，叹了一口气，让我先出去。我不知道他和法尔德斯先生谈了些什么，不过我猜一定对我有利，因为从那以后，法尔德斯先生不再想把我“变成”女孩儿。我本指望爸爸能打发他回家，再给我找一个像斯蒂芬斯先生一样的好老师，可是他没有。

---

①威灵顿（1769—1852）：英国陆军元帅、首相（1828—1830），以在滑铁卢战役（1815）中指挥英、普联军击败拿破仑而闻名，有“铁公爵”之称，曾反对《改革法案》，镇压1848年宪章运动。

后来他对我说，以后在生活的道路上，我将遇到许多像法尔德斯先生这样的人，所以我现在就应该养成应付这些人的习惯。哈哈！我就开始报复。我用蜜糖弄脏了他的床单。他气得要命，第一次用笞杖打了我。茹贝姨妈，我可以告诉你，那玩意儿打得很疼，可我只是朝他噘着上嘴唇，连眉头都没有皱一下。我忍不住想骂他“去你的！”可是想到连爸爸也不知道我会说这种脏话，话到嘴边还是没有骂出口。我要把这句话留着，等到他辅导的最后一天再骂他。茹贝姨妈，我真想现在就看见他听到这话时脸上的表情。你说他会不会气得中风而死呢？

我真想回金罗斯，和斯蒂芬斯先生，和我的小马待在一起。真的！不过，妈妈的朋友高尔先生带我到博物馆看了解剖学标本展览。可以说，这是我长这么大看到的最好的展览。一个又一个架子上摆满了玻璃罐子。罐子里装着各种器官、截下来的上肢和下肢、大小不同的胎儿、大脑，甚至还有一个双头婴儿、一对连体婴儿。如果允许，我一定搬张床在这儿住上一年，好好研究这些标本。不过，爸爸发现我对岩石、电力同样感兴趣的时候，更是高兴。他嘟嘟囔囔，觉得那些人体解剖学的标本恶心。

他和李利用李的暑假去考察先进的污水处理系统。所以，我们金罗斯用不了多久也会有一座新的污水处理工厂。别忘了让张喂我的小白鼠，好吗？我喜欢老鼠，那些快乐、聪明的小家伙。我也喜欢你，茹贝姨妈。

你的好朋友内尔

一八八四年十一月，伦敦

最亲爱的茹贝：

我们终于要回家了，入秋就动身。我真高兴！亚历山大决定和我们同船回去。这得归功于你那封关于波和金罗斯污水成灾的

信。我同意你的说法，

“波”是个极好的双关语[①]。意大利北部有一条河，就叫波——一条非常漂亮的河，水流湍急，水面很宽，离我见过的最宁静、最美丽的地方——意大利湖泊区不远。在欧洲所有的国家里，包括英国，我最喜欢意大利。意大利人对生活的态度积极乐观，尽管他们也很穷。他们唱啊，唱啊，唱啊。威尔士人也这样，但是不像他们那样爽朗。

当金罗斯爵士夫人的感觉怪怪的。不过，亚历山大沉迷于身为爵士的快乐之中。我当然非常理解他的心情。这个封号让他在苏格兰金罗斯人面前扬眉吐气。遗憾的是，女王封他为勋爵之时，默里牧师和我的父亲早已撒手人寰。因此，亚历山大现在特别希望人死以后还有鬼魂。倘若那样，他们俩就能知道，现在他已经贵为勋爵，而且一定会为这事儿气个半死。但是我相信，亚历山大崇高的荣誉和巨大的财富都无法改变默里牧师和我父亲对他的看法。这辈子不能，下辈子也够呛。他们会轻蔑地哼着鼻子说，什么都无法改变亚历山大是个私生子的事实，就像原罪[②]无法铲除一样。

我没有回苏格兰金罗斯。哦，茹贝，一想起穿着华丽的法国时装、戴着昂贵的珠宝首饰，走进那座小城，我就感到恐惧。我觉得“衣锦还乡”其实是一种很卑劣的做法。也许我一副傻乎乎的样子，但很卑劣，对吗？我永远不会干这种事儿。不过亚历山大最近带我去了一趟爱丁堡，因为十月份李要去那儿读博士学位。

①“波”在前面茹贝写给亚历山大和伊丽莎白的信中指负责金罗斯污水处理工程的工程师波，在这封信里既指这位工程师，又指波河——意大利北部一河流，流程约652公里（405英里），大致向东流人亚得里亚海。波河流域是一个主要的工业和农业区——故有一语双关之说。

②原罪：根据基督教理论，源于亚当初尝禁果而使全人类戴罪的情境。

在爱丁堡，我见到住在王子大街的姐姐琼——罗伯特·蒙哥马利太太。我永远不会忘记当年阿拉斯泰尔和玛丽送我到爱丁堡坐去伦敦的火车时，她对他们的态度多么恶劣。是的，我原谅了她，但是并不能因此而改变一切。于是，我请求亚历山大邀请阿拉斯泰尔和玛丽来爱丁堡小住几天，见上一面。亚历山大安排他们住在豪华的旅馆。可是茹贝，他们俩就像离开水的鱼，缩手缩脚，战战兢兢，生怕失礼。这简直是罪过！我们为什么要把慈悲为怀的精神建立在这种罪过的基础之上呢？尽管从他们的角度看，贵为爵士夫人的妹妹也算是在琼面前为他们出了一口气。亚历山大说，琼的丈夫特别喜欢年轻男人，这事爱丁堡几乎无人不晓。可怜的琼，难怪她一直没有孩子。她喝酒太多，待人冷淡。

内尔已经九岁，安娜八岁。内尔和她的辅导老师矛盾不断。事实上，那位先生不但管不了她，而且也教不了她。她的水平已经超过了他。安娜学会四个动词："需要""想""玩"、"走了"。

几个中国姑娘在这儿玩得非常开心，简直就像度假。在伦敦的时候，她们经常去塔梭滋夫人名人蜡像陈列馆或者动物园玩。

很遗憾，不能经常见到李。他总是忙得焦头烂额。他以最优异的成绩毕业。听到这个消息，你一定高兴得要命。李真是个非常聪明、非常迷人的小伙子。人们给他取了个绰号——"王子"。他在普罗克特的同学中有不少人要到剑桥大学读书，这便可以确保他将来在剑桥人心目中的地位。

我当然还要给你写信，但是我迫不及待要把回家的消息告诉你。

深深的爱，伊丽莎白

一八八五年四月，伦敦

第二部

一八八八至一八九三

第一章 两个含苞待放的姑娘

一八八八年新年，内尔满十二岁，没多久便开始来月经。她的身材像父亲，又细又高，再加上乳房没有长大，无形之中，内尔忽略了自己已经开始成熟的事实。可是月经就无法忽略，特别是有伊丽莎白这样一个喜欢唠叨的母亲。

“你不能再满世界疯跑了，内尔。”伊丽莎白说，极力回想自个儿来月经时，玛丽对她说的那些话。“从现在起，你要规规矩矩，像个女孩儿的样子，不要再到矿井和工厂玩，也不要和男人打打闹闹。从地板上捡东西的时候，要双腿并拢，蹲下来捡。坐有坐样儿，不管什么时候，也不要分开双腿，或者乱踢乱动。”

“你都说些什么呀，妈妈！”

“良好的行为举止，内尔。别这样看我。”

“听起来怎么都是废话！我坐的时候不能分开双腿？不能乱踢乱动？”

“是的。你如果不注意，内裤会弄脏的。”

“只有来月经的时候才应该这样。”内尔表示反对。

“可你不知道什么时候来呀。刚来的时候，没有什么规律。很遗憾，内尔，你疯玩的时候已经过去了，”伊丽莎白用讽刺的口吻说，“你还可以穿两年短裙子，但是你的行为举止一定要像个大家闺秀。”

“我才不信呢！”内尔叫喊着，不无夸张地喘着粗气。“你想把我从爸爸的生活中分离出来！我是他的儿子！”

“你是他的女儿，不是他的儿子。”

内尔凝视着妈妈，目光中现出惊恐。“妈妈！你……你告诉他这事儿了吗？”

“告诉了。我当然得告诉他。”伊丽莎白说，做出一副以守为攻的样子。“坐下，内尔，请你坐下。”

“我不坐！”

“安娜还是个婴儿的时候，”伊丽莎白说，只得自己开口解释，“我很少去照料她，没有尽到母亲的责任，以为她只是发育缓慢，做梦也没想到会是智障。是你让爸爸去看她到底怎么回事儿，才发现她是智障。为这事儿，他和我闹得很不愉快。”

“活该！”内尔恶狠狠地说。

“是的，我是活该。所以从那以后，你和安娜身上无论出现什么问题，我都及时告诉他。”

“啊，你真是个讨厌的女人！”

“哦，内尔，你应该通情达理！”

“你才不通情达理呢！你是想毁了我的生活，妈妈！想让我和爸爸分开！”

“你这话既不公平，又不是事实。”伊丽莎白气愤地说。

“滚开，妈妈！滚开！”内尔叫喊着。

“注意你的行为和你那张嘴，艾琳娜。”

“哦，我现在是艾琳娜了，是吗？我不做什么艾琳娜。我叫内尔！”

内尔一阵风似的冲出去，把自己关在卧室里号啕大哭。

伊丽莎白浑身无力，不知所措。我可没想到内尔会这样。当年，玛丽告诉我月经的事儿时，我也像内尔这么不可理喻吗？没有。我只是默默地听着，从那天起就一直按她说的办。是不是她的态度比我刚才好，或者她说话更圆滑、更有技巧？也不是。我只记得自己当时觉得，似乎从那时候起，我就被一个秘密社会群体所接纳，而且特别珍视自己作为这个群体一员的身份。为什么我明知道她和我的性格、观念截然不同，却以为她会在这件事情上做出和我相同的反响？也许因为我想通过这个女人之间共同的话题，和她成为朋友，没成想适得其反，惹得她一肚子不高兴。是不是内尔意识到，从现在起，她已经成了男人追逐的目标？每次走到有许多男人的地方，都会冒引起他们注意的危险，而这种危险是一个孩子做梦也不曾想到的。

尽管亚历山大没有对她提过这事儿，但是内尔太聪明了，不可能看不到爸爸对她的态度一天天地变化。连他看她的目光都和以前不同。目光中掺杂着敬畏和忧伤，燃烧着难言的尴尬，仿佛她突然间变成一个他不了解的、无法信任的人。内尔从来都不尊敬妇女，所以特别讨厌造物主以这样一种方式提醒她，自己就是个女人。而爸爸现在拿她当陌生人看，更让她难过。那么，好吧！如果爸爸拿她当陌生人看，他也就成了她眼里的陌生人。于是，内尔有意识地远离他。

幸亏亚历山大明白内尔为什么躲着他，所以还对付得了这个小丫头。

“你认为我想把你变成一个一本正经、举止端庄的大小姐吗？内尔。”他问，坐在书房里他最喜欢的那张休闲椅里。内尔坐在爸爸对面，两腿紧紧并着，生怕经血把内裤弄脏。

“还有别的选择吗？爸爸。我可不是男孩子。”

“我从来没有想过你是男孩儿。如果过去几个星期我有点儿疏远你的话，你一定要原谅我。我只是突然意识到，时间过得太快了！我的小朋友长大了，我老了。”他说。

“老了？你老了？爸爸，”她气愤地说，“你怎么会老呢？只不过我们的快乐时光一去不复返了。妈妈不让我和你一起下矿井，到工厂，什么也不让！我不能再像假小子一样为所欲为了。我想和你去，爸爸，和你！”

“没问题，内尔。不过，你妈妈要我给你一段时间，慢慢适应这种变化。”

“她会的！”内尔恶狠狠地说。

“不要忘记，她从小都被管束得非常严格。”亚历山大说。其实，他心里和内尔一样生伊丽莎白的气。她怎么敢吓唬这个最可爱的孩子，让她离开他呢？“在她看来，你一旦长大成人，就得变成一个真正意义上的淑女。当妈的总把自己的女儿看作男人眼里的猎物。我却认为，只要女孩儿自己不招蜂引蝶，就平安无事。我看不出你的行为举止有什么不妥之处，内尔，”他微笑着说，“我不愿意失去最好的朋友——你。”

“这么说，我还可以和你一起下矿井，到工厂？”

“你要是不信，就试试看，看谁能阻止我带你去！”

“啊，爸爸，我爱你！”她叫喊着，扑到爸爸怀里，两条胳膊搂着他的脖子。

伊丽莎白也给亚历山大“上了一课”，告诉他，内尔已经是个大姑娘了，从现在起，不能让她还像个小孩儿似的坐在他腿上。但是，他觉得，自己紧紧抱在怀里的女儿，依然是个孩子。他心里想，伊丽莎白错了。为什么她从小接受的那种教育总把人想得那么坏？难道我仅仅因为她已经长大，就会对自己的亲骨肉产生淫欲、邪念吗？真是滑天下之大稽！如果我再收回已经给予她的钟爱之情，那就太不像话了。难道伊丽莎白真的认为，有男人敢掠夺亚历山大·金罗斯爵士宝贝女儿的贞操吗？即使内尔是茹贝——她永远不会——也没有一个男人敢向她主动示爱。有我的名望和权力保护她。

一旦内尔重新进入父亲的生活，月经初潮引起的这场风波造成的唯一“影响深远”的后果就是，亚历山大和伊丽莎白之间的裂痕越来越宽。伊丽莎白不同意、也不可能同意亚历山大还像先前那样对待女儿。伊丽莎白对于礼节、习俗的观念告诉她，这次她是对的，亚历山大是错的。唯一的安慰是，内尔还是先前那副不修边幅的样子。迄今为止，最给她增光添彩的就是她那满头又浓又密的黑发。她的两条眉毛也同样又浓又黑，尖尖的眉梢宛如两把剑。像亚历山大一样的薄嘴唇上，长着一个大鼻子。颧骨高耸，两腮塌陷，一双湛蓝的眼睛从深深的眼眶望过去，目光坚定，略带讥讽。事实上，内尔身上有一种异乎寻常的气度——为了自己的信仰，上火刑柱也在所不辞。可是，对于一位大家闺秀来说，这副样子可不怎么招人喜欢。

在教室里，总是她说了算。在伦敦和法尔德斯先生相处的日子使她学会对老师没有必要唯唯诺诺、言听计从。因为这样做只能让人家看不起你。她宁愿被笞杖打，被老师揪着耳朵拖到爸爸面前，也不愿意卑躬屈膝，做出一副可怜相；不论受到怎样的惩罚，她也要翘着鼻子，挺着胸膛。唯一可以让她屈服的惩罚就是中止学业，代之以更适合女孩子的女红、烹饪之类的东西。而父亲绝对不会用这样的方式惩罚她。

因为没有儿子，亚历山大便把全部希望都寄托到内尔身上。内尔非常崇拜父亲，不忍心告诉他，自己真正的理想是当医生。除此而外，即使她是亚历山大·金罗斯爵士的女儿，这个理想也很难实现。因为悉尼大学医学院从来没有招过女生，以后也不可能招。她当然可以到国外或者到墨尔本大学去学习，但是爸爸希望自己的亲骨肉继承自己的事业，在工程技术学院学习矿业和冶金。工程技术学院也没有招收过女生，但是不像医学院那样明文禁止。制定法律的人显然目光短浅，他们认为，根本就不可能有女人想学什么工程技术。

然而，内尔身体上的变化对她看问题的角度和能力毕竟产生了一定的影响。特别是对于父亲和母亲关系的看法。亚历山大从来没有和她谈过这个话题，而她恰恰心急火燎，想弄个水落石出。身为爸爸的“党羽”，内尔对妈妈很不满意。不管什么时候，只要亚历山大一进入她的视线，伊丽莎白立刻就退缩到一个冰冷的“躯壳”里，行为举止都变得无懈可击。爸爸对于这种“拒之门外”的反应是淡淡的不快，然后就演化为冷嘲热讽，乃至出言不逊。对于他来说，这种反响也很自然，因为他脾气火暴，没有耐性，不会长时间忍受什么。妈妈心里到底怎么想，谁也不知道，更不要说内尔。爸爸认为她是个忧郁症患者。可是内尔不这样认为。读了能找到的所有医学书之后，她觉得妈妈既不是什么忧郁症患者，也没有神经衰弱。本能告诉她，她只是非常不开心。为什么不开心呢？是因为茹贝姨妈和爸爸的事情吗？

内尔从记事起就知道苑贝姨妈是爸爸的情人。他们俩的关系尽人皆知。妈妈的痛苦不可能是这个原因造成的。妈妈和茹贝姨妈是最亲密的朋友，事实上，她们俩之间的关系远比妈妈和爸爸的关系密切。

然而，迄今为止，内尔备受呵护的生活在这个问题上无法给她帮助。她从小没有上过正规学校，不知道爸爸、妈妈和茹贝姨妈之间这种特殊关系不但不会为社会所接受，而且就其本身而言，也确实奇而又奇。维多利亚女王就拒绝承认这样一种关系。

“我管不了她，”伊丽莎白对茹贝说，“我吃亏吃得已经够多了。你和她说吧，茹贝。不管怎么说，在你我之间，她更尊敬你。”

“问题是，亲爱的伊丽莎白，每次看见内尔，你就觉得看见的是亚历山大。”茹贝叹了一口气，“让她来我这儿吃午饭吧，让我试试看。”

不同寻常的邀请激起内尔的好奇心，于是她欣然前往，纳闷茹贝姨妈葫芦里卖的什么药。

内尔狼吞虎咽吃完可口的中式午餐之后，茹贝便开口说话：“现在，你该更完整地了解一下你母亲、父亲和我之间的故事了。”

“哼，你们之间那点儿破事儿我全知道，”内尔冷冷地说，“你和爸爸过性生活，因为爸爸和妈妈没有性生活，就这么回事儿。”

“你不觉得这种关系很怪吗？”茹贝问，一双眼睛着了迷似的看着这个小姑娘。

“怪吗？”

“是的，很怪。”

“那你最好告诉我，为什么怪，茹贝姨妈。”

“首先，因为结了婚的人，除了夫妻之间可以有性生活之外，不应该和别人发生性关系。性生活，”茹贝若有所思地说，“你说起这事儿倒是不遮不掩，内尔。”

“这是书上说的。”

“当然，肯定是书上说的。可是，你妈妈不能再生孩子了，所以，她不能尽妻子的义务。”

“我知道。所以，你帮她尽这个义务。”内尔泰然自若地说。

“天哪！为什么我非得帮她尽这种义务呢？”

内尔皱了皱眉头：“实际上，茹贝姨妈，我不懂这事儿。”

“那就让我告诉你。男人无法节制性欲。也就是说，男人觉得不可以没有性生活。天主教徒说他们可以过独身生活，纯属自欺欺人。我对此表示怀疑。事实上，如果一个男人独身，或者禁欲，我只能说他有病——你知道，发疯。”

“所以，爸爸需要性。”

“没错儿。我就这么派上了用场。可是，你父亲和我的关系并非图一时之快的苟合，尽管大多数人都这么认为。亚历山大和我真诚相爱，而且早在他见到你母亲之前，我们俩的爱就已经浓得宛如化不开的蜜糖。可是，他不能娶我为妻，因为我和他之前，就已经和别的男人发生过性关系。”

“这话听起来不合逻辑。”内尔说。

“我举双手赞成，”茹贝有点冷酷地说，“可是，人们把这种事情归结为：女人如果婚前和别的男人有过性行为，就不可能再忠实于一个男人，甚至自己的丈夫。男人要确保孩子是自己的骨血，所以他们要和处女结婚。”

“妈妈和爸爸结婚时是处女？”

“是的。”

“可他爱的是你，不是她。”

“应该说，我们俩他都爱，内尔。”茹贝艰难地说，心里一个劲儿地埋怨伊丽莎白把这种棘手的事儿交给她办。

“他因为他的孩子爱她，因为性爱你。”

“不是像你想象的那样毫无感情色彩，亲爱的，真的！我们三个人的事儿真是一团糟。我这样说也许最接近事实真相。最重要的是，我们一起度过漫长的岁月，我们相互喜欢，还能……能‘各司其职’。”

“茹贝姨妈，你为什么要跟我说这些呢？”内尔问，神情专注。“是不是因为外人对你们的关系有看法？”

“正是！”茹贝大声说，面带喜色。

“坦白地说，我不觉得你们之间的事和他们有什么关系。”

“有一件事情你永远可以相信，内尔，那就是，那些‘外人’喜欢把别人的事儿都看成他们自己的事儿。所以，你不要把这些事情告诉别人，明白吗？”

“明白。”内尔站起身来。“我得上课去了。”她吻了吻茹贝的面颊。“谢谢你给我上的这一课。”

“别和你爸爸提起我们这次谈话！”

“不会。这是我们俩的秘密。”内尔说，蹦蹦跳跳地走了。

真该死！坐上索道车时，她自言自语。我知道爸爸爱茹贝姨妈，茹贝姨妈也爱他。但是有一件事情我忘了问她，妈妈爱谁？爱爸爸？如果他们之间可以没有性生活，或许会，可是爸爸需要性。

内尔好像重新装备了一番，又满怀信心开始探究妈妈是不是爱爸爸。她很快就发现，妈妈谁也不爱，甚至连她自己也不爱。如果爸爸碰她一下——哪怕是无意之中碰她一下——她也立刻像蜗牛一样钻到壳里，眼睛里流露出厌恶，似乎告诉对方，她并不是因为被禁止性交才能做出这样的反应。爸爸心里一清二楚。妈妈的表现让他生气，他会甩出几句噎人的话，然后一个人躲到什么地方，不再露面。内尔甚至觉得，妈妈连自己的孩子也不爱。

"哦，是的。"第二次谈起这事儿时，茹贝说。

"即使她爱，也不知道该如何表达心中的爱意。"内尔说，"我开始想，妈妈真是个悲剧性的人物。"

"如果把所有这一切都加到一起，组成一场悲剧，那么，你是对的。"茹贝说，泪水溢满眼眶。"不要对她失去希望，内尔。听姨妈的话，如果你妈妈看见有人朝你开枪，一定会抢前一步，用自己的胸膛挡住那颗子弹。"

安娜长到十岁的时候，已经出落成一个漂亮的姑娘，那模样和妈妈一样秀丽，谁看了都惋惜不已，特别是一手把她拉扯大的玉。玉这时已经三十三岁。安娜亭亭玉立，举止端庄，走路不再费力，还能简单地说几句话。她不再尿裤子，而与这一进步同时到来的是乳房开始发育，预示她将是个早熟的姑娘。

过十一岁生日的时候，她就来了月经。这可真是一场噩梦。像许多智力低下的孩子一样，安娜也特别怕看到鲜血。在她看来，那似乎是自己在放血，不管这个"自己"是安娜，还是别人。也许这种恐惧源于她曾经在金罗斯饭店山姆·文的厨房里看到的可怕的一幕——他的一位助手用刀砍了自己的胳膊，鲜血从切断的动脉喷涌而出，溅得到处都是。那人拼命挣扎、惊慌地尖叫，很难按住他，给他扎止血带。这当儿，谁也没有注意九岁的安娜一直站在旁边，直到这场混乱结束，人们才终于听见她盖过那位厨师呻吟的尖叫。

因此，月经来了之后，安娜吓得惊叫起来。几个人不得不把她按住，用一块毛巾堵住汩汩而出的经血。时间虽然过了好久，月经也来过好几次，但是她的恐惧依旧。玉和伊丽莎白唯一能让她平安度过这"经血淋漓"的五天的办法是给她服用镇静剂水合氯醛。如果这玩意儿还不管用，就服用鸦片酊。

如果说安娜的生活就是一场折磨，那么这种折磨和月经初潮对她的"蹂躏"相比，简直不值一提。谁也没法向她解释清楚，下面出血是正常的、自然的。月经自己来，自己去，她需要做的只是每月一次，迎接它的到来。安娜无法接受。一是因为血在她内心深处激起的恐惧，二是因为她的注意力很难长时间集中在一件事情上，更重要的是，她的月经没有规律。这就意味着，每次月经来潮前，她不可能有思想准备。

两次月经之间，她一直很快乐，除非看见血。一看见血，她就尖叫着，跌跌撞撞，仓皇而逃。如果是她自己的血，大哭大闹就开始了。

最后，经过一年八次血的“洗礼”，安娜对月经终于有了一个认识。一有人想给她脱衣服，她就开始打闹——她把脱衣服和来月经等同起来。这种变化带来一个好处：安娜突然学会自己脱衣服，自己清洗。伊丽莎白和玉发现她洗得很干净，从那以后，就放手让她自己做这件事情。

“也许她来月经是件好事儿，”伊丽莎白对内尔说，“我压根儿就没想到应该教她自己动手清洗、换内衣。”

两个女儿来月经让伊丽莎白觉得自己已经很老了。对于一个其实尚且年轻的女人来说，这种感觉怪怪的。她才三十岁，手上就有两个含苞欲放的女儿，而且不知道该如何抚养、教育她们。如果她懂得很多，有更丰富的经验，就一定能克服重重困难，培养好两个孩子。但是，眼下她只能“摸着石头过河”，必要时就去请教茹贝。其实在安娜的问题上，茹贝也帮不了多少忙。可以说，除了玉，别人都无能为力。玉非常爱安娜，非常有耐心，为了她的康复百折不挠，献出了自己的全部精力。

到一八八九年三月，伊丽莎白结婚整整十四年。她一直告诫自己，不要总觉得岁月悠长，只有这样才能获得一定程度的满足。她努力说服自己，从离开老家直到现在，她过的日子从根本上讲和照顾老父，然后再成为一大堆侄女、外甥未婚的姑妈或者姨妈，没有两样。她不是任何人生存的中心，尽管这一点至关重要。她也不希望自己成为谁的中心。亚历山大有茹贝和内尔，内尔有亚历山大，安娜有玉。光阴似箭，日月如梭，她和亚历山大的关系没有丝毫变化。只要他不碰她，为了聪明机警的内尔，她就得装装门面。

哦，也有过快乐时光！她和内尔一起逗厨师张，乐得哈哈大笑；在某些问题上，和亚历山大的看法完全相同，和茹贝愉快地聊天，为了减轻孀居的孤独、寂寞，康斯坦斯来访，骑着马到仙境般的丛林里玩耍；读爱不释手的书籍；和内尔一起弹钢琴二重奏，独自一个人待着，享受无人打搅的静谧与安宁。倘若她还会想起“深潭”，倘若“深潭”旁边的李还常常闯入她的脑海，随着时光的流逝，夕阳的金辉和他皮肤的润泽也已经渐渐变得模糊。时间冲淡了记忆，她甚至可以再回到“深潭”，尽情享受那一潭碧水带来的愉悦而无需真正想起李来。

对于亚历山大，他的家似乎突然间变得“阴盛阳衰”。尽管只要内尔不上课，他就一如既往带她下矿井、到工厂，但他不得不承认，现在和过去确实有了一些不同。这当然不是内尔的过错，而是他和伊丽莎白的错。她总是叨叨，内尔现在已经是大姑娘了，是男人追逐的目标了。于是，他想试试看妻子说的有没有道理。他开始留意雇员们的一举一动，看他们是不是带着一种淫欲凝视内尔，或者更糟糕的是——如伊丽莎白所言——一边追逐她，一边算计她将拥有多少财富。常识告诉他，内尔不是那种勾引男人的荡妇，将来也绝对不是。然而，骨子里他是个占有欲极强的父亲，这就足以让他不寒而栗。比方说，他会突然之间下一道命令，不准内尔和萨默斯或者矿井、工厂里的任何男人单独外出。他甚至跑到教室里观察内尔和同学们的关系到底怎么样。那时候，他觉得自己真是个傻瓜！内尔和那几个男孩子没有什么区别。当年和内尔一起读书的有三个金罗斯城的小姑娘。十岁那年，她们就不再在这儿读书了。她们各有各的原因，有的到悉尼念寄宿学校，有的干脆待在家里，哪儿也没去。

安娜来月经的事儿打破了这种平衡，他一心想逃离这个家。待在金罗斯的时候，连茹贝也无法让他变得更理智一些。和以前相比，他现在很难轻易离开金罗斯。因为查尔斯已经撒手人寰，孙也渐渐把心思都放在和中国人有关的事务上，很少过问公司的业务。从前他们只拥有一座矿山，现在“天启”已经发展成为一个需要他事必躬亲的大型企业，一个由只生产黄金的矿业公司发展为多领域、多行业的跨国公面。他们在许多矿业公司都有股份从白银、铅、锌到铜、铝、镍、锰和微量元素无所不包。在生产蔗糖、小麦、牛羊的农场也有股份。还有几家生产蒸汽机、火车头、车辆和农业机械的工厂。在锡兰有茶叶种植园和金矿，在中非和南非有咖啡种植园，在巴西有一座绿宝石矿。在美国、英格兰、苏格兰和德国五十家方兴未艾的企业都有股份。由于天启公司迄今为止还是私营企业，所以它到底拥有多少资产，除了董事会，谁也不清楚，就连英格兰银行也只能做个大致的估计。

亚历山大意识到自己对鉴赏古董和绘画眼光独特，便养成这样一个习惯——将商务旅行和购买古董、名画、雕塑、工艺品、家具和善本图书合而为一。送给爱德华·韦勒那两幅圣像画之后，他不但买了两幅补齐，还又多买了几幅。买了乔托[①]的作品之后又买了提香[②]的两幅画。在对以巴黎为基地的当代印象派画家的作品感兴趣，并且收藏了马蒂斯[③]、马奈[④]、梵高[⑤]、德加[⑥]、莫奈[⑦]、苏埃拉特的作品之前，他还买了一幅鲁本斯[⑧]和

①乔托（1266？—1337）：意大利画家、雕刻家、建筑师。

②提香（1490？—1576）：意大利画家，他把鲜明的色彩和背景的混合使用带人了威尼斯画派。他的作品包括圣坛背壁装饰画《圣母升天》（1518）。

③马蒂斯（1869—1954）：法国艺术家、野兽派画家先锋，他运用纯色彩、简单形体和细致精心的设计来作画，作品有《舞》（1930—1932）等，这些艺术手法和他的拼贴艺术影响了现代艺术的进程。

④马奈（1832—1883）：法国画家和印象派的先驱，他的作品包括《草地上的午餐》（1862），在当时引起极大争议。

⑤梵高（1853—1890）：荷兰画家，著名作品有《向日葵》等。

⑥德加（1834—1917）：法国画家、雕塑家，尤以擅长于描绘芭蕾舞演员优美细腻的舞姿而闻名。

⑦莫奈（1840—1926）：法国画家和印象主义的创始人，他在画布上捕捉大自然的风景和户外的景物并做忠实的反映。他创作了几个绘画系列，如《睡莲》《鲁昂大教堂》《帆船》等，研究了改变光线与空气给同一个主题带来的不同效果。

⑧鲁本斯（1577—1640）：佛兰德斯画家，巴罗克艺术代表。他绘制了许多肖像画和以寓言、历史、宗教为主题的作品，包括《基督下十字架》（1611—1614）。

一幅波堤切利[①]的作品。他有一幅贝拉斯克斯[②]、两幅戈雅[③]、一幅凡·戴克[④]、一幅哈尔斯[⑤]、一幅佛梅尔[⑥]和一幅勃鲁盖尔[⑦]的作品。庞培的向导有一块价值连城的古罗马马赛克地板，售价只五沙弗林。事实上，每个旅游胜地的导游手里都有几样宝贝，几个金币就能买到手。他没有把这些珍贵的艺术品放到金罗斯府邸，而是花了短短几个月的时间在房子旁边又盖了一个大厅，除了几件最喜欢的珍品之外，都挂在大厅里，或者放在玻璃橱窗里。对于他，这是一个排遣烦恼的好去处。

旅游是另外一个让自己心气平和的好办法，可惜金罗斯业务繁忙，他分身乏术。从心里讲，亚历山大觉得自己仍然踏着亚历山大大帝的足迹，周游世界。他充满好奇，急于看到世界呈现在面前的一切。现在，他却只能待在一幢到处散发着女人的香气、回荡着女人的喧闹的房子里。等安娜加入到这个“妇女俱乐部”一天到晚吱哇乱叫的时候，他简直忍无可忍了。

一八八九年六月的一天，他朝茹贝大声说：“收拾箱子！”

“什么？”她问道，茫然不知所措。

“收拾箱子！你和我一起到国外去。”

---

①波堤切利（1444？—1510）：佛罗伦萨画派的意大利画家，他动感的绘画艺术体现在他的代表作《春》（1477）和《维纳斯诞生》（1485）中。

②贝拉斯克斯（1599—1660）：西班牙画家，宫廷画师，画风写实，作品有《腓力四世像》《纺织女》《宫女》等。

③戈雅（1746—1828）：西班牙画家，作品讽刺封建社会的腐败，控诉侵略者的凶残，对欧洲19世纪绘画有很大影响，作有铜版组画《狂想曲》、版画集《战争的灾难》等。

④凡·戴克（1599—1641）：佛兰德斯画家，作品多以神话、宗教为题材，尤以贵族肖像画著称，主要作品有《穿猎装的查理一世》等。

⑤哈尔斯（1580？—1666）：荷兰肖像画家和风俗画家，作品色彩简朴而明亮，代表作有《圣乔治市民卫队军官的宴会》。

⑥佛梅尔（1632—1675）：荷兰画家，以其室内风俗画而出名，在这种画中他惯于很好地掌握光和色彩。他的作品包括有《花边制作者》（1664）。

⑦勃鲁盖尔（1525？—1569）：佛兰德斯画家，善画农村景色，反映农民生活和社会风俗，主要作品有《农民的婚礼》《盲人的寓言》等。

“亚历山大，我爱你，可是我怎么能这样做呢？你又怎么能一走了之呢？你走了谁来管这一大摊子事儿呢？”

“过几天就有人管了，”亚历山大说，“李要回来了。他一个星期内就会到达悉尼。”

“那我更哪儿也不去了。”茹贝说，一副桀骜不驯的样子。

“哦，你会见到他的！”亚历山大生气地说，“我们在悉尼接他，你们母子团聚之后，我们俩一起去美国。”

“带上伊丽莎白。”

“带她？我疯了吗？我还想让自己快活几天呢！茹贝。”

绿眼睛审视着他，目光中有一种近似厌恶的东西。“你知道，亚历山大，你太在意你自己了，”茹贝说，“更不要说你总是那么自负。我还不是你的跟班儿呢，先生！所以，不要因为你不想在金罗斯，就朝我发号施令，收拾箱子，跟你浪迹天涯。我不去。如果我儿子要回家，我哪儿也不去，就在这儿等着他。”

“你在悉尼可以见到他。”

“有你搅和，见也就是五分钟。”

“如果你愿意，在悉尼待五天也可以。”

“我想待五年！你大概忘了，朋友，我已经好久好久没有见到儿子了。如果他真的要回家，家就是我唯一要待的地方。”

她声音里那种如钢似铁的坚定不容置疑，亚历山大不再让自己显得专横跋扈，而是一脸懊恼和真诚。“求求你，茹贝，别离开我！”他恳求道，“我们不会永远离开这里。甩掉心头这团乱麻就回来。求求你，跟我走吧！我向你保证，用不了多久我们就能回家。那时候你就可以待在家里干你想干的事情。”

她心软了。“好吧……”

“好姑娘！你和李在悉尼想待多久就待多久，待够了我们再扬帆远航。茹贝，只要离开这儿，只要和你在一起，怎么都行。我还没带你出过国呢！

你不想看看爱尔罕布拉宫[①]，看看阿格拉[②]的泰姬陵，看看金字塔和帕台农神庙[③]？有李在这儿守着摊子，我们就自由了。谁知道将来会怎么样呢？这也许是最后一次机会了，我最亲爱的宝贝儿！答应我！”

“如果能和李在悉尼待几天，我就答应你。”

他吻着她的手、脖子、嘴唇、头发。“只要我们俩一起离开金罗斯，只要能摆脱伊丽莎白，你做什么都行。自从两个孩子长大，她一天到晚除了唠唠叨叨，什么都不干。”

“我知道。她甚至和我也絮叨，”茹贝说，“我想，如果能，她把内尔和安娜送到女修道院才会罢休，”她乐呵呵地说，“哦，她不会永远这样像只母鸡似的咯咯叫。过一阵子就会好的。不过眼下别当她的‘活靶子’也是件好事。”

第二天，经过一番“剪辑”，茹贝和伊丽莎白谈起这件事情。伊丽莎白听了十分惊讶。

“哦，茹贝，我肯定没有这么坏！”她表示反对。

“差不多。你本来不是这个样子，”茹贝说，“真的，伊丽莎白，你得克服这种心理，不能一天到晚只想着如何保护女儿的贞操。过去的十八个月可真够你呛的。我知道，不是每一个母亲都有两个女儿这么快就几乎同时长大。可是，我可以向你保证，在这座小城，她们平安无事。如果内尔是个轻浮的女孩儿，你担心还情有可原。可她头脑冷静，对所谓爱情嗤之以鼻。至于安娜……安娜只是个样子像大人的孩子！你总是这样吹毛求疵，把亚历山大都逼跑了，甚至把他从内尔身边都吓跑了。她要是发现为

---

①爱尔罕布拉宫：建在山顶俯视西班牙格拉纳达的一座堡垒及宫殿。由摩尔国王于12和13世纪修建。爱尔罕布拉宫为西班牙摩尔建筑的典范。

②阿格拉：印度中北部城市，位于新德里东南方向的朱木拿河沿岸。它曾是16世纪和17世纪蒙兀儿王朝的首都，且是国王沙·加汗在1629年其爱妻死后所建的泰姬·玛哈尔陵墓所在地。

③帕台农神庙：女神雅典娜的主要神庙，位于雅典卫城上，建于公元前447年和公元前432年之间，被认为是多利安式建筑的杰出代表。

什么爸爸这样急急忙忙离开，绝对不会感谢你。”

“可是，公司呢？”伊丽莎白不由得喊了起来。

“公司能维持下去。”茹贝说，突然不想把李要回来的消息告诉她。

“你真的要跟亚历山大一起去吗？”伊丽莎白问，声音里有一种渴望。

茹贝喘了一口粗气。“别对我说你嫉妒！”

“不，不，我当然不会嫉妒！我只是想，和自己崇拜的人一起旅行会是个什么样子。”

“但愿有一天，”茹贝说，吻了吻伊丽莎白的脸，“你能找到这样一个人。”

伊丽莎白来火车站为亚历山大和茹贝送行的时候，显得饱经磨炼、格外乖巧。茹贝想，她又缩回到她的壳子里了。这是不是对亚历山大和我无言的控诉？告诉我们，她和现实生活唯一的联系就是对女儿的关心。然而，最糟糕的是，她找错了对象。两个女儿都不需要她的关心。

“你告没告诉伊丽莎白，李要回来？”火车开动之后，茹贝问亚历山大。

“没有。我以为你会告诉她。”亚历山大有点惊讶地说。

“我没有。”

“为什么？”

茹贝耸耸肩：“我要是知道，就成了无所不知的巫师了。再说，这有什么关系呢？伊丽莎白对公司的事儿并不关心，对李也毫无兴趣。”

“这件事情让你心烦，是吗？”

“我向你发誓，没有！为什么会有人不喜欢我的宝贝玉猫呢？”

“实话说，正因为我非常喜欢他，我也不知道为什么。”

亚历山大走了之后，内尔埋头学习，决心明年年底考大学。这样一来，刚过十五岁，她就能迈进大学的大门。妈妈听了她的勃勃雄心，吓了一跳，立刻表示坚决反对。得到的答复是，这事儿和她毫无关系。

“如果你想找个什么人供你吹毛求疵的话，”内尔怒气冲冲地说，“找安娜好了。你要是还没有意识到这一点，我可以告诉你，安娜最近很淘气。

一不留神，她可就没影儿了。”

因为内尔的批评非常合理，伊丽莎白咬了咬舌头尖儿去找玉，商量有什么办法管束安娜。

“没什么，丽翠小姐，”玉闷闷不乐地说，“我的安娜宝贝不再是小孩儿了。她不想总被关在屋子里。我总想跟着她，可是她那么……那么精明！”

谁能想到会是这样呢？伊丽莎白心里想。安娜现在居然变得那么独立，好像自从学会清洗和穿衣服之后，突然推开心灵深处一扇秘密的大门。而这扇门一旦打开，她就明白，她能够照顾自己。两次月经之间，她快乐得像个孩子，很容易把她侍弄得高高兴兴。给她一个七巧板或者一堆积木，她会专心致志地玩好几个小时。但是一过十二岁，也就是亚历山大带茹贝出去旅游那年，她开始玩从看护人手里逃脱的把戏。她偷偷跑到花园里藏起来，只是因为不懂得把快乐藏到心里，咯咯咯地笑出声来，玉和伊丽莎白才能找到她。

茹贝认为伊丽莎白对安娜看管得太严，这让她很伤心。亚历山大临走时留下的话更让她难过。

“她不就是到花园里玩玩嘛，伊丽莎白，你就不要管她了，对她宽容点吧！”

“如果不管她，她会在野地里走得更远。”

“她要是真的到远处溜达，那是因为她长大了。”这就是亚历山大做出的结论。

亚历山大和茹贝离开金罗斯三个星期之后的一天，安娜一直“溜达”到井架旁边。那时，正是矿工中午换班的时候。因为星期日伊丽莎白经常带她去教堂做礼拜，所以不少工人都认识她。他们和善但坚决地把她交给萨默斯先生。萨默斯先生一直把她送回家。

“我不知道该拿她怎么办，萨默斯先生。”伊丽莎白说，心里想，对她猛击一掌是不是能起点儿作用。“我们总是眼巴巴地看着她，可是一转身的工夫，她就不知道跑到哪儿去了。”

“我会传出话去，金罗斯夫人。”吉姆·萨默斯说，尽量掩饰自己的不悦。他的时间很宝贵，有许多事情要做，根本没空查看安娜的行踪。“如果有人看见她在哪儿游逛，就把她交给我，或者直接送到府上。这样做可以吗？”

“当然，当然可以。谢谢你。”伊丽莎白说，放弃了“猛击一掌”作为惩罚的念头。她知道，那是下下策。

事情只能这样，亚历山大和茹贝走了之后，萨默斯成了唯一管事的男人。

不过，这种局面没有延续多久。有一天，伊丽莎白正领着冥顽不化、哧哧直笑的安娜往家里走，李从索道停车站下了车，绕过树篱，径直向她们走了过来。伊丽莎白停下脚步，好像被人施了催眠术，站在小路上一动不动，直瞪瞪地看着李。安娜尖叫着，从伊丽莎白渐渐松开的手里挣脱。

“李！李！”她叫喊着，向他跑去。

这一幕看起来有点儿像主人试图制止一条小狗笨拙地向前跑，伊丽莎白心里想。她没有预料到自己看见李会这么高兴。她走过草地，嘴角挂着微笑。

“别大声嚷嚷，安娜，别大声嚷嚷！”她边说边笑。

“是大了点儿，对吗？”李问，也笑了起来。

玉走过来要把安娜带回家。安娜起初不愿意走，但是看看拗不过，便像平常那样，乐呵呵地走了。

年轻小伙子显然已经长成男子汉。一个月前，他就二十五岁了。尽管他那张皮肤光滑的中国人的脸不容易显老，好看的嘴巴两边还是出现了两条上次在英格兰见面时没有的皱纹。一双眼睛看起来更睿智，也更忧伤。

“我想，该叫你康斯特万博士了，对吗？”她问道，伸出一只手。

“金罗斯夫人。”他说，拉起那只手，吻了吻。

她没想到他会吻她的手，不知道该如何应对，只好尽可能作出一副漫不经心的样子，从他的手里抽出自己的手，陪他一起向金罗斯府邸走去。

“那就是安娜吧？”他问道。

“是的，我那个问题孩子。”

“问题孩子？”

“这孩子一有机会就往外跑。”

“我明白了。这事儿一定让你很着急。”

终于有个人站在她这边了！伊丽莎白停下脚步，看了他一眼。刚看完又有点后悔。她忘了直视这样一双非同一般的眼睛会是怎样的情景。她急促地喘息着，又喘了一口粗气，才回答。“玉和我都急得要命，”她说，“她光到花园里和我们藏猫猫玩儿问题还不大，糟糕的是，最近她多次被人从井架附近送回来。我想，再发展下去，她就该到金罗斯城了。”

“我同意你的想法，不能让这种情况继续下去。你缺人手吗？文家姐妹帮不了忙吗？”

“茉莉和桃花跟你妈妈走了，我这儿还有玉、珍珠、绢花和蝴蝶。听起来人手不少，问题是，安娜和她们都非常熟悉，对她们早就有了防范意识。我需要的是一个不会引起她注意的人。玉建议让文家最小的姑娘凤来，可是，凤才二十一岁，很难承担起照顾安娜的责任。”

“这件事情就交给我办吧。我让我父亲再找一个安娜不认识的女人。还得让这个女人不落入安娜的圈套。记得安娜在英格兰的时候，一旦习惯了身边那个在她眼里和一块木头没有两样、不可能打搅她的人，很快就忘了那个人的存在，想做什么就做什么。如果现在还是这样，就看得住她。”李一边说，一边替伊丽莎白打开房门。

“哦。李，太感谢你了！”

“没什么。”他说，转身要走。

“你不进来坐一会儿吗？”伊丽莎白问，有点沮丧。

“不进去了。你没有女伴陪着。”

“哦，那倒是！”伊丽莎白大声说，面颊飞起两朵红云。“想一想我的丈夫和你的母亲此刻正在做什么，似乎就没有必要顾忌有没有女伴陪我了。如果真的在意，那可实在太可笑了。进来吧，和我坐一会儿，喝杯茶，权当可怜我。”他歪着头，眯缝着眼睛看着她，面颊现出两个和茹贝完全一样的酒窝，然后笑了起来。“那么，只此一次，下不为例。”

于是他们在暖房里坐下。仆人端上茶、三明治和糕点。伊丽莎白向他提出一大堆问题。李告诉她，他已经拿到机械工程学博士的学位，在地质学方面也做了一些研究。

“我还在一家股票经纪人的公司里干了一阵子，目的是了解股票市场的运转规律。”

“有用吗？”伊丽莎白问。

“用处大着呢！”他说，一副兴致勃勃的样子。“我发现，学习做生意唯一的办法就是实地里去做生意。我真正受到的教育其实都是亚历山大给的。一有机会，我就跟他周游世界。现在，他要我在他外出期间管理天启金矿和天启公司。不过，我听说，索菲娅·丢伊的丈夫做生意也是一把好手。我们已经雇了他。”“他也只是在财会方面能力更强一点，”伊丽莎白说，很高兴能为李提供点信息，“他离不开丹利那个家，恐怕很难天天来金罗斯上班。可怜的康斯坦斯自从查尔斯去世，一直没有从痛苦中走出来。几个女儿对她都非常孝敬。”

“他可以把账拿回家去做。等到悉尼的电话和我们这边连起来，他在丹利也能做许多许多事情。”李说。

“我们金罗斯有电话，可是巴瑟斯特和拉特沟都没电话，也只能在我们这个地区相互通通话。”

“亚历山大永远走在时代潮流的最前面！”

他站起来要走的时候，伊丽莎白看起来有点恋恋不舍。“能来吃晚饭吗？”

她问道。

“不能。”

“让内尔陪着也不能吗？”

“有内尔陪着也不能，谢谢。我还得照顾母亲的饭店。”

望着他远去的背影，伊丽莎白胸口一阵揪心的疼，好像没有得到事先通知就突然被人夺去心爱之物。李虽然回来了，但是清楚地表明，不打算花费时间陪伴她。而此刻，她刚刚找到足够的自信，化解心灵深处那块冰；刚刚觉得可以拿他当朋友，而不是侵入“深潭”的那个充满危险的“天外来客”。哦，这可真是太糟了！

他说话算话，没几天就派蜻蜓过来照看安娜。蜻蜓已到中年，中国人。她像所有东方人一样，高深莫测。安娜在哪儿，哪儿就有蜻蜓的影子。她那么谨慎，不引人注目，短短两天，安娜就忘了她的存在。

“就像一条棒极了的看家狗。”伊丽莎白在电话里对李说。他一直没登她家的门。“怎么谢你也谢不够，李。真的。有了蜻蜓，我和玉就能有足够的时间休息。等她休息的时候，我们俩就有精力看护她。有时间的话，就来喝上午茶。”

“好的，有时间就过去。”他说，挂断了电话。

“永远也不会有时间。”伊丽莎白自言自语道，叹了一口气。

就李而言，所谓“永远不会”，的确反映出他当时的心情。他原以为自己终于摆脱了伊丽莎白，可是，当他绕过树篱，看见伊丽莎白使劲拉着一个和她长得十分相像的姑娘往回走的时候，那种感觉又化为乌有。感情的浪潮奔涌而来——爱、怜悯、欲望、绝望。他信不过自己，拒绝进屋和她一起喝茶，但是，突然之间，他理解了她的孤寂，强迫自己违背社交场合一般的礼仪，答应了她的请求。她的眼睛、脸和极力控制自己的那副样子，都淋漓尽致地表现出她可怕的孤独和寂寞。和她一起呷着香茶，他仿佛随时都会脱口而出，宣布他知道，她将怀着恐惧和最后的决心，彻底抛弃这种孤寂。因此，除了有别人在场，他不能再去见她。而亚历山大不在家，“别人在场”的机会很少。

他本不想回家，但是心里清楚，亚历山大有权力调遣他。在远方做了那么多力所能及的事情之后，现在该证明自己是天启公司这张大网的“中枢神经”了。亚历山大已经四十六岁，显然在寻找接班人接替他的事业，好让自己少过问一点公司的事情，有更多的时间出去旅行。

妈妈和亚历山大在悉尼接他的时候，他看到他们俩在一起那么快乐，一心向往着远走高飞，一颗心也被深深感动。到现在，他已经知道了亚历山大的经历：表面上合法的出生掩盖了私生子的身份；母亲留下了不解之谜；决心获得财富和权力以及这两样东西带给他的快乐。但是，关于他和伊丽莎白的关系，他几乎没有说过什么值得一听的事情。李知道的也只是妈妈给他讲过的那些情况伊丽莎白不能再生孩子，因此她虽然以亚历山大妻子的身份生活在金罗斯府邸，实际上不过是名义夫妻罢了。可是，其中的奥秘还是一个谜。在一座有这么多中国人的城镇里，李相信，亚历山大和伊丽莎白都懂得如何既享受性的快乐，又不怀孕的办法。中国人虽然以繁殖能力强著称，但是如果愿意，也可以不“繁殖”。特别是受过教育的人。中药铺的洪琦更知道许多秘方。即使不慎怀孕，中止妊娠的办法也很多。

李对伊丽莎白的爱，使得他对亚历山大谈起妻子时脸、眼睛、身体难以言传的表情和动作都非常敏感。这种难以言传的东西是困惑和痛苦，绝对不是无微不至的关心与爱。不是。亚历山大的爱都给了茹贝，李对此深信不疑。但他对伊丽莎白也不是漠不关心。他当然不恨她，也不讨厌她。亚历山大给李留下这样一个印象——他对伊丽莎白不抱任何希望。这就意味着他们俩关系的性质其实主要取决于伊丽莎白。是的，没有一个男人会对她无动于衷。她太美了，从外表到内心。她的美丽只能吸引男人，不会让他们反感。她头顶的“光环”让人觉得遥不可及，于是出现了“猎手”，出现了“征服者”。但是李既不想当“猎手”，也不想当“征服者”。他只是以一种更为朴素的方式，为她心痛。在那种冷漠与镇定下面，他先后两次看到她像一头落入陷阱的小兽惊慌失措。他想做的只是给她自由，哪怕那自由意味着，她仍然把他看作曾经被她称之为“什么都不是”的无用之人。

可是她看到他非常高兴！高兴得足以鼓起勇气不让他走开，求他再来看她。哦，这是她孤寂的结果。睿智命令他拒绝。他必须继续拒绝。亚历山大是他的朋友和导师。他无法想象自己会背叛亚历山大的信任。

于是李全身心地埋头于天启公司繁忙的业务，远离了山上那座府邸和伊丽莎白。

第二章 争端

一八九〇年四月，庆祝四十七岁生日前，精神焕发的亚历山大回到金罗斯。这次旅行之所以没有拖得更长，主要是因为茹贝。她只是喜欢旅行这回事儿罢了，对旅行真真切切的感受不是很感兴趣。

“也许，”还没来得及摘帽子，她就对伊丽莎白说，“因为亚历山大是个走马观花的旅行家。他真是马不停蹄。有时候，我真想求造物主给我一双翅膀。先到旧金山，然后乘火车到芝加哥，再乘火车到华盛顿、费城、纽约、波士顿。而美国才刚刚是个开始。”

“所以，他和我旅行的时候，大部分时间都是让我和导游在一起。”伊丽莎白说，她见到茹贝非常高兴。“你去意大利湖泊区了吗？”

“去了。亚历山大要去都灵[①]和米兰。和平常一样，为生意上的事情！我的意思是，我们在那儿下了火车，他去参观工厂和矿山。”

“你喜欢意大利湖泊区吗？”伊丽莎白追问道。

“太漂亮了，亲爱的，太漂亮了！”茹贝说，似乎有点迷惑不解。

①都灵：意大利西北一城市，位于波河河畔、米兰西南偏西方。它是罗马时代的一个重要城市，后来成为一个伦巴底公爵领地及撒丁尼亚王国的首都（1720—1861）。它也曾是新意大利王国的第一个首都。

“我喜欢那地方。如果让我选择，我宁愿在科摩湖畔居住。”

“我不想扫你的兴，但我宁愿住在我的金罗斯饭店。”茹贝说着脱掉鞋子，她瞥了伊丽莎白一眼，目光中充满疑问。“你有没有设法和我的玉猫相处得更好一点？”

“我几乎没怎么见过他，不过，他对我很友好。”伊丽莎白回答道。

“怎么个友好法儿？”

“自从你和亚历山大走了之后，安娜经常偷偷跑出去，甚至一直跑到井架那边。她那么狡猾，茹贝！你了解玉，当然知道她照看安娜多么尽心，可是那个鬼精灵，我和玉加起来也对付不了她。”

“是吗？后来呢？”茹贝看着伊丽莎白问道。

“李帮我找了一个名叫蜻蜓的女人。她可棒极了。你看，安娜对我们非常熟悉。她很聪明，先是分散我们的注意力，然后闪电般消失得无影无踪。可是，蜻蜓对于她，就像一根木头，待在她旁边，和没待一样。所以，她甩不掉蜻蜓。你听我说，茹贝，李可是从我心头搬走一块大石头。”

“你终于和他友好相处了，我听了可真高兴。哦，茶来了！”看见桃花端着茶盘进来，茹贝高兴地喊了起来。“我知道你现在忙得不可开交，伊丽莎白，不过你先坐下。哦，渴死我了。在国外，没人能泡一壶好茶。我是说，出了英格兰，就喝不上好茶了。而离开英格兰好像已经好久了。”

“你发福了。”伊丽莎白说。

“别老提醒我这事儿！都怪欧洲大陆的美味佳肴。”

短暂的沉默之后，伊丽莎白说：“你有什么事情瞒着我，茹贝。”

茹贝吓了一跳，凝视着她。“嗬，你什么时候变得这么敏感？”

“你最好告诉我，好吗？”

“是亚历山大。”茹贝不情愿地说。

“他怎么了？病了？”

“亚历山大病了？没有，他结实得很！是他变了。”

“变坏了。”伊丽莎白说，没有把这句话变成一个疑问句。

“是变坏了。”茹贝皱着眉头说，喝完茶，又倒了一杯。“他这个人生性高傲，但是我并不觉得他的傲气有什么不可忍受。甚至觉得那是一种魅力。倒是我，有时候真该被他拳打脚踢。”她咯咯咯地笑了起来。“当然，这只是一种比喻。不过有一次，我真的扇过他一个耳光。”

“真的？是他娶了我之后，还是之前？”

“之前。不过别转移话题。最近，他和一些工业巨头、政界显贵过从甚密。要知道，天启公司的势力简直遍及全球，所以到哪儿都有他的朋友。他脑子里有了不少新想法，或者更准确地说，他听信了一些坏家伙的话。”

“什么样的坏家伙？”

“他那些企业界的大亨朋友。你从来没有见过会有那么冷酷无情的家伙！他们除了赚钱，赚钱，赚钱，别的什么都不在乎。他们对雇员的态度非常恶劣，采取各种恶毒的手段对付所谓‘工人运动’——就是工会和类似的组织。”

“我觉得亚历山大不是那种容易受别人影响的人，”伊丽莎白慢悠悠地说，“他一直以对自己的雇员慷慨为荣。”

“那是过去。”茹贝说。

“哦，茹贝！他不会！”

“我可没那么大的把握。麻烦在于，现在时世艰难，各行各业都感觉到了这一点。富人都认为，这种局面是因为一本英文书造成的。这本书的德文标题是 DasKapital。总共三卷，现在只翻译了第一卷。可是如果看亚历山大和他那帮狐朋狗友的反应，你就明白，光这第一卷就已经把这些人搞得鸡犬不宁。”

“这本书写的什么？谁写的？”伊丽莎白问。

“写的是什么‘国际社会主义’之类的东西。作者是一个叫卡尔·马克思的人。好像还有另外一个人也参与了这件事情。叫什么名字，我忘了。不管怎么说，这本书诅咒有钱人，特别是企业家。管他们叫……叫资本主义。他们认为，社会财富应该公平分配，这样就不会有贫富差别。”

“我想象不出这种说法还能行得通，你能吗？”

“不能。人的差异太大了。那两个人说，工人被可耻地剥削，必须来一场社会革命。世界各地的工人运动都把他们的学说当作救命的稻草，而且大家议论纷纷，还要掌握政权。”

“哦，天哪。”伊丽莎白平静地说。

“我倒是同意你的看法，伊丽莎白，可是亚历山大和他的朋友们似乎把这件事情看得很重。”

“哦，一切都会烟消云散。现在，亚历山大回家了，他会平静下来的。”

李不同意这种看法。不用妈妈说，他就感觉到亚历山大变了。而且一切都是他亲眼所见。他和亚历山大一起从矿山到工厂。一路上，李既高兴，又骄傲。新工厂采取了新工艺，将金矿石浸泡在浓度不高的氰化钾溶液里，将黄金分解出来，沉淀在锌板和锌刨屑[①]上。

首先，“新”亚历山大一直喋喋不休地谈世界经济日益不景气，而且，他看问题的角度和以前有很大的不同，总是想如何降低成本，即使冒风险也在所不惜。

“考虑到安全生产的因素，决不能简化用氰化物处理的过程。要知道，氰化钾是可以致命的有毒物质。”

“没错，如果浓度高，是危险。但是百分之零点一的浓度很安全，亲爱的年轻人。”

李眨了眨眼睛，他觉得亚历山大有点以恩人自居。

“可是，我们开始分离的时候用的是纯氰化物，”李说，“所以，你不能随便让什么人去搅动溶液。这是个技术活，需要有知识、有高度责任心的人。我已经在公司工资支出部分做了预算。”

“没有必要吧。”

①锌刨屑：沉淀法用的一种材料。

他们继续查看。亚历山大觉得，机车车间人手太多，因为维修“铁马”的活儿不断。为什么李没有启动蒸汽机自动送煤系统？根本就没有必要淘汰拉特沟到金罗斯铁路线上的旧煤车。他坐火车回来的时候，也没有发现三号桥梁有什么问题。

“哦，听我说，亚历山大！”李吃了一惊，劝说道，“你从下面检查才能发现问题！”

“我不相信整个桥梁结构需要重新检修，”亚历山大很草率地说，“那样一来，要全线停运好几个星期。”

“如果我们按特里·山德斯的建议办，就不会出现这种情况。最多一个星期解决问题。我们可以提前储存一些煤。”

“你是个很好的工程师，李，可你显然不是个精明的商人。”这是亚历山大给李下的结论。

“我觉得我简直是在被一只猛虎攻击，妈妈。”晚上一起喝酒的时候，李对茹贝说。

“有那么糟糕吗？我的玉猫。”

“就这么糟糕，”李喝的是苏格兰威士忌而不是雪利酒，而且不往酒里掺水。“我承认，我没有多少经验，可我绝对没有乱花钱。亚历山大却说我花的钱没有必要。突然之间，安全问题不重要了。如果这样做，对工人的生命安全不造成危险，也就罢了，可是确实已经构成威胁，真的，妈妈！”

“他是最主要的股东，”茹贝说，“真该死！”

“没错儿，”李笑了起来，又给自己倒了一杯威士忌，“要那样，我可是该死加该死了！污水处理厂急需由我负责开展的工作，现在又被告知没有必要。自从我认识亚历山大，从来没有觉得他是个吝啬的苏格兰人，可现在他就这么吝啬。”

“因为他在国外听了别人的劝告。那些家伙既贪婪又吝啬，为了一百英镑多赚一个法寻，他们情愿把成本削减一个先令。真该死！”茹贝说着不由得跳了起来。“我们的利润太大了，李！整个企业的管理费用和我们赚的钱相比，简直是九牛之一毛。没有需要分红利的股民，只有最初四个股东。谁也不曾有过任何抱怨。是啊，看在基督的分上，谁会抱怨呢？”她也给自己倒了一杯苏格兰威士忌。“好了，下一次董事会，我们将明确表示，不同意他的做法。”

“他会对所有反对意见不予理睬。”李说。

“我不想上山去和他们一起吃晚饭。”

“我也不想，但是为了伊丽莎白，我们必须去。”

“她告诉我，”茹贝一边把一条蓬松的羽毛围巾围到脖子上，一边说，“你对她非常友好。”

“谁要是对她不友好，那不成恶人了吗？”他看着妈妈那条羽毛围巾，觉得很好笑。“你从哪儿弄了这么个破玩意儿？”

“巴黎。麻烦的是，”她说着，“转身把围巾往后一甩，这玩意儿就像只老母鸡，总掉毛。”她咯咯咯地笑了起来。“不过，不管怎么说，我自个儿也已经是只老母鸡了。”

“在我看来，你永远是只漂亮的金丝鸟，妈妈。”

他们四个人落座之后，晚饭就开始了。看到亚历山大心情不错，伊丽莎白便极力想让餐桌上的话题轻松一点。

“你一定想知道，亚历山大，又有三个新教派——基督复临安息日会、卫理公会、救世军[①]到了我们这个聚居地。这样一来，原先各教派之间的斗争就变得更复杂了。”

“每一个宗教派别都会冒出那么一帮人，把自己打扮成严守安息日的人，”李有点激动地说，“要求星期日停止一切活动，就连参观博物馆、举行板球比赛也不行。”

①救世军：基督教的一种传教组织，编制仿部队形式。

“呸！”亚历山大说，“在这儿，他们谁也不受欢迎。”

“可是金罗斯天主教徒的势力不小。他们对亨利·帕克斯爵士很不满意，因为他取消了州政府对天主教学校的补助。”伊丽莎白说着把沙拉递过去。“爵士认为，他这个举措可以迫使天主教徒的孩子到州立学校念书，但是这种事情并没有发生。他们还在那儿斗来斗去。”

“我知道！”亚历山大生气地说，“我还知道，政坛元老是个顽固的新教徒。他看不起爱尔兰人。换个话题好吗？”

伊丽莎白满脸通红，低下头吃沙拉，好像那里面放了毒芹。李对亚历山大这种做法很不满意，想伸手握一下伊丽莎白的手表示安慰。可是够不着，只好改了话题。

“我想，你一定了解关于成立联邦的事儿吧？”

“如果你是指各殖民地同意加人所谓澳大利亚联邦的话，是的，当然知道。”亚历山大说，面色和缓了许多。显然，他愿意和李聊，不愿意搭伊丽莎白的话茬儿。“这件事情已经酝酿好几年了。”

“哦，这事儿迟早要发生。现在人们争论的焦点是什么时候发生。最新的消息是，新世纪到来之时成立联邦。”

茹贝看起来有点疑惑不解。“那是一九〇〇年，还是一九〇一年？”她问道。

“这事儿是挺麻烦。”李说，面带微笑，而且想让大家听了都高兴得哈哈大笑。“有一帮人主张新世纪应该从一九〇〇年开始，另外一部分人却认为应该从〇一年算起。你们看，这完全取决于公元前一年和公元一年之间有没有一个零年。教会的人认为没有‘零年’，数学家和无神论者则认为，应该有个零年。我听到的最有意思的观点是，如果没有零年，耶稣基督的第一个生日就得在公元〇二年十二月二十五日过。这样一来，他三十三岁生日前八个月被钉在十字架上的时候，实际年龄只有三十一岁。”

茹贝哈哈大笑起来，伊丽莎白嘴角挂着一丝微笑，亚历山大看起来一脸嘲讽。“哗众取宠！”他说，“他们准备在一九〇一年成立联邦，不管耶稣基督哪年诞生。”

那以后，谁也不再说话。

“他不想在家里待着。”坐着索道车回家的时候，茹贝对李说。

“我知道，可是他总拿可怜的伊丽莎白出气也太过分了，妈妈。她只能一声不吭。”

“他太郁闷了，李，郁闷得厉害。”

“他真是个粗人！”

“你就忍一忍吧！他会平静下来的。”茹贝说。

李尽可能忍着，把财务大权都交给亚历山大（其实不管你是否愿意，在财务问题上，他也必须自己说了算），而且总是尽量远远地躲着他。如果亚历山大在矿井，李就到污水处理厂；如果亚历山大在精炼厂，李就去重修铁路大桥的工地。在这个问题上，李占了上风。亚历山大尽管想“厉行节约”，但也看出大桥的整体结构已经很危险，亟待彻底整修。

伊丽莎白的日子更难过了，因为现在丈夫每天晚上都要回家。亚历山大和茹贝吵了一架。茹贝责备他不该那样对待李，他让茹贝少管闲事，把金罗斯饭店的事情办好就不错了。茹贝便把他“拒之床外”作为报复。内尔让伊丽莎白的日子“雪上加霜”。亚历山大回来之后，内尔像一贴膏药，除了上课一天到晚粘在爸爸身上。亚历山大外出期间，内尔和妈妈的关系好了许多。现在，刚刚改善了的关系又一次恶化。首先，因为伊丽莎白坚决反对明年三月把年仅十五岁的内尔送到大学学习工程技术。内尔对于上大学当然求之不得，一听爸爸要满足她的心愿，千恩万谢。她没有，也不需要有足够的谋略不对妈妈大发雷霆。

“把一个十五岁的女孩儿送到一个男人的世界太危险了，”伊丽莎白在亚历山大心情不错的时候说，“我知道，她非常聪明，今年大学入学考试拿第一名也没有问题。但是她比别人至少小了四岁。在家里再待一年也没有坏处。”

“你真是个只能给人添堵的人，伊丽莎白。内尔自己急着要走，我也希望她赶快学成归来，支撑起这份家业。李太让我失望了。”

“李让你失望？亚历山大，你这样说太不公平了！”

“很公平！如果由着李搞下去，天启公司就成了国际社会主义的慈善机构了！一天到晚，工人长，工人短。我的雇员比任何人的雇员赚的都多，我们这里的生活条件比任何一座城镇都好，物价比任何一个地方都便宜。他们够舒服的了。谁又感谢过我？没有，谁也没有！”亚历山大气愤地嚷嚷着。

“这可不像你说的话。”伊丽莎白闷闷不乐地说。

“这是一个新生的亚历山大说的话。我们现在处于艰难之中，我不想就此衰败下去。”

“抛开李不管，我求你不要让内尔明年就走。”

“内尔明年走。这事儿就这么定了。我正在教她和那几个中国男孩儿如何保护自己。还有多尼·威尔金斯。他们会住在很好的房子里，绝对安全。你去吧，伊丽莎白，让我一个人待一会儿。”

直到一八九〇年七月，没有发生什么大事。那以后，许多事情几乎同时发生了。

事情的起因是蜻蜓。她的心脏突然出了问题，中药铺的洪琦说必须至少休息六个月。亚历山大的心情一直很糟，他还没有和茹贝言归于好。伊丽莎白知道，这种情况之下，她没法儿求李再帮她找人，只好硬着头皮找亚历山大。亚历山大直瞪瞪地看着她，好像她疯了一样。

“我知道，蜻蜓帮了很大的忙。她把照料安娜的担子都接了过去，解脱了你和玉，对吗？”他很尖刻地说，“现在好了，你们俩就老老实实干活儿去吧。本来就没有必要再花一份钱雇人。都是些败家子儿！”

“可是，亚历山大，蜻蜓在安娜眼里，就像压根儿没那么个人似的。这就是为什么她照看安娜期间什么意外也没有发生的原因！”伊丽莎白申辩道，泪水在眼窝里打转，她咬着牙，不让泪水流下来。“我和玉照看安娜的时候，她总是设法欺骗我们。真的，她很狡猾。但是，绝对不能让她在外面游逛。一旦发生意外该怎么办呢？”

“这个孩子能走多远？”亚历山大扬了扬眉毛问道。“我会下命令，无论谁，只要在井架附近和城里看见安娜，马上就把她送到萨默斯那儿或者你这儿。”

“真遗憾，玉，”几分钟之后，伊丽莎白对玉说，“你和我又得寸步不离守着安娜了。”

“她会逃跑的。”玉可怜巴巴地说。

“是的，她会逃跑的。不过我觉得亚历山大爵士说的也有道理，她不会碰到什么危险。”

“丽翠小姐，我一定不让她瞒过我这双眼睛！”

“我只是担心她在丛林里摔倒，碰坏了什么地方。唉，蜻蜓要是不生病就好了。”

两天后，亚历山大召开董事会。出席会议的只有孙、茹贝和李。索菲娅·丢伊的丈夫因为离金罗斯太远，无法按时到会。亚历山大不到万不得已的时候，不会找更多反对派来参加会议。

“我准备削减一半天启金矿的产量，”他用不容置疑的口气说。“黄金的价格正在下跌，而且要继续下跌。在这种情况下，我们要抢在别人下手之前，自己先压缩生产线。如果把煤矿工人也包括进去，我们总共有五百一十四名工人。这就意味着，我们必须把工人精简到二百三十名。城里还雇了两百名工人，几乎都是中国人。现在必须减到一百人。”

好长时间谁也不说话，后来，孙打破沉默。

“亚历山大，即使全球经济大萧条，天启公司也能支撑许多年。黄金在我们这个大型企业总利润中的比例已经不是特别重要，所以为什么我们不能按现在的规模继续生产呢？我们有金库，必要时可以把生产出来的黄金先储存起来，等以后价格上扬时再卖出去。”

“这样做只能对我们未来的发展造成损害，明白吗？”亚历山大说。

“为什么现在储存黄金会对未来的发展造成损害？”孙问。

“因为黄金埋在土里，现在不挖也跑不掉。”

李双手交叉放在桌子上，极力让自己保持平静和沉稳。“我们把天启公司扩展成包括许多行业在内的多种经营的大企业，目的之一就是，一旦经济萧条，可以帮助、支持某些公司或者企业渡过难关。”他平静地说，“如果天启金矿现在需要支持，我们就应该伸出援助之手。”

“你不能眼睁睁看着亏损，还要硬着头皮经营。”亚历山大说。

“如果你砍掉一半产量，就不会亏损，这我同意。但是我们金罗斯的工人是一支技术能力非常强的劳动大军，亚历山大！在采金业，我们的工程技术人员最棒。为什么因为暂时困难，就精简这么多员工呢？这完全是得不偿失的权宜之计。为什么要破坏我们和工人之间的良好关系呢？我们和工会一直没有发生过什么冲突。事实上，金罗斯雇员的待遇一直很好，根本就没有人参加工会。”

亚历山大脸上的表情没有什么变化，李继续说：“我一直引以为荣的是，我们从来没有把雇员看作二等公民。我们没必要贪婪，亚历山大。即使金矿亏损经营，天启公司也完全有能力保持现在的生产水平和生活方式。”

茹贝插嘴道：“李说得对，不过还没说透。没有天启公司和金罗斯城就没有我们今天拥有的一切，亚历山大。我不同意你压缩生产线，精简员工。如果想一想我们公司有多大——我的意思是，简直遍及全球——你精简的这点人真是一桶水里的一滴。矿井和金罗斯城是你的孩子！你为他们花了那么多心血。可是现在你对他们的态度就好像他们犯了罪，这可是罪过呀，亚历山大！”

“完全是感情用事！”亚历山大生气地说。

“我同意，是感情用事，”孙说，“不过是好的感情，亚历山大。你的人和我的人在这儿都过着好日子。我们一定要让他们继续过好日子。这就意味着必须保持良好的关系。”

“你真是滥用了‘良好’这个字眼儿，孙。”

“我不会因为‘滥用’了这个字眼儿而向你道歉。”

“按我的理解，你的意思是，因为你拥有绝大多数股份，所以打算解雇二百八十四名矿工和一百名城里的雇员，对吗？”李问。

“没错儿。”

“我反对。”

“我也反对。”孙说。

“我也反对，”茹贝说，“我还代表丢伊表示反对。”

“没关系，谁反对也没用。”亚历山大说。

“你打算给这些被你打发掉的人一点补偿吗？”李问道。

“当然。我毕竟不是西蒙·莱格里[①]。我会根据他们服务时间的长短、技术水平的高低，甚至家庭人口的多少给他们解雇费的。”

“这个想法还不错，”李说，“煤矿工人也能享受这种待遇吗？”

“不能。我只发给金罗斯的雇员。”

“天哪，亚历山大，最容易出问题的正是煤矿工人！”茹贝大声说。

“这正是他们为什么不能受惠于我的慷慨。”

“你怎么听起来就像约克郡的磨房主？”茹贝说。

“亚历山大，你脑子里究竟在想什么？”李问道。

“我认识到了富人和穷人之间有一条不可逾越的鸿沟。”

“这样愚蠢的回答可真是太难得了！”

“你这话已经近乎粗鲁了，年轻人。”

“我已经二十六岁，算不上太年轻了。”李沉着脸，站起身来。“我非常清楚，我现在拥有的一切都是你给的，从我受的教育到天启公司的股份。

①西蒙·莱格里：19 世纪美国女作家斯托（1811—1896）的长篇小说《汤姆叔叔的小屋》中的奴隶监工。

可是，如果你继续一意孤行，不肯善待工人，我就不会再保持对你的忠诚，你我只能分道扬镳。”

“全是废话，李。现在，工人运动已经发展到想要夺取政权的阶段，工会组织趾高气扬，像我们这样的大公司四面受敌，如果现在还不采取行动，可就晚了。你难道想让一帮愚蠢的社会主义者经营、管理从银行到面包房的所有行业吗？必须给这些工人一个教训，越早越好。这是我的贡献之一。”亚历山大说。

“你的贡献之一？”茹贝问道。

“我还有别的贡献。我不想破产。”

“天启公司怎么会破产？”李问道。“我们火里有铁，铁中有钢，任什么力量都不会打垮我们。”

“我已经做出决定，一定坚持到底。”亚历山大说。

“我也会坚持到底。”李向门口走去。“我从现在起，退出董事会，不再参与公司任何活动。”

“那么，把你的股份都卖给我，李。”

“决不！我的股份是你委托我母亲替我保管的。我二十一岁的时候，她转交给我。这是我妈妈为你所做的一切的报偿，没有商量的余地。”

李静静地离开那间屋子，亚历山大咬着嘴唇，孙凝视着对面那堵墙，茹贝愤怒地看着亚历山大。

“这事儿办得可不漂亮，亚历山大。”孙说。

“我想，你是昏了头。”茹贝说。

亚历山大动作敏捷地收拾好面前那几张纸。“如果没有别的事情，会议结束。”他说。

“问题是，”茹贝对李咕哝着，“亚历山大形成一层……一层，我真不知道该怎么解释！因为和那些企业巨头的密切交往，利他主义已经不复存在。在他看来，利益和权力变得比人更重要。他眼里已经不再有别人。

为了达到自己的目的，他愿意操纵许许多多的人，并且只有在这个过程中才能找到快乐，不，刺激。我认识他的时候，他充满理想和崇高的信念，可是现在这些美好的东西已经消失得无影无踪。如果他有幸福的婚姻，有两个儿子，事情就不同了。他会忙不迭地教给他们理想和崇高的信念。”

“可是还有内尔。”李说，闭着眼睛靠在椅背上。

“内尔毕竟是个女孩儿。我这样说，绝对没有贬损的意思。她只是以女儿之身继承了亚历山大钢铁般的意志。我从骨子里看出，她永远不可能做到天启公司总裁的位置。她在工程技术领域会非常优秀。她崇拜他，为了让他高兴，她会努力学习。可是，最终也不会有什么结果，李。不会有别的结果。”

“妈妈是个预言家。”

“不，妈妈只是实话实说。”茹贝说，难得严肃了一次。“你打算做什么？李。”

“我当然不缺钱，所以想做什么就可以做什么。”李说，睁开一双眼睛，凝视着妈妈。那目光总让茹贝想起她的小玉猫。“我也许到亚洲旅行，去看看我在普罗克特学校结交的朋友。”

“哦，别离开金罗斯！”她喊了起来。

“我必须走，妈妈。如果我不走，亚历山大会像一座山压到我的身上。让他自作自受吧。”

“倘若那样，他会更生气的。”

“那你就跟我一起走，妈妈，不要待在这儿看他生气。”

“不，我就在这儿待着。说实话，一次旅行就够了。我比亚历山大大两岁，我觉得，这两岁就像二十岁。除此而外，他这次可要摔个人仰马翻，如果我不留下收拾残局，伊丽莎白行吗？”

“我不知道她能干什么，不能干什么。”李说。

和亚历山大不同，李对物质的东西看得很淡，出门也总是轻装简从。

这次，他只带了一大一小两个箱子。倘若不是觉得也许会在什么地方参加正式活动，特意带了晚礼服的话，行李会更少。不过，一想起这一路碰不到亚历山大，他心里就有点不舒服。

临行前最后一个早晨，他沿着那条弯弯曲曲的小路，走进丛林。冬日的雾霭笼罩着初升的太阳，柔和的阳光映红了桉树尚未舒展的新叶。春天的脚步已经走到每一个角落，芸香料灌木新苞初绽，乱石东北那一侧，石槲兰[①]开出淡紫色的花儿。美丽。一切的一切都那么美丽，让人难以割舍。

他双手抱膝，在一块周围开满紫花的巨石上坐下。

我无法根除的是对伊丽莎白的爱。这种爱将继续塑造我的人生——浪迹天涯、孤独、自由。然而，我不会自由。如果能，我就要赢得伊丽莎白。为了得到伊丽莎白，得到她的身体、她的思想、她的心、她的灵魂，我将放弃我拥有的一切。

他像一个老人，慢吞吞地站起身来。他不得不去和心爱的人告别。

伊丽莎白心烦意乱，安娜又不见了。

“蜻蜓哪儿去了？”他问道。

她睁大一双眼睛：“你不知道？”

“不知道呀。”他轻声说，很温和。

“她心脏不好，洪琦建议她休息六个月。亚历山大说，当初雇她就没有必要，所以不准我再雇人顶替她。”

“他这个人怎么这样？”李双拳紧握，喊了起来。

“我想是年纪大了的缘故，李。也许他自己也觉得年纪大了，再没有可以征服的东西。不过，这种情况会过去的。”

“我要永远离开这里了。”他突然说。

她的皮肤总是很白，但是现在好像突然之间变成奇异的、近乎透明的

①石槲兰：数量繁多的兰花种属中的一种，主要生长在位于热带或亚热带的亚洲、澳大利亚和太平洋诸岛。

颜色。李出于本能，作出反响，紧紧握住她的一双手。“你好吗？伊丽莎白。”

“今天早上不太好，”她轻声说，“我替安娜担心。你之所以要走，是因为亚历山大吗？他要你离开？”

“是的。至少在他恢复理智前是这样。”

“他会恢复理智的。不过我真不敢想他将为此付出多么大的代价。哦，李，你可怜的妈妈！你这一走，她心都碎了。”

“不，只有亚历山大能让她心碎。你知道，我走了之后，她和亚历山大就容易和好了。”

“这样做不好！他需要你，李。”

“可我不需要他。”

“我明白。”她的目光落在他手上。李全然没有意识到，自己的拇指正画着圈儿，深情地抚摩她的手腕。她看起来神魂颠倒。

李被她专注的目光所吸引，低下头看见自己不经意间做出的这个动作，脸上露出微笑。他拿起她一只手，又拿起另外一只手，轻轻地吻了吻。

“再见，伊丽莎白。”他说。

“再见，李。多保重。”

他走了，连头也没有回。她站在草地上，望着他的背影，不再想安娜。李占据了她整个心灵，就像泪水溢满她的眼睛。

“你知道吗？”那天晚上吃饭前，亚历山大在客厅里对她说，“随着年龄增长，你成熟了许多，伊丽莎白。”

“是吗？”她静静地说，警惕起来。

“是的，毫无疑问。有一次，我指责你的时候，觉得你像只老鼠，可是现在，你已经变成一头不声不响的狮子。”

“李走了，真让人难过。”她说。

“我可不难过。这是不可避免的事情。我们俩该分道扬镳了。为了求得安宁，他不惜一切代价。我却极想打一架。”

"一头好斗的狮子。"

"你如何形容李呢？"

她的头向后仰，下巴颏的线条变化着。这个非常优雅的动作让他突然生出一种欲望。她扑闪着长长的睫毛，嘴角上翘，露出高深莫测的微笑："就像伊甸园里那条金蛇。"

"那条蛇是金色的吗？"

"不知道。不过，既然你让我拿动物比喻他，我觉得这个比喻还算贴切。"

"蛇非常敏捷，他确实具备蛇的品格。你从来没有表露过对他的看法。想想看，你喜欢他吗？"

"不，我从来没有喜欢过他。"

"你喜欢过什么人吗？伊丽莎白。"

"茹贝……孙……康斯坦斯……瑟蒂斯太太。"

"你的孩子们呢？"

"我爱我的孩子，亚历山大。毫无疑问。"

"不包括我。不喜欢，也不爱。"

"是的，不包括你。不喜欢，也不爱。"

"你有没有意识到，你嫁给我已经有半辈子了！"

她低下头，大睁着眼睛，凝视他。"是吗？"她问道，"在我看来，那仿佛是没有尽头的岁月。"

"你瞧，我刚刚说过，你是一头不声不响的狮子。"亚历山大做了个鬼脸，"没有尽头的岁月把你变成了泼妇，亲爱的。"

如果不是因为山姆·欧唐尼尔，天启金矿大裁员或许不会掀起轩然大波。山姆是个矿工，因为工龄不够长，被辞退时只能象征性地拿到一点补偿。他也没有妻儿老小增加这笔补偿金的数额。即使最吝啬的时候，亚历山大自我防卫的本能依然告诉他，解雇员工的时候，一定要给他们一点补偿，尽管没有法律或者条例强迫他这样做。倘若他和茹贝只是泛泛之交，她一定会告诉他，紧要关头，他肯定是个“彻头彻尾的强盗式资本家”；而伊丽莎白则会说，他太自负了，不愿意被人们骂成一个“彻头彻尾的强盗式资本家”。这两种说法都有点道理。他的不幸在于，没有像关心天启金矿的工人那样关心煤矿工人。亚历山大只给了他们两个星期的工资，就把那些煤矿工人打发掉了。尽管和有的资本家比起来，他还算慷慨。

山姆·欧唐尼尔径直跑到矿工联合会告状。矿工联合会是最具战斗力、最关心煤矿工人利益的工会组织。大部分煤矿工人都是威尔士移民，而煤矿——比如亚历山大的拉特沟煤矿——都是私营企业。

山姆·欧唐尼尔从悉尼回来的时候，陪伴着一位工人运动中冉冉升起的政治明星。这个人名叫比德·埃文斯·泰尔加斯，是新南威尔士工会联盟和工人委员会的成员。比德·埃文斯·泰尔加斯虽然出生在澳大利亚，但是从名字就能看出，他是威尔士人，比一般的煽动者或者工会谈判代表厉害得多。他靠自学取得很高的学位，通晓会计学、经济学，才二十五岁就因雄辩的口才广为人知。作为“新上帝”马克思和恩格斯狂热的信徒，他迫不及待地想推翻立法院——新南威尔士议会不经选举、终生连任的上议院，想彻底铲除英国政府对澳大利亚事务的影响和干预。他虽然十分仇恨英格兰，但是头脑冷静，灵活精明。

八月的第一天，比德·埃文斯·泰尔加斯和亚历山大·金罗斯爵士正式会面。事实证明，这是一股不可阻挡的力量和一道不可动摇的屏障相抗衡。这两个男人都从卑微中崛起，但是各自选择了截然不同的生活道路，现在相互面对的时候，在最小的问题上都不肯让步。由于生活条件不错，工资也比较高，亚历山大的矿工和精炼厂的工人都没有加入工会。只有山姆·欧唐尼尔在古尔贡干活儿的时候，加入了工会。比德只能利用他，要求亚历山大恢复他的工作。

“他是个只会发牢骚、制造麻烦的家伙，”亚历山大说，“所以，我就是给所有被解雇的工人恢复工作，也不会给他恢复。事实上，如果以后有条件再招募工人，我也绝不会招山姆·欧唐尼尔。”

“现在金价下跌，亚历山大爵士。你可以把黄金原地储藏起来，等价格上涨时再卖出去。”

“‘原地储藏’，是吗？对于一位只穿衬衫不穿外套的政治活动家，这话未免太优雅了吧！你的建议太可笑了。我之所以裁员，因为我无法继续保持原先的生产规模，就这么简单。”

“你要恢复山姆·欧唐尼尔先生的工作。”比德说。

“让他见鬼去吧。”亚历山大说。

比德·埃文斯·泰尔加斯走了出去。

在金罗斯，唯一可以住宿的地方就是茹贝的饭店。比德在那儿租了一个最小、最便宜的房间。他不肯轻易动用工会的经费，宁愿自己掏腰包。而那腰包也总是扁扁的，里面装的都是给《新闻快报》和工会新出的一张报纸《工人》写文章赚的微薄的稿费和星期日下午在悉尼发表激动人心的讲演之后，帽子传来传去收集到的那点小钱。现在，他只寄希望于成功地进入下一届新南威尔士议会。现任议员已经通过决议，下一届通过选举进入议会的议员，政府将付给可观的薪水。到目前为止，议员都没有薪水。这就意味着，没有经济能力进入民选下议院的穷人，今后也可以成为议员。

比德五英尺九英寸，比一般人稍高一点。他长得很壮实，祖上都是纽卡斯尔①的采煤工人。这也算是老祖宗的遗传。他十二岁就和出生在威尔士的父亲一起下井采煤。父亲的童年是在威尔士朗达②峡谷度过的，小时候营养远不如他。他尽管块头很大，而且由于大腿肌肉发达，走起路来像个水手，但是看起来曲线优美、十分干练。他浓密的、深红色的头发呈波浪形，皮肤上面有几粒浅浅的雀斑，眼睛像亚历山大的眼睛一样黑。他算不上英俊，但是女人们觉得他五官端正，棱角分明，很有吸引力。如果碰巧看见他挽

①纽卡斯尔：英格兰东北部自治区，位于丽兹以北泰纳河畔。建于罗马军事站的地点，13世纪它成为一个煤炭出口港口，16世纪以后成为主要的煤炭出口中心。

②朗达：威尔士南部一自治市镇，位于卡地夫西南。19世纪20年代及30年代煤矿在其国民经济中具有特殊的重要性。

起袖子，露出肌肉结实的胳膊，敬畏之情油然而生。和亚历山大见过面之后，他在饭店门厅碰到茹贝。茹贝对他很友好。

“哦，真是个漂亮的小伙子！”她说，一双绿眼睛带着几分羞怯，从鸵鸟羽毛扇后面看着比德。“如果我看不见的玩意儿和你身上别的地方同样强壮，我可要把这样一个小伙子改造成一匹种公马了。”

比德鼻翼大张，向后缩了缩，好像被她打了一下。他尊重妇女，觉得她们弱不禁风，应该处于从属的地位，但是，对于她们身上粗俗不堪的东西无法容忍。“我不认识你，夫人。如果你习惯以这样的方式谈话，我也不想认识你。”

她的回答是一阵大笑：“假正经！你还是个牧师，对吗？”

“我不知道上帝和满嘴污言秽语的女人有什么关系。”

“这么说，你真是牧师了？”

“事实上，我不是。”

茹贝扔下手里的扇子，高兴地笑着，脸上露出好看的酒窝。“你是比德·埃文斯·泰尔加斯，工会联盟和工人委员会派来的人，对吗？”她说，“很典型的一位工会领袖——满腔热血，想解放被压迫的工人，可是又决心保持女人的地位不变：看孩子，做饭，收拾家，洗衣服。我是茹贝·康斯特万，这家饭店的女主人，也是‘双重标准’的死敌。”

“‘双重标准’？”他面无表情地问。

“你是男人，可以毫无顾忌地说‘操’：我是女人，就不能自由自在地说‘操’。这就是‘双重标准’。哦，我是开个玩笑，去你的吧！”她走过去，挽住比德的胳膊。“如果你能接受妇女和男人平等的观点，就能把事情办得更好。尽管，依我之见，许多男人不是我的对手。”

比德软了下来。至于为什么，他自己也说不清楚。只能解释为茹贝美丽得销魂夺魄，而且极力对他表现出好脾气。不管怎么说，最终，由着她把自己领进大厅。当然，她报出自己名字的那一刻，他就明白她是何许人也了——亚历山大·金罗斯爵士的情妇、天启公司的董事之一。

"你要上哪儿去？"他问道。

"去我的私人餐厅吃午饭。"

他停下脚步："我可吃不起。"

"你是我的客人，不要对我说这种废话，似乎我和你只能是隔着一道篱笆作对的敌人，你不能吃富婆的饭菜！你是个顽固的、激进派工运领袖。我敢打赌，你从来没有和百万女富翁共进午餐。现在，你有机会看一看另外一半人过的是什么生活。"

"准确地说，是另外百分之零点一。"

"啊，我认错。"

门厅传来一阵叮叮咣咣的响声。茹贝和比德回转头，看见一个女人扑通一声摔了个大马趴，跌倒在地板上。

"真该死！"比德扶她起来时，女人骂骂咧咧地说，"我就讨厌这种该死的长裙子！"

"这位是比德，内尔。比德，她叫内尔，十四岁半，刚刚过了穿短裙子的年龄。"茹贝说，"遗憾的是，我们还没能劝说她把头发盘起。她还不肯为爱情或者金钱穿紧身胸衣。"

"你就是工会派来的那个人？"内尔说，陪他们一起往里走，讨厌的裙子沙沙响着。"我是亚历山大·金罗斯的大女儿。"内尔说，一双明亮的蓝眼睛看着他，目光里充满挑战。她在小圆桌旁边坐下，正好面对着他。

"安娜上哪儿去了？"茹贝问。

"和平常一样，又找不到了。"内尔对比德说，"安娜是我的妹妹，智力迟钝。这是我刚从一本书上看到的新说法，茹贝姨妈。我更喜欢这个说法，我觉得比'智障'好。因为它的意思是具有思维能力，而不是不具备思维能力。"

比德·泰尔加斯脑子里一片混乱，开始和这两个女人一起吃饭。可以说，她们这个类型的女人，他以前从来没有接触过。内尔言语之间的辛辣和幽默比茹贝少了许多，但他认为，那只是因为她在他面前有一点点羞怯和不信任。从理论上讲，他是她父亲的敌人。他并不谴责做子女的对父亲的孝顺和忠诚。她和她父亲长得真像！可是，亚历山大·金罗斯这个家太有悖常情了，他的女儿居然和他的情妇栖息在同一根树枝上，相安无事。还叫她姨妈！从内尔喋喋不休的谈话中，比德·泰尔加斯看出，她对茹贝·康斯特万的地位一清二楚。这种关系让他惊骇，尽管他认为自己摆脱了宗教以及一切陈规陋习的束缚，是一个精神上没有任何羁绊的人。堕落，他认定就是这么回事儿。这些人既有权，又有钱，就像古罗马人一样，精神颓废，道德沦丧。可是内尔看起来不是那种腐化堕落的人。她说话非常直率，为人也很真诚。不一会儿，他就意识到，这个女孩儿的智力他简直望尘莫及。

“我明年就到悉尼大学学习工程技术。”她对他说。

“工程技术？”

“是的，工程技术。”她很耐心，就像对一个白痴说话，“矿业、冶金、化验和矿产法。吴青、张民和我一起学习这几个专业。洛琦学习机械工程和机械制造。多尼·威尔金斯——牧师的儿子——学习民用工程和建筑。这样一来，爸爸就有我们三个技术人员搞他最喜欢的采矿，一个搞蒸汽机和发电机，另外一个建造桥梁、设计剧院。”内尔说。

“可你是女孩儿，那三个是中国人。”

“这有关系吗？”内尔问，咄咄逼人，“我们都是澳大利亚人，都有权利接受我们有能力接受的教育。你认为富人应该如何度过一生？”她态度粗鲁地问。“答案是，我们做的事和穷人完全一样——如果懒惰，白白地浪费光阴；如果勤奋，忙得四脚朝天。”

“你对穷人了解多少？小姐。”

“就像你对富人的了解一样，很少。”

他只好改变话题：“工程技术可不是女人的职业。”

“胡扯！”内尔生气地说，“照你这么说，我们应该把吴青、张民和洛琦统统赶走。”

“他们已经来了，就算了。可是我的确认为应该禁止中国人移民。澳大利亚是一个白人赚白人钱的国家。”比德相当傲慢地说。

“天哪！”内尔喘了一口粗气说，“中国人比从英伦三岛各个角落来的那些又馋又懒的酒鬼不知道强多少倍！”

恰在这时，山姆·文端着第一道菜走了进来，这场“冲突”才没有演变为“大战”。内尔高兴得立刻满脸放光。比德惊讶地发现，她开始用中文和山姆·文讲话，而且因为充满柔情，面颊飞红。

“你会说几种语言？”山姆·文出去之后，他问道。他尝了一口明虾卷儿，上面洒着甜调味汁，味道十分鲜美。

“汉语。准确地说，是中国北方话，我们的人都是北方人，不是广州人。我还会说拉丁语、希腊语、法语和意大利语。进城以后，我得找一个辅导德语的老师。许多工程技术的论文和教科书都是用德文写的。”

“我们的人？”后来，走过金罗斯城的时候，他心里想，“我们的人”都是北方人，不是广州人，这是什么意思？我一直认为中国人就是中国人。如果真的开始禁止中国人移民，一定会遇到来自亚历山大·金罗斯爵士的反对。这是一项联邦法律，要等联邦成立之后才能付诸实施。到那时，一定会遭到白人企业家的反对。因为他们给中国人的工钱只有白人的二分之一。是的，我们必须通过工会给联邦议会施加压力，才有可能通过这项法律。也就是说，我们必须在政治上组织起来，这比工会本身的事务重要得多。

哦，为什么偏偏这个时候金罗斯出问题呢？现在昆士兰的局面非常危险。新南威尔士的牧场主居然成立了该死的“牧场主工会”。如果剪羊毛工人继续罢工，那就是一个火药桶。此时此刻，悉尼比这穷乡僻壤更需要我，尽管这里盛产黄金。比尔·思朋斯承受着来自剪羊毛工人的巨大压力，以至于坚持所有工会会员必须到工棚里干活儿。如果他能成功地让悉尼码头工人停止罢工，我们可就麻烦了。支付罢工工人的钱从哪儿开销呢？去年我们给了伦敦码头工人三万六千英镑，才使他们赢得罢工的胜利。可是现在我们是身无分文的穷光蛋。我还跑到金罗斯来。

比德希望自己能喜欢山姆·欧唐尼尔。可是越和他接触，越觉得这个人没法让他喜欢。尽管比德更愿意把他看成一个“没有进取心的人”，而不是一个真正的“麻烦制造者”。他在精炼厂和车间里朋友多，在跟他一起干活儿的矿工中却没有朋友就足以说明，工友们对他都嗤之以鼻。但是，比德决心充分利用山姆·欧唐尼尔的优点。这个人长得很英俊，善于逢迎，也很会讲话。而且他恨中国人，是个掌握中国人动向的很有价值的消息来源。对于工会联盟和工人委员会，金罗斯和天启矿山真有点不可思议。亚历山大爵士裁员的时候，并没有给中国人特殊照顾。他们也丢了工作，比例和白人差不多。

比德·泰尔加斯向金罗斯警察局斯威特警官提出申请，下一个星期日下午，在金罗斯广场召开群众大会，发表讲演。警官收到申请之后，很谨慎，疑虑重重，便给亚历山大打了个电话，事情很快就确定下来。

“你可以发表演讲，泰尔加斯先生。如果还有别人想说点什么，也没问题。亚历山大爵士说，言论自由是真正民主的基础。他不反对。”

看来人们的传说没错儿，比德心里想，迈开水手的步伐在大街上昂首阔步地走着。亚历山大·金罗斯确实在美国待过。没有一个土生土长的苏格兰人能说出“真正民主”这样的话。在悉尼，倘若一位坚定支持英国的人听到“民主”这个字眼儿，一定像一头公牛对一块红布做出反应，满腔愤怒地骂道：“那是美国人胡说八道！人和人不可能平等！”

真该死！欧唐尼尔上哪儿去了？他们约好午饭后在饭店门口碰面，可是整整一个下午过去了，也没见他的人影。直到傍晚，他才出现，看起来衣冠不整。

“你上哪儿去了？山姆。”比德问道，从他外套上摘下几个蒺藜。

“消遣消遣，玩一玩。”欧唐尼尔笑着说。

“你应当来向我介绍被解雇工人的情况，山姆，而不是和哪个女人调情。”

“我没有调什么情，”欧唐尼尔闷闷不乐地说，“你要是看见她，就明白了。”

比德·泰尔加斯在金罗斯小住的六天里，深入到被裁减的员工中了解情况。这些人有锅炉工、装配工、车工、机修工，以及因为压缩黄金产量受到影响的精炼厂和许多车间的工人。火车现在一星期只开一次，煤的消耗量因此而下降。天启公司在拉特沟的煤矿，四个人里只有一个人有工作。

比德发现，金矿工人不可能追随他的事业。他们收入颇丰，一个班只干六个小时，一个星期上五天班，逢着夜班还有额外补助。矿井工作面灯火通明，十分干净。井下安着电扇，通风良好。爆破时安全措施得力，硝烟散尽、尘埃落定之前，谁也不准进爆破现场。除此而外，矿工联合会中煤矿工人在人数上远远超过金矿工人。在他们看来，“联合会”实际上就是煤矿工人的工会。最后还有一点，前煤矿工人比德·泰尔加斯来金罗斯之前，从来没有想过，金矿工人看不起煤矿工人。因为金矿工人的工资比较高，工作环境比较好，也比较干净，不像煤矿工人，下班时浑身煤尘，满脸焦黑，患了矽肺的人更是拼命咳嗽，仿佛不把肺咳出来决不罢休。

星期日下午，他在金罗斯广场的讲演相当成功。他想出一个好主意，从拉特沟调来一大批煤矿工人，为他呐喊助威。他发现，拉特沟来的听众中还有制砖厂的工人、铁匠和塞缪尔·莫特制冷厂的工人，于是，越发觉得自己此行此举完全正确。比德很聪明，不把炮火集中在亚历山大·金罗斯爵士一个人身上，而是把讲演的重点放在揭露天启公司巨大的利润和工人微薄的收入如何不成比例。他描绘出一幅生动的、空想社会主义的美好图景——财富平均分配，没有住在豪华府邸里的富人，也没有住在贫民窟里的穷人。接着，他又讲到中国人的问题。他认为，中国人威胁到每一个澳大利亚白人工人的生计。雇用廉价的劳动力是资本家积累财富的重要手段。他曾经亲眼目睹他们从美拉尼西亚[①]拐骗来黑人，在昆士兰甘蔗种植园做苦工。那些人实际上就是奴隶。这也是为什么澳大利亚必须是白人国家的另外一个重要原因。所有其他种族必须驱除。因为，比德说，不同种族

①美拉尼西亚：西南太平洋的群岛。

的差异为剥削提供了基础，唯一阻止剥削的办法就是不让这种基础存在。

比德·泰尔加斯的讲演让他一夜之间成了金罗斯家喻户晓的人物。星期一，他走在大街上的时候，工人们把他团团围住。拉特沟来的听众求他下个星期日去他们那儿讲演。甚至有些天启金矿的工人也拍着他的肩膀表示赞赏。不过，他不无懊恼地承认，他们主要是愿意聆听一位演说家雄辩的演说，并没有采取实际行动的愿望。那个两面三刀的恶棍亚历山大爵士也在下面——小范围之内——煽风点火。他强调他是个好雇主。大家应该相信，他之所以削减黄金产量，实在是无奈之举。看起来，比德在金罗斯还有许多工作要做。

他还没来得及做什么工作，八月六日，工会联盟和工人委员会就来了一封电报，要他立即返回悉尼。有消息说，"牧场主工会"正把大批非工会成员工人剪下的羊毛运往悉尼，然后租用外国人的船只把羊毛运走。悉尼码头工人宣布，这批羊毛是"黑货"，拒绝装船。这当儿，由海员联合会牵头，海员工会和船主之间也发生了冲突。纽卡斯尔煤矿的矿主把矿工关在门外。于是，全州各地的煤矿工人纷纷罢工，表示声援。这一场混乱甚至波及布罗肯山银矿。矿主停止生产，声称银锭无法装船。

罢工的浪潮像野火一样烧遍全国，来自各行各业的五万工人走上街头。在悉尼，《取缔闹事法》[①]宣读之后，引起更大的骚乱。罢工工人的生活越来越艰难。由于工会一八八九年给伦敦码头工人捐了一大批款，工会资金所剩无几，无法满足"后方"罢工工人的需要。

罢工从一八九〇年八月初开始，持续到十月底。面对冷酷无情的资本家和资金严重短缺的困境，工会被打垮，整个大陆的经济危机愈演愈烈。到十一月中旬，码头工人、煤矿工人和别的行业的工人在要求没有达到的

---

①《取缔闹事法》：1715 年颁布的一项英国法令，规定 12 个或更多非法集合扰乱治安者，经宣读此法令后应立即解散，否则按重罪处罚。

情况下，只得被迫恢复工作。雇主大获全胜，他们因为有权雇用非工会的工人，熬过了这艰难的三个月。即使到目前为止，车间依然关闭的企业主对未来也充满信心。最后放弃斗争的是剪羊毛工人。

布肯罗山银矿关闭之后，亚历山大让天启金矿完全停产。借口也是没法把金锭运出去。亚历山大对拉特沟煤矿工人的死活根本不予考虑，但是他太狡黠了，不但不敢轻易惩罚金罗斯的工人，还付给他们比工会罢工补贴稍高一点的工资。他一直很走运，等到全国再恢复正常生产的时候，这些"厉行节约"的举措看起来就没有什么必要了。

对于比德·泰尔加斯，金罗斯已经变成遥远的记忆。他和其他工运领袖一起，舔干净伤口的血迹，把目光转向下一届新南威尔士立法院——民选下议院的大选。大选一八九二年才开始，但是现在就得准备。为期三个月的全国性大罢工使得许多挣扎在贫困线上的家庭越发苦不堪言。按照法规，他将成为带领他们摆脱贫困的领导人之一。

比德是个有远见的人，他看出，工会领袖在悉尼选区有机会获胜。悉尼现在差不多有五十万人，在类似红蕨这样的市中心区，工会肯定能有一位候选人在官方机构获得席位。可是竞争一定非常激烈。他知道，自己初出茅庐，根本不是那些人的对手。因此，他决定向西南发展，到流入植物湾的那几条河流周围的工业区开展工作，将来以那一地区候选人的身份参加竞选。他想，他一定可以获得足够的选票，参加新一轮州议会选举，最终达到进入下议院的目的。拿定主意之后，他就搬到自己选定的选区，积极工作，很快就在那儿变成一个知名人物——满怀热情，雄心勃勃，而且极富同情心。

罢工结束之后，亚历山大打点行装，乘船前往旧金山。让他不快的是，茹贝拒绝和他一起去旅行。

第三章 灾难

内尔的十五岁生日在她看来是一场灾难。父亲写来一封信，告诉她，他改变了主意。她要等到一八九二年再到悉尼大学学习工程技术。那四个男孩虽然比她大，但是也要在金罗斯待着，等过了一八九一年，按照原计划和她一起去悉尼读书。

“我认为，你开始上大学的时候，我不是远在天边，而是在金罗斯和悉尼，这对于你非常重要，”他在信中说，字写得一如既往工工整整。“我当然知道，推迟一年，你会非常不痛快。但是，你要弄清利害关系，接受我的决定，内尔。我这样做，完全是考虑你的最大利益。”

内尔举着那封信就像闹事者高举火把，径直去找妈妈。

“你和他说什么了？”她满脸通红，逼问妈妈。

“你这是什么意思？”伊丽莎白问，一脸茫然。

“你给他写信的时候都说了些什么？”

“给谁写信？你爸爸？”

“哦，看在上帝的分上，别装糊涂了，妈妈！”

“你用这样的口气对我说这样的话，我并不生气，内尔。可是我真的一点儿也不明白你在说什么。”

“瞧瞧这个！”内尔大声说，在伊丽莎白鼻子底下晃着那封信。“爸爸说，我今年不能去学工程技术了。得等到十六岁！”

“哦，原来是为这事儿！”伊丽莎白说，松了一口气。

“你真是个好演员！就好像你对这事儿一无所知。啊，你肯定知道！就是你让他改变了主意。你都对他说了些什么？”

“我已经对你说过了，内尔，什么也没说。”

“什么也没说？真可笑！你是我认识的最不诚实的女人，妈妈。事实就是如此。你生活唯一的乐趣就是挑拨我和爸爸的关系。”

“你错了，”伊丽莎白向后退了一步，木呆呆地说，“我的确希望你晚走一年。所以我现在并不假装听了这个消息不高兴。但是，这件事情绝对不是我干的。不信你可以去问茹贝姨妈。”

可是，泪水早已夺眶而出，内尔冲出暖房，像个六岁的孩子，号啕大哭。

“她父亲把她惯坏了。”瑟蒂斯太太说，并不愿意看到这种感情大爆发的场面。“真遗憾，金罗斯夫人。因为她是个本质非常好的姑娘。一个毫无自私自利之心的姑娘。”

“我知道。”伊丽莎白说，神情沮丧。

“等她长大就好了。”瑟蒂斯太太说，走了出去。

是的，长大就好了，伊丽莎白心里想。但是，即使长大了，她也不会喜欢我。我找不到一把打开她心灵之门的钥匙。麻烦在于，她总是坚定不移地站在爸爸那边，不管发生什么事儿，只要不合她的心思，就推到我的头上。可怜的小东西！去年十一月，她参加大学入学考试，在全州考了第一名。现在她怎么能在家里再安心地待一年呢？我想，亚历山大之所以做出这样的决定，恐怕不是因为内尔，而是他一定意识到，那四个男孩儿还没有达到应有的水平。如果他们不去，内尔就没法去。可是，他为什么不把这些情况向她解释清楚呢？倘若他解释一下，内尔就不会指责我。这当然不言自明。为了把我和内尔分开，亚历山大真是无所不用其极。

找茹贝寻求慰藉也没有什么用处。虽然相距千山万水，她和亚历山大已经和好如初。等他回家，他们俩又会像金星和火星紧紧拥抱在一起。想到这里，伊丽莎白不寒而栗。倘若茹贝完全领悟了这件事情的含义，亚历山大也许会比原计划提前回来。

和内尔不欢而散之后不到十分钟，伊丽莎白又看见她这个“女儿国”里另外一个成员——玉。

“丽翠小姐，我能占用几分钟和你谈点事吗？”玉站在暖房门口问道。

真奇怪！伊丽莎白凝视着她，心里想。玉年轻漂亮，总是生气蓬勃，可是今天看起来就像个九十岁的老太太。

“进来吧，坐下谈，玉。”

玉侧着身子，小心翼翼地走进来，在一张藤椅边儿上坐下，双手紧握，放在膝盖上，浑身颤抖。

“亲爱的，怎么回事儿？”伊丽莎白问，在她身边坐下。

“是安娜，丽翠小姐。”

“哦，你可别跟我说她又跑丢了！”

“没有，丽翠小姐。”

“那么，安娜到底怎么了？”她提这个问题的时候似乎并不特别着急。就在昨天看护安娜的时候，她还想，这个姑娘看起来多么健康！光洁的皮肤、明亮的眼睛，差一个季度十四岁，但是身体发育得远比内尔强，只要来月经的时候不那么折腾就好了！

玉强打精神，说：“我想，都是因为过去这几个月麻烦事儿太多。先是罢工，接着金罗斯爵士外出……”玉停下来，舔了舔嘴唇，不是颤抖，而是摇晃起来。

“告诉我，玉。到底出了什么事儿？我不会生气的。”

“安娜已经四个月没来月经了，丽翠小姐。”

伊丽莎白听了目瞪口呆。她直盯盯地看着玉，恐惧从心中升起。“你是说，她已经错过三次来月经的时间了？”

“或者四次。这是我尽量回忆的结果，丽翠小姐。我那么害怕她来月经时的痛苦，总是尽量不去回想那些让人心痛的往事。我的宝贝儿一见血就吓得要命，拼命哭叫，只能喂她鸦片，让她镇静。因为不愿意回想，我就把这事儿完全忘到脑后。直到今天，她说‘安娜不再有血’，我才想起她好长时间没有因为来月经而哭闹！”

伊丽莎白一下子觉得冷到骨髓，一块比铅还重的东西压到胸口。她连忙站起身，向楼上跑去，快到安娜房间的时候才强迫自己放慢脚步。

安娜坐在地板上，玩她从草地采的一大堆雏菊。玉教给她在花茎上切个小口，用线穿起来，做成花环。伊丽莎白用一种新的眼光看她。安娜宛如一朵怒放的鲜花，已经是个完全成熟的女人。美丽的面庞、美丽的线条，一个美丽的天真无邪的姑娘，她的智力只相当于一个三岁的孩子！啊，安娜，我的安娜！他们对你做了些什么？你已经十三岁了！

“妈妈！”安娜高兴地说，把她编的花环送到妈妈面前。

“很好看，亲爱的。谢谢你。”伊丽莎白把花环套在自己脖子上，把安娜拉起来。“玉发现雏菊上有扁虱。扁虱！很脏，还会咬人的扁虱。我们看看你身上有没有。你把衣服脱了好吗？”

“啊！肮脏的扁虱！”安娜说。她想起有一次一只扁虱爬到她胳膊上。“炉甘石！”安娜尖叫起来。这个三音节词对安娜具有非常重要的意义。她知道那玩意儿能去痛止痒。

“是的。玉有炉甘石。把衣服脱了，亲爱的。我们得先找到扁虱。”

“不脱！安娜没有血。”

“我知道。找扁虱，安娜。”

“不！”安娜说，看起来一副不肯顺从的样子。

“那就让我们看看，能不能在没有衣服的地方找到扁虱。如果找不到，我们就玩一次‘脱一点儿’的游戏，直到找到它，好吗？”

于是她们一件一件地脱了起来，直到把安娜的内裤脱掉。脱下来的衣服整整齐齐叠好，放在旁边。这是玉长期以来坚持不懈训练她的结果。

两个女人先看看一丝不挂的安娜，然后对视了一眼。曲线优美的身体平常肚子扁平，现在明显隆起；丰满的乳房乳头开始变成深褐色。

“我们本该坚持给她洗澡，不管她怎样反对，”伊丽莎白闷闷不乐地说，“不过谁也没有先见之明。”她很温柔地吻了吻安娜的脑门儿，“谢谢你，亲爱的。你很走运。没有讨厌的扁虱。穿上衣服，好孩子。”

安娜穿上衣服，又去玩她的雏菊。

“你觉得她已经几个月了？”走出安娜的房间之后，伊丽莎白在大厅里问玉。

"四个多月快五个月了，丽翠小姐。"

泪水顺着伊丽莎白的面颊流下，但是她并没有注意到。"哦，我可怜的孩子！玉，玉，我们该怎么办？"

"问问茹贝小姐。"玉说，也抽泣起来。

怒火从心中升起，伊丽莎白气得浑身发抖。"我知道亚历山大错了！我知道，必须找个人顶替蜻蜓！啊，男人都是傻瓜！他以为他有权有势，就能保护我美丽的、能引起男人情欲自己却浑然不知的女儿不受骚扰。该死的家伙！"

内尔走进大厅，正好听见这话。她看起来已经冷静下来，足以相信她今年不能上大学不是妈妈造成的。"妈妈，怎么了？你不是因为我对你嚷嚷才哭，对吗？"

"安娜怀孕了。"伊丽莎白说，擦了擦眼睛。

内尔打了个趔趄，好不容易才靠墙站稳。"啊，妈妈，不！不可能！谁能对安娜干这种事情？"

"挨千刀的杂种！"伊丽莎白愤怒地说。她转过脸看着玉。"和她待在一起。内尔，你也帮着看护。不能让她再出去游荡了。"

"也许应该让她出去游荡，"内尔说，脸色苍白，"这样我们就能抓住那个坏蛋。"

"恐怕他已经跑了。如果他几个星期前没有逃跑，肯定已经亲眼看见安娜怀孕，还不赶快跑？"

"你打算怎么办？妈妈。"

"去找茹贝。也许可以打掉她肚子里那玩意儿！"

"太晚了！"内尔和玉异口同声地朝伊丽莎白的背影喊道。"太晚了！"

茹贝也这么说，当然是在愤怒地叫骂了一阵之后。"你和玉脑子里都进水了吗？"她握着一双拳头问道。"看在上帝的分上，她这么多次没来月经，你们俩居然都没有发觉！"

“说实话，她每来一次月经，我们都好像做了一场噩梦。我们那么害怕，想都不愿意多想，更不要说盼望她来什么月经。除此而外，她以前也有没来的时候。她的月经不是很准，”伊丽莎白说，“谁能……谁能想到这事儿呢？做梦也不会想到！这是强奸，茹贝！”

“我就会想到！”茹贝生气地说。

不管怎么说，现在得听听茹贝的忠告，伊丽莎白只好硬着头皮继续说下去：“这一段时间，家里乱成一锅粥。亚历山大简直让人无法忍受。他狂妄自大，李离他而去。他想摆脱困境。你们俩又摩擦不断……”

“哦，我明白了！都是我的错，对吧？”

“不，不，是我的错，都是我的错！我是她的妈妈，理应为她负责！”伊丽莎白大声说，“我怪自己，谁也不怪！可怜的玉要发疯了。”

“你也是。”茹贝说，她镇定下来，走到餐具柜旁边，倒了两杯法国白兰地。“白兰地，伊丽莎白，不要推辞。喝下去。”

伊丽莎白一饮而尽，觉得恢复了一点气力：“我们该怎么办？”

“首先，别想打胎的事儿。如果胎儿已经四个多月快五个月，打胎有生命危险。六个星期以内可以打胎，十个星期就很危险了，而且她才十三岁，太年轻了！尽管爱德华·韦勒爵士的儿子也许愿意为她做手术。他已经接了父亲的班，对吧？”

“是的。他叫西蒙·韦勒。”

“我准备给他拍个电报。不过，不要抱太大的希望。我想，一位声誉良好的开业医生不会同意做这种手术，即使像安娜这种情况。”茹贝吸了一口气。“这件事情必须告诉亚历山大，哪怕他不准备回家看他第一个外孙出生。”

“天哪！他会气得发疯，茹贝。”

“哦，是的，会气得发疯。”

“最折磨我的是，这个孩子会是个什么样子。”

“如果安娜的残疾是她出生时造成的，小宝宝会很正常，伊丽莎白。”茹贝哼着鼻子，歇斯底里地笑了起来。“耶稣基督，真是天大的讽刺！亚历山大的男继承人或许就是他智障的女儿和那个丧尽天良、把没有抵抗能力的孩子作为猎物的杂种生下的儿子！”她的笑声变得狂野，她尖叫着，泪流满面，扑到伊丽莎白怀里，嚎叫着，直到终于声息全无。“亲爱的，亲爱的伊丽莎白，”她半晌才说，“你还有什么苦难没有承受？如果可以，我情愿替你承担全部痛苦。你是个连一只苍蝇也不曾伤害的好人儿，我却是个快五十岁的妓女了。”

“还有一件事情，茹贝。”

“什么事情？”

“找到这个坏蛋。”

“啊！”茹贝坐起来，找到她的手帕，擦掉脸上的眼泪和忧伤。“恐怕永远也找不到，伊丽莎白。因为我从来没有听说什么人打扰过安娜。这是个小城，我坐在它的中心。从公众酒吧到雅座酒吧，再到餐厅，客人们说的话没有一句能逃过我的耳朵。我觉得这个家伙不是当地人。当地人不敢。如果被人发现，他会被处以私刑。在我们这座小城，谁都知道她的年纪。我猜是那种四处游走的旅行推销员干的。他们来来去去，同一个公司派的人从来不会再出现第二次。有贩卖来福枪的人，有马具商、小贩、推销员。他们卖的东西从药膏到滋补品、香水、假珠宝首饰，应有尽有。是的，肯定是个旅行推销员。”

“必须找到他，告他，绞死他！”

“你要冷静。”绿眼睛变得严厉起来，“动动脑子，伊丽莎白！你个人的悲伤将变成公众的事情。像《真相》这种无聊小报会借机大做文章，往亚历山大·金罗斯爵士头上泼脏水。”

“我明白了，”伊丽莎白悄声说，“是的，我明白了。”

“回家去吧。我给西蒙·韦勒大夫发个电报，再找出密电码，给亚历山大发个海底电缆电报。他可不愿意把这条消息用英语拼出来传来传去。去吧，亲爱的，去吧！安娜需要你。”

伊丽莎白走了，仍然心痛欲绝，但是已经觉得可以应付这场灾难。白兰地起了作用，不过不像茹贝帮了那么大的忙。她经验丰富，实事求是，尽管她也没有预料到会发生这样的事情。如果预料到了，肯定会说出来。想到这里，伊丽莎白稍稍感到一点安慰。我们太相信别人，以为世界上所有的人都像我们一样怜悯、保护不幸的生命。那些不幸的人和我们不同，不是他们的过错。然而，这是一个怎样的世界！居然容忍这样一些魔怪存在。他们只想满足自己的兽欲，把女人当作泄欲的工具。我亲爱的孩子，她才十三岁！我亲爱的孩子，她甚至不知道在她身上发生了什么，就是我们想告诉她，她也无法理解。我们必须让她渡过这一关。如何渡过，我也不知道。牛或者猫怀孕的时候知道发生了什么事情吗？可是安娜既不是牛也不是猫，她是一个被糟蹋了的十三岁的姑娘，所以我也不能指望她像牛或者猫一样分娩。安娜会把怀孕当成发胖，或许她压根儿连什么是发胖也不懂。

“我们在她面前要装得十分自然，好像没有发生什么特别的事情。”伊丽莎白回来之后对玉和内尔说，“如果她抱怨行动不便，我们就告诉她，会过去的。她有没有吐过？玉。”

“没有，丽翠小姐。如果她呕吐过，我早就发现了。”

“她怀孕倒是没有遭罪。我们等着听西蒙·韦勒的意见吧。我真怕她也像我一样分娩时惊厥。”

“我一定要找出干这事儿的人是谁。”玉冷酷地说。

“茹贝小姐说不可能，玉。她说的没错儿，一定是旅行推销员干的，早就没影儿了。当地人不敢打扰安娜。”

“我一定要找到。”

“我们谁都没有时间去做这件事情，现在的任务就是照顾好安娜。”伊丽莎白说。

内尔发现很难接受安娜陷入困境的事实。神志清楚的时候，安娜总是待在家里。她们虽然不像别的姐妹那样可以谈天说地，但是安娜以她的方式表现出手足之情，甚至那情意更浓。一个无法自立的、比宠物还难训练的姑娘！由于她的残疾、温柔、甜美和微笑而越发可爱。除了来月经的时候因为害怕血大哭大闹之外，安娜从来不发脾气。你吻她，她就吻你。你笑，她就对着你笑。

也许正是安娜鼓舞内尔专心攻读——那么多的奥秘需要她探索。然而，虽然有所发现，还有许许多多未知的领域。也许总有一天，人类会找到治疗安娜这种疾病的办法。如果她，内尔，能在这一探寻过程中作出贡献，那该多好！不过，内尔并没有因为这种美丽的憧憬而轻松，她还是回到自己的房间里伤心痛哭。

西蒙·韦勒大夫和他父亲有很大的不同——他态度生硬，不像老韦勒那样温和，但是他很聪明，似乎出于本能就知道如何和安娜打交道。他和伊丽莎白、玉、内尔不同，她们总是极力避免问她发生过什么事情，他却“单刀直入”。

“你跑出去的时候见过什么人吗？安娜。”

安娜皱着眉头，一副迷惑不解的表情。

“安娜，你在丛林里散步。你喜欢在丛林里散步，是吗？”

“是！”

“你在丛林里干什么？”

“采花，看袋鼠跳，跳，跳！”

“只是采花，看袋鼠？还见过什么？”

“好人。”

“他有名字吗？那个好人。”

“好人。”

“鲍勃？比尔？威利？”

“好人，好人。”

“你和这个好人玩过吗？”

“最好的玩！拥抱。最好的拥抱。”

“好人还在那儿吗？安娜。”

她扭歪着脸，一副闷闷不乐的样子。“好人走了，没有拥抱了。”

“走了多长时间了？”

安娜不会回答这个问题，只是说，“好人”走了。

韦勒大夫让安娜告诉他，她和“好人”如何拥抱。让妈妈万分恐惧的是，安娜在床上躺下，让韦勒大夫脱掉她的内裤，不用他鼓励，就分开双腿。

“假装我是‘好人’，安娜。他这样做……这样做……这样做，是吗？”

测试尽可能按照安娜对“拥抱”的理解，很轻松地进行着。如果伊丽莎白以为自己的耻辱已经到了无以复加的地步，那么，当她看到十三岁的女儿开始快乐地扭动、呻吟，她便明白自己错了。

“好了，安娜，”产科医师说，“坐起来，穿上内裤。”

他的目光和玉相遇，好像被死人冰冷的手碰了一下，不由得打了个寒战。玉冲到床边，帮安娜穿上内衣。

“胎儿已经五个月了，金罗斯夫人。”韦勒大夫坐在暖房里，一边不无感激地喝茶，一边说。

“你能把他打掉吗？”伊丽莎白冷冰冰地问。

“不能，我不能这样做。”他温柔地说。谁能责怪这个可怜的女人提出这样的要求呢？

“她……喜欢这事儿，是吗？”

“看起来是这样。这个家伙一定是勾引少女的能手，手腕儿高明。”他放下手里的杯子，俯身向前，灰眼睛里充满同情。“安娜是一个完完全全的矛盾体。她的智力相当于蹒跚学步的孩子，但是身体的反应和成熟的年轻女人没有两样。他教会她喜欢他在她身上干的那些事情，尽管第一次她也许并不觉得特别舒服。当然，也可能第一次就觉得很好玩儿。因为安娜对一般女人害怕的事情一无所知，所以没有疼痛的感觉，尤其是如果这个男人很有技巧。”

“我明白了。”伊丽莎白说，喉咙一阵发紧，“你是不是想告诉我，一旦有过这事儿，安娜就会主动寻找这种快乐？”

“说实话，我不知道，金罗斯夫人。我倒很希望知道。”

“到了分娩的日子，我们该怎么办？”

“我想，我得到场。我父亲身体很好，还能做临床医生。我相信，我的病人不会反对他代替我给她们看病。”

“这个孩子会怎么样呢？会像安娜吗？”

“也许不会。”西蒙·韦勒说，听口气似乎对这个问题已经深思熟虑。“只要安娜能顺利分娩，婴儿就不会有什么问题。到现在为止，一切都很正常。如果我是个爱打赌的人，我就把赌注押在她会生一个大脑健全、肢体健康的孩子这边。”

伊丽莎白又给他倒了一杯茶，递给他一块花色小蛋糕：“如果安娜真的要寻找这种快乐，有没有办法防止她怀孕？”

“你的意思是绝育？”

“我是这个意思吗？我连这个词都没听过。”

“金罗斯夫人，要想给安娜绝育，就得做很大的手术——剖腹，取出卵巢。这样的手术危险很大。现在，别无选择的时候，我们可以做剖腹产手术，成功率百分之五十。绝育手术生完孩子之后做效果比较好，但是摘除卵巢比从子宫里拿出一个孩子难得多。卵巢在肚子里的位置很深。安娜年轻，身体也壮，但我还是劝你不要给她做绝育手术，夫人。”

“不做这种手术，就只能采取某种类似禁闭的方式，把她隔离起来。”

“是的，我知道。你要确保安娜无论走到哪里都有人寸步不离地跟着。在我看来，对她保持高度警惕和绝育同样有效。”

伊丽莎白只得同意韦勒大夫的意见，不让安娜冒险做这样的外科手术，也不把她真的关在铁窗后面。我们必须提高警惕，不能有一时一刻的懈息。不管亚历山大如何反对，也要让蜻蜓再回来。哦，亚历山大，你快回来吧。我怎样才能用一个字一先令的密电码对你解释清楚这件事情呢？

伊丽莎白到饭店的时候，茹贝正手里拿着亚历山大的回电等她。“他说，由我们处理这件事情。他不能扔下手里的事情马上回来。这个该死的杂种！”

“你能把这封信译成电码吗？”伊丽莎白递给她两张写得密密麻麻、很难辨认的信纸。“我知道太长，但是我需要亚历山大就韦勒大夫的意见提出他的看法。如果我不和他商量就自作主张，他会大发雷霆的。”

“你知道，即使是一本《圣经》我也会为你翻译的，伊丽莎白。”茹贝拿过那两张纸，很快看了一遍。“天哪，没完没了的折磨，难道不是吗？可怜的、可怜的安娜！”

“我们会熬过去的，茹贝。但是我不能让亚历山大指责我没有把每一个细节告诉他。”

“我从他回电的口气看出，他很受震动，尽管他不愿意承认。”茹贝放下那两张纸，点燃一支雪茄。“我也不知道怎么搞的，安娜的事儿传了出去，”她说，“金罗斯就像炸开了锅，人们个个义愤填膺。我还从来没有见过大家的情绪这么激动。就连牧师们也忘了‘以德报怨’的说教。如果能找到这个坏蛋，一定会把他处以私刑。西奥多拉泪流满面，威尔金斯太太问我如何起草传单，发到各家各户，让大家都保护好自己家的女孩儿。孙磨快了斧头。无论白人还是中国人都骂得唾沫星子乱飞。”她吐出一口烟，那样子看起来挺凶。“可是谁也说不出一个怀疑对象。通常碰到这种情况，不，我的意思是，碰到这种引起公愤的事情，总会有一个家伙仅仅因为人家不喜欢他，就被贴上‘罪犯’的标签。可是这次不同。金罗斯没有一个喜欢亲吻、猥亵少女的性变态的坏蛋，所以和我一样，大家普遍认为干这件事情的是旅行推销员。干了以后就扬长而去，再也没有回来。”

“可是这里有一个疑点，”伊丽莎白说，“可怜的小安娜之所以对那种让她愉悦的感觉那么熟悉，说明那个家伙绝对不是只干了一次。而旅行推销员在一个地方待的时间从来不会超过两天。”

“是的，可是这种性变态的人会有一个俱乐部。安娜的事也许在他们中间已经广为流传。她的‘好人’不止一个，也许是一打。”茹贝说，对她的这个“理论”颇为“赞赏”。

“我不信。我相信是当地人干的。玉也这样认为。”伊丽莎白说，看起来很固执。

玉确实认为迫害安娜的是金罗斯城的某个人。虽然安娜是丽翠小姐的女儿，可是她出生之后，母女都生病，玉就成了她的妈妈。玉没有结过婚，但是早在希尔山服侍茹贝小姐之前，就有过性体验。孙王爷打发她去服侍茹贝之后，从文家七姐妹中挑选粉鸟为妾。玉如果想结婚，孙也可以给她找个男人嫁出去，但是权衡再三，她还是决定去当佣人，这样日子可以过得更轻松点。丽翠小姐来了之后，她就从茹贝那儿“调”到丽翠——一个更和善的女主人——这儿。有了安娜，就像有了自己的孩子，而且是用不着经历丈夫讨厌的纠缠、临产难挨的疼痛，就“白捡”了个孩子。玉爱这个柔弱的、嘤嘤啜泣的小东西，从她出生的第一天起，就视同己出。为了她，再累、再苦也心甘情愿。丽翠小姐最初几个月对小安娜漠不关心，她也毫无怨言。她知道，丽翠小姐日子过得很不开心。作为丈夫和孩子的父亲，亚历山大都不是她的选择。玉怎么会知道这些事儿，简直是个谜，因为伊丽莎白从来没有和她说过，脸上也不曾表露过心里的感受。她还知道——这也是个谜——丽翠小姐被李深深吸引，李也热烈地爱着她。考虑到她一心扑在安娜身上，能知道这么多情况实在是难能可贵。

大户人家的秘密没有一件可以瞒过久居家中的仆人。这样的仆人从任何意义上讲，都已经成了这个家庭中的一员。玉是金罗斯府邸最早、最忠心耿耿的仆人。她对安娜比蝴蝶对内尔不知道亲多少倍。玉知道，伊丽莎白无法接受这样的事实——安娜的命运安危未定。安娜有父亲，一位像孙王爷一样有权、专横的父亲。他会从和女人完全不同的角度看待发生在安娜身上的这件事情。他将按照所有种族永恒不变的法则，做出最后的决定。知道安娜智障之后，他心里充满了理解和怜悯。然而，那已经是十二年前的事情了。亚历山大先生和过去判若两人。如果丽翠小姐爱他就好了，可是她并不爱他。他会像法官一样，坐在一张高高的、精心制作的椅子上，完全摆脱女人的影响，按照男人的观点，极其冷静地做出一个理性的、合乎逻辑的决定。到那时，怎样才能让他明白，所谓理性的、合乎逻辑的决定会让人肝肠寸断；怎样才能阻止他把可怜的安娜送到精神病院？

玉简直要发疯，连哭的心思也没有。夜里，她和安娜睡在同一个房间，躺在床上，听身体已经长成大人的“小宝宝”均匀的呼吸，下定决心一定要找到那个毁了安娜一生的男人。

“丽翠小姐，”韦勒大夫走了之后，她说，“我得休息一段时间。中药铺的洪琦说我心脏不好，必须针灸一段时间。我已经和蝴蝶说好了，她很愿意来帮几天忙。内尔不怎么需要她，她闲得慌。”

“当然可以，玉，”伊丽莎白说，面带忧虑，“你休息的时候，还发给工钱吗？亚历山大先生最近对工资的事儿盯得很紧。”

“哦，丽翠小姐，没问题，工资照发。”

“出于好奇，我想问一问，你们这些姑娘赚多少钱？”

“比亚历山大先生矿上的监工还多。他说，我们这样的仆人很难找到，必须关照得好一点。”

“哦，谢天谢地！你想没想过到哪儿度假？”

玉好像吃了一惊：“去金罗斯，丽翠小姐。我得针灸。我打算住在西奥多拉小姐家。她准备刷房子，我可以帮帮她。”

“这算什么休息，玉。”

玉走了。第一步轻而易举成功，她非常高兴。她带着一个小提箱，乘索道车来到金罗斯。正在等她的西奥多拉·詹金斯有点迷惑不解。

在金罗斯教钢琴课已经成为过去。由于内尔弹琴的水平超过老师，伊丽莎白生了安娜之后对练琴不再有兴趣，西奥多拉·詹金斯便离开金罗斯府邸，在金罗斯城安顿下来，日子过得很是舒适。亲爱的亚历山大爵士给了她一笔丰厚的养老金——为什么这样做，连她自己也说不清楚——还允许她继续白住在这幢可爱的小房子里。她如果觉得哪个小孩儿有音乐天赋，就教他们学习弹琴、唱歌。她还在圣安德鲁教堂弹风琴，并且参加城里每一个俱乐部和社团的活动，从园艺到业余剧团无所不包。她烤的面包很有名，每年都在金罗斯展览会夺魁。她那么纤弱，懂得感恩，总是把自己的烘烤技术归功于亚历山大爵士在她厨房里安的那套铸铁厨具。

亚历山大爵士真是一个奇怪的组合。西奥多拉·詹金斯觉得，如果他喜欢你，他就什么事情都愿意为你做；如果他不喜欢你，或者你只是一帮雇员中的一个，他就不会为你做任何额外的事情。也就是说，只要保证你生活于其中的城市——金罗斯——的生活水平超过任何其他一座城市，他就不会再做什么。事实上，金罗斯城人的生活现在看起来也相当不错，城市的功能也很齐全，尽管裁减了一批中国工人。

玉前几天来找过她，说中药铺的洪琦诊断她心脏有问题，需要针灸，问能不能在她家暂住几天。西奥多拉有点惊讶，她纳闷玉为什么不到茹贝的饭店里去住，而且即使坐在索道车里上上下下地跑路，也算不上麻烦。不过，话说回来，茹贝是个出了名的厉害主儿，住在她那儿未必就方便。而扎了十几枚针之后，再坐索道车跑路，可能也确实不好受。不管怎么说，西奥多拉·詹金斯只知道，谁也不会在她身上扎满银针。

“这事儿也太可怕了，玉。”她边吃边说。晚饭是炸马铃薯和卷心菜。“把你折腾成这个样子一点儿也不奇怪。”

“洪琦说，如果能找出那个坏蛋，我的病就好了一大半。”玉说。她喜欢吃炸马铃薯和卷心菜。

“我知道他的意思，可是，天哪，谁也没有线索，一点儿也没有。”西奥多拉看着玉的空盘子。“哦，天哪！我做惯了一个人的饭，再多一个人就不够吃！你再吃点炸面包好吗？玉。或者吃几块黄油蛋糕？”

“来几块黄油蛋糕吧，西奥多拉小姐。明天我给你做中国餐，红烧肉，蛋炒饭，椰汁豆腐当甜点。”

“能变个花样可太好了！我可等不得了。”

“你一定认识金罗斯所有的人，西奥多拉小姐，比茹贝小姐认识的还多。她只认识去她饭店喝酒吃饭的人。可是还有许多人没有钱去她那儿吃饭，逢年过节也消费不起。再说，茹贝星期日也不去教堂。”玉说，大口大口吃着厚厚地抹了一层黄油的蛋糕。

“没错儿。”西奥多拉说。

“那你就好好想一想，西奥多拉小姐。想想每一个住在金罗斯的单身汉，或者经常来金罗斯的人。”

“我已经想过了，玉。”

“想得还不够。”玉毫不留情地说。

这件事暂且就谈到这儿，她和西奥多拉又谈起刷房子的事儿。原来要刷的是房子外面。

“山姆已经同意给我刷。整幢房子刷成奶油色，然后用棕色装饰。我已经按照他的要求准备好了油漆、刷子和砂纸，明天就开工。”

“山姆？”玉皱着眉头问，“哪个山姆？”

“山姆·欧唐尼尔。就是去年七月，亲爱的亚历山大爵士解雇的那个矿工。别的被解雇的人都到了布罗肯山和摩根山，可是山姆决定继续留在这儿。他倒是单身，不喝酒，星期日晚上到圣安德鲁教堂做晚祷，男高音唱得非常好。油漆匠斯克里普斯指望不上，玉。说来可悲，有的男人宁愿狂饮滥喝，也不愿意养家糊口！山姆就给人家刷刷房子，挣口饭吃。没有房子可刷的时候就干点儿零活，给人家劈劈柴，挖土豆，搬煤。”西奥多拉面颊飞红，吃吃地笑着。“他挺乐意给我干活儿。因为我总是给他一大块面包，再给他几先令工钱。他刷一幢房子要二十英镑。活儿干得不错。先脱旧漆，把木板刮净，再用砂纸打磨光。干得有条不紊。因为亲爱的亚历山大爵士让我白住在这儿，我觉得应该由我掏钱保养、修缮它。”

“山姆住在哪儿？”玉问，极力在脑海里描绘他的模样。

“我想，他是在水坝旁边露营。他有一条很大的、样子古怪的狗，叫卢沃。两个家伙形影不离。明天你就能见到山姆和卢沃。”

玉终于从记忆深处找到一个能和这个人对上号的名字。“山姆·欧唐尼尔。是不是大罢工前领来工会那个比德·泰尔加斯的矿工？”

“不大清楚，亲爱的。不过我知道，矿工们都不喜欢他。别人倒是对他很有好感。我是指金罗斯的女人。她们都觉得挖土豆、劈劈柴太累，就找他帮忙。对于许多女人，尤其像我这种没有丈夫干重活儿的女人，山姆是个少不了的人物。”

“听起来，这个山姆挺爱讨女人喜欢。”玉说。

西奥多拉像一只咯咯叫的母鸡激动起来。“不，不，不是这么回事儿！”她大声说，“山姆可是个正人君子。比方说，他从来不进女人的房间，只是从厨房窗口取他的茶和饼干。”恐惧突然从她心头升起。“玉！你不是怀疑山姆吧？不是他，我敢起誓，不会是他！山姆对女人非常和善，非常尊重。但是，我一直有一种感觉，他，哦……他对女人不感兴趣。我想，你应该知道我的意思。”

“你是说，他对年轻小伙子、小男孩儿感兴趣？”玉问道。

西奥多拉听了十分着急，连声说：“玉！不，我不是这个意思，真的！我的意思是，他很喜欢现在的生活。有几个寡妇很想嫁给他，但是都被他婉言谢绝。不过他拒绝得很有技巧，没伤害任何一个人。哈德克利太太年轻、漂亮，手里还有一大笔钱，可是山姆连房子都不给她刷。”

“你替他说了那么多好话，西奥多拉小姐，看来，我必须接受你的判断了。”

西奥多拉起身收拾盘子，突然后悔不该把玉留在家里小住。如果她对山姆态度不好，或者问出些不得体的问题该怎么办呢？在这个世界上，西奥多拉最不想做的事情就是赶走给她刷房子的人和干杂活的人。哦，天哪，天哪！

第二天早晨七点，山姆来脱西奥多拉房子上的旧漆时，玉和西奥多拉并排站在门口欢迎他。

按白人男人的标准，他很英俊。高高的个子，举止得体，两条显长的胳膊强壮有力，一望便知，他属于那种剪过好几年羊毛的人。他满头金发，配上一双亮光闪闪的眼睛。那眼睛的颜色不断变化——蓝、灰、绿。这双眼睛从玉身上掠过时不像其他男人那样一看见女人立刻两眼放光。当然并非因为她是中国人。玉风韵犹存，还是个很漂亮的女人。她有白人血统，所以一双眼睛很大，目光中的神情让人想起鹿。她知道，无论对白人还是对中国人，她都很有吸引力。但是山姆·欧唐尼尔不为所动。西奥多拉看见他便高兴得笑了起来，而他对她的态度简直无懈可击。他既不给她什么希望，又显得热情、友好。

他身后跟着一条大狗。那是一条专门用来放牧的品种很新的狗，斑纹杂乱的灰蓝色皮毛，黑脑袋，脑壳很大，琥珀色眼睛十分机警，还有点凶恶。好像它知道自己得规矩点，但是骨子里原始的本能随时都会怂恿它咬断什么人的喉咙。

山姆检查了一下西奥多拉准备的材料，点了点头，从工具袋里拿出一盏喷灯。“谢谢，杰伊小姐。”他说，开始往喷灯里倒酒精。

显然，她们俩在这儿已经无事可做，西奥多拉向屋里走去，玉跟在后面。她回头瞥了一眼，发现山姆·欧唐尼尔并没有凝视她们的背影，而是继续准备他的喷灯。玉叹了一口气，我觉得不会是这个山姆·欧唐尼尔。

她在城里访查了七天，包括中国人的村庄和孙的宝塔山。她逢人便问，尽管有的白人或者中国人不想搭理她。遗传基因使得两个种族对她都有偏见。但是她不会因为有的人不愿意合作就放弃调查，她硬着头皮坚持着，决不偏离原来的方向。

关于山姆·欧唐尼尔，人们说法不一。矿工妻子们提起他都很反感，而且言辞比较激烈，而大多数和矿山没有关系的金罗斯人，对他的评价都不错。玉找到彼得·威尔金斯神父的时候，他正在装饰圣坛。神父知道玉是安娜的保姆，每次做礼拜，她都站在圣安德鲁教堂门外等伊丽莎白和安娜。他很愿意和玉探讨谁是诱奸安娜的人，可是什么有用的信息也没有提供。对于山姆·欧唐尼尔，他是这样说的：

“是个好小伙子。他总是来做晚祷，而不来做早礼拜。尽管解雇矿工的时候，他表现不怎么好，但总体上看，他人还不错。他过去是剪羊毛工人。

他们这些人都是工会里的积极分子，玉。”

“你就因为他来做晚祷，便断定他是好人吗？”玉问道，谦卑的口吻冲淡了这个问题的攻击性。

“不，不是，”神父说，“山姆是个好人。城里一半雇员被裁掉之后，我这个管区老鼠成灾。他两天之内就把那些可恶的家伙都消灭了。从那以后，我们连一只老鼠也没再看见。许多杂活过去都是中国人做，现在却连一个中国人都找不到了。山姆就接过了这些活儿。玉，我不是贬低中国人。中国人都喜欢做长期工。”

“我明白，威尔金斯先生。谢谢你。”玉说。

虽然这样，她还是很警惕地注视着给西奥多拉刷房子的山姆·欧唐尼尔。这小子干活儿很卖力，玉不由得想，为什么有些矿工认为他懒。也许，她想，山姆·欧唐尼尔喜欢金矿付给他的工钱，却讨厌在井下工作。于是，等工会那个名叫比德的人走了之后，山姆就发现在金罗斯可以打别人不愿意打的零工。他可以有新鲜的空气呼吸，可以有心爱的狗陪伴在身边。如果碰到西奥多拉·詹金斯这样的雇主，还能吃到露营者一般吃不到的食物。就连他那条狗也能吃到屠夫不要的骨头和碎肉。如果有什么不足的话，那就是，他干活儿的时候，会突然大声喊着说，他要去莫菲太太或者史密斯太太家，帮她干两个小时活儿，干完就回来。他不撒谎。玉曾经偷偷地跟踪过他，发现他果然是去帮那几家干活儿去了。让西奥多拉伤脑筋的也许就是，他在她这儿干活儿累了，想出去溜达溜达。不过西奥多拉并没有抱怨。

玉已经习惯他每天上午十点、下午四点，趴在厨房窗口，从他那个大瓷缸子里喝热气腾腾的茶水，吃西奥多拉烤的饼干。午饭时，坐在西奥多拉后花园树阴下，再喝一大缸子热茶，吃两个挺大的黄油、奶酪三明治。每天干完活儿，西奥多拉送给他一块她亲手烤的很好吃的面包。他手里拿着工具袋，卢沃跟在身后，走五英里路，回到水坝旁边他的宿营地。

“休假”结束后，坐着索道车回金罗斯府邸的路上，玉心里想，山姆·欧唐尼尔无论言谈话语、行为举止，甚至眼神，都没有留下蛛丝马迹让人想到他负罪在身。

如果不是因为吉姆·萨默斯，事情也许就这样过去了。随着时光流逝，吉姆·萨默斯变得越来越不爱讲话，脾气也越来越坏。玛吉·萨默斯患了老年痴呆症。有时候不知道吉姆是谁；认出他是谁的时候，便扑上去又抓又咬。萨默斯见识了自己在亚历山大心目中的形象渐渐“黯淡”的过程，特别是李回来之后，他的地位更是每况愈下。李的“背叛”让亚历山大又一次想起忠心耿耿的萨默斯的存在。茹贝拒绝陪他外出之后，亚历山大想让萨默斯和他一起去。萨默斯不得不拒绝他的请求，因为他离不开玛吉，除非把她送到精神病院。可是，这个可怜的家伙觉得玛吉一辈子受了不少苦，不忍心这样做。亚历山大争辩道，她痴呆成这个样子，在哪儿待着都无所谓。吉姆·萨默斯和母亲曾经去巴黎精神病院看望患了精神病的姐姐，那一幕幕令人心悸的场景至今难忘。亚历山大见他不肯改变主意，颇为不满。

就在玉的怀疑从山姆·欧唐尼尔身上转移到吉姆·萨默斯身上的时候，又发生了一系列事情，越发加重了她的怀疑。第一件，他想强奸她的妹妹桃花，被她撞了个正着。由于她的出现，桃花才保住贞洁。第二件，伊丽莎白从花园里走过时，她看见他看她的眼神不对——一副色迷迷的样子。第三件，他看她——玉的时候，因为她搅了他的“好事”，目光中充满仇恨。第四件，他扶内尔上一匹烈马的时候，动作显得太过亲密，内尔不动声色，用短马鞭抽了一下他的脸，报了“一箭之仇”。

吉姆·萨默斯！是呀，为什么不可能是他呢？难道仅仅因为他在金罗斯府邸服务多年就可以排除他作案的可能？事实上，他有权接近金罗斯山的一草一木，从密密的森林到羊肠小道，从美丽的花园到森严的府邸。他过去就住在这幢房子的三楼，妻子玛吉曾经是这里的女管家。现在，玛吉已经无法尽妻子的义务，而他又不敢去找金罗斯郊区那幢大房子里的娼妓，也不敢步履蹒跚地在哪儿瞎转悠。因为这座小城的社会秩序越来越好，越来越置于“上帝的道德警察”的控制之下。

于是，玉开始暗地里跟踪吉姆·萨默斯。要做到这一点并不难，因为萨默斯更多的时间在山上，而不是在下面的工厂。此外，时间也没问题。现在没有多少事情可干的蝴蝶巴不得帮她看护安娜。蜻蜓回来了，伊丽莎白也在育儿室轮流照看安娜。

育儿室改成了产房。韦勒大夫担心安娜早产，坚持做好一切准备。文家几个姑娘中最有资格胜任“助产士”的是珍珠。她已经学会在恰当的时间、以正确的速度，把氯仿滴到纱布口罩上，既保证将病人麻醉过去，又不至于因为用药过多而使病人窒息。为了防备万一，伯顿大夫也学会了新技术，即使韦勒大夫有特殊事情不能到场，他也能抵挡一阵子。金罗斯城引以为豪的是，它现在也有了一个助产士——明妮·柯林斯。韦勒大夫和她谈过话之后认为，碰到产妇难产，她比老伯顿大夫更能派上用场。屋子里摆着一个玻璃橱柜，里面摆满了亮闪闪的医疗器械。另外一个橱柜里放着一瓶瓶氯仿、石碳酸、酒精。散发着石碳酸气味的抽屉里放着一块块亚麻布、药签和不少纱布口罩。

安娜对现在的身体状况倒是很有耐心，这一点出乎所有人的预料。她很为自己越来越大的肚子骄傲。一被惹火，就要将大肚子袒露出来。胎儿在肚子里踢打的时候，她就高兴得大叫。但是，她不喜欢内尔管她的事儿。这让内尔心里很难受。她非常想帮帮妹妹，和她一起分担怀孕、分娩的痛苦。

看腻了数学、历史、小说和解剖学，内尔闲极无聊，就来拖地，直到茹贝来，才放下手里的拖把。

“你早就该熟悉一下天启公司的业务，取得点经验了。”茹贝用不容置疑的口吻说，“如果康斯坦斯能通过学习代替查尔斯，索菲娅的丈夫能把会计那摊子都接过来，你当然能接替李的工作。你满脑子都是理论，可现在是学习如何解决实际问题的时候了。孙、康斯坦斯和我已经商量过了，大家都同意，你应该一星期工作五天。两天在城里办公，三天到矿井、精炼厂和各车间处理一些具体事务。这些地方，你其实很熟悉。以前，亚历山大一有机会就带你去。如果你想在大学里学习工程学，最好先弄清楚，那些不怎么喜欢你的、操作机器的人是个什么样子。”

对于内尔，这是一种解脱。可以说，还在爸爸怀抱里的时候，她就一天到晚泡在矿井里。长大一点之后，就穿着宽松的工装裤，和爸爸一起出现在矿井、车间——令人难以置信！人们都愤怒地看着她，可是很快，内尔就向他们证明，她对机车了如指掌，对用氰化物处理矿石提取黄金的每一个细节都十分清楚。她熟练地使用扳手，不比任何一个技工差，也不在乎身上黏满机油。她的耳朵特别灵敏，用小锤敲敲机床或者车轮，就能听出有没有瑕疵、裂痕。男人们的愤怒渐渐变成赞美。起初，人们因为她是女孩子而觉得新奇，可她对大家这种感觉漠然视之，言谈举止似乎她就把自己当成男孩儿。工人们因此越发喜欢她。她和亚历山大一样，身上似乎有一种与生俱来的权威。她发号施令的时候，希望这些命令得到执行，因为那是正确的命令。如果她不知道问题的答案，就老老实实向别人请教。

对于伊丽莎白，这也是天赐的恩惠。在两个女儿里，她更担心内尔。内尔要到男人的世界里闯荡，如果她被那个世界排斥、憎恶，智慧和敏感会让她受苦。她虽然具备亚历山大钢铁般的意志，但是又有伊丽莎白身上那种让人很难理解的缺乏自信。尽管她对妈妈敬而远之，妈妈对她的理解却远超过她的想象，或者她的需要。爸爸的宝贝女儿，这就是内尔。因为爸爸不在家，她觉得自己仿佛过着流放般的生活。现在，知道可以为爸爸的事业忙碌，她感到欣慰。

一八九一年三月，安娜的身孕已经快八个月了。因为身体笨重，女人们减少了对她长时间散步的要求。虽然没有惊厥的先兆，但是因为挺着个大肚子太累，她常常烦躁不安，很难让她高兴起来。

轮着玉看护的时候，她最喜欢带安娜去的地方是玫瑰园。夏天已近尾声，但是玫瑰园里仍然鲜花盛开。慢慢地散了一小会儿步之后，安娜就在一张藤椅上坐下，玩猜玫瑰颜色的游戏。她尽管知道颜色的概念，但是说不出某种具体颜色的名称。于是，玉就把教安娜分辨颜色当成游戏玩。她说颜色的时候，安娜咻咻地笑。

“紫——红色！”玉指着一朵花儿说。“粉——红色！白——色！黄——色！奶——油色！”

安娜跟着她念，但是永远记不住哪朵玫瑰是紫红色，哪朵是粉红色，或者

奶油色。可是这样做能消磨时间，并且让她的心渐渐安宁下来。

她们正在玫瑰园里玩猜颜色的游戏，萨默斯从远处的草地走了过来，身后跟着一条很大的牧羊犬。玉听说他有一条狗，显然是为了有个伴儿。他妻子喜欢宠物，这也算给他的一笔奖赏。

突然，安娜伸出两条胳膊，高兴地叫了起来。“卢沃！”她叫喊着，“卢沃，卢沃！”

骤然之间，玉觉得天暗了下来，仿佛月亮划过耀眼的太阳。玉站在玫瑰花丛中，感受到这无意识的暴露所包含的力量，发现了怀疑和确定之间可怕的区别。安娜知道山姆·欧唐尼尔那条狗的名字。

但是安娜并不认识山姆·欧唐尼尔！玉在城里待的那一个星期里，问过安娜可能遇到的、和她搭过话、照顾过她并且通知金罗斯公馆的每一个人。因为怀疑山姆·欧唐尼尔，她特别注意向人们打听他的情况，但是他不在安娜·金罗斯的熟人之列。如果她游荡到城里，就会到饭店找茹贝或者到教区牧师威尔金斯那儿。安娜会不会在那儿见过山姆·欧唐尼尔？他不是到那儿灭过老鼠吗？可是按照牧师的说法，并无此种可能。不管怎么说，他应该记得当时的情况。然而安娜知道山姆·欧唐尼尔那条狗的名字，这就意味着，她和山姆·欧唐尼尔很熟悉。

“卢沃！卢沃！”安娜伸出一双手，叫喊着。

“萨默斯先生！”玉喊道。

“它叫卢沃？”玉问道。那条狗很可爱，径直向快乐地招呼它的安娜跑过去，一边摇尾巴，一边发出呼噜呼噜的响声。

“不，它的名字叫蓝毛。”萨默斯说，脸上的表情没有丝毫变化。“蓝毛，安娜，不是卢沃。”

萨默斯不知道山姆·欧唐尼尔那条狗的名字。玉仿佛涉水走过泥泞的湖泊，让安娜和那条狗打闹着玩，萨默斯继续上路的时候，让安娜和他道别，然后接着和她玩，直到吃午饭。那时候，玉发现安娜似乎变得对阳光很敏感，因为她们回家之后，她一个劲儿抱怨头痛。

“她不舒服的时候，你比我更有耐心。”玉对蝴蝶说，匆匆忙忙拿出一瓶鸦片酊，交给蝴蝶。“你跟她待一会儿好吗？我得去趟金罗斯。”

蝴蝶给安娜服了鸦片酊（谢天谢地，她很愿意服用这玩意儿），玉从橱柜里拿出一个瓶子，瓶子上面的标签写着“氯仿”两个字。然后，蝴蝶坐在安娜床边，把一块冷毛巾敷在她脑门儿上，玉从抽屉里拿出一个纱布口罩。这一切都在瞬息之间完成，蝴蝶什么也没有看见，就连玉关门时发出太大的响声，她也没有回过头看一眼。

她一定在心里无数次想过这事儿，每一步都想得非常周到，每一种可能引发的后果都有所考虑。玉向她的目标走去，仿佛轻车熟路。离开育儿室，她便直奔后院的小棚屋。许多年前，玛吉·萨默斯想让玉住在那儿。后来棚屋改建成临时禁闭室，关过一个给厨师打下手的家伙。那个人得了精神病，把他铐起来送进疯人院之前，先在这儿关了一段时间。打那以后，为了防备万一，这个禁闭室就一直保留下来。窗户上安着百叶窗和铁栏杆，墙壁四周摞着装满草的麻袋，铁架子床固定在地板上，床上铺着床垫。玉带来干净床单，整整齐齐铺在上面。屋子里还有一张桌子、一把椅子和一个床头柜。床头柜有个抽屉。这几样家具都是铁的，都固定在地板上，不能挪动。尽管擦洗了好多次，屋子里还是散发着一股屎尿味儿和呕吐物难闻的气味。玉打开所有窗户，点燃桌子上插在果酱瓶子里的线香。她来来回回往厨房里跑了好几趟，厨师老张和他的助手们都不以为然。因为大家彼此都非常熟悉，玉更是经常出出进进，谁也不当回事儿。玉拿了一个酒精炉和一把小铜壶，可以用它烧水。她还拿了几个茶碗和一包绿茶。

后院空无一人，因为今天不是洗东西的日子，老张的注意力都集中在准备晚饭上。玉对棚屋现在这个样子满意之后，就关好百叶窗，在屋子里安放了她偷来的六盏煤油灯，然后悄悄溜回她的住处，换上最漂亮的孔雀蓝绣花缎旗袍。平常，中国女人在白人居住的城市不穿这样的衣服，所以，尽管很热，玉还是在外面套了一件大衣。她从浴室小柜子里拿了一小瓶鸦片酊，装到外套口袋里。

然后，她厚着脸皮要了一辆索道车，把她送到金罗斯城，时间将近下午四点。她知道，西奥多拉·詹金斯这个时间在圣安德鲁教堂，为星期日的特别仪式练习风琴。这是大斋节[①]前最后一个星期日。矿工换班的时间在下午六点，所以车里只有她一个人。她注意到，井架周围没有什么人。下山之后，她避开金罗斯广场，快步走到西奥多拉家。

山姆·欧唐尼尔还没有改变他的“时间表”。他从星期一到星期五，每天干到下午五点。如果他去看什么人，也总是午饭之后，这个时候也该回来了。玉还没有走到房子跟前，那条狗就叫了起来，所以刚刚转过墙角，山姆·欧唐尼尔就知道有人来了。他站在那儿，手里拿着刷子，以为是西奥多拉回来了。看见玉身穿外套走了过来，他不无疑问地扬了扬眉毛，小心翼翼把刷子斜放到油漆桶上，咧开嘴笑了。

“你穿这么多不热吗？”他问道。

“热死了，就像在蒸笼里一样，”玉说，“我脱了外套你介意吗？山姆。”

“脱吧。”

他没有想到西奥多拉的中国朋友——显然是个混血儿——这么有吸引力，等玉脱了外套，露出里面那件美丽得让人难以置信的旗袍之后，他突然觉得自从上次看见安娜·金罗斯之后，一直没有升起的欲火又腾的一下燃烧起来。这个荡妇真的漂亮极了！杨柳细腰，乳房丰满，两条美腿穿着

①大斋节：从圣灰星期三（大斋节的第一天）到复活节的四十天，基督徒视之为禁食和为复活节做准备而忏悔的季节。

长筒丝袜，膝盖以上的蕾丝吊带衬着光溜溜的大腿时隐时现。她的头发又黑又直又密，拢在好看的耳朵后面，披在肩上，就像赛马的皮毛亮光闪闪。只有两种女人对山姆·欧唐尼尔有吸引力，一种是情窦初开的少女，一种是风情万种的荡妇。

“你上哪儿去了，打扮得这么漂亮？”他费了好大劲儿才提出这样一个问题。

“孙王爷的村子，所以才穿这套衣服。我本来应该乘轻便马车去，天儿太热了，就想先来西奥多拉小姐家喝口水，再回家。”

“杰伊小姐不在家，不过门开着。”

她没有搭话，而是伸出纤细的手，扶住脑袋，喘着粗气，摇晃了几下，好像要晕过去似的。山姆·欧唐尼尔连忙扶住她，觉得浑身颤抖。他把她这种突然之间出现的反应错当成欲火中烧，便吻她。玉也吻他。她的那种吻，他以前从未经历过，因为他不是嫖娼的男人。难道中国姑娘都这么可爱？哦，他一直鄙视她们。这些年，为了这种鄙视，他错过了多少让人销魂的美好时光！如果人们对中国男人的传言是真的——那玩意儿都小，那女人的也肯定又紧又小。他有所不知的是，茹贝小姐开妓院的时代，玉曾经在她那儿当过女仆，她听说过，有时候甚至看见过所有那些乱七八糟的事情。

“我要你，”他悄声说，“玉，我要你！”

“我也要你。”她也悄声说，抚摩着他的头发。

“干完活儿，就带你去我的宿营地。”

“不，我有个好主意，”她说，“我先坐索道车回家，你随后走小路去找我。我住在金罗斯府邸后院一座棚屋里，离那条小路的尽头很近。府邸的人都在大楼里，你只要在后院那儿幢房子的掩护下绕过去，就能看见我的房门。大红色。只有这扇门是红颜色。”

“我的宿营地更安全。”他争辩道。

“我可走不了那么远，我的身体太弱了，山姆。”她把舌头伸到他耳朵上，然后滑过下巴，舔开他的嘴唇，伸到嘴里。“我喜欢白人，”她在嗓子眼儿里说，“他们那玩意儿那么大！可是我在金罗斯府邸干活儿，不准男人碰我。现在，我为你破例了，山姆。我要你！我要吻遍你全身！”

听起来，她像个业余妓女，但她的确很可爱，也很干净。山姆·欧唐尼尔不再犹豫，点了点头。“好吧。”他说。

她穿上外套，又变成一个色彩全无的人。满头秀发、曲线优美的两条腿、高耸的乳峰全都遮挡在大衣下面不见踪影。“我等你。”她说，匆匆忙忙走了。

他心里欲火熊熊，收拾好工具，草草结束了一天的工作，便向那条弯弯曲曲的小路走去。狗跟在后面，仿佛知道他要去干什么。也许它真的知道。

通常，山姆·欧唐尼尔是个节制性欲的人。他愿意和女人友好交往，但是不愿意在性上掠夺她们。他是个——这是他自己下的结论——爱挑剔的家伙。平息他欲望的是一个二十多岁的品行很好的女人，或者说——他又做了一点修正——一个涂脂抹粉的妓女。她和郊区那座声名狼藉的大房子里的婊子没有两样。

他出生在莫朗附近一个很小的镇子里。环境决定了他的命运。父亲靠给人家收割庄稼、剪羊毛养活一家人，妈妈就在家里生孩子。十二岁那年，他就和爸爸一起到剪羊毛棚学习剪羊毛。那是累断腰的活儿，而且工作条件十分恶劣。剪羊毛工人住在被称之为“营房”的破棚子里，睡在光溜溜的行军床上，吃的东西连野狗都不吃。难怪他们是最具战斗力的工会会员。母亲活着的时候，他一直过着这样的苦日子。母亲去世之后，他就去了古尔贡金矿，在那儿学会这门手艺。年近四十，而不是三十的时候，他漂泊到金罗斯，金矿主管雇用了他。他从来没有见过大名鼎鼎的亚历山大·金罗斯爵士，就连比德·埃文斯·泰尔加斯来城里那段时间，也没有见过。

他满脑子是希望工人过上好日子的梦想，希望工作条件更好，老板更通情达理，所以就加入了矿工联合会。工会在古尔贡非常活跃，他希望金罗斯的工人也能积极参加工会的活动。可是由于亚历山大爵士的精明、狡诈，金罗斯压根儿就没有什么工会组织。这里的生活条件、工作条件都比较好，工人的收入不错，环境整洁，物价便宜，是一座很适合人们生活的小城。山姆·欧唐尼尔因此而更恨亚历山大·金罗斯爵士。无论做什么事情，总得有个动机，即使他说不明白是个什么样的动机。天启公司的雇员老老实实接受了被辞退的命运，他觉得非常憋气，就到悉尼找工会里最有煽动力的政治家比德·埃文斯·泰尔加斯。然而，羊就是羊，变不成狼！他们拿了补偿金就乖乖地走了。为什么他没有那样做，他心里很清楚。

话还得从他被解雇那天说起。那是七月初，亚历山大爵士按组解雇工人。山姆·欧唐尼尔在第一组。愤怒的山姆为了让自己冷静下来，独自一人爬上该死的亚历山大·金罗斯爵士那座荒无人迹的高山。他在离索道车终点不远，但是和金罗斯府邸方向相反的地方，看见一道靓丽的风景——一个他从未见过的、非常漂亮的年轻姑娘，一边哼哼唧唧地唱，一边在蕨草丛中慢慢走着。老卢沃平常除了对山姆百依百顺之外，对别人的态度都十分恶劣，现在却撒着欢儿朝那个姑娘跑去，而且抬起两条前腿直往她身上扑。一般女孩子遇到这种情况肯定吓得吱哇乱叫，把狗赶快从身边推开，这个姑娘却高兴地叫喊着，接受了老卢沃的"拥抱"。山姆·欧唐尼尔走过来，脸上挂着微笑。她一双灰蓝色的眼睛看着他，伸出手表示欢迎。

"你好，"他说，然后对那条狗说，"卢沃，卧下！卧下，卢沃！"

"你好。"姑娘说。

"你叫什么名字？"他问她。别的女孩子倘若在荒郊野外碰到一个陌生男人，一定会非常害怕，可是这个姑娘却毫无畏惧之意，这让他十分惊讶。

女孩没有回答，而是蹲下来轻轻拍打那条讨好她的狗。狗躺在地上打了个滚，呜呜地叫着。

"你叫什么名字？"他又问了一遍。

她抬起头咧开嘴傻笑。

"你叫什么名字？"

"安——娜，"她终于说，"安娜，安娜，安娜，安娜。"

他一下子明白，眼前的姑娘是亚历山大·金罗斯那位智障的女儿，一个可怜的弱智儿童。人们说，她只是星期日和妈妈一起去教堂做礼拜，否则就只能一个人瞎溜达，溜达得太远，才能在金罗斯城看到她。但是，他从来没有见过安娜，更没有想到她居然这么漂亮，这么性感，轻而易举就将他的欲火勾了起来。然而，她又是个十足的白痴。难怪他们传令，不管是谁，只要在离金罗斯府邸太远的地方看见她，都要立刻把她送回家！她是每一个男人最美妙的、不可思议的欲望之梦。

他在她身边坐下，本能告诉他，绝对不能说出自己的名字。可是，他命令狗卧下的时候，无意之中已经说出卢沃的名字。而安娜因为喜欢这条狗，记忆力奇迹般地闪了一下光，牢牢地记住了它的名字。

"卢沃！"她说，还轻轻拍打着那条狗，"卢沃，卢沃！"

"是的，它叫卢沃。"他微笑着说。

从那以后，山姆·欧唐尼尔开始了生命中最快乐、最具成就感的一段日子。这段日子，只是去悉尼请比德·埃文斯·泰尔加斯的时候，中断了两天。

他耐心十足，也非常镇定，慢慢地哄着小姑娘，开始猥亵——吻她的脸蛋儿，吻她的嘴唇，吻她的脖子。而这一切，唤起了一个成熟女人的情欲。他轻轻地解开她的胸衣，露出双乳，吻她的乳峰，吸吮她的乳头，小安娜快乐地喘息着。一只手熟练地插进她的内裤，她弯着腰，弓着背，像一只热锅上的猫，不停地扭动着。慢慢地，慢慢地，慢慢地，他把她对性的渴望几乎变成一种奴性。每天，她都出现在同一个地方，急切地拍打着卢沃，然后急切地期待被亲吻、爱抚，直到陷入疯狂。而这一切把她变成一只美丽的飞蛾，不顾一切地扑向她一无所知的大火。弄破处女膜对她无所谓。她太兴奋了，什么也没有注意到。他到高潮的时候，她也同时进入高潮。

为什么对安娜·金罗斯的诱奸令人惊异，首先因为她是谁，他又是谁，以及笼罩在他们这种关系之上的神秘色彩。其次，因为她的父亲是位高权重的亚历山大。

七月初，他以一种新的方式重新开始生活。他惊讶地发现，这种方式对于他非常合适。自己给自己当老板！用不着再听别人对你指手画脚，用不着再在臭气冲天的剪羊毛棚里干累断腰的工作，用不着再在没有阳光、没有新鲜空气的矿井里卖命。因为那位名叫斯克里普斯的油漆匠成了酒鬼，没有人再雇他，山姆便承担了油漆房子外面的活计。这当然不是什么了不起的活儿，他不可能因此而变成老板。没有油漆活儿的时候，他就给人家干杂活儿。每个星期日晚上，他就到圣安德鲁教堂唱歌。他还帮助牧师灭鼠。他对人彬彬有礼，从来不进女人的家门。他从先前的宿舍搬出去之后，一个人在水坝附近“安营扎寨”。这样一来，谁都没法掌握他的行踪。他给人家干杂活儿，刷房子，做好事儿，都是为了给他和安娜·金罗斯的秘密打掩护。他给这个女人干活儿的时候，突然说要去给另外一个女人干活儿，只是为了制造一种假象。哦，他可真聪明！事实上，山姆·欧唐尼尔觉得自己这“活儿”干得无懈可击。亚历山大·金罗斯以为自己聪明，真是自欺欺人！和他山姆·欧唐尼尔相比，他就是烂泥里的一条鼻涕虫。安娜是他的！他的私有财产，他的一条百依百顺的母狗，他的性爱天堂。这个姑娘全然没有对性欲有意识或无意识的抑制，然而，又纯洁得像天上飘下来的雪花。安娜可以满足最挑剔的男人最疯狂的幻想。

十二月初，他们已经在一起“幽会”五个月了。这时候，山姆·欧唐尼尔意识到安娜怀孕了。她怀孕之后那副样子和他记忆中的母亲一样，肚子不再扁平。哦！耶稣基督！这是他最后一次爬上这座山。他不知道安娜是不是还在找他，只是祈祷，千万不要和她再面对面碰到一起。

他的运气不错。刚过新年，消息就在金罗斯城传开——一个狗杂种强奸了可怜的安娜，还搞大了她的肚子。山姆·欧唐尼尔决心安全度过这场风暴。如果他现在离开金罗斯，马上就会引起人们的怀疑，所以他必须硬着头皮在城里待下来。他太狡猾了，不会在这个当口改变先前的“习惯”。以前，为了和安娜“幽会”，他常常突然对雇主说：“我三个小时以后就回来，南格尔太太。我得先去帮莫菲太太干点活儿。”现在，他不但这样说，而且确确实实是去帮什么人干活儿。所以，没有露出一点儿破绽。山姆·欧唐尼尔不抱任何幻想。他知道，如果人们发现他就是那个“狗杂种”，一定会把他处以死刑。

他沿着那条弯弯曲曲的小路向玉的棚屋走去，像一个饿坏了的人看到一块面包，心里充满渴望。也许和安娜比，这块“面包”放的日子长了点，但还是一块好“面包”，一块他渴望已久的“面包”。这些日子，山姆·欧唐尼尔真的“饿”坏了，就像他对比德说过的那样，“心痒难耐”。

即使这样，他还是从容不迫。这天，他大部分时间都非常卖力地干活，现在要留下足够的力气爬上爬下那道一千英尺高的山坡。于是，日落西山的时候，他爬上金罗斯山顶，立刻看到玉对他说的都是实话。后院空无一人，只有厨房传出中国人的说笑声。他朝狗打了个手势，让它待在门外，然后抬起红门的门闩，溜了进去。屋子里散发着一股古怪的气味：奇异的芳香盖过一种难闻的味道。他心里想，也许中国人家里就是这种味儿。她为什么不打开百叶窗通通风呢？怕被人看见窗口的灯光？如果这就是她的家，这样做似乎就没有什么道理了。

“墙上是什么？”他凝视着紧贴墙壁高高摞起的麻袋问玉。

“不知道。”她说，盖好茶壶盖子。同一张桌子上还放着一个酒精炉，炉子上面有一把冒着热气的壶。

“窗户上怎么还有铁栏杆？”

“这是老虎窝。”

他朝四周扫了一眼，知道她是开玩笑。她为什么不打开百叶窗，而是点一盏灯呢？她很怪。不过，他现在的注意力都集中在她的身上。她没有穿外套——漂亮，真的非常漂亮！她仿佛看透了他的心思，把穿着高跟拖鞋的脚放到椅子上，揪了揪长筒袜。他立刻伸出手，粗大的手指滑过薄如蝉翼的丝袜，越过吊袜带，触到她的肌肤——比丝袜还光滑的凝脂软玉。再往上，便是那条潮湿的、一无遮拦的幽谷。玉没有穿内裤。她跳了起来，噘着嘴朝他微笑，轻轻拿开他的手。

“不，山姆，凡事都得有个程序。我们先喝杯茶。这也是‘程序’的一部分。”玉说，往两个小碗里倒满一种淡黄色的液体，把其中一碗送到他的面前。

“你这碗没有柄，会烫了我的手。”他说。

“茶已经凉了，正好喝。喝吧，山姆。”玉好言相劝，自己先呷了一口。“你必须喝了它，要不然我们在一起的这个夜晚就没什么好玩的了。”

哦，一定是中国人的春药！尽管味道不像印度红茶那么好，但也不难喝。山姆一饮而尽，甚至喝了她给他倒的第二碗。

喝完之后，他便得到回报。玉解开裙子一侧的纽扣，把衣服卷起来，从头顶脱下去。山姆直盯盯地看着玉自下而上露出的美丽的身体，充满敬畏之情：柔软的黑色阴毛，曲线优美的肚子，优雅的乳房。

“不要脱长袜。”他说，摸索着脱自己的衣服，手指不像平常那么灵活。

“当然。”她说，昂首阔步走到床边，仰面朝天躺下，大拇指伸到嘴里，哂咂有声地吸吮着，嘴唇宛如一个鲜红的O字。母鹿一样的眼睛凝视着他，一动不动。

“让我看看你那玩意儿，中国姑娘。”他说。

她顺从地分开两条腿。山姆一丝不挂，拖着脚向床边走去，但是那玩意儿不像平常那样硬硬地勃起。哦，天哪！出什么问题了？他喘着粗气，跌坐在床边。然后像被人猛地推了一下，瘫倒在床上。他挣扎着睁开一双眼睛，想捏玉的乳头，但是捏不住。他闭上眼睛，哦，先小睡一会儿，然后再使劲儿干她，直干得她牙齿咯咯响。是的，先睡一会儿……

玉又等了几分钟，才从床边的小柜子里拿出纱布口罩和那瓶氯仿。她往他的嘴和鼻子上戴口罩，并且开始滴氯仿，他开始挣扎，可是鸦片酊已经把他弄得动弹不得，麻醉剂起作用之后，他便浑身瘫软，失去知觉。玉又滴了几滴，确信他已经彻底昏睡过去之后，从他脸上拿开口罩，从床下拖出一个很重的皮夹克。她身体健壮，力气不小，三下两下就把山姆的两条胳膊和整个上身套在那个夹克里，然后用皮带紧紧地捆起来，再用另外几根皮带绑到铁床架上。铁床的床头床尾连成一体，非常结实。之后，她又用皮手铐铐住他的脚腕子，绑到床架子上面。

玉还在山姆·欧唐尼尔肩膀和上半身后面垫了几块很硬的垫子，这样一来，如果他还清醒，就能看见自己半躺在床上，下半身“尽收眼底”。最后一个任务：玉拿出一根针和一条线，翻起他一个眼睑，向后扯着，一直扯到眉棱骨，然后很快缝了十二针，把眼皮和眉毛紧紧缝到一起。第一只缝完之后，又缝了第二只。

她在屋子里面走了一圈儿，把所有的灯都点燃，把灯芯剪好，灯光非常明亮，连一点烟也没有。她穿着平常穿的黑裤、黑褂，坐在一张椅子上等待着。他昏昏沉沉地睡着，鼾声大作。大睁着的眼睛“视而不见”。半个小时之后，他动了动，想吐。可是中午以后，他水米未进，消化功能又极好，干呕了半天，什么也没吐出来。

他挣扎着想起来，直到一双眼睛看见坐在椅子上的玉。他试着让一双手和手指在夹克做的“紧身衣”里动了动，纳闷为什么动弹不得。他一辈子也没见过这样的衣服，从脖子到腰紧紧地裹在身上，两条胳膊十字交叉，塞在袖子里。袖口缝在一起，手根本伸不出去。他的腿也动弹不了，脚脖子绑在床尾。眼睛也不能眨。为什么不能眨眼睛？

“怎么回事儿？”他气喘吁吁，想把目光集中到玉的身上。“怎么回事儿？”

她站起身，走到他身边：“这个问题得你回答，山姆·欧唐尼尔。”

“什么？什么？”

“来得太快了。”她说，又在椅子上坐下。

直到他张开嘴大叫时，她才动了动，把一个软木塞塞到他嘴里，又在嘴上勒了一块布，以防塞子掉出来。叫喊已经不可能了，他得省下力气，用大张的鼻孔呼吸。

玉又走到床边，手里拿着一把锋利的刀。“你毁了我的孩子，”她说，用手指试了试刀锋，“你强奸了一个没有行为能力的小姑娘。山姆·欧唐尼尔。”她冷笑着。“哦，是的，我知道你要说什么！她让你干的。她想让你干。可她只有三岁小孩的智力。你强奸了一个没有反抗能力的、天真无邪的小姑娘，你将为此付出代价。”

山姆勒着布条的嘴发了疯似的咕噜着，脑袋拼命地晃来晃去，身体上下乱动，但是玉好像没看见一样，举起手里的刀，在他眼前来来回回地晃动，嘴角挂着老虎才会有的微笑。

他那双充满恐惧的、眼球突出的眼睛只能一动不动地看着玉。她施了什么魔法？为什么他连眼睛也闭不上？他只能让眼球跟着她转，只见她走到床边，俯下身来，左手托起他的生殖器。她花了好长时间完成这个“切断手术”。她先用刀慢慢切开皮肉，挤出一个红泡泡，让它缩回去，再一点一点地切割，先把阴囊割下来，再把阴茎割下来。他拼命挣扎，疼得发疯似的呼喊，却又发不出一点点响声，也没有一个人能看见他的痛苦。玉托着她那令人毛骨悚然的“战利品”，任凭鲜血滴到他的胸口上。然后向后退了几步，左手拿着阴茎和阴囊，右手拿着那把带血的刀，血水滴答滴答流到地板上。鲜血喷射着，但是不像被切断的胳膊或者腿喷射的力量那么大。山姆·欧唐尼尔只能眼巴巴看着腹股沟中间那个血窟窿，那是他曾经英姿勃发的地方；他只能眼巴巴地看着生命的力量一点一点消逝，直到这可怕的一幕在他闭不上的双眼前变得模糊。

整整一夜，玉手里拿着黏乎乎的“战利品”，安娜的诱奸者慢慢地流血而死。直到晨曦透过百叶窗的缝隙照射进来，她才动了动，从椅子旁边站起来，走到床边，弯下腰看山姆·欧唐尼尔那张被命运之神劫掠之后的脸。他的眼睛向后，朝头顶翻着，勒嘴的布子浸透了口水、眼泪和鼻涕。

她离开棚屋，关上门，找那条狗。在那儿！它早已浑身僵硬，躺在草地上，旁边是她扔给它的那块下了毒药的肉。再见，山姆。再见，卢沃。

她沿着那条弯弯曲曲的小路，走到金罗斯城，走进警察局，把刀和山姆·欧唐尼尔的生殖器砰的一声扔到桌子上。

“我杀了山姆·欧唐尼尔，”她朝惊呆了的值班警察说，“因为他强奸了我的孩子安娜。”

第四章 生与死

新南威尔士警察局一个小镇分局的普通警官该如何处理这样的案子？斯坦利·斯维特斯警官凝视着桌子上那团血肉模糊的东西，问自己。这团东西比那把刀或者坐在墙角那张椅子上的中国姑娘更让他着迷。阴囊里的睾丸已经面目皆非，但阴茎还“栩栩如生”。最后，他的目光落到玉的身上。玉低着头，一双手交叉着放在膝盖上，十分平静。他当然知道她是谁——安娜·金罗斯的保姆。每个星期日都站在圣安德鲁教堂外面，耐心地等待金罗斯夫人和她那位智障的女儿出来。他知道她的名字叫文玉。

“你还打算给我们制造什么麻烦吗？玉。”他问道。

她抬起头，面带微笑：“不，警官。”

“如果我现在不把你关起来，你会逃跑吗？”

“不会，警官。”

他叹了一口气，走到墙跟前，从叉簧[①]上拿起听筒，然后又按了几下叉簧：“给我接金罗斯夫人，艾吉。”他大声说。

“很难保密。”他想，艾吉什么都能听到。

“我是斯维特斯警官，请金罗斯夫人接电话。”

伊丽莎白接电话时，他只是问她，他能不能立刻去见她。让艾吉晚一点知道这个消息吧！

他立刻召集来几个人。如果需要建立个班子，他至少还需要两个人。对了，还有伯顿医生。万一山姆·欧唐尼尔还有口气，他就派上用场了。

---

①叉簧：电话机中包括接线开关、搁电话听筒和送话器的那部分。

金罗斯没有验尸官，这件工作只好由巴瑟斯特的帕森斯先生来做。地区法院也设在那儿。

“金罗斯府邸出了个事故，大夫。”他说，声音盖过艾吉粗重的喘息声。“我在索道车见你。不，没有时间吃早饭。”

于是，这一行人扛着一个准备抬死人的担架，向索道车终点走去。玉夹在他们中间。伯顿医生正在那儿等他们，一脸不高兴。上山的时候，斯维特斯警官向大夫讲了玉的供述，还让他看了玉扔在警察局桌子上的那包东西。大夫看了目瞪口呆，好半天才回过神来。他凝视着玉，好像从来没有见过她。但她还是先前在他心目中的那副样子：一位忠诚的、可爱的中国仆人。

他们先到公馆，伊丽莎白亲自接待他们。

“玉！”她大声喊了起来，迷惑不解，“出什么事儿了？”

“我杀了山姆·欧唐尼尔，”玉平静地说，“他强奸了我的宝宝安娜，所以我杀了他。然后，我到警察局自首。”

旁边有张椅子，伊丽莎白一下子跌坐在椅子上。

“我们要去看一下现场，金罗斯夫人。在哪儿？玉。”

“后院棚屋里，警官。我带你去。”

那条死狗躺在离红门不远的地方。“这条狗叫卢沃，”玉说，用脚踢了它一下，“我毒死的。”她脸上既没有恐惧也没有后悔的表情，昂首阔步领着大家向屋里走去。

这一行人只有那两个警察中的一个吃过早饭。看见床上躺着的死人，他一下子就呕吐起来。山姆·欧唐尼尔的血都被那张床吸去，地板上唯一的血迹是玉那把刀滴答上去的。棚屋里的气味越发难闻。线香的气味、屎尿的气味和血腥味混合在一起，让人连气也喘不过来。伯顿大夫用手捂着鼻子，弯下腰，看了一眼那具尸体。

“确已死亡，”大夫说，“流血过多而死。”

警官长长地叹了一口气：“好了，事实清楚，证据确凿，凶手供认不讳。

如果你能给巴瑟斯特那位法医写一份书面报告，大夫，我建议把他放到担架上，送到马可斯·科布汉姆的殡仪馆。得赶快把他埋掉，要不然，整个金罗斯都能闻见他散发出来的臭味。让人连气也喘不过来。”他转过脸看了一眼玉。玉的目光一直没有从山姆·欧唐尼尔身上移开，也没有停止微笑。“玉，你确定他是你杀死的吗？回答之前好好想一想，因为现在有证人在场。”

“是的，斯维特斯警官，他是我杀死的。”

“丢在警察局的那些……那些东西该怎么办？”伯顿医生问，他觉得自己那玩意儿一阵麻木，直往回缩。

警官不由得摸了摸鼻子：“我想，那些东西既然是他的，就应该一起送到马可斯那儿。虽然安不上去了，但毕竟还是他的。”

“如果他真的奸污了安娜，他是罪有应得。”大夫说。

“他有没有罪，我们会找到证据的。好了，大夫，你和小伙子们把尸体抬到山下。我带玉到金罗斯夫人那儿，把这件事情搞清楚。”他又打了个手势让伯顿大夫留下。“把尸体送下去之后，你最好去水坝旁边欧唐尼尔的宿营地看看能不能找到什么线索。比如他认识金罗斯小姐的证据。然后，你们几个都到城里向每一个人了解情况。”

“他们会知道的。”伯顿大夫说。

“他们当然知道！可是这又能有什么不同呢？”

玉走在斯维特斯警官旁边，穿过后院，领他从一扇旁门走进公馆，然后走进书房。伊丽莎白正在那儿等他们。这是伊丽莎白第一次在亚历山大的“地盘儿”办自己的事情。因为别的房间都比书房的光线充足，她不忍心在明亮的阳光下看玉那张脸。警官也觉得这件事情非同寻常，很感谢金罗斯夫人创造了这样一个昏暗的场景。

玉坐在伊丽莎白和斯坦利·斯维特斯警官之间的一张靠背椅子上，脸上一副询问的表情。

“你说山姆·欧唐尼尔奸污了安娜·金罗斯小姐，”警官开始问话，“可是你怎么能肯定这一点呢？玉。”

“因为安娜知道他那条狗叫卢沃。”

“这算不上什么证据。”

“如果你了解安娜，就相信这是充足的证据，”玉说，“她除了和一个人非常熟悉，不会叫出他的名字。”

“她从来没有说过强奸他的那个人的名字，金罗斯夫人，她说过吗？”

“没有，她没有说过。她管他叫‘好人’。”

“这么说，你唯一的依据就是他那条狗的名字？卢沃？对于一条狗来说，这个名字和‘费多’一样普遍。”

“那是一条蓝毛牧羊犬，警官。安娜看见萨默斯先生那条蓝毛牧羊犬的时候就叫它卢沃。可事实上，那条狗叫‘蓝毛’。只有山姆·欧唐尼尔那条蓝毛牧羊犬叫卢沃。”玉坚定地说。

“在我们这儿，那是个很新的品种，”伊丽莎白大着胆子说，“事实上，因为我不认识这个山姆·欧唐尼尔，也不知道他有这样一条狗，我还以为萨默斯先生的‘蓝毛’是金罗斯唯一一条蓝毛牧羊犬呢。”

“必须有别的证据。”斯维特斯警官有点失望地说。

玉耸耸肩，不以为然：“这就是我需要的全部证据。我了解我的安娜宝宝。我断定就是这个人强奸了她。”

斯维特斯警官又问了半个小时，玉还是提供不出新的证据。

“今天夜里，我可以把她关在金罗斯监狱。”准备离开时，他对伊丽莎白说，“明天就得把她送到巴瑟斯特。她将在那儿接受审判。巴瑟斯特监狱有专门关女犯的牢房。你们必须向巴瑟斯特政府当局申请保释。巴瑟斯特没有长驻法官，只有三个地方治安官可以审判她。倘若是死罪，他们也无权审判。我建议，金罗斯夫人，你还是找一家律师事务所帮你和文小姐打这场官司。”他突然用公事公办的口气说。

“谢谢你，警官。你对我们一直非常关照。”伊丽莎白握了握他的手，站在前门目送身材魁梧的警官走过草坪，娇小的玉顺从地走在他身边。

伊丽莎白打电话到金罗斯饭店，接电话的人告诉她，茹贝小姐正在去看她的路上。

“天哪，伊丽莎白！”茹贝叫喊着，冲进书房。伊丽莎白还躲在那儿。“消息传遍全城，都说玉割下山姆·欧唐尼尔的生殖器，塞到他嘴里，逼他吃下去，然后按照中国人的办法，把他千刀万剐！因为他强奸了安娜！”

“基本上是真的，茹贝，”伊丽莎白平静地说，“不过还不像人们传说的那么可怕。当然也够骇人听闻的了。她的确割了他的生殖器，但是并没有塞到他的嘴里，而是拿到警察局自首去了。她一口咬定山姆·欧唐尼尔奸污了安娜。你认识这个人吗？”

“只是听说过。他从来没有到饭店喝过酒。人们说，他压根儿就不喝酒。西奥多拉·詹金斯听了这个消息痛苦得仿佛变成卧床的醉鬼——他正给她刷房子——她认为除非太阳从西边出来，山姆绝对不会和安娜有任何关系。她说，他是个真正的君子，连进家洗洗手都不肯。教区牧师也竭力替山姆说话。为了证明山姆·欧唐尼尔是个非常正派的市民，他情愿上火刑柱。”

茹贝来得匆忙，披头散发，连胸衣上的带子也没有系好。伊丽莎白心里想，假如我不知道她是个多么好的女人，或许会认为她是个邋里邋遢的荡妇，装嫩的“老来俏”。

“这么说，麻烦不会小。”

“现在城里分成两派，伊丽莎白。矿工和他们的妻子都站在玉这边。所有的老姑娘、寡妇和牧师都站在山姆·欧唐尼尔那边。精炼厂和其他车间的工人有的站在这边，有的站在那边。并不是所有的人都已经忘记，去年七月和八月他试图煽动工人闹事。”茹贝说着用颤抖的手擦了擦脸。“哦，伊丽莎白，告诉我，玉没有杀错人。”

“我相信她没有杀错，因为我知道，她和安娜的关系多么亲密。安娜每一个眼神、每一句话、每一个手势包含的意思，玉都一清二楚，而我这个当妈的却做不到这一点。”

她又给茹贝讲了那条狗的事情。玉就是根据它的名字做出判断，下决心杀死它的主人的。

“可是对于法官，这算不上有力的证据。”茹贝说。

“是的，算不上有力的证据。斯维特斯警官对我们非常友好，茹贝。他说，我应该立刻找律师事务所。可是，我连亚历山大的律师是谁都不知道。我应该找法律顾问，还是找出庭律师？律师事务所是不是也分专业？”

“这件事儿就交给我办吧。”茹贝很爽快地说，很高兴能有一件具体事情去做。“我马上给亚历山大发个电报。他现在在锡兰的金矿。我去找天启公司的律师代表为玉的案子找一个合适的律师事务所。”她在门口停下脚步。“如果他们认为，由当地人组成的陪审团会带着偏见判案，或许会把这个可怜的小娼妇送到悉尼审判。在我看来，那儿的陪审团更糟。”她哼了哼鼻子轻蔑地说，“当然，也许是我有偏见。”

内尔听说这件事情的时候，正在监督工人把炸药从爆炸品仓库搬出来。她等不及乘索道车，沿着那条羊肠小道跑回家。伊丽莎白努力克制自己，没有表现出伤心和恐惧，而内尔在看到妈妈那一刹那，痛苦像洪水一样暴发出来。眼泪顺着她脏兮兮的小脸哗哗哗地流了下来，不太丰满的胸脯在沾满油污的工作服下面急促地起伏着。

“哦，不可能是真的！”她哭喊着，要伊丽莎白告诉她到底怎么回事。“不可能是真的！”

“什么不是真的？”伊丽莎白平静地问。“是玉杀山姆·欧唐尼尔不是真的，还是山姆·欧唐尼尔强奸安娜不是真的？”

“难道你不觉得吗？妈妈。难道你从来就没有觉得，你坐在这儿就像橱窗里的服装模特——完美无缺的金罗斯夫人！玉是我的姐姐！蝴蝶对我从来就比你这位母亲还亲。上帝知道！我的姐姐承认她杀了人。你怎么能让她承认这种事儿？金罗斯夫人。如果你不能用别的办法阻止她，为什么不能用手捂住她的嘴？你就这样任凭她承认！你知道这意味着什么吗？这意味着，他们根本就用不着审判她！他们只审判罪行尚且存疑的嫌疑人。而讨论犯罪嫌疑人是否有罪，是陪审团的活儿，陪审团唯一的活儿！嫌疑人如果承认自己有罪，并且不准备翻供，可以不经陪审团讨论，直接将嫌疑人送上被告席，由法官宣判。”内尔回转身。“好了，我要到警察局去看玉。她必须翻供，否则就要被绞死。”

伊丽莎白听清了内尔的话，听出女儿的声音里充满仇恨，不，不是仇恨，是讨厌。她在心里反复琢磨内尔说的那些尖刻的话，承认她说的没错儿。有人在承载我的精神、我的灵魂的瓶子上塞了一个塞子，把我的为人之本永远封闭在里面。我将在地狱里燃烧，我只配在地狱里燃烧！我既不是合格的妻子，也不是合格的母亲。

“听我一句话，”她朝内尔的背影大声喊道，“如果你要去你说的那个地方，先洗个澡，换换衣服。”

可是，玉拒绝翻供。斯坦利·斯维特斯警官当然绝对不会禁止内尔小姐去看望犯人。所以内尔顺利进入关暴力罪犯的单人牢房。这间牢房和另外六间牢房隔绝。那几间牢房里关的都是酒鬼和小蟊贼。

“玉，他们会绞死你的！”内尔大声说，又哭了起来。

“我不怕被他们绞死，内尔小姐，”玉轻声说，“我杀了强奸安娜的坏蛋，死也心甘。”

“强奸犯。”内尔不由自主地纠正道。

“他毁了我的宝宝安娜，就得死。除了我，没有人能除掉他，内尔小姐。杀死他是我的责任。”

“即使你真的杀了他，也不能承认！只要你翻供，就可以得到恰当的审判，我们就有了斡旋的余地。我敢保证，爸爸会找到出庭律师帮你打这场官司。这些律师本事大着呢！他们能让彼拉多[①]把耶稣释放！你要翻案。求求你了！”

“我不能那样做，内尔小姐。我杀了他。我为我杀了他而骄傲。”

“哦，玉，什么都不如生命值钱，特别是你的生命！”

---

①彼拉多：钉死耶稣的古罗马的犹太总督。

“不对，内尔小姐。一个把像我的宝宝安娜这样的小孩当作他发泄兽欲的工具、把他臭烘烘的黏液射到像我的宝宝安娜这样的小孩肚子里的家伙不是人。这种禽兽不如的东西理应得到惩罚。如果我能活下去，我情愿再杀他一次，再杀他一次，再杀他一次！在我的思想里，这是快乐。”

玉不肯改变自己的立场。

第二天黎明时分，她被押上囚车，送往巴瑟斯特监狱。一个警察赶车，另外一个坐在她身边。他们既怕她，又不怕她。斯维特斯警官没有给她戴手铐。两个警察觉得他这样做挺愚蠢。不过，不管怎么说，一路平安，没出什么问题。文玉被关进牢房那一刻，正是山姆·欧唐尼尔被送到金罗斯公墓下葬的时候。他的丧葬费由西奥多拉·詹金斯和另外几个心痛欲绝的女人支付。彼得·威尔金斯神父站在坟墓旁边宣读了让人感动的悼词。为了防备他真的奸污过安娜，惹恼上帝，山姆·欧唐尼尔的尸体没有埋在教堂墓地。送葬的女人们在花圈中择路而行，在黑色的面纱后面嘤嘤啜泣。

尽管警察们以极大的热情彻底搜查了山姆·欧唐尼尔的宿营地和周围丛林、乱石、一草一木，但是没有发现任何和安娜·金罗斯有关系的证据。没有女人衣服，没有小装饰品，没有绣着名字缩写的手帕。什么也没有。

“我们打开他的油漆桶，把油漆倒了个底儿朝天；我们把他的刷子弄散，衣缝拆开，甚至把他那间东倒西歪的小屋的屋顶揭开，看树枝、树叶间藏没藏东西，”斯维特斯警官对茹贝说，“我以我的荣誉担保，康斯特万小姐，我们把那儿搜遍了，还是一无所获。而且，作为一个住在宿营地的人，这个家伙非常整洁。他拉着晾晒衣服的绳子，装着浴盆。为了防备蚂蚁，食物都装在饼干桶里。刷靴子的鞋油和刷子摆放得整整齐齐，草席上铺着干净的床单。是的，他把屋子收拾得非常干净。”

“现在会发生什么事情呢？”茹贝问道，看起来有几分苍老。

“据我所知，他们已经授权地方法官审判她。因为她犯的是死罪，不能保释。”

消息在悉尼不胫而走。报纸刊登了每一个血淋淋的细节，尽管没有提山姆·欧唐尼尔哪一个部位被切割下来塞到嘴里，但是暗示他被强迫把那东西吃下去。报纸发表的社论强调指出雇用中国佣人的危险。他们以山姆·欧唐尼尔的死为典型事例，说明允许中国人移民澳大利亚有多么失策。一些反对华人的日报和周刊都赞成大规模驱逐已经在这个国家生活的华人，连出生在澳大利亚的华人也不能放过。这位端庄、娇小的中国保姆声称为自己的罪行而骄傲，被当作所有中国人堕落的例证。安娜·金罗斯被描绘为“有点儿傻”。这种说法可以让读者把她想象成她知道二加二等于几，但是不会算十三加二十四等于几。

亚历山大在澳大利亚大陆西部收到茹贝发给他的电报。他事先没有通知董事会成员，他很快就回金罗斯。在过去的几年里，他的行止始终不为人知。玉被起诉一星期后，他乘坐的轮船抵达悉尼。上岸之后，他立刻就被一大群记者包围。这个“记者团”因为从其他州来了不少人，再加上一帮从《泰晤士报》到《纽约时报》的海外报纸撰稿人，显得非常庞大。没有什么能吓倒亚历山大。他在码头召开记者招待会，即席回答大家提出的问题，同时一再重申，既然每一个悉尼人知道的情况都比他多，为什么非要找这个麻烦？

萨默斯来接他，领他到乔治大街他的新饭店。这个饭店远离了肮脏的煤车。

“到底发生了什么事情？吉姆，”他问道，“我的意思是，真实情况是什么？”

亚历山大叫他“吉姆”可是新鲜事儿，萨默斯眨了半天眼睛才回答道：“玉杀了奸污安娜的那个家伙。”

“那个家伙真的奸污了安娜，还是她认为他奸污了安娜？”

“我相信，那个山姆·欧唐尼尔就是奸污安娜的人，亚历山大爵士。安娜管我的狗叫卢沃时，我就在场。我看见了她那张脸。她非常快活，想找狗的主人。如果我知道山姆·欧唐尼尔也有一条蓝毛牧羊犬，我也会立刻想到他就是那个坏蛋。玉想到这一点，因为她在西奥多拉·詹金斯家见过山姆·欧唐尼尔和他那条狗。他给西奥多拉刷房子。我当时没有领会这里面的奥秘，所以就让她捷足先登了。”

亚历山大端详着他那张脸，叹了一口气。“现在事情很难办，是吗？我想，还没有找到别的证据。”

“没有，先生。那个坏蛋一定非常谨慎。”

“你觉得我们能把她保释出来吗？”

“恐怕没有希望，先生，即使你站在她这边。”

“看来，为了我的家庭，要进行一场艰苦的战斗了，而且要做好最坏的思想准备。”

“是的，先生。”

“她要是把她的怀疑报告你或者茹贝就好了！”

“也许吧，”萨默斯说，没有什么信心，“然而，依我看，那时她就知道，这件事情如果查下去，他肯定会反咬一口，说出些对安娜不利的话，所以下决心不把安娜牵扯进去。”

“是的，肯定是这样。可怜的玉！我欠她的太多了。”

“我觉得，玉没想过这么多。她这样做是为了安娜，只为安娜。”

“拉姆和米莱肯是谁推荐的？”

“尤斯塔斯·海斯-博特姆莱爵士，先生。一个老家伙，英国王室法律顾问，澳大利亚最有名的律师。”萨默斯说。

离开悉尼回金罗斯之前，亚历山大做了他能做的一切。他和尤斯塔斯爵士（他认为，被告如果不翻供，只有一死）一起，动用了所有能够动用的关系，确保主审法官是一个通情达理的人，而且要秘密宣判，越快越好，最好在巴瑟斯特，而不是在悉尼举行。尤斯塔斯爵士先坐亚历山大的专列到拉特沟。到了拉特沟之后，车厢挂到回金罗斯的火车上，他一个人乘头等车厢到巴瑟斯特，随行人员都挤在一节二等车厢里。他们将在火车上认真研究如何将英国的法律很好地运用到澳大利亚。

他在巴瑟斯特监狱会见了玉，但是徒劳无功。他苦口婆心、好言相劝，玉还是不为所动——她不翻供，她为自己的所作所为而骄傲。她已经为她的宝宝安娜报仇雪恨了。

亚历山大到达金罗斯车站的时候，站台上只有茹贝迎接他。

看见茹贝，亚历山大吃了一惊——我是不是也像她一样，突然变得衰老？她的头发虽然还是那种独一无二的颜色，但是体重增加了许多，一双眼睛简直要消失在虚肿的眼袋里。苗条的腰身不复存在，两只手就像短胖的海星。他吻了吻她，挽着她的手臂，走过候车室。

“去你那儿，还是去我那儿？”出了候车室之后他问道。

“先去我那儿，”她说，“有些事情，你既不能和伊丽莎白谈，也不能和内尔谈，只能我们俩先研究一下。”

他不无欣慰地看到，金罗斯城虽然裁了一半市政管理人员，但是整个小城看起来依然井井有条，街道整洁，房屋整齐，金罗斯广场花坛里盛开着大丽花、万寿菊、菊花和夏末开放的各种鲜花。黄色、金黄色、红色、奶油色交相辉映，格外热闹。很好！孙波的花匠按他的意思把花坛装饰成一个非常漂亮的花钟。他们把花坛下面掏空，装上巨大的钟表机械，带动十英尺长的指针昼夜不停地旋转。色彩鲜艳的叶子和小花组成罗马数字、表盘、长长的时针、分针。更重要的是，大钟走得很准。现在是下午四点半，一分不差。花钟下面的台子刚刚刷过油漆。会是谁刷的呢？山姆·欧唐尼尔，还是油漆匠斯克里普斯？马路两边的树长得更大了。番樱桃花满枝头，千层木[①]的树干就像剥落的油漆，一层层卷曲起来。哦，得了，亚历山大爵士，还是想想那些和油漆毫无关系的比喻吧！

他多么想念这座以他的名字命名的城市！然而一旦走到它的身边，又

①千层木：白千层属灌木，主要见于澳大利亚的河岸或沼泽地。

迫不及待地想离开。为什么人们不能做他们应该做的事情？为什么人们不能合乎逻辑、合乎理性、合乎常规地生活？为什么人们像蓟花的冠毛在夏季空气炽热的涡流中茫无目的地乱飞？为什么丈夫不能爱妻子，妻子不能爱丈夫，孩子们不能相亲相爱？为什么人们相互之间的差异总是超过相同的东西？为什么人们的躯体总比心灵苍老得更快？为什么被人前呼后拥却总是感到孤独寂寞？为什么燃烧的火焰那么明亮，火苗却愈来愈暗淡？

“我胖了。”她说，在会客室沙发上坐下，用一把折叠扇使劲扇着自己。

“是胖了。”他说，在她对面坐下。

“你是不是心里很烦？亚历山大。”

“是的。”

“是啊，这件事儿把我折腾得也够呛。事实证明，对我减肥倒是大有好处。”

“我们这座小城有个凶残的家伙。”

“不但凶残，还非常狡猾。可是城里有一半人认为他不是坏蛋，不过是个打零工的人罢了。”

“像西奥多拉·詹金斯那样的蠢货。”

“可不是嘛。他已经衡量出她的能力，让她迷上自己、崇拜自己，并且从中找到乐趣。他不想和老处女或者寡妇干，但是也许对她们手淫，直到淫水横流，浸湿内裤。”

“伊丽莎白的情况怎么样？内尔呢？”

“伊丽莎白和往常没有两样，内尔可想死她爸爸了。”

“安娜呢？”

“大约一个月之后就要生孩子了。”

“我们至少知道这个孩子的血统了。”

“你能肯定他的父亲就是那个家伙吗？”

“萨默斯断定那个人就是山姆·欧唐尼尔。安娜错把他那条狗认成卢沃时，他就在场。我认为，他当时比玉更清楚地看到安娜脸上的表情。”

“我同意萨默斯的判断！”

“更麻烦的是，茹贝，我该怎么和伊丽莎白说玉要被绞死的事儿呢？”

她脸色大变，胖胖的脸抽搐着，样子很难看。“哦，亚历山大，别说这些。”

“不得不说呀！”

“可是……可是……你怎么能肯定呢？”

他手指在口袋里摸索着，掏出一支方头雪茄：“你这些日子不抽烟了吧？”

“抽。给我一支！你为什么这么肯定呢？”

“因为玉已经在政治上成了被人利用的工具。无论自由贸易协会还是贸易保护主义者协会，更不要提工会——现在他们管自己叫‘工人选举联盟’——都要向人们作出反对华人的姿态。一旦时机成熟，他们就会顺从那些人的意愿，除掉中国人。在他们看来，难道还有什么事情比绞死这个可怜的中国姑娘更能安抚人心吗？尽管她生在澳大利亚。在他们眼里，她犯了十恶不赦的大罪——作践男人的大罪，茹贝。阉割。切除男人的生殖器！而且被她杀死的是个白人，证据也只是我那个智障的女儿认出他的狗。安娜能出庭作证吗？即使是没有陪审团出席的秘密法庭。当然不能！法官在宣判之前可以传唤任何他想传唤的证人，可是让安娜出庭将是件滑稽可笑的事情。”

泪水像断了线的珍珠顺着她的面颊潸潸流下。他心里非常难受，生不出和她亲近一番的欲望。不要孤零零地撇下我一个人！他默默地呼喊着。但是向谁呼喊他并不知道。

“走吧，亚历山大，”茹贝说，掐灭手里的雪茄，“走吧，求求你。她是山姆·文的大女儿，我爱她。”

他径直向索道车走去，上车之后，立即向山顶驶去。坐在任何一个座位上，都可以俯瞰金罗斯城。放眼望去，金罗斯宛如笼罩在浅蓝、淡紫和珍珠色雾霭中的湖泊。烟囱林立，冒出来的烟气又给那雾霭平添了一层阴郁。那是一种北海的灰色。他们用这样的颜色油漆新制造的军舰。那仿佛是另外一个世界发生的事情。短短几个月前，那制造中的军舰让他着迷。

伊丽莎白坐在他的书房里。这倒挺新鲜。在他的记忆之中，她对他的书房从来没有什么兴趣。她多大年纪了？到九月份三十三岁。再过几个星期，他就该过四十八岁生日了。他们结婚之后共同度过的岁月已经是她人生的一半。她曾经把这一段时间称为“永恒”。如果所谓“永恒”是灵活的、可变通的，那么这样说也无妨。是啊，谁又能说不是这样呢？“永恒”和“永恒”之间有什么区别呢？有多少安琪儿能在针尖儿上跳舞呢？这是哲学家争论的话题。

伊丽莎白心里想，亚历山大年纪越大越有风度。她纳闷，为什么男人铁灰色头发夹杂几缕银丝别有风韵，而女人倘若这个模样就显得丑陋？他依然挺拔，肌肤没有松弛或者皱缩，举手投足仍然像年轻人一样优雅。像李。他脸上的皱纹只能让人想起丰富的经验，不会让人联想起岁月的沧桑。她突然心血来潮，想怂恿丈夫给他自己搞一座半身雕像。用青铜？不。大理石？不。用花岗岩。这是最适合亚历山大的岩石。

他那双黑眼睛里有一种新的表情，疲惫、忧伤、由于失望而不是成功更坚定了的决心。这件事情不会让他颓唐，因为没有什么力量能摧毁他的决心。他经得起任何狂风暴雨的袭击，因为他坚如磐石。

“你怎么样？”他问道，吻了吻她的脸。

“还好。”她回答道，然而，这一句问候带来的痛苦像标枪穿透她的心。

“是啊，考虑到眼下这场麻烦，你看起来确实还好。”

“晚饭还没有准备好。我不知道你多会儿回来。张已经做中餐去了，几分钟就好。”她站起身，“喝杯雪利酒，还是威士忌？”

“雪利吧。”

她往两个大号酒杯里倒酒，而且倒得很满，一杯递给亚历山大，另一杯自己端着在椅子上坐下。“我一直不明白，为什么人们要用小酒杯喝雪利酒，你明白吗？”她一边问，一边呷了一口，“结果为了续杯，总得一会儿起来，一会儿坐下。拿大杯喝就省了这麻烦。”

“了不起的发明，伊丽莎白。我举双手赞成。”

他呷一口雪利酒，让那玉液琼浆在舌尖上停留片刻，一边贪婪地嗅着阿蒙蒂拉多[1]浓郁的芳香，一边从酒杯上沿望过去，仔细端详她，感觉到一股暖流穿肠而过。她的美丽与日俱增。他每一次看到她都惊讶地发现，某种新的变化使她趋于完美。从她抬头时神情的变化到嘴角刚出现的细细的皱纹。她穿一袭紫红色长裙，朦胧之中显得雍容华贵，没有一丝发胖的迹象。手指上戴着他送的戒指，宛如海里的花，随着她心海的波涛，翻飞、飘忽。

他不了解她的心。她永远不会让他走进她的心窝。伊丽莎白，真是一个谜。胆小的老鼠已经变成一头安静的狮子，但不会仍然是一头狮子。她现在是什么呢？他心中无数。

“你想和我谈谈玉的事儿吗？”他问道，终于让雪利酒咽下喉咙。

“我想，你已经和满世界的人都讨论过这事儿了，所以，如果你不介意的话，我宁愿搁在心里，不说她。我们都知道会发生什么事情。话一旦出口就很难收回，难道不是吗？而这些话就像钟声不停地在我耳边回响。”晶莹的泪水迷住她的眼睛。“真让人无法忍受，就是这样。”泪花消逝，她对他微笑着。“内尔马上就到。对她的到来表示敬意吧，亚历山大。她那么想让你高兴。”仿佛是导演给出了提示，伊丽莎白话音儿刚落，内尔就走进房门。

亚历山大看到的是一个活脱脱的“女性化了的”自己。这种感觉并不新鲜，但是此时此刻，仍然觉得新奇。在他离家的六个月里，内尔长大了，从一个小姑娘长成了大人。她的头上长着他的黑发，和他一模一样的嘴巴很大，嘴唇很薄，既给人以美感，又显得异常坚定。嘴唇和颧骨很高的脸颊略施胭脂。他那长长的、略微塌陷的面相长在她的脸上就很迷人，而且向人们宣示，她不是一个可以轻视的人物。她骄横跋扈。她的皮肤光洁，脸到脖颈都晒成褐色，显得十分健康。脖颈以下则是象牙色。她和妈妈一

---

①阿蒙蒂拉多：一种淡色的无甜味雪利葡萄酒。

样，只喜欢穿不带腰垫的裙子。裙子用双面横棱缎做成，颜色宛如暴风雨中的乌云，穿在身上后面比前面还丰满。她不是茹贝那种乳房丰满、身材高大的年轻女人，也不像妈妈那样窈窕秀丽，虽然略嫌单薄，但总是那样自由自在。她的脖子像伊丽莎白天鹅似的脖颈那样修长、美丽。

亚历山大放下酒杯，向内尔快步走去，先拉着她的双手，望着一臂之遥的女儿，然后把她抱在怀里。伊丽莎白从亚历山大的肩膀望过去，看见女儿的下巴贴在父亲的外衣上，睫毛浓密的眼睛紧闭着，好一幅幸福的图景。

"你看起来真棒！内尔。"他说，轻轻地吻了吻女儿的唇，然后领她走到自己那张椅子旁边的椅子跟前。"为我长大了的女儿喝杯雪利酒？"

"好啊！爸爸。我已经十五岁了。妈妈说，应该学着喝点葡萄酒了。"她看着爸爸，眼睛闪闪发光，"秘诀就在于永远不要过量。"

"所以要用喝雪利酒的杯子喝雪利酒。"他举起酒杯祝酒，伊丽莎白也举起手里的酒杯。"为我们美丽的女儿艾琳娜！愿她永远优秀！"

"愿她永远优秀！"

内尔历来注意营造良好的气氛，所以没有提玉和别的麻烦事儿，而是大谈特谈茹贝交给她的工作，用恶作剧的方式取笑自己，逗爸爸开心。她迫不及待地告诉他这件错事，那个失误。还告诉他，工人们一旦不把她看作女人，跟他们一起干活儿多么快乐。

"尤其遇到紧急情况，"她说，"唯一能解决问题的是可信赖的内尔·金罗斯。"

然后，她又和亚历山大讨论精炼厂用氰化物提取黄金遇到的技术上的困难，争论直流电和交流电各自的优点。年轻人都认为交流电更具优势，亚历山大则坚持人们对交流电的价值估计过高，使用交流电是个浪费。

"爸爸，法拉第已经证明，交流电可以使我们更好地工作，带动比电话、灯泡更大的东西！现在，我们电动机的功率不够，但是我敢发誓，倘若改用交流电，这些电动机带动索道车都没有问题。"内尔说，脸上闪耀着喜悦的光辉。

“可是，你没有办法把交流电储存在电池里，我的女儿，而我们必须储存。使用交流发电机，就得让发电机不停地旋转。这可是惊人的浪费。没有储存电流的电池，一旦发电机停止运转，整个生产系统就会瘫痪，这一点众所周知。”

“造成这种情况的原因是，爸爸，那些傻瓜非要把交流发电机都串联起来，而事实上应该把它们并联起来才对。走着瞧吧，爸爸，总有一天，工业生产将需要高电压的电流，变压器向我们提供可以使用的交流电。”

令人愉快的争论继续着。伊丽莎白坐在旁边静悄悄地听这位确实与众不同的年轻女子高谈阔论。她的数学比父亲强多了，机械学方面的知识也相当出色。亚历山大至少在内尔身上看到自己的血脉和精神。她掌握着打开他内心世界的钥匙。那块坚如钢铁的花岗岩，花岗岩。后来，伊丽莎白想，他们争论的范围将非常广阔。内尔需要的只是时间。

亚历山大借口回来得太晚，把看安娜的时间推迟到第二天早晨。

“安娜很不快活。”伊丽莎白解释说。她陪亚历山大一起向育儿室走去。“她想玉。我们当然没法让她明白为什么她见不到玉。”

看见小女儿，他大吃一惊。她依然那么漂亮，而他似乎已经把她的美丽全然忘记。在他的想象之中，安娜的脸一定变得令人厌恶，可是事实上，一切都很正常，只有宽松的裙子下面，大肚子引人注目。

她终于认出他，喊了几声“爸爸”，便又哭喊着找玉。蝴蝶想哄她，被她粗暴地推开。看着她没完没了地又哭又叫，亚历山大只好走出育儿室。他也受不了女儿身上散发出来的那股怀孕妇女特有的气味。她当然没有能力把自己收拾干净，眼下心情烦躁，也不肯让任何人帮她收拾。

“真难办。”他在走廊里说。

“是啊。”

“小韦勒什么时候来？”

“三个星期之内。爱德华爵士在悉尼照料他的诊所。”

“他带助产士来吗？”

“不带。他说明妮·柯林斯可以干得很好。”

“我听说，安娜不让内尔看她。”

伊丽莎白长叹一声：“可不是嘛。”

四月底，西蒙·韦勒大夫来金罗斯两天之后，安娜分娩了。每一次宫缩，她都疼得又哭又叫，拼命挣扎，医生不得不把她绑在床上。西蒙·韦勒大夫也好，明妮·柯林斯也罢，都没有办法让她明白，她必须和大夫配合，听从他们的命令，用力产出胎儿。安娜只知道，她从来没有经受过这样的痛苦，只能发了疯似的不停地尖叫。

分娩进入最后关头，韦勒大夫只好用氯仿把她麻醉过去。二十分钟后，从产道里拉出一个个头很大的女婴。她粉红色，很健康，肺部功能极好。伊丽莎白一直陪伴在侧，看见这个刚刚落地的新生儿，脸上不由得露出微笑。到此刻为止，这是一条多余的、不受欢迎的生命。可是这个可怜的小东西无法选择父母，更不应该为此而受惩罚。

亚历山大得知女儿顺利产下一个女婴之后，只是哼了哼鼻子。

“叫个什么名字呢？”伊丽莎白问。

“你想叫什么就叫什么吧。”亚历山大淡淡地说。

伊丽莎白决定叫玛利－伊莎贝拉，中间以连字号连接。这个名字只延续到精疲力竭的、处于半昏迷状态的安娜苏醒那一刻。而这段时间不超过六个小时。因为，尽管安娜智力严重缺陷，她的身体却很健壮，发育也很正常，而且奶水相当充足。

“把孩子抱给她，让她来喂。”韦勒大夫对明妮说。

“她根本不知道该怎么喂！”明妮吃了一惊，气吁吁地说。

“我们可以试一试，明妮。让她喂吧。”

明妮把襁褓中的婴儿送到半躺在床上的安娜面前。安娜惊讶地凝视着孩子的小脸，脸上露出爽朗的微笑。

“多莉！”她高兴地喊了起来，“多莉！”

“这是你自己的洋娃娃[1]，安娜。”韦勒大夫强忍住激动的泪水。“把多莉放到她乳房跟前，明妮。”

明妮解开安娜睡袍上面的扣子，露出一只乳房，然后把安娜的胳膊抬起来，示意她把小宝宝搂在怀里。小宝宝的嘴搜寻着，找到奶头之后，立刻含到嘴里吸吮起来。安娜脸上的表情发生了奇妙的变化。

“多莉！”她叫喊着，“多莉！我的多莉！可爱！”

这是她第一次说出一个抽象的概念——可爱。

站在旁边眼巴巴看着的伊丽莎白和蝴蝶相互对视了一眼，不由得抽抽搭搭哭了起来。现在，安娜可以把玉忘掉了。她有了自己的娃娃，她们相互之间的联系已经建立。

就这样，亚历山大·金罗斯爵士到金罗斯市政厅给外孙女办理出生登记时，姓名栏写作：多莉·金罗斯；父亲一栏填写为：S·欧唐尼尔。

回家的路上，亚历山大到金罗斯饭店去看望茹贝。“看起来我这辈子注定要和私生子打交道了，”他耸了耸肩，苦笑着对茹贝说，“更不用说受女孩子们的折磨了。”

她已经领会了他的意思。她正在减肥，可是有点操之过急。年轻时肌肉的弹性和活力不复存在，下巴下面和眼睛下面的皮肤都已松弛。每天照镜子的时候，看着自己火鸡似的脖子、手臂和面颊细密的皱纹，她都暗问自己：我对他的吸引力还能维持多久呢？不过，她乳房依然高耸，臀部仍旧迷人。她想，只要这两样东西风情依旧，就能把他抓在手里。可惜，月经越来越少，头发越来越稀，很快我就成了个丑老太婆了。

“告诉我，你在国外都做了些什么，到了哪些地方？”做爱之后，她说。看起来，他和以往一样，仍然非常喜欢和她做爱。“你现在行动比以前更诡秘了。”

---

①洋娃娃和多莉在英文中是同一个词 dolly。即 dolly 既可以当“洋娃娃”解，又可以是女子名多莉。

他在床上坐起来，两手抱膝，脑袋放在膝盖上。“我去找人，”他过了半晌才说，“找赫诺瑞逦·布朗。”

“找到了吗？”她问，嘴巴发干。

“没有。你瞧，在印第安纳州她那一百英亩土地的小农庄，我和她有过一夜情。我原本希望，她或许给我生了个儿子。可是，现在那座小农庄的主人是从别人手里买来的。那个‘别人’，又是从另外一个人手里买的。谁也不记得赫诺瑞娅·布朗这个女人。于是，我就找了个平克顿私家侦探公司的侦探，让他去找她。我到了英格兰之后，收到他的消息。原来赫诺瑞娅一八六六年改嫁之后，搬到了芝加哥，那时候没有孩子。改嫁之后，生了几个孩子，一八七九年去世。她去世一年之后，丈夫又娶了个老婆。她的几个孩子现在都流落他乡。我估计因为他们不喜欢继母。平克顿私家侦探公司那位侦探问我，要不要他们的地址？我说，不。给他钱之后，便了结了这桩事情。”

“哦，亚历山大！”她下了床，穿上一件镶褶边的睡袍，“你还做什么来着？”

“别的事情我已经向董事会汇报过了，茹贝。”

“那都是些与个人无关的事情。”她说，声音有点颤抖，“你听没听到李的消息？”

“哦，听到一些。”亚历山大一边说，一边穿衣服。“他干得不错。大多数时间拜访亚洲各地他那些老同学。我一直想从喜马拉雅山脚引进一个印度部落，到锡兰矿山工作。可是李捷足先登，组织他们在自己的森林地带开采钻石。由于当地王侯的儿子鼎力相助，才得到他父亲的同意。当然，他们也是无利不起早。百分之五十的利润给他们，应该说很不错了。他从那儿又到了英格兰，拜访英格兰银行的莫德林。英国金融机构对已经是退休年龄的人从来不怎么信任，我说的没错吧？莫德林大概和那座银行一样老。但是，由于他和天启公司的业务往来，他仍然是董事会成员。和我一样，李对钢铁军舰，特别是军舰的发动机很感兴趣。有一个叫帕森斯的人，发明了一种新的蒸汽机。他管它叫涡轮机。”

茹贝已经梳完头。她先把头发紧紧束在脑后，发现这样可以把脸上的皮肤绷紧，少了许多皱纹。“听起来，好像李一心想打败你，亚历山大。”

“毫无疑问，是这么回事儿。不过，你应该知道，茹贝。他肯定给你写信谈过这些事情。”

她扭歪着脸，是因为裙子不好穿，还是因为提起李的缘故，亚历山大说不清楚。“李来信倒是像钟表一样准，可是只写两三行，报个平安。告诉我他正从一个名字古怪的地方到另外一个更古怪的地方。就好像，”她怀着一种渴望补充道，“他不愿意想起金罗斯。我总是盼望他能在信里告诉我，他订婚了，或者结婚了，可是一直没有。”

“女人，”亚历山大冷笑着说，“不过是他手里的一团油灰。”他看着她，皱了皱眉头，“你衣着打扮怎么变了？亲爱的。我更喜欢你穿华丽的缎子长裙。”她往穿衣镜里看了看，朝身上的裙子做了个鬼脸。它不是那种拖地的长裙，用不着束腰，也没有穿胸衣。虽然看起来很朴素，但剪裁讲究，毫无疑问，它用高档的罗缎做成，颜色却是那种难看、但已成为时尚的黄褐色。“我这个年纪，亲爱的，再打扮得花枝招展，看起来就滑稽可笑了。此外，现在没有人再穿带裙撑或者腰垫的长裙，用羽毛装饰也已经过时，领口开得很高，羊脚形袖子非常流行。令人厌恶的东西！除了最豪华的晚宴，人们都穿毛料、斜纹软呢，如果一定要穿丝绸，就穿罗缎。一个老妓女不能把自己打扮成老妓女。”

“依我看，”亚历山大面带微笑说，“女人的时尚是一个时代的标志。现在时世艰难，而且会更难。我们正处于商业萧条时期，这种萧条又不仅仅局限于世界的这一部分。所以，女人的衣着更加节俭，颜色灰暗，帽子尤其难看。”

“我可以接受朴素的裙子、沉闷的颜色，但是决不接受难看的帽子。”茹贝说着挎起亚历山大的胳膊。

“你要上哪儿去？”他问道，有点惊讶。

她看起来一副天真无邪的样子。“和你一起上山呀！从昨天起，我还没见多莉呢！”她突然停下脚步。“这个孩子的情况告诉玉了吗？”

“孩子生下之后，伊丽莎白就捎话给她了。”

“给她送消息有困难吗？”

“如果是亚历山大·金罗斯爵士家的人，送消息当然不难。”

“她还有多少时间？”

“到七月。”

“现在已经五月。可怜的姑娘。”

“是啊。”

报纸上关于金罗斯中国女仆和她的罪行的报道，对比德·埃文斯·泰尔加斯几乎没有发生什么影响，因为那时候，政局发生了转折，工人运动如火如荼。工会联盟和工人委员会在一位名叫彼得·布伦南的既精明强干又有献身精神的兰开斯特[①]人的领导下，看到了工会联盟光明的政治前途，并且着手起草他们的政治纲领。就在这时，爆发了一八九〇年八月的大罢工。工会在大罢工中失败，促使工会联盟为白人工人代表在议会中争取席位。一八九〇年十月，悉尼西部地区举行递补选举，工会联盟一位由工会推举的代表竞选获胜。这一胜利似乎为一八九二年新南威尔士州的普选打下了良好的基础。事实上，由于工会联盟内部为谁当候选人明争暗斗，从总体上看，还远没有做好足够的准备。

工会联盟和工人委员会于一八九一年四月——距离下一次大选整整一年结束了他们的政治纲领。这个纲领包括废止不平等的选举条件，实现全民义务教育，争取实现工会的奋斗目标，成立国家银行以及限制华人在澳大利亚发展的种种举措。在税收问题上，代表们的意见分歧更大，有的人主张收取土地税，有的人主张实行单一税法——每一个项目都按人头收税。等到他们的政治纲领囊括了对地方政府的改革，一个新的政党便应运而生。

---

①兰开斯特：英国英格兰西北部城市。

这个党的名字叫“工人选举联盟”。日后将演变为“澳大利亚工党”。

后来，潜在的灾难爆发。新南威尔士下议院看到亨利·帕克斯爵士的“自由贸易党”对选举毫无信心，引发总督下决心解散议会，重新选举。这次选举将在一八九一年六月十七日到七月三日间举行，为期三个星期。比原定大选提前了将近一年。

“工会选举联盟”不遗余力，为每个选区挑选候选人。可是在方圆三十万平方英里的范围内，完成这个任务绝非易事。当然不是因为各选区有资格参加选举的人太多，而是因为落下的人太多。偏远的乡村不得不发电报联系，或者由“联盟”中央委员会成员亲自出马去拉选票。这样一来，就得坐好几天火车、马车，甚至骑马。因此，选举持续三个星期。

布尔克选区离悉尼很远。那儿的选民对城里人大声疾呼的问题漠不关心。他们最关心的是阿富汗人和他们的骆驼进入澳大利亚。因为这些人的涌入从澳大利亚白人手里抢走小公牛和运货马车的生意。“工会选举联盟”的政治纲领是大都市里那些“油腔滑调”的人和煤矿工人起草的，压根儿就没有提到阿富汗人或者他们的骆驼。可是在布尔克，这个问题就显得十分突出。他们和悉尼人的争论相当激烈，不过，最后还是以布尔克人让步告终，纲领中不提骆驼的事儿。

“自由贸易党”和“贸易保护主义党”都不把“工会选举联盟”放在眼里，因此，还像平常那样，优哉游哉地、得意洋洋地为竞选做准备。这些准备主要是和商人们共进午餐，或者举行晚宴，完全忽略了工人阶级的存在。“自由贸易党”希望进口不受关税和其他税收的限制。“贸易保护主义党”则希望通过对进口商品征收关税，发展地方工业。这两个党对“非绅士”组成的“工会选举联盟”都嗤之以鼻。

比德·埃文斯·泰尔加斯在他选择的悉尼西南部地区辛勤工作，被提名为“工会选举联盟”的正式候选人，然后就去访问那些有资格投票选举的人。面临即将举行的大选，他既忐忑不安，又有几分信心。他觉得，现在既然工人有了代表自己利益的政治家，就不会把票投给那些轻视他们的人。

因为他的选区在悉尼，所以，他很快就知道命运把他抛向何方：比德·埃文斯·泰尔加斯成了立法院下院的议员。选举结果逐渐揭晓，全州一百四十一个选区，“工会选举联盟”在三十五个选区获胜。在议会中占的席位自然也是这个比例。这个结果对“工会选举联盟”并不理想。十六位立法院下院的议员代表城市选区，十九位代表农村、牧区选区。代表城市选区的十六位议员（都是男人，女人连选举权也没有，更不要说进入议会）大都是坚定的工会会员，而代表农村、牧区选区的十九位议员除了一个煤矿工人小组选出的代表再加上一个剪羊毛工人之外，其余都是非工会会员。“工会选举联盟”当选的这三十五位议员中，有十位出生在澳大利亚，只有四位年龄超过五十岁，六位不到三十岁。这是一个年轻人占多数的下议院。他们迫不及待地想永远改变澳大利亚的政治局面。是的，迫不及待，但也缺乏经验。

真是活见鬼！立法院下院议员比德·埃文斯·泰尔加斯想。要想取得经验，唯一的办法就是完全彻底深入到实际工作之中。曾经让悉尼地区广大民众激动万分的讲演将回荡在对帕克斯的花言巧语越来越厌倦的议会大厦。这位政治元老牢牢地把持着总理的职位不放。这一次，如果他想赢得大选，就不得不向“工会选举联盟”那些骄横跋扈的小丑（唉，他们之中有的人确实是这样的政治小丑）献殷勤。由于“工会选举联盟”内部纷繁复杂的斗争，这项任务更难完成。不少人崇尚美国的民主，一半人支持自由贸易，另外一半人支持贸易保护主义。

就这样，到了七月，比德·埃文斯·泰尔加斯突然想起，那天在金罗斯，午饭后，山姆·欧唐尼尔没有按约定的时间到饭店见他，直到几个小时之后才出现在他的面前。当时，他厚着脸皮笑着说：“消遣消遣，玩一玩。”哦，在玉的案子里，这也是个证据，尽管比狗的名字“卢沃”还没有力量。不管怎么说，一切都为时已晚，绝对不会改变法官的判决：文玉，金罗斯城的老姑娘，三十六岁，被处以绞刑。

政府当局担心，如果把玉押送到悉尼行刑，有可能引发群众性的示威游行，最后决定在巴瑟斯特监狱临时搭建了一个绞刑台，行刑时，不对媒体和公众公开。

法官是新南威尔士高等法院的成员，很公正。玉一口咬定，山姆·欧唐尼尔就是她用那种方法杀死的。她很高兴杀了他，因为他毁了她的宝宝安娜。

“我别无选择，”法官对那几个允许到场、神情专注、悄然无声的人说，“罪犯是有预谋的，这一点无可争辩。按照文小姐的历史和她的职业，她实施犯罪时周密的计划、冷酷的手段，让人无法想象。一切都不是偶然发生的。也许整个犯罪过程中，最令人发指的是，文小姐把被害人的眼皮缝到眼眶上，让他眼巴巴看着自己被切割，被毁灭。案发后，文小姐在任何场合、任何情况下，都没有以文字或者其他方式表示悔罪。”法官从椅子上拿起一小块黑布，挂在他长长的假发上。“公开审理的罪犯，我据此宣判，你将被送往刑场，绞颈而死。”

从金罗斯赶来听宣判的只有亚历山大。玉面不改色，坦然微笑，深棕色的大眼睛里没有丝毫恐惧，更没有后悔。玉表现出一种发自内心的幸福之感。

一个星期后，早上八点，执行绞刑。那是七月的一天，凄风苦雨，巴瑟斯特周围的群山覆盖着积雪。刺骨的寒风吹着亚历山大的外套直往膝盖上裹，手里的伞派不上用场。

前一天，他到牢房看望了玉，交给她四封信。一封是她父亲写的，一封是茹贝写的，另一封是伊丽莎白写的，还有一封是内尔写的。他还送给她一缕安娜的头发。这缕头发远比那几封信更让她珍爱。

“我会把它紧紧贴在胸口，”她吻着安娜的秀发说，“孩子好吗？叫多莉？”

“很好。已经十个星期了，看起来很正常。我可以为你做点什么吗？玉。”

“照顾好我的宝宝安娜。你要以内尔的性命起誓，永远不把安娜送到收容院。”

“我起誓！”他毫不犹豫地说。

“我该做的都做了。”她面带微笑说。

玉穿着她的黑裤子、黑褂子，被带了出去。她长发盘起，在头顶挽了一个髻。从天而降的雨水似乎一点儿也没有打搅她。她看起来那么安详，稳稳当当地走着。没有牧师到场。玉拒绝这种精神上的抚慰。她坚持说，她没有洗礼，不是基督教徒。

狱吏把她送上绞刑台，让她在活门中间站好。另外一个狱吏把她的手在身后绑好，又把两个脚脖子绑到一起。他们要把一个帽兜套到她头上的时候，她拼命摇着头，直到他们罢手。行刑的人向前走了几步，把绞索套到她的脖子上，正了正，让死结正好在她左耳朵后面，然后收紧。尽管她做出种种让人感兴趣的表现，玉的心也许已经死了。

一切好像在瞬息之间成为过去，实际上延续了一个小时。刽子手按下控制杆，活板门发出沉闷的响声，蓦地打开。玉掉了下去，这一段距离经过计算，不必斩首就足以折断她的脖颈。没有抽搐，没有挣扎，没有颤动。那个黑色的身影，娇小，无害，在空中转了一下，一张脸像开始时那样平静、安详。

“我从来没有见过一个被判绞刑的人这样勇敢，”狱吏对站在身边的亚历山大说，“这差事太可怕了。”

一切已经安排妥当。验尸官确认玉死亡之后，亚历山大负责收尸，然后在孙的火葬场火化，但是骨灰无法送回中国老家，也不准备交给山姆·文。孙因为害怕连累他的人，对这件事情一直采取回避的态度。这时突然灵机一动，想出一个玉的在天之灵一定会同意的办法。对这个办法，亚历山大也表示赞成。于是，那天深夜，孙偷偷溜进金罗斯公墓，把玉的骨灰埋到一个很大的坟头里，那坟头下面埋的不是别人，正是山姆·欧唐尼尔。这样一来，玉将永远、永远“渗透”到山姆·欧唐尼尔薄薄的、廉价的棺材里，让他不得安宁。

“我想取回文小姐的信。”亚历山大对狱吏说。

“先找个地方，不要在雨水里淋着。”那人说，迈开脚步。“你想看那些信，是吗？”

“不，我想把信烧了，不让任何人看到。那几封信只是让她看的。我希望你能帮我这个忙。我不愿意在某张报纸上看到这几封信的抄本。”

狱吏看见柔软的手套里那双紧握的铁拳，立刻放弃了先前的计划。“当然，亚历山大爵士，当然！”他很诚恳地说，“我的起居室里有火，我们可以把衣服烤干，这当儿，还可以喝杯茶，好吗？”

第五章 男人的世界

一八九二年三月，十六岁的内尔到悉尼大学学习工程技术时，亚历山大为她做了自己能做的一切。学院在一幢白色平房里。虽然是临时建筑，但是很宽敞，食宿、上课都很方便。工程技术学院正式建起之前，他们就在这里学习。这幢房子在大学帕拉马塔[①]路这一侧，有一条游廊。游廊前面种着西红柿。亚历山大看不出有拐弯抹角的必要，便直截了当地对自然科学系主任、工程学教授威廉·沃伦说，如果他的女儿和她的中国同学不被教师歧视，成为他们的牺牲品，他愿意捐助学校一大笔钱，建设校舍。沃伦教授的心沉了一下，向他保证，老师对内尔、吴青、张民和洛琦将一视同仁，不会和他们的白人男同学有什么区别，但是，不会受到特别优待。哦，不会。

①帕拉马塔：澳大利亚东南部的一个城市，是悉尼城郊的生产区，建于1788年。

亚历山大微笑着，扬了扬两条剑眉。“你将看到，教授，无论我的女儿，还是她的中国同学，都不需要你的特别优待。他们将是你最出色的学生。”

他给他们买了五幢相邻的带露台的小房子。房子附属的土地和帕拉马塔路相连。他还让承建者在五幢小房子里面开了通道。这样一来，他们相互之间从里面就能进进出出。五个学生（另外那个是多尼·威尔金斯）都有自己的空间。仆人住在阁楼上。内尔的仆人当然是蝴蝶。

在新同学相互介绍的那周，非金罗斯的新生对唯一的女生十分仇恨。另外二十多个老生起初差点儿要闹事。几位代表怒气冲冲去找沃伦教授，经过教授的工作才悻悻离去。

“要是这样的话，”罗格·多曼——年底获采矿工程专业理学学士学位的应届毕业生说，“我们只好不通过官方，自己动手把她赶走。”他做了个鬼脸，一副气势汹汹的样子。“更不要说那几个中国佬了。”

不管内尔走到哪儿，周围都是一片嘘声；不管她在实验室做什么实验都被暗地里破坏。她的笔记本被偷走，涂抹得一塌糊涂；教科书也常常不翼而飞。然而，什么都吓不倒内尔。很快，她在班里就名列前茅，无论智力、知识面，还是动手能力都远远超过别人。如果说在新同学相互介绍的那周，白人男生只是觉得内尔讨厌的话，后来对她的感觉就是深恶痛绝。因为她在沃伦教授和教授手下那几位讲师面前，让他们大丢其脸，而她决不为此后悔。她纠正他们计算上的错误，指出他们得出的结论全然不对，至于蒸汽机方面的知识，和她相比，那些目空一切的家伙简直一窍不通。那几个中国男生在班里也都出类拔萃，让他们自愧不如。

对这些白人男生“霸主”地位最大的挑战，莫过于内尔走进学校的厕所。厕所在另外一幢房子里，从来没有女人进去过。起初，一看见内尔走过来，他们就赶快把门闩插上。后来多曼和他那些喽啰觉得光把她关在外面没有什么意思，就开始恶作剧：故意露出阴茎让她看，在她面前往地板上拉屎，把小分隔间弄脏，把门取下来。

麻烦在于，内尔不和他们“公平竞争”，哪怕以女人的方式。她没有痛哭流涕，而是不动声色地进行报复。多曼手里握着阴茎朝她摇来晃去，内尔啪地一巴掌朝那玩意儿打过去，疼得他弯下腰，叫苦不迭。她对阴茎大小的嘲讽——难道这玩意儿不是值得崇敬之物吗？——很快就在男生当中流传，以至于那些撒尿的家伙一看见她进来，就赶快把生殖器塞到裤子里。她还毫不客气地把沃伦教授找来，领他到肮脏不堪的厕所巡视一番。

男生们被教授臭骂一顿，不但要求他们以后规规矩矩，还命令他们去刷洗厕所。多曼把她一个人堵住，龇着牙恶狠狠地骂道："你纯粹是想被干！"

内尔会被他的污言秽语吓倒吗？不！她十分轻蔑地上下打量着她这位学长，说："你连头母牛也干不了，罗格。吸吮生殖器去吧，你这个性变态的家伙。"

"王八蛋！"他吐了口吐沫。

看起来依靠"蛮力"，想把她赶走行不通。这个"小荡妇"那张嘴像任何一头"小公牛"一样脏，什么粗话都说得出口，而且报复起来，毫不留情。她不按游戏规则办事，当然行为举止根本就不像个女孩儿。

开课一个月之后，袭击内尔和中国学生的阴谋浮出水面。经过精心策划，袭击者埋伏在他们回家时必须经过的那条小路两边的小树林里。以后，学校操场的椭圆形跑道将扩展到那儿。唯一的困难是多尼·威尔金斯和他们在一起。他是白人。后来，大家一致认为，多尼已经清楚地表明自己效忠于中国人的立场，所以给他点颜色看看也不为过。袭击者共有十二个人，个个身强力壮，都用板球球拍和沙袋武装着。多曼还拿了一根马鞭，准备在内尔和她的黄种人朋友投降之后，脱光内尔·金罗斯小姐的上衣，抽她的脊背。

但是，事情并不像他们想的那么顺利。面对十二个壮小伙的袭击，内尔、多尼和那三个中国学生奋勇向前，就像……就像……

"急速旋转的、伊斯兰教的苦行僧人"是罗格·多曼后来包扎伤口时对他们唯一的评论。

他们飞身跃起，又踢又打，不费吹灰之力就把袭击者手里的球拍、沙袋打得满天飞。那十二个壮小伙被踢得飞起来，又重重地摔到地上，被踏上一只脚，肩关节拧得脱了臼，一两个家伙的胳膊被打断了。

短短几秒钟，战斗结束。“看清楚了，罗格，”内尔气喘吁吁地说，“你们根本不是我们的对手。作为一个矿业工程师，你最好‘忍辱负重’，否则，我爸爸让你在澳大利亚永远找不到工作！”

这可是最糟糕的事情。这个小荡妇有权，而且用起来决不会手软。

就这样，等到这批新大学生被派到悉尼工业区各个工厂、车间实习的时候，学生中那股反对女生的浪潮被彻底平息。内尔·金罗斯因为从艺术到医学无所不通，而成了众所周知的名人。等她身穿工作服，卷起袖子，干脏活、苦活的时候，更没有人能说出二话。沃伦教授简直被她搞得神魂颠倒。过去，他和他手下那几个讲师都认为女人根本不适合搞工程技术。现在，他不得不承认，有的女人从精神到技能的确非常强大，完全可以从事传统意义上被男人排除在外的行业。除此以外，内尔是他见过的最聪明的学生。她在数学方面表现出来的才华，让他着迷。

人们或许会想，在大学为数极少的、富有战斗精神的女人中，内尔会成为英雄，为争取妇女的选举权和平等权利挺身而出。然而，事实并非如此。首先因为，一旦克服了妇女不被工科院校接纳的困难，内尔·金罗斯就显得对妇女——都是艺术系的学生——普遍关心的问题毫无兴趣。内尔虽然是女儿身，但骨子里却像男人。她觉得女人婆婆妈妈，就连那些自命为女权主义者、对社会提出合理要求的女人，她也觉得挺烦。

内尔上大学的第一年，澳大利亚的经济越发不景气。这就意味着，有一部分学习工程技术的大学生不得不计算他们手里那点钱，担心父母有没有能力供他们完成学业。可是，内尔一句话，就让爸爸在悉尼大学建立了奖学金，帮助这些学生继续学习。按理说，他们应该因此而感谢内尔，可是事实并非如此。奖学金被领走了，那些学生不但依然故我，而且越发讨厌内尔，似乎她不应该利用父亲的关系和权力，创建这样的奖学金。

“太不公平了！”多尼·威尔金斯对她说，“他们应该跪在地上向你道谢，可他们还是像以前一样，见到你就嘘嘘地起哄。”

“我是先驱者，”内尔说，一副宁折不弯、不为所动的样子，“我是男人世界里的女人。他们知道，我的出现可以引起非常重要的变化和后果。我之后，他们再也不会把妇女排斥在外，即使那些女人没有亚历山大·金罗斯爵士这样的爸爸。”她笑了起来，笑得特别开心。“总有一天，他们得建个女厕所。那时候，多尼，他们的抵抗就结束了。”

所谓“实习作业”要求学生到车间、工厂学习技能，光靠课本知识和理论还不够。沃伦教授的原则是，作为工程师，要像任何一位工匠一样，掌握焊接法，会用黄铜镀或制造物品。如果是矿业工程师，就能在掌子面上工作，熟悉爆破、钻孔，会处理各种产品，不管是煤、黄金、铜，还是别的东西。矿业工程专业的学生一年级没有到矿山实习的“作业”。他们的“实习作业”主要在工厂和铸造厂的车间里完成。

像内尔这种情况，就要事先通知工厂老板她的性别，征得人家的同意。因为天启公司是老板的顾客，或者希望将来成为他的顾客，内尔去实习，应该没有什么困难，否则，根本没有可能。一切都很顺利，直到一年级第二学期快要结束的时候，出了问题。那时候，内尔非常想到悉尼西南部一家工厂实习。因为这家工厂正在生产一种用于采矿的新钻头。据说，这种钻头在设计上做了革命性的改变，可以钻最坚硬的岩石。因为天启公司是大企业，有关人士同意内尔来实习。可是后来又告诉她，生产钻头的车间掌握在金属制造业工会手里。这种车间只雇用该工会的会员。他们拒绝女人走进车间大门，更不要说允许她围着机器转来转去。

这个问题，亚历山大爵士无法解决，内尔必须自己想办法。她第一步去找车间主管。那人是这家工厂的工人和工会总部的联络员。会见充满仇恨，事情不像车间主管想象的那么简单。他以为这个资本家的狗崽子一定会被他挖苦得泪流满面，落荒而逃。他是个固执的格拉斯哥人，把亚历山大·金罗斯爵士看作他那个阶级的叛徒。他郑重其事地对内尔发誓，只要他活着，就不会让任何一个女人走进他的车间。可是，内尔不但没有流泪，反而连珠炮似的向他提出一大堆问题。主管气得要命，张口就骂。内尔不甘示弱，也骂了他个狗血淋头。

内尔扬长而去。“她比女人还坏，”他望着内尔的背影对几个亲信说，“简直是个穿着女人衣服的男人。”

下一步该怎么办呢？内尔问自己。她下定决心，无论付出多大代价，也要把这一仗打赢。讨厌的老家伙！车间主管在工会雇员里以最懒惰、最没有能力而著称，所以这种人总是削尖脑袋谋求联络员这个美差。他们既可以因为这份差事得到保护，又用不着干重活儿。安格斯·罗伯逊，不管你怎样拼命挣扎，这次我非让你吃点苦头不可。

翻了几本类似《工人》的“工会选举联盟”主办的刊物，内尔看到下一步棋应该怎么下：赢得当地“工会选举联盟”立法院下院议员——一个公开声明自己是共和政体论的拥护者和坚定的社会主义者的工人领袖——的支持。这个人的名字叫比德·埃文斯·泰尔加斯。

比德·泰尔加斯！这个人她认识！或者至少，她做了一点修正，在金罗斯和他一起吃过一顿午饭。于是，她就去麦克夸利大街议会大楼他的办公室找他，但是被拒绝了，因为她既不是他的选民，和工人运动又没有什么关系。他的秘书他和另外几位“工会选举联盟”后座议员[①]共用——一个健壮的小个子男人对她大加嘲笑，让她赶快回家，当个好女人，生几个孩子了事。

她在议会图书馆查到比德·泰尔加斯的相关资料。过去的职业：采煤工人；婚姻状况：单身，生于一八六五年五月十二日；住址：阿恩克莱夫。内尔知道，那是植物湾内陆地区一个人口稀少的工人居住区，离那家生产钻头的工厂不远。既然不能到办公室找他，她就想到他的窝里堵住他。那是一幢砂岩造的小房子，其历史可以追溯到流放犯的时代。房子周围是一

①后座议员：指下院的后座议员，普通议员。

英亩大的一块无人照料的荒地。

内尔大步走到油漆剥落的深绿色门前，拍了几下门环，没有人答应。又敲了几下，等了十分钟，还是没有动静，便离开前门，绕着那幢房子走了一圈。她看见窗帘和窗玻璃都脏得一塌糊涂，后门外面放的垃圾桶堆满垃圾，无人照料的后院那头有个厕所，飘来令人作呕的臭气。

因为她生性讨厌待着不动，又决心等比德·泰尔加斯回来，便开始拔房子四周的杂草。她一边拔草，一边想，这片沙土地土质太差，很难种花和蔬菜。不一会儿，拔下来的草就堆成一座小山。

黄昏时分，比德才推开将荒地和小路分开的木栅栏上那扇破破烂烂的门。他首先注意到的是拔起来的草的气味，然后是那堆引人注目的杂草。谁是这位费力不讨好的花匠呢？

他在房子后面找到她，一个高而瘦的姑娘。她身穿深灰色的、几乎长及脚踝的棉布裙子，谈不上什么优美的曲线，衣领很高，长袖一直卷到瘦骨伶仃的胳膊肘之上。他没有认出她，甚至她直起腰、凝视他的时候也没有。

“这地方真给主人丢人，”她说，在裙子上擦了擦两只弄脏的手，“不难看出你是单身汉，坐在装橘子的箱子上吃放在包装箱上的饭。可是，如果你缺钱，可以种点蔬菜补贴补贴，也可以弄点牛粪肥肥田。这些活动对你的身体也有好处。你已经开始发福了，泰尔加斯先生。”

对自己“发福”他自然心知肚明，而且很是气恼。现在这话从她嘴里说出来，更让他生气。不过，他已经听出那熟悉的声音——清脆、咄咄逼人、不容置疑。他惊讶地看着她。

“内尔·金罗斯！”他惊讶地叫了起来，“你在这儿干什么？”

“拔草。”她说，湛蓝的眼睛打量着他那身海军蓝三件套套装，赛璐珞硬领、袖口、领带、袖口链扣。“飞黄腾达了，是吗？”

“在议会，即使‘工会选举联盟’成员也得统一着装。”他辩解道。

“今天是星期五，也就罢了。不过，你可以穿上旧衣服，在杂草丛中度过周末。”

"周末我得去访问我的选民。"他冷冰冰地说。

"吃人家端上来的饼干，喝加了糖的茶，也许还有抹了果酱和奶油的烤饼。接下去就大杯大杯地喝啤酒，不到四十岁就得喝死，泰尔加斯先生，除非彻底改变你的生活方式。"

"我看不出，我健康与否和你有什么关系，金罗斯小姐！"他生气地说，"你找我有何贵干？"

"进去喝杯茶。"

他不由得往后退了一步："里面不干净……不整齐。"

"我压根儿就没想那里面会干净、整齐。你的窗帘需要洗，窗玻璃需要擦。不过，茶是开水泡的，所以，毫无疑问，喝一杯水还不至于要了命。"

她站在那儿等待着，眉梢挑起，除了一双亮光闪闪的眼睛，脸上一副讥诮的神色。

他叹了一口气："那就自个儿负责吧。请进。"

后门通向洗涤餐具的地方。里面有两个水泥池子，池子上面有个水龙头。"至少还有自来水嘛，"她说，"你怎么还在后院弄个厕所？"

"下水道没接上。"他不耐烦地说，领她走进小小的厨房。厨房里有一个水泥池子、一个有四个火眼的煤气灶、一张松木桌子。桌子下面塞着一把椅子。烟火熏黄的墙壁上，苍蝇屎星星点点，"勾勒"出一幅幅图案。餐桌上是蟑螂留下的更加触目的粪迹。地板上，老鼠屎随处可见。

"你真的不能这样生活。"内尔说着拉出桌子下面那把椅子，坐了下来。然后，从随身带着的皮包里取出一块手帕，铺在桌子上，给自己的胳膊肘子"开辟"出一方"净土"。"议会现在发给你不错的薪水，对吧？为什么不能雇个人帮你收拾收拾？"

"我不能干这种事儿！"他不高兴地说，内尔越说这种轻蔑的话，他越生气。"我是'工会选举联盟'的人，不会雇仆人服侍自己！"

"胡扯！"内尔用嘲讽的口吻说，"如果你想从一个社会主义者的立场出发和我争论的话，那么，我奉劝你，可以雇一个急需要一点点零钱的人来替你干活，从而和这位选民分享你的财富。很可能是个女人，这样可以避嫌，不至于让别人说你拉选票。不过，我敢肯定，她丈夫会投你一票。”

“她丈夫很可能已经投了我的票。”

“总有一天，妇女也能投票，泰尔加斯先生。妇女不享有公民权，什么平等、自由、民主，都是纸上谈兵。”

“我坚决反对雇佣人这种观点。”

“那就不要拿她当佣人看待，泰尔加斯先生。她是什么样的人，你就拿她当什么人对待。比方说，她是她那个行业——清洁——的行家里手。难道这有什么可耻吗？你按时付钱，而且付得还算优厚。你感谢她活儿干得那么棒，她觉得自己被别人需要，也很快乐。这样一来，有个女人为你唱赞歌，对她的朋友们夸奖你是个家务劳动的好雇主，对你也没有什么害处。恰恰相反，只能提高你在选民中的声望。男人投票选举，是的，可是女人会影响男人的立场和态度。我相信，经常是这个样子。所以，你应该雇个女人帮你收拾屋子，腾出更多时间做你喜欢的工作，也省得肚皮越来越大。”

“你说的也有道理。”他勉强承认，有点局促不安，把烧开的水倒进茶壶。砂糖碗在桌子上倒着。“糖里面恐怕有蟑螂屎。我也没有牛奶。”

“买个冰柜。阿恩克莱夫肯定有送冰的人。你这屋子里没有什么值钱的东西怕人偷，没有理由非得把他锁在门外。你也得杀杀蟑螂。它们寄生在排水沟、下水道和别的肮脏之地。它们把吃过的东西再吐出来。看见了吗？砂糖碗边儿上都是它们吐出来的东西。这很危险，容易传染疾病。我敢断定，阿恩克莱夫得伤寒症的人肯定挺多，更不用说天花和小儿麻痹。你现在在议会，组织那些懒虫去清理污水沟。在人们没有学会讲究卫生之前，悉尼是个危险之地。还要灭鼠，否则，迟早要爆发黑死病，也就是淋巴腺鼠疫。”内尔接过那杯黑乎乎的没有加糖的茶，不无感激地喝了起来。

“你是学工程技术的，对吗？”他有气无力地问，“听起来怎么更像个医生。”

“是的，我很快就完成工程技术专业第一年的学业了。可是，我真正想当的是医生，特别是医学院现在已经对女生开放了。”

他尽管思想上极力排斥内尔，可是发现自己其实很喜欢她。她办事有条有理，说话逻辑性极强，从不自怜自哀。虽然批评起他毫不留情，但是对单身汉那些坏毛病没有丝毫的厌恶和反感。内尔·金罗斯对任何问题都能找到合乎情理的答案。他想，她不在我们这边，真是天大的遗憾。如果站在我们这边，哪怕只是幕后，对增加我们的力量都非常宝贵。

他搬出一个柑橘包装箱，坐上去的时候——正如她想象的那样——她特别高兴。他不注重物质享受。规规矩矩穿一身套装对于他一定苦不堪言。我敢打赌，周末访问选民时，他一定身穿工作服，而且高高挽起袖子。

“我有一个好主意。”她突然说，把杯子递过去让主人再倒点茶。“你去访问选民时，可以帮他们挖坑，劈劈柴，搬家具，不要只吃饼干和抹了果酱、奶油的糕点。这样，既锻炼了身体，又免得吃成个胖子。”

“你来找我有何贵干？金罗斯小姐，”他问，“我能为你做点什么？”

“叫我内尔，我叫你比德。比德，这个名字很有意思。比德。你知道他是何许人也吗？”

“是个姓。”他说。

“他就是值得尊敬的比德[①]。他是英格兰诺森伯兰郡的一位修道士。据说，一路步行到罗马，然后又步行回来。他写了第一部英国人真实的历史，尽管他究竟是撒克逊人[②]还是凯尔特人[③]已经无人知晓。他生活在公元七世纪到八世纪，是一个非常有教养的、高尚的人。”

“你说的这些我可是一窍不通，”他轻声说，“你怎么知道这么多事儿？”

---

①比德（672—735）：盎格鲁-撒克逊神学家和历史学家，他以拉丁文写的主要著作《英格兰民族教会的历史》（731年），一直是英国古代历史的一个重要原始资料。他引进了以基督诞生之日来确定历史事件年代的方法。

②撒克逊人：在六世纪曾征服英国部分地区的西日耳曼人。

③凯尔特人：印欧民族的一支，最初分布在中欧，在前罗马帝国时期遍及欧洲西部。不列颠群岛和加拉提亚东南部。尤指不列颠人或高卢人。

“读书。”她说，“在金罗斯，茹贝姨妈让我干活儿之前，几乎没有什么事情好做。这也是工程技术为什么对我很容易的原因。我早就熟悉了相关的理论，也有实际经验，尤其采矿那套学问我掌握得相当不错。我只是需要一个学位罢了。”

“你还没对我说来这儿有何贵干呢！”

“我想让你和一位名叫安格斯·罗伯逊的脾气很坏的老苏格兰人谈一谈。他是康斯坦丁钻头厂的车间主管和工会联络员。我需要到车间实习，老板也同意，可是这个罗伯逊一口拒绝。”

“哦，是的，他们是金属制造业工会的工人。我不明白他们为什么把妇女看成一种威胁。我看不出有哪位妇女，甚至你，想去钻、焊、铆或者敲打钢铁。”

“不。我就想学会如何在车床上加工钢铁。任何一位有能力的工程师，如果不懂得车床能做什么、不能做什么，都无法设计他的或者她的钢铁元件。”

“车间的实际工作经验确实非常重要。”他的嘴角向下撇着，皱着眉头看他那杯还没喝的茶。“好吧，我和安格斯谈谈。不过，我还得找工会领导谈。他们可以对他施加更大的压力。”

“这正是我的要求。”内尔边说边站起身来。

“我怎么和你联系？”

“我住的那幢房子里有电话。在格里布。如果一切顺利，我请你吃饭，吃的都是健康的食品。”

“顺便问一句，你今年多大年纪？内尔。”

“十六岁……零八个月。”

“天哪！”他说，不由得出了一身冷汗。

“别大惊小怪，”分手时，她不无嘲弄地说，“我可以很好地照顾自己。”你肯定可以，他心里想，望着她乘坐出租马车消失在大路那边。天哪！这个小姑娘居然迈进他的家门！不过，没有别人看见，没什么关系。

她说的当然没错。他这个选区谁都可怜他单身一人住在这么一座破房子里，又不会照顾自己，因此，他到选区挨家走访时，人们总是给他吃这吃那。他该怎样向他们解释，议会每天中午都提供一顿丰盛的午餐，工会联盟和工人委员会也有饭吃。他确实应该拿把锄头到那块地里干点活儿，也该雇个非常贫穷的女人替他收拾屋子，付给她丰厚的工资。要用捕鼠器消灭老鼠，放药杀蟑螂，再买些捕蝇纸，挂到顶棚上，把苍蝇都粘上去毒死。我可不想不到四十岁就死，他对自己说，但我确实已经注意到肠胃不怎么好。如果屋子收拾得干干净净，就不会得胆汁病。内尔·金罗斯，十六岁，可是说出话来，就像六十岁。

经过比德的工作，他们同意内尔到车间实习，但是有一个条件，她必须铆接两块钢板。如果能铆上，就可以学习使用车床。尽管安格斯·罗伯逊不愿意承认，还是不得不宣布，内尔铆接得非常好。可是，三天之后，她来上课时，发现整个车间的工人都闲下来没有干活儿。

“蒸汽发动机坏了，”安格斯·罗伯逊幸灾乐祸地说，“我们的工程师病了。”

“哦，天哪，天哪。”内尔说，径直向喷吐着蒸汽的发动机走去，把站在旁边的三个人拨拉到一边，若有所思地盯着看那台机器。“什么病？但愿不是发烧。”

“不是。”安格斯说，出神地看内尔研究调节器。调节器的作用是，控制通过滑阀[①]进入燃烧室的蒸汽量。“是风湿病。”

“明天我给你带几小袋药粉来。你可以交给他，告诉他，一袋分三次服用，温开水顺下。这是中医治疗风湿痛和发烧的秘方。”内尔说，伸出一只手摸索着找工具。工具没在那儿放着。“把管钳递给我。”

“中国佬的毒药？”安格斯向后退了两步，故意呼哧呼哧地喘着粗气。

---

①滑阀：一种在气门上来回滑动的阀门，尤指蒸汽机汽缸壁内的阀门，它通过吸入和排出蒸汽推动活塞。

“我可不敢把那玩意儿给约翰。”

“胡扯！”内尔生气地说，挥舞着管钳。“药粉主要是柳树皮和另外几种效果很好的草药研制而成。没有蝾螈的眼睛，或者青蛙的脚趾！”她指出调节器的问题，那口气仿佛告诉大家，这点小毛病居然也找不到，真让人难以置信。“调节锤歪了，断了两根皮带。用不了多长时间就能修好。”

不到两个小时，调节锤——乒乓球大小的铜球——和升降器就恢复到原来的位置，皮带控制着焊接在柄头和升降器上的调节锤，铜球靠离心力的推动，开始旋转，滑阀打开，充足的蒸汽进入燃烧室，飞轮开始旋转。靠蒸汽发动机带动的所有机器立刻开始工作。

比德·泰尔加斯也来观看，在场的还有康斯坦丁钻头厂年轻的合伙人亚瑟·康斯坦丁先生。

“还有她不懂得、干不了的事情吗？”亚瑟·康斯坦丁先生问比德。

“我和你一样，对她一无所知，先生。”比德一本正经地说。他觉得，一个社会主义者和一个资本家不期而遇的时候，应该保持工人阶级坚定的立场。“不过，据我所知，她的父亲是个喜欢亲自动手、无所不能的家伙。她很小的时候就形影不离地跟着父亲下矿井、进车间。自然科学系主任沃伦教授说，她不费吹灰之力就成了班里第一名，根本用不着考她。”

“她描绘出一幅让人不寒而栗的远景。”亚瑟·康斯坦丁先生说。

“不，她给我们敲响了警钟。”比德说，“这警钟告诉我们，占我们人口二分之一的那个弱势群体中，有许多杰出的妇女的才能正被浪费。幸亏大部分妇女满足于她们现在的处境。但是，内尔·金罗斯向我们提供了一个信息，那就是有些妇女不甘心被命运摆布。”

“那就让她们去当护士或者教小孩儿。”

“除非她们在工程技术方面都没有天才。”比德说。这不是因为他已经改变观点，愿意支持妇女为争取平等权利进行的斗争，而是他想让这个油头粉面的家伙心里不舒服。他和他的同类在工人问题上花费的时间和精力已经越来越多，为什么不再给他们增加点女工问题呢？

“我建议，康斯坦丁先生，”内尔走过来说，“你应该投资给蒸汽机换个新调节器。那两条皮带不知道修补过多少次了，也该换成新的。一台蒸汽发动机可以带动所有机器，这倒是真的，可是只有它工作的时候才能带动。今天，你已经损失了三个小时的工作时间。再说，没有一座工厂只雇一个蒸汽机工程师。”

“谢谢，金罗斯小姐，”康斯坦丁先生冷冰冰地说，“我们会考虑这件事情的。”内尔瞟了比德一眼，穿着工作服昂首阔步地从蒸汽机旁边走开，大声喊着安格斯·罗伯逊。车间主管急匆匆向她跑过来，一副被打败的样子——至少暂时被打败。

比德咧嘴笑着，决定再待一会儿，看看金罗斯小姐如何彻底打败亚瑟·康斯坦丁和安格斯·罗伯逊，如何征服那台切割金属的车床。一站到车床前，她便如鱼得水，显得那样自如，那样从容。

比德想，她的一举一动仿佛有一种诗意。她的动作那么准确，那么优雅，那么流畅，那么轻捷，一旦投入工作，便把其他事情都忘到九霄云外。

“我真的无法想象你有多么强壮，”内尔来她家吃饭时他说，“你摆弄那些钢铁玩意儿就像玩一根羽毛。”

“干什么事儿都有诀窍。”她说，显然不为他的夸赞所动。“你知道这一点，你也必须知道这一点。你还没有把议会的板凳或者和雇主谈判的板凳坐热。”

他做了个鬼脸。“我真正喜欢你的，”他说，“是你的机智、老练和外交手腕儿。”

他来了之后就发现，内尔不是只请他一个人吃饭，而是和那三个中国学生还有多尼·威尔金斯一起就餐。可口的中国菜、可心的伙伴，整个气氛愉快而热烈。

比德意识到，这几个学生没有一个是内尔的恋人。他们都亲如兄弟，内尔就是他们说一不二的老大姐。而事实上，他们几个人中，她的年龄最小。

“安格斯·罗伯逊给你捎来句话。”吃过饭之后，他说。期末考试在即，几个小伙子都看书去了。

“那个顽固的苏格兰老家伙，”她亲切地说，“我把他改变了，对吗？等我学会开车床的时候，他对我已经言听计从了。”

“你用自己的行动在那个男人的世界证明了自己的价值。”

“他捎来什么口信？”

“你的中药很管用。那个生病的蒸汽机工程师已经上班了，而且身体健壮。”

“我会给安格斯写封信，让他告诉那个家伙，他可以到干草市的中药铺再买点那种药。不过，如果他想经常服用，就要用牛奶而不是温开水顺下去。这种药疗效非常好，可是会刺激胃。牛奶对任何民族发明的可能对胃产生刺激的药，都有好处。”

“我已经开始琢磨，内尔，你虽然是个优秀的工程师，但是很可能成为一位更出色的医生。”比德说。

她把他送到门口。他的这番评论比任何赞美都更让她高兴。“谢谢你来和我们共进晚餐。”

“谢谢你的邀请。”他说，跳下一级台阶，没有打算和她握手。“考试结束回金罗斯之前，你能去我家吃顿饭吗？不管你信不信，有理由做饭的时候，我还真是一把好手呢！在我们家，所有孩子都轮流下厨房做饭。我向你保证，我那个窝会干净许多。”

“谢谢，我会去的。通过交换台给我打电话就是了。”她说完关上了房门。他若有所思地向红蕨街走去，说不清自己心里是一种怎样的感觉。她身上有一种东西强烈地吸引着他。也许是那种大无畏的、不屈不挠的品格。她想做什么，就勇敢地去做什么，然而，时机不到又决不轻举妄动。不知道她父亲是否知道她渴望当一名医生？医学是男人固守的堡垒。可是仔细想一想，也许男人之所以固守这座堡垒，正是因为女人非常适合做这件工作。可是，亚历山大爵士一心希望女儿和自己一起搞企业，而且他也习惯于为所欲为。因此，内尔当医生的希望不大。

自从那次在一起吃饭一直到期末考试结束，比德和内尔都没有联系。内尔顺利通过考试，而且比以往信心更足，因为她的实习成绩非常突出，令人满意。她心里暗想，或许老师们会故意压低她的分数，不让她显得那么突出。如果他们真的敢那么做，她也做好了应对的准备。她会要回试卷，坚持让不知道她性别的剑桥大学的老师重新审核。自然科学系或者工程技术专业肯定不愿意收到法院的传票。

不过，也许沃伦教授和他的讲师们已经意识到这个令人敬畏的姑娘什么事儿都干得出来，也许因为他们希望她的父亲能再给学校一大笔资助，总之，不管什么原因，他们给她的分数还算公平。像工程技术这样的学科，考试题的答案只有一个，错就是错，对就是对，卷子判下来，内尔不但名列前茅，而且分数远远超过第二名张民。吴青名列第三。多尼·威尔金斯是民用工程和建筑专业第一名，洛琦是机械工程专业第一名。金罗斯来的学生大获全胜。

内尔往比德家里写了一封信。信中说，如果他还想请她去家里吃饭的话，她可以随时赴约。比德回信给她，约定了具体时间。

令比德大惑不解的事情之一是，内尔不愿意炫耀自己的财富。两周之后一个星期六的下午六点，她乘有轨电车到商业中心区，然后步行穿过好几个街区，如约来到他家。她本来可以在自己家门口叫辆出租马车，舒舒服服便到了阿恩克莱夫。她穿着另外一条普普通通的灰棉布裙子，裙边距脚踝足有四英寸。这条裙子如果是大红色，或者别的喜庆一点的颜色，一定显得很大胆。她没戴帽子——又一个“有失礼仪”的举动——不戴首饰，左肩挎着平常挎惯了的那个大皮包。

“你的裙子为什么都那么短？”他问道，在前门迎接她。

内尔非常高兴，只顾忙着看那一英亩荒地。“比德，你把杂草都除掉了！我一定能看到后院成了一块菜地，对吗？”

“对。我还希望你看到，大肚子也没有了。”他回答道。“你说得很对，我需要锻炼。你的裙子为什么这么短呢？”

“因为我受不了拖地的长裙，”她说，做了个鬼脸。“把鞋底弄脏就够糟的了，再弄脏裙子就更麻烦了。裙子这玩意儿，你总不能穿一次就洗一次吧。”

“照你这样说，你的鞋底也要经常洗？”

“当然，如果去过什么肮脏的地方，我就洗。想想鞋底上面会黏些什么！人们在马路上吐唾沫，捏着鼻子擤鼻涕，真恶心！更别提呕吐物、狗屎、腐烂的垃圾。”

“我知道随地吐痰的坏处，我们一定要制定一项法规，在电车和火车车厢里禁止吐痰，违者罚款。”他说，领她走过通往前门的小路。

“窗帘干净了，窗玻璃也干净了。”她说，声音里充满了快乐。

领她进屋时，他就不那么骄傲了。因为屋子里连一件像样的家具也没有。一个旧沙发，弹簧突出，挨到了地板。一个衣柜，一张很大的、破破烂烂的桌子，桌子前面有一张椅子。厨房里还是那张餐桌，只是橘子包装箱不见了，多了两把木头椅子。地面既没有铺木板，也没有铺廉价的油地毡，不过已经有人把墙上的苍蝇屎刮掉，地上的老鼠屎、蟑螂屎也没了踪影。

“我还没有把那些讨厌的东西彻底消灭，”他说，让她在餐桌旁边坐下，“它们好像灭绝不了。”

“你可以在茶托里倒点红酒，”内尔说，“它们拒绝不了酒的诱惑，最后淹死在茶托里。”她咯咯咯地笑着。“‘戒酒协会’的人会为此而高兴，你说对吗？”她很有礼貌地咳嗽了一声。“我估计这幢房子不是你自己的，是租来的吧？”她问道。

“是租来的。”

“你应该劝房东用六英尺高的栅栏把房子围起来，然后就可以养上十几只鸡，不但可以给你下蛋，还能帮助你消灭蟑螂。鸡特别喜欢吃蟑螂。”

“你怎么知道这些？”

“哦，我们住的那个地方蟑螂多。蝴蝶就用装着红酒的茶托灭蟑螂，后院还养了许多鸡。”

“你为什么不戴帽子？”他问，打开烤炉门朝里面看。

“闻起来挺香。”她说，“我讨厌戴帽子，就这么回事儿。毫无用处，而且帽子的式样一年比一年难看。如果我要长时间在外面待着，就戴一顶中国苦力戴的帽子，那玩意儿才有用呢。”

“我在康斯坦丁钻头厂还注意到，你在车间像男人一样，穿着工装裤。难怪老安格斯反对你。”

“工厂或者车间，最忌讳的就是女人傻乎乎地穿着裙子干活。因为裙子很容易被飞轮绞住，酿成事故。工装裤又不会勾引男人，所以在工厂里穿有什么不好？”

“没错儿。”他承认，看了看炉子上面放着的锅。

“晚饭吃什么？”她问道。

“烤羊腿，土豆，南瓜烤肉，炖南瓜，白斩豆。”

“白斩豆？”

“把豆子切成薄片。当然了，还有美味的肉汤。”

“快端上来吧！我快饿死了。”

这都是英国传统的菜肴，做得相当不错。看来，比德说他会做饭，并没有夸口。就连“白斩豆”的火候也恰到好处。内尔和东道主一样，不声不响地猛吃猛喝。

“我是该留点肚子吃甜点呢，还是再来一盘儿呢？”她问道，用面包把盘子里最后一点肉汤擦干净。

“我得当心这个大肚子，所以没有准备甜点。再来一盘吧。”他微笑着说，“你的胃口这么好，看来你不担心发胖。”

“不担心。我和父亲一样——‘瘦肉型’。”

吃完饭，把刀叉、盘碗收拾下去之后，他坚持不让内尔洗。他说，反正这些东西跑不了，什么时候他想洗再洗。他拿出一把好看的茶壶、两个瓷杯、茶托、银勺子。砂糖碗一尘不染，牛奶放在新购置的密闭的冰盒里，十分新鲜。然后端出一盘清洁女工查尔顿太太做的燕麦饼干放在两个人中间。他们坐下来，边喝茶边高谈阔论，话题总是回到他满腔热情投入的社会主义和工人运动。内尔和他的观点常常不一致，两个人激烈地争论，特别是在中国人的问题上内尔毫不让步。时间不知不觉地过去，因为他们俩都是生活在理性中的人。他压抑着被自己称之为性欲的冲动，而她做着罗曼蒂克的梦。

最后，当他终于意识到天已经太晚，才硬着头皮提出他觉得自己有权知道、但一直避而不谈的问题。

“你妹妹怎么样了？”他问道。

“按我母亲的说法，很好。”内尔说，脸色变得难看起来。“你肯定不会想到，安娜很烦我。所以，假期我一直没有回家，而是跑到工厂实习去了。”

“她为什么会烦你呢？”

“这是个谜。你一定知道，她的思维能力非常有限，而且变化莫测。可是，那时候，报纸上说她只是轻度痴呆。事实上，她是严重智障。她只会说大约五十个单词。主要是名词，偶尔说出几个形容词，极少说动词。那个家伙要是摆布她，比摆布一条狗还容易。而且，安娜无论在什么情况下脾气都特别好。”

“这么说，你相信那事是山姆·欧唐尼尔干的？”

“绝对相信。”她口气特别坚定地说。

“那个孩子呢？”

“多莉。安娜这么叫她，以为是她的玩具娃娃。我父亲在她的出生登记表上就写作多莉。她现在已经十八个月大了，非常聪明。真是莫大的讽刺。她走路比别的孩子早，说话比别的孩子早。妈妈说，现在已经开始累人了。”内尔的脸色变得越发阴沉。“我星期一必须回家，因为家里发生了一些妈妈不愿意在信里和我商量的事。”

"一副很难挑起的担子，是吗？"

"无论如何，都非同寻常。迄今为止，还没有人让我分担一点点这副重担，但是这不对。还有别的一些事情，我觉得也不对。可是我没法讲给你听，因为不是事实，只是一种直觉。我讨厌直觉！"内尔恶狠狠地说。

淡绿的灯光照在新添置的陶瓷器皿上显得更亮。墙上煤气灯光映照在他浓密的、乱蓬蓬的头发上，把古铜色变成深棕色。他的眼睛像亚历山大的眼睛一样又黑又亮，深陷在眼眶里，窄窄的。这双眼睛突然激起内尔的兴趣，觉得他的目光高深莫测。人们对一个人的判断常常只听其言，从来不通过他的眼睛，尤其那谜一般的、高深莫测的眼睛得出结论。

"年纪再大一点，你就会重视所谓直觉。"他说，微笑着露出满嘴洁白、整齐的牙齿。"你是在事实的基础之上构建自己的世界。对于数学家，这并不稀奇。伟大的哲学家都是数学家，所以他们的头脑可以创造出抽象的观念。直觉是一种抽象的情绪，但并非全然没有思想内容。我总是想，我的直觉都是基于自己未曾有意识地珍视其价值的事件和经验，然而，在我内心深处的某个角落，还是认同这些事件和经验的价值。"

"我不认为卡尔·马克思是数学家。"她说。

"可他也不是哲学家。他更像一个人类行为的研究者，研究人们的思想，而不是灵魂。"

"关于直觉你说了那么多，是不是想告诉我，我应该尽快回家？"她问道，声音里有一丝懊恼。"对这件事情你是不是也有某种直觉？"

"说不清楚。不过，你走了我会很遗憾。为一位'美食家'做饭真是莫大的快乐。我盼望再有这样的机会。"

他的话虽然充满热情，但是与男女之情毫无关系，内尔为此心存感激。

"这个夜晚让我感到一种愉悦和享受。"她有点做作地说。

"不过，你也享受够了。"他站起身来，"好了，我送你到大街，找一辆出租马车。"

"我乘电车就行。"

他掏出怀表，打开盖儿，看了一眼。“这个时间已经没有电车了。你有雇车的钱吗？”

“哦，天哪，有！”她明亮的目光跳荡着，“我只是觉得坐在出租马车里不舒服——我不喜欢被人关进那样一个狭小的、气味不好的空间。你永远都不会知道在你之前，什么人在这儿坐过。”

“车费我付。”

“绝对不可以！你听了我的话，已经雇了清洁女工，买了冰盒，大大破费了一番，难道还要再让我心里增加内疚吗？一星期送两块冰花多少钱？三便士还是六便士？”

“四便士。最近我日子过得很不错。政府发给议会成员，包括‘工人选举联盟’的议员薪水，还享有其他比较优厚的待遇。所以，我积攒了一点钱。”他深深地吸了一口气，伸出一只手扶住她的胳膊肘，领她走到前门。“事实上，我正在认真考虑，花多少钱能买下这幢房子。如果价格合理，我想把它买下。”

亚历山大·金罗斯的女儿眯缝着眼睛，撇着嘴，在心里估算着。“你要把价格压到两百英镑以下。房子周围有一英亩土地，没错儿。但是，这儿是工业区，这块土地会不断地被蚕食。没有下水道。他如果把这块地卖给想在这儿建工厂的人，绝对卖不出好价钱。而房地产开发商都到离海岸近的地方盖房子去了，根本就不稀罕这个破地方。台屋[①]早就过时了，现在流行半独立式、砖木结构的房屋。而这块土地的形状很不规则，很难在上面盖六幢半独立式的住房。你给他一百五十英镑，看他说什么。”

比德听了哈哈大笑起来：“你说说容易，我做起来就难了。我这个人生来不会砍价。”

“我也不会。”她说，那语气似乎自己都有点惊讶。“可是我喜欢你，比德，我来给你砍。”

---

①台屋：在高地或斜坡上建的一排房子。

“这话我爱听，我也喜欢你，内尔。”

“好吧。”她说，朝一辆出租马车拍了拍手。“好运气！但愿他能把我送到家门口。”

“给他三便士，想到哪儿都成。别让他把你拉到帕拉马塔路。那儿经常有一帮恶棍出没。”

“我父亲经常说，这是时世艰难的标志。没有工作的年轻人总想找个突破口，宣泄他们过剩的精力。所以，现在也是出价购置产业的好时候。”她爬进那辆小小的马车，“我会从金罗斯给你写信的。”

“一定要写。”他说，站在马车旁边，直到那匹已经疲惫的马在车夫的吆喝声中迈开腿，拉着车咔嗒咔嗒地消失在夜幕中。“可是，你不会给她写。”他说，叹了一口气，回转身，向自己那幢破旧的小房子走去。不管怎么说，不会有什么好结果。一个是威尔士煤矿工人的社会主义者儿子，另一个是澳大利亚最富有的资本家的千金。一个还不到十七岁的孩子，刚刚走向生活，还没有攀上事业的巅峰。一个有原则的男人——他就是这样的人——会让她继续过和他的认知范围相去甚远的生活。因此，就这样吧。再见，内尔·金罗斯。

可是内尔直到过了新年和十七岁的生日才回家。父亲和茹贝姨妈来悉尼游玩：到剧院、博物馆、画廊、展览会，还去看哑剧表演。内尔对自己的日子很满意，把她和比德·埃文斯·泰尔加斯的“直觉”全然忘记了。

第六章 安娜的多莉

“我不能完全无视爸爸的愿望。”内尔对妈妈辩解道。

“当然不能。”伊丽莎白回答道，显然没有因此而愤愤不平。“事实上，你这样做也许最好。回过头想一想，我真有点小题大做。”

“什么事小题大做？”

“安娜对多莉发脾气，弄伤了孩子。”

内尔一下子变得面色苍白：“妈妈，不可能！”

“只有一次，大约六个星期前。”

“怎么发生的？因为什么？”

“我真的不知道因为什么。我们从来不让安娜和小宝宝单独在一起。可是，那天牡丹正缝补什么，一个不留神，就出事儿了。她先是听见一声尖叫，紧接着多莉便拼命哭喊起来。牡丹匆匆忙忙跑过去看个究竟，安娜却不让她靠近。只是不停地说：‘坏多莉！坏多莉！’”伊丽莎白看着内尔，一脸无奈。她的目光中有一种内尔从来没有见过的哀求。“她紧抓着多莉的胳膊，又掐又拧。可怜的孩子挣扎着拼命嚎叫。我发疯似的跑过走廊，听见孩子还在哭喊。安娜不肯放手，还在不停地拧孩子的胳膊，不停地骂多莉坏。我和牡丹费了好大力气才从她手里夺过多莉。又费了好大工夫才哄好孩子。可怜的多莉胳膊上青一块紫一块，好几天不敢走近安娜。这又让安娜大发雷霆。你知道安娜，她的性格一直很好！只是来月经的时候发发脾气。不管怎么说，最终我们还是决定把多莉还给她。她立刻不发脾气了。幸亏多莉没有反抗。我想，只要把她从安娜身边抱开，小东西就忘了被掐、被拧的痛苦。”

“谁是牡丹？”内尔皱着眉头问。

“文家的一个姑娘。多莉开始学说话、学走路时，茹贝派过来的。不是让她完全代替玉，只是帮帮我的忙。”

“她和玉是一伙儿的吗？”

“也许不是，不过她也是忠心耿耿。”

“我不应该管爸爸的事儿，早点回来就好了，”内尔嘟囔着说，“我们去看看她们，妈妈。”

育儿室简直可以当画家摆放模特儿的画室，每一个细微之处都够得上完美。新来的文家小妹紧挨安娜坐着，安娜膝盖上放着多莉。安娜和牡丹都是满头黑发，但一个卷曲，一个平直。两个人都俯身看着那个非常漂亮的金发小宝宝。小家伙胖乎乎的，脸上有两个酒窝。

内尔上次见多莉的时候，她还是个小婴儿，可现在已经是快两岁的蹒跚学步的小宝宝了。淡黄色的发卷儿环绕着圆圆的、天真无邪的脸，两只海蓝色的眼睛清澈如水。她的眉毛和睫毛都是棕色，也许这表明，随着年龄增长，头发的颜色会变深。内尔觉得，小家伙的神情既不像亚历山大，又不像伊丽莎白，毫无疑问，像她的父亲。

安娜抬起头，看见内尔，脸上露出微笑。她把多莉随便一扔，仿佛那是个没有生命的玩具。内尔估计，她肯定经常这样。牡丹连忙抱起孩子，让她在地板上坐好。

“内尔！内尔！内尔！”安娜张开双臂大声叫喊着。

“你好，亲爱的。”内尔说，紧紧地拥抱着妹妹，吻着她。

“多莉！多莉在哪儿？”安娜问道。

“在这儿。”牡丹说，把孩子递过去。

“多莉，我的多莉！”安娜对内尔说，满脸放光。

“你好，多莉。你记得我吗？”内尔问，握着小宝宝一只手，“我是你的内尔姨妈。”

“内尔姨妈。”多莉面带微笑说，口齿非常清楚。

“我能抱抱她吗？安娜。”

安娜皱起眉头，漂亮的黑眉毛下，目光冷峻，在姐姐身上扫来扫去。有一会儿，伊丽莎白和内尔都担心，她会不会像多莉出生前那样，不再理姐姐。过了一会儿，她抱起孩子，漫不经心地扔给内尔。“给你！”她说，想和姐姐“翻脸”的冲动消失了。

跟安娜和多莉待了半个小时，比和大学里那些白人男生打交道还累，但是也让她下定决心把想说的话说出来，而且最好是父母同时在场的时候说。

“妈妈，爸爸，”她说。晚饭前，他们三个人一起在书房喝雪利酒。“我有些事情要和你们商量。这件事情不能再拖了。”

伊丽莎白意识到要发生什么事情，立刻往后缩了缩。亚历山大端着酒，从沉思中抬起一双眼睛，扬了扬眉毛，发出无声的疑问。

“是关于安娜和多莉。”

“她们怎么了？”亚历山大问道，强忍着，没有长叹一声。

“我们不得不把她们俩分开。”

他大吃一惊。“把她们分开？为什么？”

“因为多莉是个有血有肉的、活生生的孩子，而安娜只把她当成玩具。还记得吗？几年前，你们给了她一条小狗。有一天，她使劲掐那条小狗，小狗咬她，她就把它往墙上摔，直摔得脑浆迸流。同样的命运等待着多莉。她会慢慢长大，会变得独立，会为一点点自由反抗安娜。而安娜不会给她自由。布娃娃唯命是从，你可以把它随手扔到墙角，想要的时候，再把她捡回来。”

“毫无疑问，你有点危言耸听了，内尔。”亚历山大说。

“确实夸大其词了，”伊丽莎白说，“安娜爱多莉。”

“安娜也爱那条小狗。我没有夸大其词，也没有危言耸听！”她提高了嗓门儿。“爸爸，妈妈对你说过吗？几个星期前，安娜掐多莉的胳膊，掐得又青又紫。”

“没有说过。”亚历山大说，放下手里的酒杯。

“只有一次，内尔，”伊丽莎白极力分辩，“我对你说过，只有一次！从那以后，什么事情也没有发生过。”

“是的，妈妈，是没有发生过！可是，这种事情其实每天都在发生，只是你不愿意承认罢了。多莉一天到晚被安娜扔过来扔过去，好像她没有生命。只是因为有牡丹——一个非常好的姑娘——守在旁边，因为小多莉具有保护自己的本能，才没有受到太大的伤害。”内尔走到爸爸面前，一只手放在他的膝盖上面，蹲了下来，矢车菊一样蓝的眼睛凝望着他的脸。“爸爸，这种情况不能继续下去了。如果再不想办法，多莉会受到严重的伤害。如果安娜想惩罚她的‘坏多莉’的话，要么牡丹无法接近她，要么安娜拒绝放下多莉。你和牡丹一样，妈妈，碰到这种情况无法应付。你们俩加起来也没有安娜有劲儿。”

“我明白了，”亚历山大慢吞吞地说，“是的，我明白了。”

“我们可以加倍注意。”伊丽莎白说，很不满意地瞥了女儿一眼。“她们是母亲和女儿！安娜喂了她八个月奶！如果我们硬把她们母女分开，安娜会郁闷而死。”

“啊，妈妈，你以为我没有考虑过这些吗？”内尔大声说，转过脸看着伊丽莎白。“你以为谈这事儿能给我什么快乐？安娜是我的妹妹！我爱她！过去爱她，现在爱她，将来也永远爱她！但是自从多莉出生，她就变了。也许我更容易看清这一点。因为我离开家的时间已经很长了。她的‘词汇量’越来越少，把这些词连贯起来的能力也越来越差。安娜的智力本来就连三岁的孩子也不如，现在又大踏步地后退。多莉出生后，她变得那么温柔，似乎懂得她怀里抱的是一个有生命的血肉之躯。可是现在，她变了，她的脾气越来越坏。她已经变得……哦，爱使性子，什么事情都要自己说了算。也许因为她长这么大，一直被大家宠着，谁也不曾因为她淘气，拍过她一巴掌，或者责备过她。”

“她就没有淘气过，当然用不着挨巴掌。这话用在你身上倒更合适，小姐！”伊丽莎白生气地说。

“我同意。”内尔说，仍然显得很平静，注意力又回到爸爸身上。“爸爸，你必须做决定。”

“你总能看到事情的本质，内尔，难道不是吗？是的，我必须尽快做出决定。”

“不！”伊丽莎白叫喊起来。她跳起来，慌慌张张碰翻了酒杯。

“你先走吧，内尔。”亚历山大说。

“可是，爸爸……”

“不要再说什么。你先走吧。”

“现在是做最后决定的时候了，”门刚关上，亚历山大就说，“内尔长大了。”

“是长大了，变得像你一样冷酷，铁石心肠！”

“不，她成熟得令人惊讶。坐下，伊丽莎白。你一定要坐下！我讨论重大问题时，不允许对方为了回避事实，在我眼前晃来晃去。”

“安娜是我的女儿。”伊丽莎白说，在一张椅子上坐下。

“不要忘记，多莉是你的外孙女。”他身体前倾，两只手松松地握在一起，又黑又亮的眼睛一动不动地凝视着妻子。“伊丽莎白，尽管你不喜欢我，我也厌烦你，可我仍然是你女儿们的父亲、多莉的外祖父。难道你真的认为我感觉迟钝，看不到这场悲剧可怕的实质？难道你真的认为我听到安娜受病魔的折磨而无动于衷？难道你真的认为，我本来可以、却不愿意为减轻被疾病缠绕了整整十五年的安娜的痛苦做一点点努力？我当然会！如果让天和地倒个个儿就能治好她的病，我真的会搞它个‘天翻地覆’。可是，悲剧不会因为‘天翻地覆’就不称其为悲剧。它们将沿着自己的轨迹，一直走到可怕的终点，就像我们这场悲剧。也许没有一个孩子像内尔这样才华横溢，无人匹敌。可是你不能因此而责怪内尔。你也不能因为安娜这副样子，就责怪我和你自己！接受现实，亲爱的。在更可怕的悲剧发生之前，不得不让安娜和多莉分开。”

她听着，泪如雨下。“我伤害了你。”她一边抽泣一边说。“尽管这不是我的本意。如果现在该把什么事情都说清楚的话，我愿意告诉你，我已经明白，我为你做的事情太少太少了。”她十指交叉，绞着两只手。“你对我一直非常好，非常慷慨。我知道……我知道！……如果我对你好一点，就不会发生这么多不幸的事情。你也不会需要茹贝。可是我管不住自己，亚历山大，我由不得自己！”

他掏出一块手帕，站起身来，朝她走过去，把手帕塞到她手里，让她的头靠在自己的大腿上。“不要哭了，伊丽莎白。你不爱我，甚至不喜欢我，这不是你的过错。为什么要为自己做不到的事情歉疚呢？自从安娜出生，我就把你变成责任的奴隶。”他抚摸着伊丽莎白的头发说，“很遗憾，我对你的钟爱之情没有再回到心中。我一直希望，随着岁月的流逝，你会对我更亲近。可惜，你离我越来越远。”

她渐渐地不再哽咽，但是什么话也没说。

“觉得好一点了吗？”

“是的。”她说，用了一下那条手帕。

他又回到椅子旁边坐下。“那么，这件事情就可以决定了。其实，你和我一样，清楚地知道，这件事情非做不可。”他脸上露出痛苦的表情。“你有所不知的是，我曾经对玉起誓，决不把安娜送到收容院。我估计，她对安娜的了解远远超过对我们说的那些情况。她已经估计到这种事情，或者类似的事情一定会发生。所以，我们现在有两件事情要做。第一件，把多莉和她的生母分开。她已经不能再挑起母亲这副担子了。第二件，如何安排安娜。是把她继续留在家里，做一个事实上的囚徒，还是送到别的地方关起来？”

“能不能把她继续留在家里，锁在某个房间里面？”

“我想，内尔不会同意。原因之一是，她离多莉还相当近。她天性狡黠，和欧唐尼尔幽会时，能逃脱那么多看守她的人的眼睛就是证明。”

伊丽莎白按了按桌子上的蜂音器。“瑟蒂斯太太。”管家进来之后，她说，“请你去把内尔叫来。”

内尔扬着下巴走了进来。伊丽莎白走过去，抱住女儿，吻了吻她的额头。“对不起，内尔，真的对不起。请你原谅我。”

“没什么好原谅的。”内尔说，坐了下来。“我知道，本来就是一件让人难以接受的事情。”

“我们要和你谈谈安娜的事情。”伊丽莎白说。

亚历山大靠着椅背，一张脸笼罩在暗影之中。伊丽莎白艰难地说下去。

“我和你爸爸已经同意，安娜和多莉必须分开，这就意味着，我们必须做出决定，如何安排安娜。把她留在家里，锁起来，还是送到什么地方？”

“我觉得，应该送出去。”内尔慢悠悠地说，目光朦胧。“欧唐尼尔已经为她打开一扇门。这扇门再也关不上了。我相信，这也正是她病情恶化的原因。她不知道自己在怀念什么，但她的确在怀念曾经拥有、并且给她带来快乐的那种感觉。她拿多莉出气，十有八九是因为……因为灵魂深处受到挫折。那是一个隐秘的、充满奥妙的世界！对于智力迟钝的人如何看待他们这个世界，我们一无所知。对他们除了愤怒和喜悦这两种情绪之外，还有什么更微妙的感情，我们同样没有体验。我总在想，他们一定以一种正常人无法想象的、非常复杂的方式生活。”

“你今天看到了什么？内尔。”亚历山大问。

“对多莉的敌意。说实话，爸爸，安娜简直就是把小多莉恶狠狠地摔来摔去。多莉已经学会对付安娜的事实让我想到，这种事一定经常发生。但是在她长得足够大、足够聪明，从而可以避免受伤之前，却没有发生过。现在，更重要的是多莉，因为她有长长的未来。她是一个头脑正常的、可爱的小姑娘。我们怎么能让她任由安娜摆布呢？可是，如果让她们俩生活在同一个屋檐下，安娜一定会找到她。”

“你是不是建议，”伊丽莎白问道，“不要告诉多莉，安娜是她的妈妈。比方说，让我当她的妈妈？”

“只要能把这个秘密保持下去，是的。”

亚历山大心不在焉地听着，他在想，如何才能既送走安娜，又遵守对玉立下的誓言。“如果我们不把安娜送到收容院，而是送到一座安全的私人宅第怎么样？照看她的都是女人。有一座大院子，她可以在花园里散步，玩耍，这样便会有家的感觉。安娜会不会渐渐忘记我们？内尔。会不会喜欢上至少一位照看她的人？”

“这样做要比送她到收容院强得多，爸爸。也比留在家里强得多。如果你能在悉尼找到一所合适的宅子，我愿意负责监管。”

“监管？”伊丽莎白问，吃了一惊。

女儿眼睛里的神情酷似亚历山大·金罗斯。“是的，妈妈。一定要有人监管。人都有欺骗性，特别是那些照看不能自理的病人的护理人员很容易欺骗雇主。他们自然而然成了凶残本性和不人道的牺牲品。别问我怎么知道这些，我就是知道。所以，我将负责监管，出其不意跑过去，看看她有没有受伤，看看她们给她收拾得干净不干净，以及诸如此类应该注意的事情。”

“那你太辛苦了。”亚历山大说。

“爸爸，我早就该为安娜做点事情了。妈妈一直辛苦了这么多年。”

“可我一直有那么多人帮忙。”伊丽莎白说，她很公正。“想想看，如果没有大家帮忙会是个什么样子。金罗斯城有一家人，也有一个智障的孩子。”

“但是，她生不出多莉这样的孩子。他们家的女儿一看就智力低下、发育不全——兔唇、腭裂、个子矮小。”内尔说。

“你怎么知道？”亚历山大惊讶地问。

“我在这儿的时候，经常看见她，爸爸。我对她很感兴趣。她和安娜没法比，恐怕活不长。”

“那倒是一种解脱。”亚历山大说。

“对于她母亲可不是解脱，”伊丽莎白态度生硬地说，“对她的兄弟姐妹也不是。他们爱她。”

一个星期后，安娜弄断了多莉的胳膊。牡丹想把吓坏了的孩子救出来，安娜扑过去拼命反抗。突然之间，人们制服又踢又打的安娜、把多莉从她怀里永远夺走时，不再有痛悔和自责。在悉尼找到一所看护她的房子之前，安娜被关进一套客房。客房有个前厅，前厅有个小门，打开客房门锁之前，可以先把小门锁上。最糟糕的是，因为这套房子在一楼，必须在窗户上面安铁栅栏。

亚历山大和内尔匆匆忙忙去悉尼找房子。这趟旅行倒是内尔向父亲提出建议的好时机。尽管直到火车快到拉特沟时，她才鼓起勇气，说出自己的看法。

“我想，”她说，“最终，我们也得建一幢房子，爸爸。谁也不会在房子中间搞一个庭院，可是多尼·威尔金斯可以为我们设计这样一幢别具一格的房子。这样一来，安娜被隔离就可以只成为我们家的秘密。你同意吗？”

“说下去。”亚历山大说，用既觉得好玩又有点怀疑的目光看着女儿。

“我听说，因为时世艰难从德拉莫尼和罗泽尔到悉尼港有大片土地出售。现在，东西南北中，银行纷纷倒闭，许多本来能买得起大片地产的人都宣布破产。天启公司有什么麻烦吗？爸爸。”

“没有，内尔，以后也不会有。”

她松了一口气：“那就好办了。你觉得在悉尼港投资买地是个好主意吗？”

“是的，是个好主意。”

“因此，你倘若买了一两处破产的人出售的房屋，不会赔钱，对吧？”

“对，不会。可是，瓦克卢斯和帕坡角同样有那么多漂亮的豪宅，为什么非买悉尼港那个偏僻之地的房子呢？”

“那是时尚的郊区，爸爸，时髦的人很……古怪。”

“我想，你不会把我们也当作时髦的人吧？”

“时髦的人不会把自己封闭在金罗斯那样的小地方，他们愿意住在能经常招待王室成员和总督的地方，摆摆排场。”内尔说，用了一个时髦的短语。

“那么，我们是什么人？既不时髦，又不摆排场。”

“土豪，”她很认真地说，“仅仅是土豪。”

“哦，天哪，天哪！照你这么说，我就得买罗泽尔那种平淡无奇的地方盖房子了？”

“没错儿！”她满脸放光。

“好吧，确实是个好主意，”亚历山大说，“只是有一点，你从自己的住处到罗泽尔监管安娜实在太远了。”

“现在，我还没想过把她安置到罗泽尔那样的地方，”内尔含含糊糊地说，“以后，等这幢房子变成一座医院的起点时再说。不是收容院，是医院。一个可以治疗受智障折磨的患者的地方。”

他皱起眉头，但是并非不祥的预兆。“你到底想做什么？内尔。拿我这个土豪的钱去搞慈善事业？”

“不，不全是这样。是，哦……是……”

“你就一吐为快吧，我的女儿。”

她咽了一口唾沫，大着胆子说：“我不想再学工程技术了，爸爸。我想学医。”

“学医？你是什么时候有了这个念头？”

“说实话，我也不知道。”她慢悠悠地说，“不过我从小就喜欢医学。你知道，小时候，我经常把玩具娃娃切割开，还给它们做各种器官。但是，我从来没有想过当医生，因为医学院是唯一禁止女生人学的大学。现在，情况变了，不准女人学医的禁令被取消，女生成群结队走进医学院的大门。”

亚历山大忍不住哈哈大笑起来：“多少女生能算作成群结队呢？”他问道，擦了擦眼睛。

“四五个。”她说，也笑了起来。

“有多少男生？”

“将近一百个。”

“当初你学习工程技术的时候，困难重重，处境更艰难，可也坚持下来了。”

“我已经习惯于在男人的世界做个女人了。”火车蜿蜒而行，又猛地加快速度。“说实话，我现在更担心如何和那几个女同学而不是男同学相处。”

火车驶入拉特沟，速度渐渐放慢。有五分钟，父女俩面对面坐着，谁也没有说话。内尔痛苦郁闷，亚历山大若有所思。

“我们从来没有谈过，”他终于说，“关于你和你对未来的期望，说过吗？”

“没有。不过，我想，你一直希望我学习工程技术，日后加入公司，协助你经营。”

“没错儿。不过我想说的是关于你的继承权。你将继承天启公司百分之七十的股份。”

“爸爸！”

“我一直没能生下个儿子，”亚历山大说，极力让自己看着女儿，“但是我生了一个天赋惊人的女儿。你的头脑可以应付任何技术和数学上的难题。随着你一天天长大，我越来越坚信，我的内尔虽然是个女孩子，但是她身上具备父亲期望儿子具备的一切优秀品质。你将是一个非常出色的管理人员。让你就读并且毕业于矿业工程专业，就是为了让你顺利继承我的家业而做的前期准备。我的希望是，你能保持清醒的头脑，和一个能对你的才能有所补充的男人结婚。从任何意义上讲，他都应该是你很好的合作伙伴。”

她站起身，走到窗口，打开窗户，探出头和半个身子张望着。金罗斯的火车正转到铁路的侧线，使车厢脱钩分开。“巴瑟斯特的火车晚点了。”

“没有火车的喧闹，更方便谈话。”亚历山大掏出一支雪茄点燃，“我要和你做一笔交易，内尔。”

“什么交易？”她问，有点警惕。

“先完成工程技术专业的学业，我就不反对你再学医。这样一来，你至少有了一个学位。学医科的女生一定比学工科的女生多，但我对这个领域的教授的影响力肯定不如对工厂主大。”他的眼睛在烟雾中闪闪发光。“我想，我可以像下钓饵似的先盖一两幢房子，但是，我这个‘土豪’恐怕很难再拿出自己的积蓄建一座精神病医院。”

内尔伸出一只手。“成交！”她说。

他们郑重其事地握了握手。

“生理学教授是苏格兰人，爸爸。托马斯·安德森·斯图尔特。解剖学教授也是苏格兰人，名叫詹姆斯·威尔森。大多数老师都是苏格兰人。因为，安德森·斯图尔特教授一个劲儿地从爱丁堡招聘老师。这就惹恼了上院和校长。但是安德森·斯图尔特教授功不可没这种事儿听起来是不是很熟悉，爸爸？一八八三年他刚来的时候，医学院只有四间平房。现在却有了一幢自己的大楼。"

"医药学教授是谁？"

"还没有呢，"内尔说，"我们到站台上散散步好吗？爸爸。我得伸伸腿，展展腰。"

天气很热，但是这并不妨碍内尔挽着爸爸的胳膊，紧靠着爸爸在站台上走来走去。"我爱你，爸爸。你是世界上最好的爸爸。"她说。

亚历山大心里想，对于父母，这是能够从子女那儿得到的最好的回报。被爱，被看作天下最好的父母。她想上医学院的消息让他失望，但是他很公正，不愿意强迫女儿做她不想做的事情。他还记得被女儿"肢解"的那些玩具娃娃，记得被她乱翻的那本他珍藏的丢勒的画册。记得她从伦敦的书商那儿订购的医学书越来越多。许多年，摆在书架上的那些书仿佛都凝视着他。她是女人，她将随着自己的心愿走向她想去的地方。女人，真是些奇妙的家伙，他想。内尔一点儿也不像伊丽莎白，但是她生命的一半源于伊丽莎白，这一半迟早都要表现出来。

他从内尔又想到李。

我一直觉得李是我理所当然的继承人。刚认识他就有这种感觉。现在，我必须找到他，让他回来。哪怕这意味着我要弯下僵硬的脖子，向他道歉。

亚历山大和内尔在悉尼忙了两个星期。他们在离内尔的住处不远的格里波路找到一幢已经有四十年历史的房子。这幢用砂岩、灰泥建造的房子房间不少，足够安娜和六个仆人舒舒服服地居住。除了这六个仆人，还有一个厨师、一个洗衣女工、两个清洁工。因为院子足有半英亩大，亚历山大给安娜建了一个运动场。运动场就在安娜的房间外面，中间隔着一道门。

找合适的仆人比找房子还难。亚历山大和内尔一起面试申请这份工作的人。内尔甚至要闻一闻每个申请人的口气。嘴里的丁香味儿和呛人的酒气都不能放过。亚历山大对女儿这种做法既不理解又挺感兴趣。

“上课前，通宵酗酒的家伙都要嚼丁香。”她解释道。

亚历山大想让一个一望便知有一副慈母心肠的、总是喜气洋洋的女人当领班。内尔却看中一个下巴上长了几根胡须、鼻梁上架着一副眼镜、外表严厉的女人。

“她简直像一艘挂满风帆的军舰！”亚历山大说，不同意女儿的意见。“一个严厉的女人，像一条暴躁的龙。”

“没错儿，爸爸。可是我们就需要这样一个负责人。只要这个古板、严厉的女人手里有权，那些‘和善的仆人’愿意怎么围着安娜大惊小怪、吱哇乱叫都行。哈波特尔小姐是个好人，她不会滥用职权，她会管理好这条‘战舰’，或者说这个‘龙窝’。”

四月，一切准备就绪，安娜服用大量镇静剂之后，离开金罗斯来到格里波路的新家。只有伊丽莎白、茹贝和瑟蒂斯太太哭泣。多莉忙着探索她的新世界。亚历山大又到国外去了，内尔回到大学继续学习工程技术。

第三部

一八九七至一九〇〇

第一章 浪子回归

在缅甸待了一年，李采集了不少红宝石和蓝宝石，而且得到有用的信息——那里也盛产石油。然而在缅甸，石油用陶土罐子从高原地区远道运来之后，只能加工成煤油。他在西藏待了一年，没有搞到宝石，但是精神上的收获比得到科-依-诺尔钻石[①]还大。他和印度那几位普罗克特时代结交的朋友也待了一年。他们着手寻找宝石，然后又开发能给王侯们带来更多利益的产业。那里有丰富的铁矿，但是由于冶炼技术千年未变，人们只会用木炭冶炼，而千百年来，树木被大量砍伐，木炭供应不足，严重地阻碍了铁的生产。李用销售锰得到的钱，引入新的冶炼方法，从孟加拉运来煤，为王侯们打下坚实的工业基础。当时英国统治印度的高官对李非常不满。李说，他只是王侯的仆人。王侯仍然是印度的统治者（虽然事事都得征得

①科-依-诺尔钻石：指印度的一颗原重191克拉的历史最悠久的大金刚石，1849年以来为英王御宝，重琢成108.8克拉，1937年成为英王王冠宝石。

英国人的同意），他按他们的旨意办事有什么可责备的？他断定，他为王侯们争来的利益，印度女皇也有一份。

之后，他很快来到波斯，看望在普罗克特学校读书时最好的朋友阿里和侯赛因。他们俩是国王纳斯鲁德-丁的儿子。此人似乎从孔雀王朝起，已经统治波斯五十年，将在一八九六年举行登基五十年庆典。

好奇心驱使李进入伊朗北部的厄尔布尔士山脉，亲眼看看亚历山大曾经说过的石油油井和沥青坑。油井和沥青坑还在那儿，没有开发。

他骑一匹阿拉伯马，一条穿着马靴的腿搭在马肩隆[①]上，咬着一根手指的指甲，目光掠过高低不平的山地。他发现，“厄尔布尔士”是西方地理学者对波斯西部所有崇山峻岭的误称。真正的厄尔布尔士山实际上只是环绕德黑兰[②]的群山。那里的山顶终年积雪不化。他现在看到的只是山——还没有命名的高山。

假如铺设一条通往波斯湾的输油管线……假如每五英亩打一口油井……波斯就可以摆脱巨额的债务，他也可以大发其财。现在，人们已经发现石油的用途越来越广——可以制造润滑油、煤油、石蜡、比煤焦油更好的沥青、凡士林、苯胺染料和其他化工产品。作为一种新的发动机的燃料，蒸汽无法与之相比。印度的王侯不是告诉过他，人工合成的靛蓝[③]毁了印度天然染料的出口吗？

李打定主意之后便回到德黑兰，拜见国王。

“伊朗有丰富的石油资源。”他说，使用了“伊朗”这个更恰当的说法。他的法尔西语[④]水平已经有了很大的提高，可以不用翻译。“可惜，当地人

---

①马肩隆：指马肩骨间的隆起部。

②德黑兰：伊朗的首都和最大城市，位于伊朗的中北部和黑海以南。为商业和工业中心，18世纪末期成为首都。

③靛蓝：一种从木蓝属植物中得到的蓝色染料，或是人工合成的蓝色染料。

④法尔西语：现代伊朗语言，始于公元九世纪，用阿拉伯字母书写，是伊朗的本国语，波斯语。

没有足够的知识开发这巨大的财富。但是，我既有技术，又有开发的资金。我非常希望阁下能允许我开发，我们可以达成协议，作为回报，给我百分之五十的利润，同时偿还我购买机械设备花费的资金。”

他尽量不用专业词汇，结结巴巴地表明了自己的意思。阿里和侯赛因能插上嘴的时候，也帮他说几句。

在场的还有国王纳斯鲁德－丁未来的继承人姆扎法－乌德－丁。他是阿塞拜疆省[①]的总督。阿塞拜疆省与高加索毗邻，和土耳其以及俄罗斯一直不和。由于巴库[②]作为俄罗斯的石油基地飞速发展，姆扎法－乌德－丁对这件事情很感兴趣。他还担心伊朗在任何争夺无论地面还是地下资源的竞争中被别的国家挤到一边。在王室看来，李代表了相对而言比较“仁慈”的外国势力。他们对伊朗的领土没有野心，除了对玛门[③]有所求之外，也没有别的个人打算。他们了解“玛门”，也可以对付“玛门”。老国王没有什么行政管理能力，王室享有的种种特权常常把昏庸无能之辈推上权力的宝座。但是姆扎法－乌德－丁刚刚年过四十，还没有得上后来陪伴终生的重病。他最担心的不是土耳其，而是俄罗斯。俄罗斯人一直图谋不受别的国家海军的夹击就进入世界广阔的海域。伊朗似乎是最理想的“跳板”。

于是，经过几个月的谈判，李·康斯特万获得了开采波斯西部地区方圆二十五万平方英里的油田的权利。要开采“孔雀石油”，就得雇用那些忿忿不平、牢骚满腹的美国“野猫钻井者”[④]，购买钻机，通过金属套筒将加压后的水注入最先进的带齿的旋转机，还要购置为这些机械设备提供动力的蒸汽机。

他困难重重，但都不是技术上的困难。他不得不习惯一大群士兵不离

①阿塞拜疆省：伊朗原省名，现分为东阿塞拜疆省和西阿塞拜疆省。

②巴库：前苏联中亚部分西南部的一座城市，位于里海西海岸，一度为波斯人统治，1806年并入俄国。从19世纪70年代开始它已成为石油生产的中心。

③玛门：贪欲之神。《圣经》中将财富、贪欲和世俗追求人格化的一个凶神。

④野猫钻井者：指在资源依据不足的地区冒险采矿或钻井的人。

左右。因为深山老林里，有许多未开化的部落，还不服从德黑兰的统治。最令人沮丧的困难是修路，即使修一条最简便的公路，也如同一场噩梦。铁路几乎没有，最糟糕的是，整个国家的燃刺——煤或者木头都严重缺乏。

于是，李决定在现有的条件下，每一个举措都要切实可行。他把第一批油井限制在拉瑞斯坦地区。因为那儿有一条连接拉市和海湾的铁路。拉市周围还产煤。他很快就发现，他雇的那些“野猫钻井者”经验丰富，对哪儿有石油特别敏感。李注意倾听他们的意见，把实践经验和在爱丁堡学到的地质学知识紧密地结合在一起。他苦笑着对自己说，铺设输油管道显然是白日做梦。石油只能装在油罐里通过铁路运输。英国人监管着海湾。他们认为那是他们的领海。海港的设备还很原始，海上运输的油轮更是少而又少。李以大无畏精神解决了一道又一道难题，随着时光流逝，石油喷涌而出。李看到“孔雀石油”的生产已经成为可能。而面临财政危机的国王和他的政府，能有一万英镑的回报也算一笔不菲的财富。

一八九六年，老国王纳斯鲁德-丁在他登基五十周年庆典举行前几天被暗杀。刺客是个卑微的克尔曼[①]人。他供述，他是奉克玛卢德-丁之命行刺的。老国王对克玛卢德-丁本来恩宠有加，克玛卢德-丁却恩将仇报，到处宣传叛乱，刺杀国王后逃到君士坦丁堡[②]寻求避难，被引渡回国接受审判的路上死亡（刺客被处以绞刑）。伊朗在姆扎法-乌德-丁的统治下，局势很快平稳下来。新国王通过规范金融货币系统、废除自古以来征收的肉税等一系列新举措，巩固了自己的统治，但是表面的平静下面，阴谋还在继续。

这一段时间，李焦急不安。他已经生产出一点石油，而且利润显而易见，但是本来应该滚滚而来的钱财还没有出现在眼前。

一八九七年，李决定去英格兰。那时候，他不知道新国王已经重病在身。

①克尔曼：伊朗中东部城市，位于德黑兰东南方，因其盛产地毯而著名。

②君士坦丁堡：土耳其西北部港市，现名伊斯坦布尔。

他离开金罗斯将近七年，此间一直不让人知道自己的踪迹。他写给妈妈茹贝的信都是通过旅行者从欧洲某座城市邮寄的，从来不暴露自己身在何处。所以，亚历山大虽然极力寻找，也不知道他的去向。原因很简单，亚历山大做梦也想不到，李会投身于石油工业，尤其会到波斯这样的地方。就这样，自从上次匆匆忙忙离开印度，他就成了“隐身人”。

从金罗斯带来的东西只有两样陪伴着他：伊丽莎白的照片和妈妈的照片。那是他在印度时妈妈寄给他的。本来还有内尔的一张，可是那副“女亚历山大”的模样他看了就生气，结果扔进一堆燃烧的树叶，化为灰烬。照片是他离开金罗斯三年之后的一八九三年初拍的。看见这两张照片，他着实吃了一惊。茹贝那张是因为她一下子变得那么老；伊丽莎白那张是因为她居然一点儿也没变。第一眼看见的时候，他心里想，就像琥珀里的一只蝴蝶，不是生命终止，而是生命的暂停。然而，那已是往日的伤痛，除非无意之中触到伤口，不再觉得疼痛难忍。照片他随身带着，不过不常拿出来看。

莫德林先生终于去世了。一位同样礼貌周全、能力很强的先生接替了他。此人名叫奥古斯塔斯·桑利。

“你这儿还有我多少钱？”李问桑利先生。

奥古斯塔斯·桑利着了迷似的打量他。亚历山大·金罗斯第一次出现在英格兰银行的故事至今还在同事间流传——工具箱、鹿皮外套、破旧的帽子。现在，这位银行家想，可以给那个故事再加上精彩的一笔。风吹日晒，他那光滑的皮肤变成栎棕色，拖在脑后的稀奇古怪的辫子，黝黑的脸膛，特别明亮的眼睛。羚羊皮套装，肯定和亚历山大爵士当年的装束同样潇洒。不过他没有戴帽子，上衣更像衬衫，而不是外套，领口敞开着，露出和脸一样颜色的胸膛。但是他的声音圆润洪亮，言谈举止无懈可击。

“超过五十万英镑，先生。”

他扬了扬好看的黑眉毛，微笑着露出洁白的牙齿。“看来亲爱的老‘天启’干得不错！”李说，“真让人高兴。我一定是天启公司唯一往外取钱而不是往里存钱的股东。”

“也不全是这样，康斯特万博士。公司定期往你的账上汇款。”桑利先生说，脸上露出一副询问的神色。“我可以问问你个人往哪方面投资吗？”

“石油。”李说。

“哦！那可是方兴未艾的大事业，先生。人们都说，自动推进的车将代替马车。钉马掌的铁匠和养马的人现在可是人心惶惶。”

“更别提马具商了。”

“没错儿，没错儿！”

他们俩闲聊着，直到出纳员按照李的要求，拿来银行票据让他过目。然后桑利先生一直送他到门口。

“你刚好错过亚历山大爵士。”他说。

“他在伦敦？”

“在萨瓦旅馆，康斯特万博士。”

我去看他，还是不去？李招呼出租马车时在心里问自己。哦，真该死，为什么不去？

“斯特兰德大道[①]萨瓦旅馆。”他说着，爬上马车。

下了车，李没有零钱，就给了他一个沙弗林。车夫接过金币急忙装进口袋，假装那是一先令。因为他认为一定是李给错了钱，生怕他发现了再要回去。李根本就没注意他这个小动作，径直向旅馆走去。大堂里有一个面目温和、身穿前台主管服装的人走来走去。李向他说明，要订一个房间。

哦，真讨厌！那人心里想，我怎么才能向这个家伙委婉地解释清楚，他住不起这么豪华的饭店。

恰在这时，亚历山大身穿上午穿的高档套装、头戴高顶黑色大礼帽，

①斯特兰德大道：英国伦敦中西部的一条大道，与泰晤士河北岸平行延伸，从伦敦西区的特拉法加尔广场向东延至伦敦城内著名的景观之一——萨瓦旅馆。

从楼梯上走了下来。

“好潇洒，亚历山大！”李大声喊道，“你这把年纪怎么也变成个花花公子了？”

亚历山大似乎一步跨过三十英尺，把这个看起来那么特别的家伙紧紧抱在怀里，吻着他的面颊。

“李！李！让我好好看看你！哎哟，你这身行头怎么就像治天花的医生手下的小学徒？”亚历山大大声说，咧开嘴高兴地笑着。“亲爱的，你这副样子，让人看了生气！你住在哪儿？”

“没住在哪儿。我刚想登记个房间。”

“我那套房子正好有一间屋子空着，如果你肯赏光，就和我一起住。”

“求之不得。”

“你的行李在哪儿？”

“没行李。好久以前，我和俾路支[①]人发生了一次冲突，欧洲那套行头都丢了。你现在看到的就是我的全部家当。”

“这位是李·康斯特万博士，莫菲尔德”。亚历山大说，“我们公司的董事之一。劳驾你让我的裁缝明天上午来一趟，好吗？”然后搂着李的肩膀向楼梯走去。

“不乘电梯？”李问道，看到他特别高兴。

“最近不乘了。我锻炼的机会不多。”他一只手摸着李的辫子，轻轻拍打着。“你剪没剪过？”

“只是经常修剪一下辫梢。你要去什么重要地方吗？”

“去他的重要地方吧！你才是最重要的。”

“我们怎么都学我母亲，满口脏话？她怎么样？”

“很好。我刚离开金罗斯。也就是说，六个星期前我们还在一起。”

---

①俾路支：西南亚一地区，在阿富汗南部和阿拉伯海之间，包括巴基斯坦西南部和伊朗东南部。

亚历山大做了个鬼脸。“她不愿意再陪我旅游了。她说，把她累得够呛，人都老了。”李觉得嘴里发干，咽了一口唾沫。“伊丽莎白呢？”

“也很好。一心一意照看多莉。你听说可怜的安娜的事了吗？我忘了你是什么时候离开金罗斯的。”

“你最好再给我详细讲一遍，亚历山大。”

就这样，他们相互之间谁也没有说表示歉意的话，因为没有必要。两个人在亚历山大那套房子里吃午饭，吃了好长时间，就像他们昨天才分手，又像已经一个世纪没有见面。

“公司需要你，李。”亚历山大说。

“如果可以利用业余时间参与公司的工作，没问题。能被大家需要，我很高兴。”

接下去，李就谈他在波斯的经历和想在石油业大展宏图的愿望。亚历山大出神地听着，很高兴自己当年对巴库的回忆和描绘，引导李走进这一领域。

“我那时候还没有意识到这些，”他说，“因为我不会说他们那儿任何一种语言。当地人已经学会提炼足够的原油，为发动机提供燃料。当然，他们还不会通过裂化，将最好的部分分馏出来。戴姆勒[①]还没有发明出他的内燃机。这样简单的工艺！让燃料在汽缸里而不是外面燃烧。我向你保证，李，这种新原料的出现恰逢其时，伴随它的出现，一定会有新的发明。这种发明不但在理论上合乎逻辑，而且一定具有实践意义。”

但是亚历山大不赞成在波斯开采石油。“我虽然不太了解这个国家，但知道那是一个贫穷落后、资金匮乏、政治局势变化无常的国家，在很大程度上受俄罗斯的摆布。英格兰银行的桑利说，俄罗斯试图通过银行业，

①戴姆勒（1834—1900）：德国工程师和汽车制造业先驱，他研制出第一台高速内燃机（1885）。

或者说通过一家银行，控制波斯。波斯需要借钱，英国的做法有点儿像姑娘，有人向她求了一次婚，就满怀希望地等待别人再向她一次又一次地求婚。所以，为什么不能暂且说‘不’呢？你可以继续在波斯开采石油，李，我的忠告只是先停一段时间，这样就不会有任何闪失。”

“我同意你的看法，”李叹了一口气说，“可是开采石油比开采黄金还赚钱。”

“投资者获取发展项目中的有利地位至关重要，但是我觉得你的步伐太快。我现在的方向和你不同。不是石油，而是橡胶。我们现在在马来半岛种了几千英亩巴西的帕拉橡胶树。”

“橡胶？”李皱着眉头问。

“是啊，橡胶现在简直无处不在——几乎哪儿都用它。汽车需要橡胶做轮胎。用橡胶液浸渍过的帆布做外胎，纯粹的橡胶充气之后做内胎。自从有了充气轮胎之后，自行车飞速发展。弹簧、阀门、垫圈、防雨布、套鞋、医院诊断床上用的橡胶单、垫子、气袋、机器上的传送带、印模、墨辊……无所不包。人们现在用橡胶而不是古塔胶做电缆的绝缘材料。还有一种坚如岩石的硬橡胶[①]，不怕酸、碱的腐蚀。”

他停下话头。李酒足饭饱，向后靠了靠，从亚历山大的脸上看他情绪的变化。他几乎没怎么变，也许永远不会变。就像大多数瘦而结实的人一样，年轻时看上去显老，年老后看上去年轻。他浓密的头发已经变白，因为长及肩头，看起来像一头勇猛的雄狮，一双眼睛仍然目光如炬。尽管他坚持爬楼梯锻炼身体，实际上体重连一点儿也没有增加。

不过，他的脾气似乎温和了许多。是不是安娜和多莉的遭遇改变了他，李吃不准。李在金罗斯看到的那个亚历山大的自负、专横已经不复存在，一个年老的亚历山大从飞扬跋扈的废墟中走出。但他像以往一样充满活力，判断是非、决定取舍的能力依然那么强。天哪，他又一次做出正确的选择——

①硬橡胶：由硫化作用制成的硬质橡胶。

橡胶！他变得更温和，更宽厚，更……仁慈。生活教会了他谦恭。

“我给你带来一样礼物。”李说，在衬衫口袋里摸索着。他必须先把那两张照片掏出来，装进另外一个口袋，才能掏出他要找的东西。亚历山大俯过身来，从他手里抽出照片。仍然有点专横！

“你带着妈妈的照片，我可以理解，可是你怎么还带着伊丽莎白的照片呢？”

“妈妈总共往印度寄了三张照片，”李不动声色地说。“她的、伊丽莎白的、内尔的。结果，我不知道把内尔那张弄到哪儿去了。”

“茹贝这张比伊丽莎白这张破旧得多。”

“那是因为我经常看她的缘故。”

亚历山大把照片还给李。“你回家吗？李。”

“先……给你这个。”

亚历山大端详着李送给他的那枚银币，脸上露出敬畏的神色。“印着亚历山大大帝的德拉克马[①]，极其罕见！而且图案非常清晰。我敢说，是铸币。只是，怎么可能保存得如此完好呢？”

“是现在的波斯国王送给我的，谁知道呢？也许自从那位与你同名的伟人离开埃克巴塔那[②]，就没有人碰过它。波斯国王说，这枚古币是从哈马丹[③]弄来的。哈马丹就是古代的埃克巴塔那。”

“亲爱的，这是无价之宝。我怎么谢你也谢不够呀！你回家吗？”他“穷追不舍”。

“过些日子再说。我想先看一看‘宏伟号’。”

“我也想去看看。人们说，它是全世界最好的军舰。”

---

①德拉克马：古希腊银币。

②埃克巴塔那：美迪亚古国中的一座城市，位于现在伊朗西部哈马丹地区。

③哈马丹：伊朗西部城市，位于德黑兰的西南偏西。它是一座古城，公元前330年被亚历山大大帝征服，后来被塞琉西地国王、罗马、拜占庭以及阿拉伯（公元645年以后）统治。

“未必，亚历山大。皇家海军为什么把口径十二英寸的大炮都安在露天炮塔上，而不是装在炮塔里呢？我觉得美国海军的做法更好。他们的大炮都在炮塔里。”

“不管大炮怎么安装，关键是船的速度太慢，只有十四节[①]！做铁甲，克鲁伯[②]的钢铁比哈维的钢铁好。德国皇帝威廉也开始制造军舰了。”亚历山大说，有滋有味儿地抽着他的方头雪茄。“我个人认为，皇家海军花了英国政府太多的钱。”

“哦，听我说，亚历山大，”李轻声说，“也许因为我离开欧洲太久了，对这四年发生的变化不太了解，不过，我还是觉得英国现在国库空虚，钱很紧张。”

“是的。不过，他们还有一个大英帝国可以掠夺。事实上，我们在澳大利亚经历的企业效益大滑坡，遍及全球。真实情况是，建造军舰可以使不少人有活儿干。克莱德的造船厂里连一条远洋轮船也没有。”

“新南威尔士的情况怎么样？”

“不怎么样。从一八九三年起，银行一家接着一家倒闭。当然一八九三年的情况最糟。外国投资者纷纷撤资。几年前，我劝查尔斯·丢伊不要往悉尼存款，可是他不听。幸亏康斯坦斯还有两个女婿。这两个家伙都比查尔斯精明。”他亮晶晶的黑眼睛闪闪发光。“他们家的亨丽埃塔还待字闺中。你是不是在找一位出色的贤妻？”

“不是。”

“那可太糟糕了。她是个好姑娘，可是，恐怕命中注定，要一辈子当

①节：1节等于1海里/小时。在航海术语中，节（knot）是一个速度单位，而不是一个长度单位，这个词本身就含有“每小时”的意思。因此严格地说：法应该是：一艘船以10节的速度航行，而不是每小时10节。

②克鲁伯：德国的钢铁和军火生产家族，包括弗利德里希（1787—1826），他在埃森建立克鲁伯工厂（1811）；他的儿子阿尔弗雷德（1812—1887），在那儿开始了军火生产（1847）。阿尔弗雷德的外孙女伯莎（1886—1957）和她的丈夫古斯塔夫·克鲁伯·冯·波伦·哈尔巴赫（1870—1950），对于一战后德国秘密地重新武装起了重要作用。

老姑娘了。就像内尔，太挑剔，心气又高。”

“内尔怎么样？”

“在悉尼大学读医学院呢！”亚历山大皱着眉头说，“以第一名的优异成绩完成矿业工程专业的学业之后，直接跟二年级学医。啊，女人！”

“对内尔来说，念医科也很好。不过，女孩子学医一定很难。”

“学工程技术之后，再去学医？纯粹是胡闹！”

“她可是你的女儿，亚历山大。”

“这事儿用不着你提醒。”

“搞联邦的事儿怎么样了？”李问道，改变了话题。

“哦，那是不可避免的结果，尽管新南威尔士不热心。我想，这是因为维多利亚热心。这两个殖民地相互之间没有好感，最后的赢家肯定是维多利亚。”

“工会呢？”

“剪羊毛工人和普通工人联合成立了‘澳大利亚工人联合会’。矿工——自然是煤矿工人——还是像以往一样好斗。‘工会选举联盟’急于在联邦议会碰碰运气。”

“这让我想起一个紧要的问题——新国家的首都会设在哪儿？”

“按道理当然是悉尼，可是墨尔本不会赞成。最有可能的是，双方都做出让步，把首都设在新南威尔士的什么地方。”

“除了悉尼难道还能有别的地方吗？”

“定都悉尼当然应该是众望所归，李。理由很多，最早的聚居地，等等，等等。我也听人们提起过从亚思到奥伦奇的每一座城市。不过也得感谢人们的慈悲之心。亨利·帕克斯爵士当不成第一任总理了，去年就死了。”

“哦，天哪！一个时代过去了。谁会是新的当家人？”

“还没有呢。新南威尔士有个名叫乔治·里德的人。维多利亚有个特纳，不过他没有当总理的可能。整个世界都像英格兰和法兰西一样，处于敌对状态。”

“法国现在汽车工业处于领先地位。”

“这种局面不会维持太久，”亚历山大不无讥讽地说，“他们生产钢铁没有经验，和美国、英国没法儿比。普法战争之后，法国辞退了宝贵的工程技术人员，德国却给冶金工作者、大工厂和阿尔萨斯[①]—洛林地区层层加码，大力发展工业。法国一直没有恢复元气。”

“我很奇怪，你怎么至今没有一辆汽车？亚历山大。”

“我在等戴姆勒生产出值得我买的好玩意儿呢！德国人和美国人是世界上最好的工程师。他们设计的引擎那么简便。汽车妙就妙在，李，不需要水平很高的工程技术人员就可以安装。有一点基本技能、几件工具，‘汽车先生的主人’就可以自己安装。”

“还可以减少马路上的噪音。没有铁轱辘马车走过时的隆隆声，没有马蹄铁踩在地面上的嗒塔声。比马车跑得快，比马车容易驾驭。我很奇怪，你怎么没想到生产汽车？”

“澳大利亚已经有人打这个主意了。他们打算把自己不用马拉的车叫作‘先驱’。不过，我还没这种想法。眼下，还是坚持使用蒸汽机。”亚历山大说。

李合适的“行头”送来之后，两个人就拿着介绍信到朴次茅斯[②]，参观“宏伟号”。

“关于这艘战舰的速度，你说的没错儿，亚历山大。它的速度很慢。美国军舰的速度是十八节，船上的武器装备还重得多。当然大家公认它的铁甲比较薄。”李若有所思地看着煤舱舱口，“它装载了两千吨煤，据说，足可以以十二节的速度，航行五千英里。我敢打赌，老式船只用这么多的燃料可以航遍所有辽阔的海洋。这样高的成本，它就得老老实实待在北海。”

①阿尔萨斯：法国东部的一个地区，以前是一个省，介于莱茵河和孚日山脉中间。1871年普法战争后和它邻近的洛林一同被德国吞并，1919年凡尔赛和约签订后回归法国。

②朴次茅斯：英格兰南部的自治市，邻英吉利海峡，与怀特岛相对相望。该市于1194年取得自治权，是主要的海军基地。

“我明白你心里的想法，就像一眼看到桅杆升起的旗帜，李。据我所知，他们已经把汽轮机用到大客轮、邮轮和商船上了。我还听说，皇家海军已经在几艘鱼雷艇上安装了汽轮机。等他们在这种一万五千吨巨轮上安装了汽轮机，把露天炮塔变成旋转式炮塔，他们就会有一艘真正的战舰。”亚历山大朝李笑了笑，快步走下舷梯，手里转动着琥珀柄手杖，朝舰桥指了指。“让我们，”他说着走进蒙蒙雨雾，“密切关注它的发展，好吗？”

“我看透了你的心思，就像一眼看见桅杆上高高升起的旗帜。”李严肃地说。

查尔斯·帕森斯先生的工厂当然是他们一定要参观的地方。另外几家发明了新机器的工厂也是他们必到之地。八月，他们就登上开往波斯和孔雀油田的轮船。到达油田之后，李发现他那位可以说一口流利的法尔西语的美国副手，在他不在期间把工作搞得有声有色，而且会继续红红火火地搞下去。再没有别的借口，他只得回家。

他很想顺路到马来半岛看看亚历山大种的巴西帕拉橡胶树，可是亚历山大没有这个意思。他们从亚丁①乘一艘快船，直接驶往悉尼。

“这条航线，”李说，“经科伦坡、珀思②、墨尔本。我觉得，不少人不赞成悉尼成为澳大利亚的首都，原因也正在于此。珀思虽然也是那块大陆的海港，但是轮船首先到达墨尔本。从墨尔本再向北航行一千英里才能到达悉尼。所以，许多船就不愿意为了去悉尼找这个麻烦了。如果能开辟一条从北到澳大利亚的航线，悉尼就比墨尔本重要多了。”

航行期间，他经常满怀热情地谈天说地，不想给亚历山大留下一点点

①亚丁：也门最大的城市，地处亚丁湾南部。自古以来一直是阿拉伯半岛南部的主要港口之一，1869年苏伊士运河开通后，成为一个主要的贸易区及燃料补给站。从1967年至1990年，亚丁是南也门的首都。

②珀思：澳大利亚西南一城市，濒临印度洋。建于1829年，19世纪90年代在此发现了金矿之后迅速发展起来。

他害怕回到金罗斯的印象。怎样才能在伊丽莎白面前举止得当？特别是假如亚历山大一定要把他俩之间的关系搞得比以往任何时候都更密切。他肯定要住在金罗斯饭店，可是自从安娜到了悉尼，亚历山大就搬回到他自己的府邸办公，无论行政事务还是案头工作都在家里处理。他先前在城里的办公室有一部分已经变成由张民、吴青、洛琦和多尼·威尔金斯主办的研究所。李肯定要和亚历山大一起工作，这样一来，即使晚饭不在他家吃，共进午餐也是不可避免的事情。

过去这些年，他一直非常孤独，只是因为从西藏喇嘛那儿学到的佛教教义，才觉得这种寂寞尚可忍受。如果不是为了伊丽莎白，李相信自己会选择留在西藏，抛弃妈妈和亚历山大灌输给他的所有理念和原则，丢开从小到大接受过的种种教育和训练，过一种仿佛进入催眠状态的、一切受灵魂制约的生活。血脉中东方人的基因使得他喜欢这样一种状态，他可以快乐地生活在世界屋脊，远离时空的概念，远离痛苦和渴望。只是伊丽莎白对他更重要。这真是一个谜。她从未暗送秋波，也从未说过一个让他想入非非的字，但是，他无法把她从心里赶出去，无法不爱她。是不是我们之中有些人真的有个灵魂伴侣，一旦找到，就不可避免地和这个伴侣一起卷入爱的滚滚波涛，最终，合二为一。

“你告没告诉茹贝和伊丽莎白，我们已经在回家的路上？”轮船快到墨尔本的时候，他问亚历山大。

“还没有。我准备到墨尔本之后给她们打电话。我觉得这样更好。”亚历山大说。

“你能帮我个忙吗？”

“当然可以。”

“别告诉任何人我和你一起回去。我想给大家一个惊喜。”李说，尽量让人听起来他是兴之所至，并没有经过深思熟虑。

“没问题。”

但是事情并不那么简单。到悉尼之后，他们要去看望安娜和内尔。内尔能保守秘密吗？

“现在，她住在安娜那儿。”亚历山大说。他们坐上一辆出租马车，去格里波。“那几个小伙子拿到学位后，便回到金罗斯。她一个人没法继续住在那幢房子里，就建议我在安娜那处院子后面，再给她盖一幢小房子。我觉得这个主意不错，也让我松了一口气。这样一来，她既可以有自己的空间，又可以确保那些仆人好好服侍安娜。”

“服侍？”李皱着眉头问道。

“你会看到的，”亚历山大含含糊糊地说，“有些事情我没和你说，因为很难描述。”

安娜让他大吃一惊。他认识的那个十三岁的美丽姑娘——他离开金罗斯的时候，她刚和欧唐尼尔发生性关系——变成一个步履蹒跚、流着口水、肥胖的年轻女人。她认不出父亲，更认不出他。一双灰蓝色的眼睛目光游移，一个拇指因为不停地吸吮，皮肤开裂，鲜血淋漓。

“我们实在没办法不让她吮手指，亚历山大爵士。”哈波特尔小姐说，“我也同意内尔的意见，不能把她的胳膊绑起来。”

“有没有试着在她的拇指上抹点很苦的芦荟油？”

“试过了，但她总是往手指上吐口唾沫，然后在裙子上擦干净。倒是有别的不太容易溶解的化学药品，可是毒性太大，没法使用。内尔认为，她得把拇指咬得露出骨头。那时候就不得不把拇指截掉。”

“然后她就开始啃另外那个。”亚历山大难过地说。

“恐怕会是这个结果。”哈波特尔小姐清了清嗓子说，“她还经常痉挛，亚历山大爵士。这可是大病。影响到她全身。”

“哦，我可怜的、可怜的安娜！”亚历山大看着李，眼里溢满泪水。“世上的事为什么这样不公平？一个对谁也不曾伤害的、无辜的人，要遭受这么多的磨难。”他撑了撑肩膀、挺了挺胸。“不过，你把她照顾得非常好，哈波特尔小姐。她很干净，显然心满意足。我想，吃饭一定是她最大的乐趣。”

“是的，她喜欢吃。内尔和我都认为，应该让她随便吃。限制她吃东西就像限制一个不会说话的动物一样残酷。”

“内尔在吗？”

“在，亚历山大爵士。她正等你呢。”

他们走过这座很大的院落时，李注意到整个院子设计得非常合理，也注意到有那么多女人服侍安娜。院子里的气氛活跃，每一间屋子都窗明几净、一尘不染，装饰得很漂亮。李心里想，这样做，恐怕主要是为了照看安娜的这帮人心情愉快，而不是为了对这个世界浑然不知的安娜。能做到这一点，显然不是亚历山大的功劳，他不会想得这么周到。因此，一定是内尔花费了不少心血。

通过一扇刷成黄色的门，就可以走进内尔那幢小房子。门虚掩着，不过亚历山大还是喊了一声，告诉女儿老爸已经迈过她的门槛儿。内尔款款而行，从里屋走出来，显得那么文静、镇定。她把满头黑发盘在头顶，挽成一个髻，高而瘦的身上穿一件朴素的、深绿褐色的棉布裙子。那裙子没有腰身，长及脚踝。脚上穿一双棕色高腰皮鞋，紧紧地系着鞋带。李又吃了一惊。她酷似亚历山大，相像的程度引人注目。孩提时代脸上的稚气和线条的圆润已经被冷峻、坚定和少许阳刚之美所代替。只有那双眼睛还保留着自己的“特色”，不过因为她比以前瘦，眼睛便显得更大。那湛蓝的眼睛，目光如炬，可以穿透任何阻挡它的东西。

起初，她只看见亚历山大，扑到爸爸怀里，紧紧地拥抱他、亲吻他。哦，是的，他们非常亲密，就像孪生的兄妹。亚历山大尽管抱怨她不该学医，但是见了面，便听凭她“奴役”，就像她手里的一团油灰。

从爸爸怀抱里抽身而出之后，她才看见李。她吓了一跳，脸上露出微笑。“李！真的是你吗？”她问道，在他面颊上亲了一下。“谁也没说你要回来。”

“那是因为我不想让任何人知道，内尔。替我保密，好吗？”

“对天发誓，决不泄密。”

蝴蝶做了一顿简便的午饭：新鲜面包，黄油，果酱，冷牛肉，亚历山大最爱吃的甜点，奶油蛋羹肉豆蔻浇头。内尔让两个男人吃饭，自己泡了一壶茶，便聊了起来。

“学医怎么样呀？”李问道。

“完全如我所愿。”

“很难吧？”

“对于我并不难。我和指导老师、教授相处得很好。别的女生就难了。她们没有我对付男人的诀窍。那些可怜的女同学经常气得流泪。男同学看了越发嗤之以鼻。她们都知道，因为自己是女人，分数就被故意压低。所以，大多数女同学每个年级都得念两次。有的人甚至连续留两级还过不了关。但是她们仍然坚持着。”

“你有没有留过级？内尔。”亚历山大问道。

她脸上露出一丝讥讽。“还没有人敢让我留级！我和格雷斯·鲁宾逊一样。她一八九三年毕业，一级也没有留过。尽管她应该得到最优等的成绩，而实际上没有。你知道，女子学校没有教过她们化学、物理，甚至数学。到了医学院之后，老师又不从基础讲起，所以这些可怜的家伙不得不从零开始。而我是已经毕业的工程师，自然胜她们一筹。”她看起来有点淘气。“老师们特别害怕被学生超过，尤其被女学生，所以他们不会轻易打搅我。”

“你和别的女同学相处如何？”李问。

“比我想象的好。我辅导她们自然科学和数学。可是有的同学还是理解不了。”

亚历山大搅了搅茶，用小勺敲了敲杯子，然后把勺子放在茶托上。“安娜的情况怎么样？告诉我，内尔。”

“她的智力退化得越来越快，爸爸。哦，你也亲眼看到了。哈波特尔小姐告没告诉你，她的癫痫经常发作。”

“告诉了。”

“她将不久于人世了，爸爸。”

“我想，即使哈波特尔小姐不提安娜时日无多，你也会这样说。”

“我们特别注意给她保暖，不让她受风，还极力劝她出去散散步。可是她越来越不想动了。将来，她也许因为癫痫频繁发作，最后筋疲力尽而死，但是更有可能因为患感冒，引起并发症，死于肺炎。如果服侍她的人有一个患感冒，我们就立刻让她休息，直到她不再咳嗽、打喷嚏。可是，有时候或许自己还不知道已经感冒，就先把她传染上了。这种情况到现在为止还没有发生，这倒让我惊讶。你知道，大伙儿对她都很好。”

“考虑到这是一件费力不讨好的、没有任何成就感的工作，她们能这样做，我很高兴。”

“一个有奉献精神、愿意服侍别人的女人，即使最费力不讨好的工作，她也会尽心尽力地做好，爸爸。我们这几个人选得不错。”

“哪种死法更容易一点？”亚历山大突然问，“肺炎还是癫痫频繁发作？”

“癫痫频繁发作。这种情况下，病人很快失去知觉，也许就此离开人世。看起来很可怕，但是病人没有痛苦。肺炎就不同了，病人受尽折磨才能咽下那口气。”

谁也没有说话。亚历山大一口一口地喝茶，内尔摆弄着手里的叉子，李坐在那儿，真希望自己在别的什么地方而不是在这儿待着。

“你母亲来看过她吗？”亚历山大问。

“当然来过。不过我已经禁止她再来，爸爸。一点好处也没有。安娜也认不出她。看着她，哦，爸爸，就像看着一头知道自己就要死去的动物的眼睛。现在，我甚至不敢去想她的痛苦。”

李取了点奶油蛋羹——做点什么总比什么也不做强，即使嘴里嚼的是锯末。“你有男朋友吗？内尔。”他轻声问道。

她眨了眨眼，然后不无感激地望着他。“我太忙了，真的太忙。医学不像工程技术那么容易。”

“这么说，你打算一辈子不结婚，就当你的女医生了？”

“看起来只能这样了。”内尔叹了一口气，神情忧郁。这种表情出现在她那张“女强人”的脸上怪怪的。“几年前，我认识了一个很让我动心的男人。但是，我那时候太年轻，他又太正派了，不愿意占我的便宜，我们就分道扬镳了。”

“是个工程师？”李问。

她哈哈大笑起来：“不是！”

“那是干什么的？或者说，现在是干什么的？”

“这个，”内尔说，“还是让我藏在自己的心里吧。”

这一年蝉儿成灾。十一月，离铁路线不远的丛林里，蝉鸣大作，甚至盖过火车头震耳欲聋的汽笛声和车轮的隆隆声。刺耳的蝉鸣告诉人们，无论沿海地区还是内陆地区，都将迎来一个酷热难当的夏季，充满恶意的、炽热的季风将从北方滚滚而来，席卷整个澳大利亚。

从悉尼到拉特沟，亚历山大一直心情不好，烦躁不安。直到他们的车厢挂到金罗斯的火车上——一星期往返四次——才渐渐平静下来。李有所不知的是，亚历山大已经感觉到他不愿意回来，生怕他突然改变主意，说一声“对不起”，就转身回他的波斯油田。因此，登上直达金罗斯的火车之后，亚历山大便松了一口气，心情好了，信心也增加了。

他不只是喜欢李。他爱他，就像爱自己不曾有过的儿子。他是茹贝的孩子，也是和孙的一条纽带。他拉着李去看安娜的时候，是想让李和内尔的心灵碰撞出火花。倘若他们俩结婚，他的一生就书写了最后的、也是最精彩的一笔。可是，两个年轻人的心并没有碰撞出什么火花，甚至连相互间的吸引也没有产生。他们之间的感情完全是一个大哥哥和一个小妹妹的手足之情。他无法理解这一切：内尔和父亲亚历山大，从相貌到精神都十分相似，而李的母亲茹贝又那么爱亚历山大，两个年轻人为什么就不能相爱？毫无疑问，他们就应该是天生的一对儿。可是，内尔又胡扯什么她曾经心仪某位男士，讲到最后又像蛤紧紧闭上嘴巴，而李稳稳当当坐在那儿，显然无动于衷。这个私生子早已不再是谁家的后嗣。亚历山大把旧日的伤痛忘得那么干净，以至于现在把李的出身看作莫大的讽刺。他的继承人也将是个私生子。然而，他希望，他的一部分血液能在李的后代身上流淌，可是这个希望不会实现了。即使李最终能够结婚，他也还是个浪迹天涯的人。也许中国血统又使他听见蒙古人在大草原游牧的脚步声。女人们确实会为他神魂颠倒，在蕾丝紧身胸衣的束缚之下，急促地喘息。为了把他变成自己的丈夫，她们会设下种种圈套，从明目张胆的勾引到凶残狠毒的诡计。但是李从来不为所动。无论在波斯还是在英格兰，他总在哪儿藏着个女人，但是他的态度完全是东方式的——宛如一位需要小妾陪伴的北京王爷。那女人和他一起下棋、唱歌。他想说话的时候才敢搭话。她不但仔细研究了《爱经》[1]，熟知各种性爱的技巧，而且走起路来也袅袅婷婷、玉佩叮当，令人心旷神怡。

伊丽莎白管他叫什么来着？“金蛇”。那时候，这个比喻让他吃了一惊，但是现在，他很欣赏她选择这个比喻的理由。那种卑劣的爬虫钻进一个窟窿，一待就是四年，靠吞食自己的尾巴维持生命。亚历山大曾经费了多大气力找李呀！可是连平克顿侦探事务所的侦探也找不到他。英格兰银行弄不清楚那些数额巨大的款项，怎样拐弯抹角，最后落到他的口袋里。虚构的公司、虚构的账户、瑞士银行……购买设备从来不是以他的名义。谁能把他和所谓“孔雀石油”联系起来呢？人们都以为那是国王开办的公司。

纯粹是因为走运，“金蛇”出洞的时候，他正好守候在“洞口”，一把抓住他的尾巴，而且紧抓不放，诱使这个滑溜溜的家伙回家。现在，他们已经踏上回家的最后一段路程，他终于相信，他已经把这个浪迹天涯的人紧紧抓到手里。日月如梭，他已经五十四岁，李三十三岁。并不是亚历山大希望自己至少活到七十岁再死，而是“训练项目”中断七年，造成了很大的困难。

---

①《爱经》：印度八世纪时一部有关性爱和性技巧的著作。

李不在的七年间，金罗斯发生了很大的变化。他对这座小城的赞赏从火车站开始。车站有候车室、卫生间，装饰着生铁制的花边，村舍风格，但很雅致。到处都是盛开着美丽鲜花的吊兰和花盆。站台两头分别立着两个很大的站牌，上面写着：金罗斯。站牌下面是漂亮的花坛。原先的歌剧院现在变成戏院，一座新建的、宏伟的歌剧院屹立在金罗斯广场对面。每一条大街两面都栽着树，都有路灯。每一幢私人住宅都有电和煤气。还有一个和悉尼、巴瑟斯特连接的电话局和电报局。骄傲地宣示产权归属的标牌随处可见。

“真是个模范城。”李说，提起他的旅行包。

“但愿如此。金矿已经全面恢复生产，这意味着煤矿也一样。我正在考虑内尔的建议，把我们这儿的电变成交流电。不过，我想等洛琦设计出更好的涡轮发电机再说。这个小伙子非常聪明。”亚历山大说着向索道车走去，“茹贝上来吃晚饭。我要把你们母子相见的惊喜和快乐都留给你自己。你可以晚些时候带她一起上来。”

一定要记住，李走进饭店大门时告诉自己，妈妈现在已经五十六岁了。我不能流露出心中的伤感。因为，久别重逢，伤感之情肯定会涌上心头。亚历山大虽然没有说，但是我能感觉到，她肯定比他期望之中的那个女人更老。对于一个美丽的女人，红颜褪尽、风韵不再，一定是一件非常痛苦的事情，尤其像妈妈这样的人，一直靠美丽立足于世。她不像伊丽莎白，将自己的美丽封存在一块晶莹的琥珀里。

然而，她还是他记忆中那副样子：大胆、艳丽、举止优雅。是的，她的眼角和嘴角多了几条皱纹，下巴下面的皮肉有点松弛，可是从满头金红色的头发到美丽至极的绿眼睛，她还是当年的茹贝·康斯特万。因为在等待亚历山大，她身穿宝石红缎子长裙，脖子上戴着很宽的贴颈红宝石项链，遮挡住松弛的皮肤。手链和耳环上都镶嵌着红宝石。

看见儿子，她两腿一软，倒在地上，又笑又哭：“李！李！我的儿子！”

和她在同一个高度，或许更容易掩饰心中的伤感，于是他跪下来，把妈妈紧紧搂在怀里，吻她的脸，吻她的头发。我回家了，我又回到有生以来第一次拥抱我的母亲的怀抱。她的香气在我脑海萦绕，她是我的母亲，这是怎样的奇迹！

“我多么爱你！”他说，“多么爱你！”

“等晚上吃饭的时候，我再把我的故事讲给你听。”李说。见到儿子的狂喜过后，茹贝又补了补妆。李换上晚礼服。

“那就先喝点儿酒，索道车半个小时后才能下来。”她边说边走到那一溜细颈酒瓶前面。那儿还摆着苏打水瓶和一个盛冰的小桶。“不知道你现在喝什么酒。”

“你要是有，就喝肯塔基波旁威士忌①，不加水也不加冰。”

“有呀，不过空腹喝，酒劲儿可有点大。”

“我习惯了。我那些‘野猫钻井者’买了酒就这么喝。当然，那是在信奉伊斯兰教的国家。不过，我偷偷地进口一点，而且严禁任何人在营地外面喝酒。”

她递给他一杯，自己端着一杯雪利酒坐了下来：“我怎么越听越糊涂，李，什么‘信奉伊斯兰教的国家’？”

“波斯。现在人们也管它叫伊朗。我在那儿和国王合伙开采石油呢。”

“天哪！难怪我们连你的踪影也找不到。”

他们默默地喝了一会儿，李说：“亚历山大的情况怎么样？妈妈。”

她没想支支吾吾，搪塞过去。“我明白你想知道什么。”她叹了一口气，两条腿往外伸了伸，直盯盯地看着鞋上的红宝石搭扣。“要说的可多了……因为他知道自己不对，就和你争吵。他傲慢无理，又不知道该如何补救因为自己傲慢无理而造成的麻烦。等他决心咽下骄傲的苦果去找你时，你已经消失得无影无踪。他想尽办法，到处找你。后来就出了安娜、欧唐尼尔、

①波旁威士忌：一种主要用玉米酿制的美国威士忌，因产于肯塔基州的波旁（Bourbon），故名。

小多莉和玉的事儿。你知道，他亲眼看见她被绞死。这事儿对他打击非常大。接下去，内尔不肯做他想让她做的工作，安娜不得不和她的孩子分开。换个人，一定会变得更冷酷，可是我亲爱的亚历山大不会轻易被命运压倒。所有这些让他像一列飞速行驶的火车停了下来——不是颠簸着猛地停下，而是慢慢地停下。当然，他为娶伊丽莎白为妻而责备自己。那时候，她比安娜现在大不了多少。正是形成某种印象就难以改变的年纪。于是，她就变成一块冷冰冰的石头。”

“可是，他一直有你为伴，伊丽莎白却孑然一身。她变成一块‘冷冰冰的石头’你难道还觉得奇怪吗？”

“哦，真该死！”她生气地说，被儿子触到了痛处。李的杯子已经没酒，她站起身给他倒满。“我只是希望伊丽莎白有一天能够幸福。如果她碰到什么意中人，可以和亚历山大离婚。理由是他和我长期通奸。”

“你以为伊丽莎白会不顾家丑外扬，而走上法庭要求离婚吗？”

“你认为她不会？”

“恐怕她情愿和她的意中人私奔到什么无人知晓的地方，也不会站在法官面前，站在一屋子记者中间。”

“她不会和什么意中人私奔，李。因为现在她有多莉要照顾。多莉已经把安娜忘得一干二净。她认为伊丽莎白是她的妈妈，亚历山大是她的爸爸。”

“仅此一点，她就无法离婚，难道不是吗？要真走上法庭，安娜和那个不知名的恶棍的丑闻就会再度弄得沸沸扬扬。多莉多大了？六岁？足可以把什么都弄个清清楚楚。”

“是的，你说得对。我应该想到这一点。该死！”她的心情又变得愉快起来。“你怎么样？”她乐呵呵地问，“有没有一位妻子从地平线那头走过来呀？”

“没有。”他看了一眼亚历山大在伦敦送给他的那块金手表，一口喝完杯子里的酒。“该走了，妈妈。”

“伊丽莎白知道你回来了吗？”茹贝问，站起身来。

“不知道。”

他们到达索道车站的时候，孙正在那儿等着。李吃了一惊，突然停下脚步。他的父亲，年近古稀，已经变成一个令人尊敬的中国“老古董”——一缕胡须在胸前飘洒，指甲足有一英寸长，皮肤虽然光滑，但像泛黄的象牙，打下太多岁月的印记。他眼睛眯成一条缝，两个黑眼珠同时转动着。这是爸爸，然而，我把亚历山大当成自己的父亲。哦，这令人难以置信的航行，让我们走了多远？当风儿再起的时候，我们从哪里扬帆远航？

“爸爸。”他说，弯下腰，吻了吻孙的手。

“我亲爱的儿子，你看起来很好。”

“好了，快上车吧！”茹贝不耐烦地说，准备按响电铃，通知上面的机房。

她急于让我们大家都快快乐乐聚在一起，李心里想，把孙扶进索道车。母亲总是希望大家都相亲相爱。然而，这是不可能的事情。

伊丽莎白站在门口迎接他们。茹贝急着想看看伊丽莎白见了这位“不速之客”会作何反响，便把李推到她和孙的前面。

分别这么多年之后再见到这个女人，会怎么样呢？对李而言，那是一种纯粹的痛苦。极度的痛苦、忧伤、悲痛和绝望交织在一起，淹没了他的心。他看到的是这种种情感融合成的一个幻影，而不是伊丽莎白。

他微笑着吻了吻那个“幻影”的手，表示敬意，走进客厅，把她留在身后迎接茹贝和孙。亚历山大和康斯坦斯·丢伊已经在客厅。康斯坦斯走过来吻了吻他的面颊，紧紧握着他的手，说了一大堆表示同情的话。他听了真有点摸不着头脑。直到在椅子上坐下，他才意识到，还没有看见伊丽莎白。

吃饭时，他也没有真正看见她。因为只有六个人吃饭，亚历山大不想把桌子四边全坐满，就让李坐在他身边，伊丽莎白坐在另外一边。亚历山大对面是孙，康斯坦斯和茹贝坐在孙的一侧。

“这样坐，不合社交礼仪，”亚历山大喜滋滋地说，“但这是在我家，我就可以做主把男人安排到一起，让女人凑在一起说她们喜欢的话题。男人也不必待在这儿喝酒抽烟，吃完饭就和三位女士一起到客厅去。”

李葡萄酒喝得比平常多，不过因为饭菜像以往一样可口——他们说，张还是掌勺的大厨——他不住嘴地吃，所以没有醉意。回到客厅喝咖啡、抽香烟或者雪茄的时候，他没有按照亚历山大安排的座位坐，而是自己把椅子拉开，一个人坐到后面，远离了那几个兴高采烈、高谈阔论的人。屋子里灯光明亮。沃特福德[①]枝形吊灯现在装的是电灯泡而不是蜡烛。原先的煤气壁灯也都换成了电灯。太刺眼了，李想。没有引人遐想的绰绰暗影，没有煤气灯柔和的绿光，也没有蜡烛摇曳的金辉。电也许是我们这代人的天数，但是少了许多浪漫，更无怜悯之心。

从这个位置，他能把伊丽莎白看得一清二楚。哦，真漂亮！就像一幅弗美尔[②]的画，被明亮的灯光照耀着，每一个细节都跃然纸上。她那满头秀发还像他的头发一样黑，呈波浪形拢到脑后，挽成一个很大的发髻，没有做成时髦的发卷。她穿过暖色的衣服吗？至少在他的记忆中没有。今天晚上，她穿一条深钢蓝色绉绸长裙，下摆很直，没有拖地的装饰。这种款式大都饰以珠子，但是她的裙子非常朴素，没有用流苏镶边，只是用裙带吊在肩上，看起来别具一格。蓝宝石项链、手链、耳环闪闪发光，订婚钻戒让人目眩。那枚电气石戒指却不见了，右手什么也没戴。

大家都兴致勃勃地聊着。李面对着她喝茶，和她说话。

“你没戴那枚电气石戒指。”他说。

“亚历山大送给我，是为了我要生的孩子。”她说，“绿色为男孩儿，粉红色为女孩儿。可是我没给他生下男孩儿，就取掉了。再说，那玩意儿

---

①沃特福德：爱尔兰东南一郡，位于都柏林西南偏南。作为主要的港口，沃特福德在18和19世纪以其玻璃制造工业而驰名。

②弗美尔（1632—1675）：荷兰风俗画家，亦作风景画和肖像画，以善用色彩表现空间感及光的效果著称，作品有《挤奶女工》《情书》《站在维吉那琴前的少妇》等。

怪重的。”

让他万分惊讶的是，她伸手从旁边的桌子上拿起一个银烟盒，抽出一支很长的香烟，又摸索着拿起装在银封套里的火柴盒。李连忙站起身，从她手里拿过火柴盒，划着火柴，点燃香烟。

“你抽吗？”她问道，抬起眼睛看着他。

“谢谢。”那一瞥没有传达任何信息，只是出于礼貌，顺口说说罢了。他又坐回到椅子上。“你是什么时候开始抽烟的？”他问道。

“大约七年前。我知道，女人抽烟有伤大雅。但是，你母亲在很大程度上影响了我，现在，我不大在乎别人怎么看我。我只是晚饭后，大家在这里一起小坐时抽上一支。如果我和亚历山大在悉尼饭店吃饭，我抽我的香烟，他抽他的雪茄。这时候，透过缭绕的烟雾，欣赏周围人们脸上各不相同的表情很好玩儿。”她说。

谈话就此结束。伊丽莎白很优雅地、兴趣盎然地吸着烟。李默默地端详着她。

亚历山大硬拉着孙谈工作。

茹贝活动着手指，准备弹钢琴。令人气恼的是，手指变得僵硬。尤其是早晨，关节很疼。不过，此刻亚历山大和孙谈得正在兴头上，没有心思听她弹钢琴。康斯坦斯手里端着葡萄酒打瞌睡。她已经上年纪了。茹贝凝视着她的玉猫，心里涌动着无限的爱。他正直瞪瞪地看着伊丽莎白。伊丽莎白转过脸听亚历山大和孙谈话，因此，李看到的只是她那没有一点点瑕疵的侧影。那一刹，茹贝的心仿佛突然跌落到胸腔底部，那种感觉似乎可以触摸，以至于她紧紧抓住腰带不放。哦，李那目光！赤裸裸的渴望，不加掩饰的需要。即使他站起身来，撕扯掉伊丽莎白的衣服，也不比这目光更清楚地表明他心之所想。我的儿子无可救药地爱上了伊丽莎白！已经多久了？难道就是为了这个原因，他才……

茹贝站起身，向钢琴走去。康斯坦斯猛地醒了过来，亚历山大和孙也停止谈话。很奇怪，她发现，自己以为不复存在的手指的表现力仍然不减当年。不过现在不是弹勃拉姆斯、贝多芬，或者舒伯特抒情曲的时候。应该弹肖邦，肖邦的小调。那让人心灵颤动的、波浪般起伏的滑音，充分表现出她在儿子目光中看到的那种情感。无法表露的爱，难以忘怀的爱，那喀索斯①在水池中捕捉自己的影像却一无所获的那种感觉，或者厄科②含情脉脉地望着他时的感觉。

大家一直待到很晚，“肖邦”让他们入迷。伊丽莎白隔一会儿抽一支烟，总是李起身为她点燃。凌晨两点，亚历山大又要来茶和晚饭吃的三明治，坚持让孙在他家过夜。

亚历山大和李、茹贝一起走到索道车站。索道车的锅炉一年四季、一天到晚都炉火不熄，有人值班。但是他没有打搅司机，而是自己动手开车。

上车之后，茹贝把李的手握在自己一双手里。

“今天晚上，你弹得真好，妈妈。你怎么知道我心中的感受就像肖邦那首乐曲？”

“因为，”茹贝坦率地说，“我看到你看伊丽莎白时那副样子。你爱上她已经多长时间了？”

他屏着呼吸，半晌才喘出一口气来：“我不知道我失态了。还有人注意到了吗？”

“没有，我的玉猫。除了我，谁也没有注意到。”

“那么，我的秘密还没有泄露。”

“就像我也不知道一样安全。多长时间了，李？多长时间？”

“我想，从我十七岁的时候起。尽管这种感情真正浸透我的身心也需时日。”

“所以你一直没有结婚；所以你不愿意在这儿多待，所以你一走了之。”

---

①那喀索斯：希腊神话中的美少年，因拒绝回声女神厄科的求爱而受到惩罚，死后化为水仙花。

②厄科：希腊神话中居于山林水泽的仙女，因爱恋那喀索斯遭到拒绝，憔悴消损，最后只留下声音。

茹贝脸上泪光闪闪，“哦，李，棒极了！”

“你过奖了。”他干巴巴地说，掏出手帕。“给你。”

“这次你为什么回来？”

“再看看她。”

“希望那种感情已经自生自灭？”

“哦，不是。我知道那感情根深蒂固，主宰着我，永远不会改变。”

“亚历山大的妻子……可是，你表现得多么超然。我说他可以和她离婚的时候，你没有认同这种可能性，为自己的感情寻找归宿，而是完全推翻了我的看法。”她打了个寒战，尽管时值盛夏，天气闷热。“你永远摆脱不了对她的爱，是吗？”

“是的。对于我，她比我的生命更重要。”

她转过脸，伸开双臂抱住他：“哦，李！我的玉猫！但愿我能为你做点儿什么！”

“没有，妈妈，你一定要答应我，不做任何努力。”

“我答应。”她压低嗓门儿，贴着他的马甲说，然后发出一阵沙哑的笑声。“你的身上会沾满口红，搂着我，给洗衣房的仆人制造流言提供点根据。”

他紧紧地搂着妈妈：“最亲爱的妈妈，难怪亚历山大那么爱你。你就像皮球，永远能反弹起来。不要惦记，我会处理好的。”

“你这次是要留下，还是又要远走高飞？”

“留下。亚历山大需要我。尤其看见爸爸老迈的样子，我越发明白情况有多么严重。爸爸除了中国人的身份，什么都辞掉了。不管我多么爱伊丽莎白，我也不能抛弃亚历山大。我的一切都是你和他给的。”李说，脸上挂着微笑。“伊丽莎白居然学会了抽烟。”

“她需要烟草给人带来的那种飘飘欲仙的感觉。可是雪茄劲儿太大，她受不了，亚历山大在伦敦杰克逊烟草公司给她定做了这种香烟。她太苦了。现在她只有多莉。”

“多莉是个好孩子，是吗？妈妈。”

“非常可爱。也很聪明。不过，多莉不像内尔那样聪明过人。她更像丢伊家那几个姑娘，活泼，伶俐，漂亮，长大以后接受与她这个阶层的女孩子相称的教育，嫁一个亚历山大打心眼儿里赞成的、各方面条件都合格的小伙子，也许最终给他生下个男继承人。”

第二章 启蒙

消失多年突然出现在面前的李，深深地震撼了伊丽莎白的心。她做梦也没有想到他会回来。丈夫回家之后得意洋洋，她以为那是因为他这次旅行又获得巨大成功，因为满腹韬略的他，又看中什么好的投资项目。她有点好奇，想知道那会是什么项目，但是，他飘然而至的时候，她又闭上嘴巴什么也没有问。他先到浴室洗掉一路风尘，然后小睡一会儿，换上晚礼服准备吃晚饭。这期间，她给多莉吃了晚饭，洗了澡，穿上睡袍，又给她读临睡前读的故事书。多莉喜欢听故事，长大一定是个爱读书的人。

她是一个那么可爱的小姑娘，正合伊丽莎白的心意——既不像内尔那样聪明得怕人，又不像安娜那样智力低下。她的头发确实渐渐变成不均匀的浅棕色，但是发卷儿一直没有变。那双绿玉般的大眼睛宛如宁静心灵的窗口。她特别爱笑，一笑脸上就露出两个可爱的小酒窝。作为对她善良秉性的试验，他们给她养了一只猫，想看看她会以什么样的态度对待小动物。当苏西（实际上是一只阉割过的公猫）证明试验成功之后，又养了一只个头很小的、阉割过的小公狗邦蒂。邦蒂垂着两只耳朵，特别招人爱。它们每天晚上都一边儿一个，躺在多莉床上和她一起睡觉。内尔对这种做法很反感。她说，这些小宠物会传播癣菌病、蛔虫，它们身上还有跳蚤、扁虱。伊丽莎白回答道，她们经常给这两个小家伙洗澡。直到这些恼人的麻烦真的出现之后，她才开始着急，而且希望，内尔自己有了孩子之后，不要让小宝宝捂着保健毯睡觉。

照看多莉，让伊丽莎白心头那块冰消融了一点。面对这个快活的小姑娘充满戏剧性的生活，她无法保持自己刻板的自控能力。从一块小小的擦伤、割破的口子，到一只金丝雀的死，都会在她一潭死水般的生活中掀起波澜。有时候她哈哈大笑，有时候偷偷落泪。多莉真是一个充满母爱的天使。

她看起来根本不记得安娜，非常自然地管伊丽莎白叫“妈妈”，管亚历山大叫“爸爸”。不过伊丽莎白怀疑，她的心灵深处还残留着和安娜度过的那些日子。因为她偶然会提到牡丹。这说明，记忆会把她带回到遥远的“安娜时代”。

最糟糕的是，多莉不能到城里上学。难道不会有心怀恶意、或者考虑不周的孩子告诉她，谁是她真正的母亲，谁是她说不清楚的父亲？因此，眼下只能靠伊丽莎白辅导她学习。明年，她满七岁之后就给她请家庭教师。不管我们的孩子是什么情况，伊丽莎白心里想，都没能进入普通学校读书。这也是不幸。就连多莉也“先天不足”，无法和大家融为一体。

告诉多莉她的真实父母是谁，一直萦绕在伊丽莎白的心头，挥之不去。这个问题折磨着她，却没有人能告诉她一个答案。茹贝不可能，亚历山大更不可能。这可怕的真相，什么时候告诉她为好？青春期前？还是青春期后？常识使她明白，不管什么时候知道，多莉都将受到深深的伤害。你怎么能告诉这个可爱的、天真无邪的孩子，她的妈妈是一个智力低下的傻子，她的父亲是迫害妈妈的坏蛋？怎么能告诉她，妈妈的保姆用可怕的方法杀了她的父亲，保姆又因此而被处以绞刑？多少个夜晚，伊丽莎白辗转反侧，难以成眠，泪水浸湿枕头，翻来覆去地想什么时候、在哪儿、如何告诉多莉这个她不得不知道的残酷的事实。她能做到的只是好好地爱这个孩子，打下一个牢固的、无条件的爱的基础，支撑她勇敢地面对那一天，不要被命运之神摧垮。亚历山大对多莉同样非常关心，比对自己的两个女儿更耐心，更友善，甚至比对内尔还宽容。内尔……一个孤独的年轻姑娘，勤奋、坚韧不拔，有时候甚至冷酷无情。在她的生活中容不下一个男朋友！不理头于医学教科书或者忍受老师的冷嘲热讽时，她就去监管“监禁”中的安娜。伊丽莎白为她难过，但也知道，她鄙视自己这种“难过”。做“亚历山大”是一回事儿，做“女亚历山大”就是另外一回事儿了。哦，内尔，寻找你个人的幸福吧，否则后悔晚矣！

至于安娜，想起她，那痛苦便无法忍受。内尔禁止她去格里波路那幢房子看望安娜时，伊丽莎白拼命反对，但是她遇到的是亚历山大式的钢铁般的意志。结果以失败而告终，正如她和亚历山大的共同生活就是一场失败的抗争。但是骨子里，她对内尔禁止自己去看安娜心存感激，而从心理上讲，这种感激又恰恰给她带来无尽的痛苦。哦，用不着亲眼目睹安娜现在变成的那副样子真是一种幸运。只是伊丽莎白永远不会坚强到足以承认这一点。

伊丽莎白提前下楼，看是不是按照亚历山大的要求摆好了桌子。如果只有他们两个人吃饭，或者茹贝也来，他们都不换衣服。可是今天晚上，康斯坦斯来，孙也要来，再加上茹贝，伊丽莎白不得不打扮一番。衣柜里新做的色彩柔和的衣服多的是，但是她漫不经心地拿下那条深蓝色绉绸裙子和蓝宝石项链，还有那几样钻石首饰。

金罗斯府邸添了一个新玩意儿，那就是电铃。索道车到达之后，电铃响起，通常亚历山大便到门口迎接客人。可是，今天晚上铃声大作时，他还没有下楼。伊丽莎白只好走到门口，站在那儿等待客人的到来。她看见孙和茹贝拾级而上，后面还跟着一个人。然后，突然之间，那个神秘的客人已经近在眼前，而且正直瞪瞪地看着她。李！碰到这样的情况——然而何曾有过这样的情况？——伊丽莎白长期以来完全自觉地、严格训练自己的“处事不惊”，现在派上了用场。她腰板倍儿直，脸上挂着礼貌的微笑。然而，这是最经不起推敲的虚饰。表面的平静背后，感情的波涛就像石灰岩采石场爆破之后掀起的巨大的冲击波，夹带着沙尘滚滚而来。她知道，如果她现在走动，两腿一定无法支撑，或许会摇摇晃晃倒在地上。所以，她就那样一动不动地站着，跟他随便寒暄几句表示欢迎，任由他从身边走过，和正从楼梯上走下来的亚历山大打招呼。她就原地站着，和孙、茹贝相互问候，直到他们走进前厅，都围在丈夫身边嘻嘻哈哈地说什么的时候，她才试着动了动。先迈出一只脚，再迈出一只脚，她的腿还能挪动，还能继续走下去。

谢天谢地，亚历山大安排李和她坐在同一侧，而且不在她旁边。她努力把注意力集中到茹贝身上。茹贝坐在她对面，因为李终于回家，高兴地说个没完。伊丽莎白只能“是”，“不是”，或者“唔唔唔”地胡乱答应她。一向慷慨大度的康斯坦斯也一定理解茹贝此时此刻的心情，任由她喋喋不休地说下去。

就在茹贝这样滔滔不绝地倾吐心中的快乐、康斯坦斯神情专注地听她高谈阔论的时候，伊丽莎白试图遵从于自己心灵深处的意识——她全身心地、无法自拔地爱上了李·康斯特万。私下里，她一直认为他只是对自己有一种吸引，这不足为怪。任何人在某一特定时间都会被什么人吸引，为什么她就不可以呢？但是，七年没有见面，再见到的时候，伊丽莎白终于明白，李就是她真正愿意结为连理的男人，而且是唯一的男人。然而，如果不曾和亚历山大结婚，她就永远不会见到李。哦，生活，为什么这么残酷！李就是她爱的人，唯一的人。

就是后来在客厅，当李离开大伙儿，坐在后面的时候，心海激起的波涛也没能让她在他身上看到任何希望。啊，她在想什么呀！希望？谢天谢地，他没有表现出对她特别的兴趣。这是她得救的唯一办法。如果他也向她表达出爱意，一切可都完了。尽管茹贝似乎发出一个信号——为什么她在那一刻要弹肖邦那首充满幽怨和渴望的曲子呢？以她当时的心境和患关节炎的僵硬的手指，她似乎不该弹那样的乐曲。琴键流出的每一个音符都穿透伊丽莎白的心，仿佛她是一片云，一潭水。啊，水！我在“深潭”遇到命里注定要成为恋人的男人。而整整十五年，我却浑然不知。明年我就四十岁了，他却还是个年轻人，在遥远的土地冒险，创业。亚历山大硬把他找回来，填补我没有给他生下的儿子的位置。责任感迫使李尊重他的意愿。我看出，他在这儿并不开心，尽管他压根儿就没有把我当回事儿。

她趁李看茹贝的时候——他长时间地凝望着她——仔细看了他几眼。承认心中的爱使她的目光更敏锐，看得更清楚。但是没有人看见她怎样看他。她的椅子挡住了别人的目光，没有人能看见她的脸。有一次，她在亚历山大面前管他叫“金蛇”。现在，她才明白这个比喻的微妙之处，以及她为什么选择这样一个比喻。其实，这个比喻并不准确。那是她被压抑的感情突然爆发的结果，和他真的是什么毫无关系。他是太阳、风和雨的化身，有了他，生命才成为可能。奇怪的是，他让她想起亚历山大：充满男子汉的气概，从不怀疑自己，头脑敏锐，决不安于现状，浑身散发着力量。然而，亚历山大碰她一下，她都无法忍受，她却渴望李的爱抚。他们两人之间最大的不同就在于她的爱。一个有权利得到她的爱，她却偏偏拒绝给予；另一个她想给予，却永远没有希望得到回报。

那天夜里，她没有睡觉。黎明时分，她溜进多莉的房间，对小狗、小猫“嘘嘘”着，生怕惊醒多莉。小狗和小猫动了动，多莉还静静地睡着。最近，牡丹在别的地方睡觉。她总是满负荷工作，所以有充足的时间休假。伊丽莎白拉过一把椅子，在小床旁边坐下，看那张熟睡着的可爱的小脸，下定决心，一定不让这个孩子走内尔或者安娜走过的道路。因此，在她长大、成熟之前，决不能把她生身父母的事情告诉她。多莉将度过一个无忧无虑的童年，在欢声笑语中长大，举止端庄、富于思想。没有想象出来的妖怪缠绕她幼小的心灵，没有老头吓唬，也没有费力不讨好的沉重的家务。只有拥抱和亲吻。

只有这时，看着那张甜甜的、熟睡的脸，伊丽莎白才终于明白，她的童年给她带来的是什么，终于承认，亚历山大对默里牧师的判断多么正确。我会教给她信仰上帝，但不是默里牧师的上帝。我也不会允许那些可怕的、邪恶的图画侵袭她的生活。我突然认识到，就连墙上贴的画儿这样的小事，也会像多莉父母的真相那样，对幼小的心灵造成伤害。我们不应该被父母吓唬成“好孩子”，应该被父母引领着成为“好孩子”。因为我们觉得他们对于我们那么重要，决不能让他们失望。上帝对于孩子太虚无缥缈而无法理解。父母肩上的责任就是要让自己成为孩子们爱戴的人，成为他们最珍视的人。因此，我决不娇惯多莉，决不事事都依着她。但是，我坚决反对她做什么事情的时候，一定要以尊重她的方式去做。哦，我的父亲只懂得用棍子教训人！他瞧不起女人。他那么自私。他为钱卖了我，而卖来的钱又分文未花。玛丽看透了他。阿拉斯泰尔继承了这笔钱之后，玛丽挥霍了一些，也干了许多正经事儿。她的孩子们靠这笔钱接受了良好的教育，男孩儿都上了大学，女孩儿也都读了书，后来有的当教师，有的当护士。她是个好母亲，阿拉斯泰尔是个好父亲。每顿饭都吃点果酱有什么不好呢？

我本来应该拒绝被他出卖，尽管这也是亚历山大的错，他要买我。我的父亲想要钱，可是亚历山大到底想要什么呢？啊，已经是那么久远的事情了！我和他结婚二十二年了，可还是搞不清楚他当初的真实目的。没错儿，他要娶一个童贞的妻子，给他生孩子，特别是男孩儿。对我的父亲和默里牧师表示轻蔑，这也是原因之一。还有别的吗？他难道认为责任能生发出爱情吗？他难道认为，他能把责任变成爱情吗？但是他并没有全力以赴经营这桩婚姻，而是一直把茹贝这块“面包”放在河岸上，以备万一。这个可怜的女人爱他爱得要死要活，但又那么不适合做一个妻子。她说，她永远不会嫁人，他就当真。因为他喜欢听这话。哦，他真傻！我知道，假如他向她求婚，她一定会乐不迭地说：好，好，好！他们一定会发疯似的爱对方，也许能生半打孩子。可惜他没有看到这个“品质有疑点”的女人内心世界却如王后般高贵。等他明白，为时已晚。哦，茹贝，茹贝，他也毁了你。

多莉醒来之后，看见伊丽莎白在身边，伸出双臂让“妈妈”抱她，吻她。安安静静睡了一夜，她散发着好闻的气味。哦，多莉，愿你幸福！当你听到事情真相的时候，不要伤心，和你得到的爱相比，那痛苦不足挂齿。

她到玻璃暖房吃早饭的时候，李和亚历山大已经在那儿了。李这副打扮她最喜欢。旧粗蓝布裤子，旧衬衫，袖子高高卷起。

“为什么，”她问道，坐下来接过亚历山大递来的一杯茶，“你们男人不把衬衫袖子剪短呢？”

两个男人都凝望着她，茫然不知所措。过了一会儿，亚历山大哈哈大笑起来，双臂举过头顶，好像庆贺胜利。

“亲爱的伊丽莎白，这个问题可没法回答！为什么不剪短呢？李。其实剪短也很有道理，就像拿大杯子喝雪利酒。”

“之所以不剪短，我想是因为，”李说，脸上挂着中国人那种高深莫测的微笑，“如果碰到一位女士，或者银行经理，或者律师，我们必须马上把袖子放下来，让自己看起来像个绅士。”

“要是穿这种衣服，我倒是乐意把袖子剪掉。”亚历山大说，把烤面包片架子递给妻子。

“如果你乐意，我也乐意。”李站起身，“我要到精炼厂看看，电解出了点问题。我们损失的锌太多了。伊丽莎白，再见。”

她点了点头，喃喃几句什么。李走了之后，她在一片冷面包上抹了点黄油，装模作样吃了起来。

“你今天准备做什么？”亚历山大问，从瑟蒂斯手里接过一壶新泡的茶。“喝吧，热茶。”

“上午和多莉一起，下午也许出去骑骑马。”

“这匹新马怎么样？”

“很好，尽管很难代替‘水晶’。”

“哪匹马都有个熟悉的过程。”他轻声说，在心里琢磨该怎样告诉她，安娜很快就要离开人世了。

“是的。”

“你给它取了个什么名字？这是匹灰黑花斑的母马。”

“‘云’。”

“我喜欢这个名字。”他站起身，朝她皱了皱眉头。“伊丽莎白，你怎么不吃？昨天晚上，你只吃了几口，今天早上又没有认认真真吃块面包片。我让她们给你送几片新烤好的。”

“别，亚历山大。我喜欢没有融化的奶油。”

“我可不觉得那有什么好吃的。”

说完之后，他就走了。伊丽莎白扔下手里的面包片。她喝了那杯茶，像平常一样，没有加糖。她站起来的时候，觉得一阵眩晕。他说的对，这两天她几乎没吃什么东西。如果李在工厂里忙，就不会来这儿吃午饭。也许我可以告诉瑟蒂斯太太让张做点我爱吃的，中午好好吃上一顿饭。

瑟蒂斯太太进来时，伊丽莎白还有点站立不稳。她连忙扶住她，说：“金罗斯夫人，你病了。”

“没事儿，只是有点头晕，不想吃东西。”

瑟蒂斯太太又给她倒了一杯茶，加了点糖。“来，把这杯茶喝了。我知道你不喜欢加糖，但是喝了能舒服点儿。午饭时，我再给你加一杯橘汁。说来真让人吃惊，我们的橘子留在树上不摘，居然能保鲜那么长时间。”瑟蒂斯太太微笑着离开厨房。在她“说教”的当儿，伊丽莎白喝了足够多的茶，她感到很满意。

甜茶的确很管用。伊丽莎白去找多莉，没有和他们商量午饭吃什么。没关系，张和瑟蒂斯可以安排。我得想那些和李没关系的事情……

李找出各种借口不来吃午饭。其实精炼厂根本不需要他去过问，研究中心也没有遇到需要他去解决的问题，或者出现别的这样那样的情况。

亚历山大有点迷惑不解，他很想利用午饭的时间和李谈谈工作上的事儿，不过他接受了李编造的种种理由。在他看来，这正说明如果没有李，天启公司运转起来多么困难。七年前，李无论说什么，做什么，他都能挑出毛病，可是现在亚历山大承认，李的能力很强，几乎无所不知，很有商业头脑。知道李为了节省上下山的时间，通常都在他妈妈那儿吃午饭，亚历山大决定也到金罗斯饭店用餐。

康斯坦斯·丢伊回丹利去了，金罗斯府邸只有伊丽莎白一个人。如果她纳闷为什么没见到茹贝，就归因于李。他像粘在羊毛上的蒺藜，待在金罗斯城和山脚下的工厂，哪儿也不去。

夏天来了，燥热、干旱，没有一丝风。热浪毫不留情地重压下来，简直无处藏身，无论家里还是外面。

亚历山大在树阴下特意为多莉修了一个浅浅的游泳池，教她游泳。他专门选择蝉不喜欢的树，少了刺耳的蝉鸣。

“水不多，生了水藻或者别的什么微生物，换水也容易。”他对伊丽莎白说。伊丽莎白对他想得这么周到非常感激。“我已经让多尼·威尔金斯设计一个公共游泳池，要确保游泳池的水清洁、卫生。我是说，我们已经建了一个污水处理厂，解决了污水问题，为什么不能再搞一个公共游泳池呢？”他微笑着说。“不过，我坚持男女混合，不会让卫理公会派教徒不安吧？我看不出为什么仅仅因为一家人不能一起在水中嬉戏，就剥夺大家在公共游泳池消暑的快乐？想想看，一个年轻小伙子看见姑娘水淋淋的游泳衣后面突起的奶头，该多么激动！”

伊丽莎白脸上不由得露出一丝微笑。“这种事儿你最好还是留着问茹贝吧。”她说，声音中并没有讽刺的意思。

“你以为我这些想法是从哪儿来的？只是她比我想得还远。她想，姑娘们看见小伙子水淋淋的游泳裤后面硬邦邦的那玩意儿，也会同样激动不已。”

“真恶心。”伊丽莎白说，哈哈哈地笑了起来。“男女之间很快就没有什么神秘了。”

他还在顶楼两边安了风扇，把凉一点的空气抽进来，热空气排出去。这套设备带来的好处让伊丽莎白感到惊讶，就连一楼也平添了几分凉意。毫无疑问，金罗斯饭店和别的比较大一点的建筑物都安上了风扇。而且，只要天花板上面还有空间的房子迟早都会装上这种设备。天启公司资助城里的电力和煤气供应，所以这一举措切实可行。他，亚历山大，永不停息，无时无刻不在进行新的探索。可是，如果亚历山大不在了，李也能像他这样为金罗斯的发展不懈努力吗？伊丽莎白真的不知道。这当然是很远很远以后的事情了。她知道该如何面对那个遥远的未来。那时候，多莉长大了，结婚了，她再也没有什么可牵挂的了，就可以去自己想去的任何地方。她知道她要去哪儿——意大利湖。在那里安安静静地生活。

内尔回家过圣诞节了。

她那副样子让母亲和父亲大吃一惊。寒酸！本来就很不讲究的衣服更不讲究了——简直不成形状，暗棕色和暗灰色的裙子洗烫得已经发旧。这种颜色不适合她，衬托不出她那双眼睛的湛蓝和皮肤的奶油色。她连一双鞋也没有，穿的都是平底棕色靴子，鞋带一直系到脚脖子。她穿着棕色棉线长袜，棉布内衣，戴了一副白棉线手套。唯一一顶帽子是中国苦力戴的那种遮阳帽。

“我们俩除了个子高矮有点差别，别的都差不多。”圣诞节下午，伊丽莎白说。晚上不少人要来吃饭。“我有一条淡紫色雪纺绸长裙，你穿上一定既好看又舒服。茹贝送来一双鞋，她说，她的脚和你一个号码。她还送来一双长筒丝袜。如果不愿意，你也可以不穿胸衣。这种新款式的裙子用不着非穿胸衣不可。哦，内尔，你穿上那条淡紫色雪纺绸长裙一定非常漂亮！我第一眼就注意到，你怎么现在走起路来就像在水上漂？”

“因为我不扭腰，也不扭屁股，”这个不领情的孩子说，“我称之为训练有素的行走。在医院病房走路的时候，你不能扭扭捏捏、摇头晃脑。倘若那样，任何一个 HMO 都会骂你个狗血淋头。”

“HMO？”

“‘名誉医务官’——私人诊所分派床位的大小伙子。你能想象得到吗？”内尔生气地问。“我亲眼看见阿尔佛雷德王子医院门厅里挤了足足一百个贫穷的男人、女人、儿童等待一个床位，唯一可以使用的一个床位。

因为这些贪婪的 HMO 都把床位留给了有钱的病人！有的穷人就在等待中死去。”

“哦。”伊丽莎白有气无力地说。她又劝女儿，“穿上那条淡紫色雪纺绸长裙，内尔，求求你！为了让你爸爸高兴一点儿。”

“不！我绝不！”内尔恶狠狠地说。

不过，吃晚饭时，为了不扫大家的兴，她还是尽量让自己表现得快乐一点。伊丽莎白让李坐在内尔一边，多尼·威尔金斯坐在另一边。她想，即使对别人的话题不感兴趣，至少他们三个人可以谈谈矿上的事儿。可是，内尔看起来那么古怪、没有色彩，而且，哦……那么没有女人味儿。

吃完饭，客人们都到那间很大的客厅之后，茹贝就成了中心。她依然风光无限，身穿一袭橙色长裙，腰系金黄色腰带，腰带上镶着亮光闪闪的琥珀。因为内尔和茹贝姨妈的关系一直很密切，所以，茹贝跑过去，拉来两把扶手椅，把内尔推进一张，她自己在另一张上坐下时，内尔没有表示反对。因为浑身金光闪烁，她那双绿眼睛也被映照得绿中透黄。看问题一向客观的内尔承认，茹贝姨妈的身材在短暂的发胖之后，又恢复得那么苗条。看来，茹贝永远不会中风而死，而且，她似乎真的找到了长生不老的秘诀。

“你打扮打扮，穿件漂亮衣服也死不了。”茹贝说，点燃一支雪茄。

“雪茄这玩意儿可能杀了你。”内尔反驳道。

“别转移话题，内尔。你知道你的问题出在哪儿吗？很简单，你想把自己变成个男人。”

“不对，我只是不想时时刻刻提醒别人，我是个女人。”

“这还不是一回事儿吗？你今年多大了？”

“到新年二十二岁。”

“我敢打赌，还是个处女。”

内尔脸涨得通红，嘴唇紧紧抿着。“这不关你的事儿，茹贝姨妈！”她生气地说。

“不对，当然关我的事儿，医生小姐。你知道身体各部位是个什么样子，你更知道每个部位如何工作。但是，你根本就不知道生活是什么，因为你不是在生活。你是个苦行僧，你是一架机器，内尔。我知道，你所有学科都学得非常优秀，老师们都喜欢你。我知道，他们都尊重你，情愿你不是那种出卖色相的女人。你像你的父亲挖掘这座金山一样，坚韧不拔地追求自己选定的目标。你每天都看到死亡，看到各种各样的悲剧。回到格里波路自己的家里之后，还得面对正在死亡线挣扎的妹妹。这更是恐怖和痛苦。你没有属于自己的生活。而没有正常的生活，内尔，你就不能正确地对待病人，不管你对他们多么友好，多么同情。你会忽略他们提到的某个至关重要的细节，忽略可能使诊断完全不同的与人性有关的小小的事实。”

内尔那双明亮的蓝眼睛看着她，既惊讶又迷惑不解，仿佛看见一座突然活了的雕像。她什么也没说，愤怒在现实冰冷的、黑乎乎的炉灶里化为灰烬。

“亲爱的内莉[①]，不要退缩到如此男性化的模式里。这种模式最终会毁了你的事业。我同意，在医院和实验室你穿这样的衣服完全合适，但是对于一个充满活力、为自己的阴柔之美而骄傲的年轻女人并不合适。你冲破重重障碍，进入男人独霸的领地无疑是胜利，可是为什么要让那些该死的家伙因为你最终变得像个男人而觉得他们是赢家呢？下一步，你就该穿裤子了——在某些场合，女人穿裤子当然也合情合理——可是，不管你的蛋多大，也长不出阴茎。所以，还是趁早改变改变自己吧。别对我说，医学院不举行聚会，更没有什么舞会，好提醒那些家伙你是个可怜的女人。那就主动提醒他们，内尔！不工作的时候，把自己打扮得时髦一点儿。可以和几个男人一块儿出去玩玩，即使你不喜欢他们。我相信，如果哪个家伙太刁蛮，你肯定能把他打跑。如果有一个人，你真的喜欢，就可以把关系发展下去！受点伤害！为了自己的利益，受一点点苦没有关系！当关系破裂，对方说责任在你、而不在他时，要努力战胜对自己的怀疑和否定。没

①内莉：内尔的爱称。

什么了不起，责任永远在你，因为你是女人。你可以对着镜子伤心地哭泣。这就是生活。”

内尔的嘴阵阵发干，咽了口唾沫，舔了舔嘴唇:“我明白了。你说的很对，茹贝姨妈。”

“别姨妈长姨妈短了。从现在起就叫我茹贝。”她伸出双手，攥紧拳头，再舒展开来，生气地看着十根手指。“今天晚上手指不好使，”她说，“替我弹吧，内尔。不过，不要弹……”她吸了一口气，“‘肖邦’。弹‘莫扎特’吧。”内尔一直没有忽略练琴，这是她唯一的消遣。她朝茹贝笑了笑，身穿棕色棉布裙子，走到那架漂亮的三角钢琴跟前，先弹了几首欢快的“莫扎特”和李斯特的《茨冈舞曲》。然后，茹贝和她边弹边唱歌剧里的二重唱。最后，圣诞之夜的欢聚以所有客人同声齐唱他们喜欢的歌曲结束。从《我再带你回家》到《两个穿蓝裙子的姑娘》。

新年也是内尔的生日，这一天，她终于穿上妈妈那条淡紫色雪纺绸裙子。她穿有点儿短，不过，短有短的好处，这样一来，茹贝送她的丝袜和那双时髦的淡紫色皮鞋越发清楚地勾勒出内尔那两条曲线优美的腿。她的头发也精心做过，把那张棱角分明的长脸衬托得楚楚动人。伊丽莎白那条紫蓝色宝石项链在她优雅的脖子上闪闪发光。茹贝看见多尼·威尔金斯脸上露出既惊讶又十分赞赏的表情，还看见亚历山大非常快乐。好姑娘，内尔！你刚好保住了你女性的娇媚。真希望李像多尼一样看你，可是他的目光只在你妈妈身上。哦，耶稣基督，这叫什么事儿呀！

内尔两天后离家，走之前，必须和伊丽莎白谈谈安娜的情况。和父亲商量这件事情已经让她伤心不已。或许真的应了茹贝那句话——为了自己的利益受苦，这就是生活。

“我不愿意把这副担子压到你肩上，内尔，”亚历山大说，“可是，你太了解我和你妈妈的关系了。如果我告诉她安娜不久于人世，她会缩回到自己那个壳子里，不肯让我分担她的忧伤。如果你告诉她，她至少能向你发泄发泄心中的痛苦。”

“是的，我知道，爸爸。”内尔叹了一口气，“我和她谈吧。”

内尔哭泣着把这件事情告诉了妈妈。伊丽莎白因而有机会把另外一个人抱在怀里，将自己撕心裂肺的痛苦、无奈而又无望的忧伤宣泄出来。内尔最担心的是，伊丽莎白提出去看安娜的要求。可是没有。痛苦迸发之后，她就紧紧关闭了那扇心灵的门。

李送内尔下山坐火车。亚历山大又去爆破，这种危险的工作他至今还愿意亲自去做。伊丽莎白头戴一顶遮阳帽，在外面漫无目的地走来走去，显然非常可怜炎热中仍然挣扎着活下去的玫瑰。

内尔其实从来没有真正了解过李，她觉得他那宛如外星人的吸引力，给人一种看见爬虫的感觉。如果她知道伊丽莎白把李比作“金蛇”，一定会对其中的含义有更深的理解。他即使穿一套工作服，也还是个彻头彻尾的绅士，说出话字正腔圆，就像公爵。但是，这一切背后却有一种危险的东西，流动着，盘绕着，乌黑耀眼。他是个十足的男子汉，但是属于她不理解也不会喜欢的那种人。就这样，过分敏感的反应使她看不到他的温柔、他的不屈不挠、荣誉感和忠诚。

“你又要回医院干那苦差事了？”坐在索道车上向下滑行的时候，他问道。

“是的。”

“你喜欢吗？”

“喜欢。”

“你喜欢我吗？”

“不喜欢。”

“为什么？”

“你曾经贬低过我。还记得俾斯麦的事儿吗？”

“天哪！那是你六岁时的事儿。不过，我看出，你现在仍然很自负。真让人遗憾。”

他们没有再说话，一直默默地走到火车站。李帮她把行李送进私人包厢。“太奢侈了”她环顾四周说道，“我永远不会习惯这一切。”

“适当的时候，就没有了。不要抱怨亚历山大的劳动成果。”

“‘适当的时候’？什么意思？”

“就是这个意思。税务制度最终将禁止所有这种……哦……奢侈。尽管无论什么时候，都会有一等车厢、二等车厢之分。”

“我父亲爱你爱得要命。”坐下之后，她突然说。

“我也爱他爱得要命。”

“我学医，让他失望了。”

“是的，你确实让他失望了。但你并不是为了报复才这样做。如果那样，对他的伤害更深。”

“我本来应该爱你。可是为什么爱不起来？”

李拉起她的手吻了吻：“但愿你永远不要弄明白为什么，内尔。再见。”

李走了，内尔坐在车厢里。汽笛响了，车轮发出刺耳的响声，火车离开金罗斯。她皱着眉头，心里想他这话是什么意思？过了一会儿，从提包里找出一本《药物学》，埋头读了起来。不到一分钟，李和父亲豪华的包厢便忘到脑后。今年她就三年级了。一半同学考试将不及格。可是内尔·金罗斯不会，即使这意味着她仍将没白没黑地学习，过苦行僧的生活。什么男朋友，见鬼去吧！我可没有时间想这种事情。

这个夏季，酷热难当，高温持续不下，直到一八九八年四月十五号，最后一场风暴袭来。

十四号凌晨，安娜因癫痫发作而死，年仅二十一岁。她的遗体被运回金罗斯，在山顶墓地举行了简单的葬礼。参加葬礼的人只有亚历山大、内尔、李、茹贝和彼得·威尔金斯神父。墓地是亚历山大选的，离他的美术品陈列室不远。一棵棵树干纯白的巨大的桉树宛如一排柱子，华盖般的树冠洒下浓密的绿荫。伊丽莎白没有来。她照看在公馆那边游泳池里嬉戏的多莉。

内尔以为，她那扇心灵的大门永远关闭了。

可是，等李、茹贝和威尔金斯先生下山、内尔和父亲在书房安顿下来之后，伊丽莎白来到那座散发着泥土芳香的新坟跟前，把能采来的玫瑰花都放到坟丘上。

“安息吧，我可怜的孩子。”她说，回转身向丛林走去。

北面的天空，大块大块深紫蓝色的乌云在飞翔、聚集。云彩边缘旋卷着雪白的云团，就像大海可怕的巨浪咆哮而来。夏天最后一场暴风雨将带来洪水和灾难。可是伊丽莎白仿佛什么也没有看见，只是不停地向下层丛林走去。因为雨水少，树木比往年稀疏。飞禽走兽害怕即将到来的暴风雨都四散而逃，丛林里更显荒凉。她的脑子仿佛失去了意识，只有对安娜的记忆蜂拥而至，将天空、丛林、日月，甚至她自己，都排除在外。

暴风雨渐渐逼近，一种怪诞的黑暗从天而降，伴随着浓烈的硫黄味儿和甜腻腻的、让人眩晕的臭氧的气味。几乎没有任何“前奏”，电闪雷鸣同时爆发。伊丽莎白却全然没有注意。直到她浑身上下被滂沱大雨浇透，直到脚下的小路变成小溪，泥水滑得站立不稳，她才清醒过来。天命如此，就该来这样一场暴风雨，她想，如在梦中。雨水打得她睁不开眼睛，她手足并用，在泥水中向前爬行。命该如此。只能如此。

“谢天谢地，天气总算变了。”内尔对亚历山大说。两个人从书房凸窗望出去，暴风雨已经来临。

亚历山大突然浑身上下痉挛了一下。“安娜的坟墓！”他喊了一声。“我得把它盖上。”

他冲进雨水之中，内尔向厨房跑去，招呼大伙儿去帮忙。

回来之后，他淋得精湿，浑身颤抖。气温骤然下降了华氏四十度，狂风呼啸，拔地而起。

“弄好了吗？爸爸。”内尔问道，递给他一块毛巾。

“用防水油布盖上了。”他冻得牙齿咯咯响，“奇怪的是，坟头盖满了玫瑰花。”

“她还是去了。”内尔说，擦了擦眼泪，“快去换衣服，爸爸，你会着凉的。”

大雨瓢泼，闪电不会引起森林大火，内尔想，去找妈妈。

牡丹正在给多莉吃晚饭。难道已经这么晚了？内尔心里想。乌云遮住了太阳，暴风雨模糊了时间的概念。

“丽翠小姐在哪儿？”

牡丹抬起头，多莉高兴地挥舞着手里的叉子。

“不知道，内尔小姐。她把多莉交给我就走了。哦，大概两个小时前。”

内尔走过走廊，亚历山大正好从他的房间走出，看起来疲惫不堪，但是又好像轻松了许多。安娜的死意味着最痛苦的一段时间过去了，大家都稍微松了一口气。

“爸爸，你见妈妈了吗？”

“没有，怎么了？”

“找不着她了。”

他们从顶楼到地下室，从棚屋到车库、谷仓，里里外外找了个遍，也不见伊丽莎白的踪影。

亚历山大又颤抖起来。“玫瑰，”他若有所思地说，“她一定到处乱走，遇到暴风雨了。”

“爸爸，不可能！”

“那会上哪儿去呢？”亚历山大突然间变得苍老。他走到电话机跟前。“我通知警察局，我们一起组成一支搜寻队。”

“爸爸，现在别！夜深了，雨又下得这么大。最后的结果只能是找她的人有一半迷路。除了我们家的人，谁都不熟悉这一带的地形。”

“那么，把李叫来。他熟悉这座山。还有萨默斯。”

“好的。李和萨默斯。还有我。”

李和萨默斯身穿橡胶雨衣、头戴防水帽赶来的时候，亚历山大已经准备好指南针、矿灯、好几瓶备用的煤油，以及他认为别的用得着的东西，浑身披挂，站在一张金罗斯山地形图前面。内尔焦急地走来走去。

“你是半个大夫，内尔，我需要你待在这儿。”内尔求亚历山大让她也上山寻找妈妈时，他对她说。

不容争辩，而又无事可做，不符合内尔的性格。

“李，你骑上我的马，到最远的地方搜寻，”亚历山大说，“萨默斯和我在离家比较近的地方找。我估计，以她当时的心情，在暴风雨到来之前，不会走得太远。白兰地，”他说，拿出三个可以放在裤子后面口袋里的酒瓶，“还好，天气又有点热了，不过，用得着。”

正在来回踱步的内尔停下脚步想，李看起来神情古怪。他那双眼睛睁得很大，充满绝望，好看的、丰满的嘴唇轻轻颤抖。

“我们最好今天夜里就找到她。”萨默斯说，提起背包。“大雨过后，河水肯定暴涨。明天，大家都忙着抗击洪水，很难组成一支庞大的搜寻队。我们一定要在她走远之前找到她。你说对吗？亚历山大爵士。”

废话，内尔想，眼巴巴看着三个男人消失在风雨之中，把她——“半个大夫”——留在家里。哦，她多么赞赏她的父亲！他利用等李和萨默斯的这一段时间，就把一切安排就绪：矿井里上夜班的工人立即停止生产，所有雇员马上回家。孙波报告很可能暴发山洪，于是，立刻组织志愿者装沙袋，加固堤坝，以免洪水决堤。他想给拉特沟打电话，发现线路已经中断，这就意味着，和悉尼失去了通讯联系。

哦，安娜，内尔想，把她的教科书放在桌子上摞好，生活为什么这样苛待你，就是离开人世也要伴随这么多痛苦。

瑟蒂斯太太走了进来，尽量掩饰自己的焦急不安：“内尔小姐，你还什么也没吃呢。吃个煎蛋卷儿好吗？”

“好吧，谢谢，”内尔平静地说，“我很喜欢吃。”没有必要饿得头晕目眩，什么也干不了。谁知道他们带回来的妈妈会是个什么状态呢？啊，愿妈妈平安无事！

亚历山大那匹马，是一匹非常漂亮的栗色母马，温顺、壮实。李骑着这匹马，没走多远就脱下雨衣和防水帽，叠起来装到鞍囊里。风向改变，从东北吹来，带走冷雨中的寒意，气温开始回升。没有防水帽挡脸，没有雨衣在狂风中飘拂遮挡视线，更容易看清路上任何可疑的东西。矿灯不是为风雨中找人而设计的，所以把灯芯的亮光尽量聚集成窄窄的一束，此时此刻效果不佳。防风灯光线太暗，像这样风雨交加的夜晚也派不上用场。他只能一边用帽檐很宽的工作帽遮挡矿灯，以免被雨水浇灭，一边催着马艰难地前进。

伊丽莎白失踪的消息给了他致命的一击。只不过不是速死，而是让他慢慢地死灭。这天下午，埋葬安娜的时候，他没有看见她。他尽管在徐徐吹来的微风中嗅到了什么，但是和即将到来的暴风雨没有关系。空气中仿佛流动着恐惧、歉疚和迷惑。他只知道茹贝告诉他的那些事情，这就足够了。自从发现他的秘密之后，茹贝和他讲了许多伊丽莎白和亚历山大不幸婚姻的故事。他因此而对伊丽莎白有了更多的了解。

他断定，她的精神崩溃了。茹贝也这样认为。送他到饭店门口时，她说："这个可怜人疯了，李，她会像受伤的动物，消失在丛林里慢慢死去。"但是，她不能死！绝对不能死！他也不能让她发疯，把安娜换成伊丽莎白，关进装着铁栅栏的牢房。不！绝对不！为了阻止这可怕的后果，他献出生命也在所不惜！只是，怎样做对她才有利？最近，她对他相当友好，然而，仅仅是若即若离的朋友吗？

好几次，看到不像是被风吹下来的树枝之类的东西轻轻摇动，他就连忙翻身下马，仔细查看，但是一无所获。栗色母马艰难地跋涉向前，真是一匹"任劳任怨"的好马。一个小时过去了，又一个小时过去了，第三个小时也过去了。现在离金罗斯府邸已经两英里了，还是没有她的踪影。亚历山大和大家约定，不管是谁，找到伊丽莎白就点燃炸药发信号。但是，李怀疑，风声、雨声、林涛声，震耳欲聋，即使有人点燃炸药，也很难听见。但愿亚历山大或者萨默斯已经在离家不远的地方找到了她！如果她一直走到这么远的地方，浓云密布，树影迷乱，能见度不足十英尺，找她难上加难。

他在马头上来回晃动着矿灯，看见什么东西在一丛灌木带刺的枝头瑟瑟抖动。对于不习惯在丛林中行走的人，这种灌木很让你恼火。他俯身在马鞍上就能摘下那玩意儿。原来是质地很薄的布条。白色。内尔说，这天下午，她穿的就是白色长裙。这个信息是他们出发前知道的。大家听了都觉得受到鼓舞。因为这条信息也许表明，那一刻，她是失去了理智，而不是失去了生活的愿望。如果她想死，就会穿一条像漆黑的夜晚一样的黑色长裙。

李已经走出灌木丛，走上通往深潭的那条小路。许久许久以前，他曾经在那里游泳。他想，伊丽莎白是不是离开安娜的坟墓之后，就沿着这条小路，一直往这儿走？更多的踪迹渐渐出现在眼前。因为这儿的树木枝叶稠密，小路躲过了狂风暴雨的袭击。如果小路上那一条条泥泞的沟槽，可以作为判断的依据的话，伊丽莎白走到最后，一定是在泥水中手足并用，匍匐前进。

李看到她蜷缩在深潭边的一块岩石上，喜悦驱散了脑海里所有其他想法。她没有死。她弓着腰，双手抱膝，下巴搁在膝盖上。一个小小的白衣女子，已经到了山穷水尽的地步。

他翻身下马，把马缰绳拴在一个树杈上，悄悄地向她走过去，吃不准她对他的出现会作出怎样的反响，生怕惊恐之中，她再做出什么蠢事。她没有动，但是突然之间似乎僵在那儿了。这告诉他，她知道有人来到她身边。

“你来接我回去。”她说，非常疲倦。

他没有回答，因为不知道怎样回答最好。

“好了，亚历山大，我知道我是逃不脱的。可是，我想来深潭。我猜你一定以为我疯了，可是我没疯。真的没疯。我只是想来深潭。”

他慢慢地挪动过去，本想抚摸她，但是没有。他盘着腿，在她身边坐下，一双手无力地放在膝盖上。哦，他感到一阵轻松。她听起来筋疲力尽，但是正如她所说，没有发疯。

“你为什么要来深潭？伊丽莎白。”他问道，声音盖过风声、雨声。

“你是谁？”

“我是李，伊丽莎白。”

“唔——我还在做梦。”她拖长声音说。

“我是李，你没有做梦，伊丽莎白。”

矿灯里面的油快没了，但是还从安放它的岩石上放射出暗淡的光，刚刚照到放在膝盖上的那双手。

“李的手，”她说，“走到天涯海角我也认识。”

他突然浑身颤抖，喘不过气来：“为什么？”

“他的手那么漂亮。”

李伸出一只手，掰开她抱着双膝的手，一条胳膊搂住她的脊背，让她转过身面对自己。“这双手爱你，”他说，“除了这双手，我一切的一切也全都爱你。我一直爱着你，伊丽莎白。我将永远永远爱你。”

矿灯的光那么微弱，却如一轮太阳闪耀着明亮的光芒映照出她眼睛中的神情，然后那双眼睛闭上，感觉他的初吻。那么温柔，不无试探，仿佛为了与这个等待半生的时刻相宜。

鞍囊里有毯子，有雨衣，还有煤油，可是，他生怕失去她，生怕失去这个机会，居然没有想到去取，而是脱下自己的衣服，把她放在上面。她那么兴奋，除了他的嘴，他的手，他的肌肤，什么也不知道。当他把她的裙子从肩膀褪下，露出双乳，把自己的胸膛紧紧贴上去的时候，一股巨大的快乐震撼着她，深入骨髓，她扭动着，发出一声呻吟。一切继续着，继续着，继续着……谁知道在这坚硬的“石床上”、迷蒙的细雨中，他们做了多少次爱？那盏灯当然不知道。如豆的灯光摇曳着，终于熄灭。

精疲力竭的伊丽莎白终于睡着了。李却非常清醒，心里想着这美妙的一切，想着她，而且不得不想起即将面对的现实。尽管舍不得离开她，他还是爬起来，摸索着走到那匹很耐心的马旁边，拿出事先准备好的煤油，往矿灯里倒了一点。然后就着灯光看了看表：凌晨三点。因为浓云密布，细雨蒙蒙，天不会很快就亮，但是也只剩下最多两个小时。因为他找到了她，别人自然没有找到，急坏了的亚历山大一定会在黎明时分集合抗洪派不上用场的人，漫山遍野地找她。深潭的水位已经上涨许多，而且还在继续上涨，总得把伊丽莎白从那块突出在水面之上的岩石上挪开。他们将如何应对这一切？有一件事情决不能发生，那就是不能让亚历山大发现他们已经成为情人，而且紧紧缠绕在一起，难舍难分。

李从母马身上取下鞍囊，拿到那块岩石上，打开他带来的那瓶白兰地。“伊丽莎白！伊丽莎白，我的爱！伊丽莎白，醒醒！”

她动了动，嘴里喃喃着，又进入梦乡。他花了好几分钟，才哄得她坐了起来，可是喝了一口白兰地之后，她立刻浑身颤抖着，完全清醒过来。

“我爱你，”她说，两手捧着他的脸，“我一直爱着你。”

他吻了吻她，但是不等让一切再重来一遍，就抽身而起。她彻骨地冷，只是因为夜幕下的快乐，因为他温暖的肉体，才熬到天明。

“穿上衣服，”他说，不是命令，而是请求，“我们必须在亚历山大开始漫山遍野搜寻之前，离开这里。”

天太黑，看不见她的脸，只能模模糊糊看见一个轮廓，但是他能感觉到，听到这个名字，焦急和紧张立刻流遍她全身。穿好衣服之后，他给她裹了一块毯子，外面又包上雨衣，然后重新给矿灯倒满煤油，好为他们照亮前面的路。

“你有鞋吗？”

“没有，弄丢了。”

费了好大劲儿，李才扶她在马鞍桥前面坐好。等他跨上马背，紧紧搂住她的腰，两个人便又倾心交谈起来。马儿知道家和温暖的马厩的方向，用不着催促，便歌着他们向前走去。

“我爱你。”他说，不想离开这个话题。

“我也爱你。”

“但是，存在于你我之间，不仅仅是爱，最亲爱的[illegible]……”

“是的，还有亚历山大。”她说。

“你想怎么办？”他问。

“和你在一起，”她说，“我不能让你离开我，李，我们的爱太宝贵了。”

“你会跟我一起走吗？”

无情的现实摆在她的面前。他感觉到她向后缩了缩，贴在他身上；感觉到她叹了一口气。“怎么走呢？李。亚历山大不会放我走。而且即使他同意，我还有多莉要照看。我不能扔下安娜的孩子不管。”

“我知道。那你想怎么办呢？”

“和你在一起，但只能是你我的秘密，至少在我想出更好的办法之前。我太累了，李。”

“那就让它成为我们的秘密。”

“什么时候才能再见到你？”她问道，自己吃了一惊。

“雨停之后，我的宝贝儿。如果真的发洪水，至少一个星期之后。让我们先分开一个星期吧。”

“啊，我会死掉的！”

“不，你要好好活着——为我。这个黎明之后七天，我们在深潭见面。我们可以在一起待一下午，好吗？”

“好。”

“你能保守我们的秘密吗？”

“自从嫁给亚历山大，我就一直把自己当成一个秘密保守到现在。这个秘密有什么不同，不能让我保守呢？”

“睡吧。”

“如果发生什么事儿，你来不了呢？”

“我会通过亚历山大让你知道，因为我一直和他在一起。睡吧，我最亲爱的。”

黎明将至的时候，金罗斯府邸已经近在眼前，李大声叫喊着，告诉人们，他已经找到伊丽莎白。他把还在睡梦中的伊丽莎白交给脸色苍白、浑身颤抖的亚历山大。亚历山大把她抱回去交给内尔。他满怀感激，再出来的时候，发现李已经把马交给萨默斯，回茹贝那儿去了。

“真怪，他怎么走了？”亚历山大皱着眉头说。

“哦，不知道，亚历山大爵士。”萨默斯说，又开始高明的逻辑推理。“那个可怜的家伙淋成了落汤鸡。他的块头比你大得多。你的衣服他没法穿，难道不是吗？”

“没错儿，萨默斯。我把这事儿给忘了。”

三十六个小时之后，李不得不在金罗斯饭店接受亚历山大真诚的、发自内心的感谢。他说，他刚刚看望了他的律师老布拉姆福特。

“伊丽莎白还好吗？”李问道。他觉得在这种情况下表示对她的关心很正常。

“还好，令人吃惊的好。连内尔都有点迷惑不解。她已经做好充分准备，对付从肺炎到脑膜炎的种种可能出现的疾病。可是，伊丽莎白睡了二十四个小时之后，今天早晨醒来居然精神焕发，早餐吃了好多。”

亚历山大看起来却面容憔悴，眼睛里布满红丝。虽然他极力作出一副洋洋自得的样子，但是总也不能成功。

“你好吗？亚历山大。”李问道。

“哦，好着呢！我只是吓了一跳，简直是晴天霹雳。我真不知道该如何谢你才好，我的孩子。”他看了看手腕上的金表，“我得送内尔上火车了。她可真是个好姑娘！有你在我身边，我就可以放心地让她好好学医了。”

李什么也不想听。不过听说内尔要离开金罗斯，他松了一口气。一个好姑娘，没错儿。可是她敏锐得像把刀子，而且对他并不友好。他觉得，她甚至对母亲也算不上友好。

我讨厌这个样子！李想。讨厌这样偷偷摸摸、鬼鬼祟祟。以这样的方式拥有伊丽莎白其实是一种痛苦，只比压根儿就无法拥有她强一点。我甚至无法告诉妈妈都发生了什么事情。

他用不着告诉。他走进饭店，浑身的泥水淌在地毯上那一刻，茹贝便明白发生了什么。

我失去了儿子。他把自己给伊丽莎白了。可我无法开口和他谈这个问题。他痛恨这样的方式，但是他爱她。想得到是一回事儿，真的得到是另外一回事儿。但愿这一切不要害死他！我能做的只是到那神圣之地——天主教堂，点燃蜡烛。

“天哪，康斯特万太太，”老神父弗兰瑞说（他总是把她当作结过婚的女人，尊称为太太），“下一步，你就该来做弥撒了。”

“呸——真讨厌！”茹贝厉声说，“别抱希望，蒂姆·弗兰瑞，你这个老酒鬼！我只是想来点几支蜡烛。”

也许她就是想来点几支蜡烛，神父想，接过她塞给他的一把票子。这下子他又有钱喝好几个月最好的爱尔兰威士忌了。

伊丽莎白醒来之后，仿佛走进一个全新的世界，一个她不曾知道、也不可能知道的世界。她爱而且被爱。睡梦中，李的形象一直在她脑海中萦绕盘桓，醒来后知道，一切都是真的！她的心路历程峰回路转，遮挡了她去看望安娜的坟墓、撒玫瑰花的记忆；模糊了她像一头只想回家的野兽，走进丛林、寻找深潭的记忆。她只记得李在深潭边的巨石上找到她，只记得那奇妙的、美丽的、令人愉快的冲动，以及随之而来的、难以言喻的美妙感觉。她以一个已婚女人的身份整整过了二十三年，却从来不知道真正的婚姻意味什么！

她觉得，她的身体和以前不同了。现在，那躯体好像真正属于了她的灵魂，而不是囚禁她灵魂的牢笼。她醒来之后，浑身上下没有一点点疼痛，甚至不觉得僵硬。我死了，李给了我生命。将近四十岁，我才第一次尝到真正幸福的滋味。

“啊，你总算醒过来了！”一个清脆的声音说——内尔走到床边。“我不能说你让我着急，妈妈，可你睡了几乎二十四个小时。”

“是吗？”伊丽莎白打了个呵欠，伸了个懒腰，心满意足地哼哼了几声。

女儿大惑不解，目光犀利的眼睛凝视着她的脸。倘若内尔知道，这就是茹贝曾经说过的那些情况中的一种，她或许会想到发生了什么，但是对生活的无知使内尔忽视了有经验的人一眼就能看穿的事儿。“你看起来相当不错。”

“我已经感觉到了。”伊丽莎白说。百叶窗放了下来。“我是不是给你们找了好多麻烦？我可没想给你们添乱。”

“我们都快急死了，尤其爸爸——他也让我非常着急。你还记得你都做了些什么吗？你那时脑子里都想了些什么？”

“不记得了。”伊丽莎白说，这倒是实话。

“你一定走了许多英里，是李找到你的。”

“是吗？”她抬起一双眼睛看着内尔，除了少许的好奇，再没有别的表情。在保守秘密方面，伊丽莎白堪称专家。

“是的。他骑着爸爸的马去找你。我们谁都没有想到，那样恶劣的天气，你会像一阵风跑那么远。所以，当时大家都觉得李找到你的可能性最小。爸爸更希望他亲自找到你。”内尔耸了耸肩。“不过，谁找到你已经无关紧要，重要的是你已经被找到了。”

不，伊丽莎白心里想，重要的是亚历山大没有骑马去找我。否则，找到我的就是亚历山大，我仍将是他的囚徒。

“我大概一定是浑身泥水不成样子，对吗？”

“那是说轻了，妈妈！你身上全是烂泥、污水，天知道都是些什么。珍珠和绢花费了好大力气，才把你刷洗干净。”

“我不记得我洗过澡。”

“那是因为你睡得太熟。我不得不一直坐在澡盆旁边，扶着你的头，以免被水淹没。”

“天哪！”伊丽莎白突然伸出两条腿要下床，“多莉怎么样？她都知道些什么？”

“她只知道你病了，可你现在不是好了吗！”

“是的，我好了。谢谢你，内尔，我想穿衣服。”

“需要我帮忙吗？”

“不需要，我可以照顾自己。”

她从两面大镜子里看见身上有多处擦伤和青肿，奇怪的是一点儿也不觉得疼。没有任何痕迹让人想到深潭边发生的事情，她闭上眼睛，舒了一口气。

亚历山大晚些时候过来。伊丽莎白大睁着一双眼睛凝望着他，好像以前从来没有见过。从新婚之夜到她怀上安娜并且开始生病，他和她做过多少次爱？她没有计算过，反正许多次。可是她没有一次见过他的裸体，她也不想见。他很了解她，并不强迫她赤身露体。可是，只有现在，经历了和李经历的一切，她才明白其中的奥秘。新生发的洞察力告诉她，如果既没有爱，又没有肉体的需要，怎样做也于事无补。是的，亚历山大曾经做过最大的努力，试图改变这种状况，但是一无所获。他是个精力旺盛、诚实坦率的人，肉体的需要反映了他的本性。他绝非不敏锐，而是太博学。她想，我从来没有因为需要他而心旌荡漾。他身上没有任何东西能使我感觉到刚刚从李身上体验到的那种兴奋和心醉神迷。无论他对我做什么都不能。我再也不能忍受我和李的身体被哪怕一丝一缕的棉布隔开，就像不能忍受李从我身边走开。即使整个世界都看着，我也不在乎。干完“那事儿”之后，李的手抚摸我的肌肤，我抚摸他的肌肤，也任由他的注目。他对我说他一直爱着我，而且永远爱我的时候，就像走进家门一样自然。然而，我怎样才能对眼前这个男人说这一切呢？即使他能硬着头皮听下去，也不会理解。我不知道他和茹贝之间都发生过什么，因为那时候，我只和亚历山大做过爱，想象不出别人是个什么样子。可是从今天起，一切都变了，一切都是奇迹的根源。我就经历了一个奇迹，和我最亲爱的人躺在一起。

亚历山大凝视着她，就像凝视着一个他知道自己应该认识、却不认识的人。他的脸上布满皱纹，比她记忆中的亚历山大苍老了许多。安娜似乎已经死了许久！在她眼里，他失去了精神支柱，但是，她还像平常那样，脸上挂着一丝微笑，平静地凝视着他。

他也朝她微笑："你是不是饿了，想吃早饭？"

"谢谢，我一会儿就下去。"她静静地说。

他们坐在暖房桌子旁边吃饭。雨水打在透明的、白色拱肋支撑的屋顶上，沿着玻璃格子涟漪般流下。

"我是饿了！"伊丽莎白惊讶地说，把烤羊排骨、炒蛋、咸肉、炸薯条吃了。内尔和他们一起吃，过一会儿，她就要回悉尼。

"你一定要谢谢李，伊丽莎白。"亚历山大说。他肚子不饿。

"如果你坚持的话。"她说，咽了一口面包片。

"你难道不感谢他？妈妈。"内尔惊讶地问。

"当然感谢。"伊丽莎白伸手去拿排骨。

亚历山大和女儿对视了一眼，两个人都有点懊恼，然后丢开这个话题。

吃饱之后，伊丽莎白去看多莉。内尔正要陪她去，被父亲留下。

"她脑袋清楚吗？"他问道，"这些事儿怎么一点儿也没有影响她？"

内尔想了想，点点头。"我想，是没影响，爸爸。至少头脑和过去一样清楚。你用了一个很正确的词，妈妈有点疯疯癫癫。"亚历山大意识到伊丽莎白失踪之后，思想受到极大的震动。他知道，生命中的一部分永远不会熬过这痛苦。过去的二十三年里，大多数时间他都认为伊丽莎白是他身边的一根刺——一个沉静的、刻板的、冷冰冰的人，一个因为种种原因错娶为妻的女人。他责备自己，因为错误是他造成的，而不是她。他一直想方设法弥补这个过失。可是她对他越来越反感，这就伤到他的痛处，引起一连串建立在骄傲、愤怒、自负基础之上的反应。做爱之后那一点点爱意也很快被她摈弃，因此，随着时间的推移，他越来越把笼罩他们生活的不幸归咎于她，归咎于她拒绝他主动给予的爱。他相信，他对她的爱已经死灭。当爱情的小苗栽在这样一块不肯宽恕的土地上，它怎么能不死呢？除了自己横放在这条路上的征服欲望，他什么也看不见。这当儿，他一直把她叫作"冰柱”。可是，你怎么能征服“冰柱”呢？抓住它，它就融化成一摊水。

可是，当他满怀恐惧和歉疚发了疯似的寻找她的时候，在他们漫长的婚姻生活中，他第一次看到，他处处让她失望。所有他给她的东西，她都不需要；所有他不曾给予她的，她都渴望。他把价值连城的礼物和令人难以置信的奢华等同于爱情。她却不这样看，即使这样看，他也不是那个可以给予她这一切的人。现在，他断定，她心中一定有一团火，然而，那火不是为他燃烧。寻找她的路上，他一遍又一遍地问自己，她对他的尊敬在哪儿？为什么一点一点消失了？但是，心急火燎，他想不出“在哪儿”，“为什么”。他突然意识到，许多年来，他以为早已死灭的爱其实依然存在。那可怜的、没有回报的、伤害了自我意识的情感，被他埋到了心底。现在，又浮到表面，伴随着以为她疯了或者死了的恐惧。如果她真的疯了或者死了，那是他的过错。全是他的过错，别人都没错。

他的生活中还有茹贝。永远有茹贝。他记得，有一次问茹贝，一个人是不是可以同时爱两个女人。她避而不答，还流露出一丝恶意。她出于维护自己的利益才这样做，自然不难理解。但是她一定知道，她们俩他都爱，因此才把伊丽莎白引为知己，结成“同盟”。过去，他认为她这样做是出于慈善之心，觉得她自己是胜利者。现在，他才明白，茹贝这样做是为了确保不失去属于她的那部分爱。如果他不曾爱过伊丽莎白，他生活中的这两个女人，或许也会成为朋友，不过关系不会这么密切。他承认，他是一个希望“二者得兼”的人。茹贝对他更重要。茹贝浪漫、性感、亲密、令人陶醉。这个可爱的女人对于她的男人而言，集情人、母亲、姐妹于一身。但是，他和伊丽莎白共同生活，他是她孩子的父亲，和她一起经历了失去安娜的痛苦，和她一起挑起抚养多莉的担子。这一切都需要爱。如果真的没有爱，他早已让她走人了。

因此，当李骑着马走过草地，把伊丽莎白交给他，亚历山大仿佛经历了一次启蒙，将自己降低为一个举手投降的囚徒。他认识到，他欠妻子的债无法用金钱偿还。只有一条路：打开笼子，让这只鸟自由飞翔。

大雨下了五天，终于停了下来。金罗斯差点儿被洪水淹没。如果亚历山大稍欠考虑，开采砂金之后，任凭河流东奔西突，洪水泛滥将不可避免。但是他及时加固了堤坝，用挖泥机挖深了河道，才没有让洪水溢出堤坝，泛滥成灾。

伊丽莎白“失踪”七天之后，又像平常一样，骑着“云”出去游玩。离开府邸“近郊”之后，她立刻掉转马头，走进被雨水浸透的丛林。马儿在砾石之间择路而行，大约走了一英里，才回到通往深潭的那条羊肠小路。

李已经在那儿等候多时，看到“云”，立刻跑过去，伸开双臂把伊丽莎白抱下马来。他们热烈地、疯狂地接吻，那饥渴的程度她做梦也不曾想过。她等不得他爱抚她，脱光她的衣服，拥有她。总是那种奇异的、让人心醉神迷的感觉，那种要把她的一切注入爱的熔炉的欲念。他把她抱进深潭，仿佛按照他们已经形成的非常自然的习惯，在水中做爱。

身体干了之后，她把他的头发披散开来，那长长的、浓密的黑发让她着迷。她把他的头发和自己的头发缠绕在一起，盖住她的乳房，把脸埋在头发里，告诉他，很久很久以前，她看见他在深潭游泳，从那以后，他就再也没有从她的记忆里消失。

“我不知道，一个男人和一个女人可以这样，”她说，“我走进了一个全新的世界。”

“我们不能在这儿待的时间太长。”他说。为什么总是他把他们带回到现实之中？然后，他提出自从找到她，一直困扰他的问题。“伊丽莎白，我的爱，我知道，因为身体的原因，你不能再过性生活。我知道，我们能做，可是要等我见了洪琦之后再说。他懂得女人月经的周期以及诸如此类的事情。不采取预防措施，你就有可能怀孕。倘若真的有了，那简直无异于宣判你死刑。”

她笑了起来。那无忧无虑的笑声在森林里回荡。“李，我的宝贝儿。没有什么可担心的！真的，没有！怀上你的孩子不会伤害我。如果我有幸怀孕，不会再发生什么惊厥。我有绝对的把握，就像太阳明天早晨一定升起。”

第三章 石破天惊

发生在伊丽莎白和李之间的事情像一副重担全都压在李的肩上。找到她七天之后、深潭边再度相会之前，他还没有意识到这副担子千钧重。从她开怀大笑、并且奚落他担心她怀孕之后的安全那一刻起，这一个星期以来，他一直推到脑后没有去想的那些事情，似乎都不言自明。这几天，他满脑子都是伊丽莎白，都是这个令人难以置信的事实——她爱他，像他早就爱上她一样，许多年前便一见钟情。他本以为让他痛苦的疑虑，见面以后就能烟消云散，通过交谈就可以找到问题的答案——肯定会有一个让人欣慰的答案！但是，她对什么答案都不感兴趣。她看不出这样的答案有什么意义。她已经在他身上找到了答案，至于别的，她都觉得无所谓。

这次幽会前，他曾经下定决心不和伊丽莎白有肌肤之亲，因为他想起，母亲曾经对他说，性交对于伊丽莎白无异于宣判她死刑。他知道，问题不是出在性交，而是出在怀孕。母亲也知道这一点，所以她和亚历山大一直没有怀孕。但是，他们和中国贵族有着千丝万缕的联系，而中国人不像欧洲人那样无知。

可是，哦，不要为那向极乐之地的攀升搭一架平台！她会原谅他的，因为他本不想那样做，或者没有想到会发生那样的事情。现在，他们不得不等待。可是，她从马背滚到他怀里。他看到了她，闻到了她，感觉到了她，品尝到了她。她的力量压垮了他，他无法抗拒……然后，当他提到怀孕的事儿，她居然哈哈大笑起来！

时间！为什么过得这么快？他们还没来得及讨论必须讨论的问题，她就不得不翻身上马，踏上回家的路。他们约定四天后，再来深潭相见。她求他早一点，但是他没有让步。他很清楚、她也应该清楚，他们走的这条路与灾难相伴。李尽管不乏和女人交往的经验，伊丽莎白却是他唯一真正爱过的女人，因此他不知道一心一意爱一个男人的女人是个什么样子，也不知道除了保存心中那份爱，她们对别的都不关心、不在乎，甚至会硬起心肠做自己想做的事情。他曾经想过，他们俩一定会像一个人一样，尽最大的努力不让亚历山大伤心难过。可是，她对亚历山大是否难过毫不在意。是的，她在乎多莉。也许只有多莉让她举棋不定。真正考虑亚历山大的是李，他认为他们现在所做的事情是对亚历山大的背叛，因为李的财富、事业、机会、前程都是他给的。他还是母亲最亲密的爱人。伊丽莎白只是怕亚历山大。除此而外，什么都不存在。

她骑马而去，显然深信，只要有必要，他们可以永远保守这个秘密。她心里藏着这个秘密，就像怀抱战斗中赢得的战利品，对手是丈夫。对于李，亚历山大和伊丽莎白漫长的婚姻外面，包裹着神秘的色彩。只有现在，他才充分认识到，其实连母亲也没有完全理解这一点。也许亚历山大和他一样，对这些事情也一无所知，因为这根“杠杆”的支点是伊丽莎白。

李沿着那条曲曲弯弯的小路，面对落日，向金罗斯走去。他比以往任何时候都更没有主意，脑子更乱。他只知道，他没有那种口是心非、表里不一、偷偷摸摸、鬼鬼祟祟的本领，把和亚历山大的妻子这种关系维持下去。整整一个星期，他一直以为，她会因为不谨慎无意之中在亚历山大面前提到他而暴露他们的秘密。现在他意识到，她永远不会。即使怀了孩子，挺着大肚子，也绝对不会出卖他，而是到死也保持沉默。

他走过井架，朝井架下干活儿的工人们招了招手。可是，刚刚浮现在脑海里的这个想法让他突然停下脚步。哦，天哪！不，不，不！他决不能对亚历山大做这样的事！他知道他的故事。那是在君士坦丁堡一家小小的咖啡屋，亚历山大对他讲起，他母亲有个情人，她拒绝说出他的名字。丈夫知道她肚子里的孩子不是他的。显然不能让历史的车轮转一圈再回到原地。偷偷摸摸、鬼鬼祟祟就已经够糟的了，重复历史更让人无法忍受。让一个心高气傲的人蒙受这样的屈辱，让他一生的奋斗成果付诸东流，把名义父亲的命运强加到亚历山大的头上！不，不，不！简直无法想象！

他走进饭店的时候，茹贝正在焦急地等他，但是她没有把焦急写在脸上，虽然一双眼睛不无疑问地看着他，嘴角还挂着微笑。

“你上哪儿去了？矿上一直打电话找你。”

“我到山上查看通风道来着。”

“这重要吗？”

“哦，妈妈，亏你还是天启公司的董事呢！当然重要。亚历山大正在计划一次大爆炸，一号隧道的老矿脉已经挖完了。他说，再往里二十英尺还有另外一条矿脉。你知道他的鼻子嗅得出哪儿有黄金。”

“哼！他的鼻子，嗅黄金！”茹贝哼着鼻子说，“他或许还会迈达斯的点金术呢！可是他忘了迈达斯国王是因为连他要吃的东西都变成黄金而饿死的。”然而现在她心里想的根本不是什么点金术。她在想，我的儿子脸色怎么那么难看。她知道，这件风流事像一条绳索套在他的脖子上，勒得他喘不过气来。我得找伊丽莎白，让她说出真情。“吃晚饭吗？”她问道。

“谢谢，我不饿。”

不对，你饥肠辘辘，想吃到另外一个男人嘴里那块肥肉。现在还被这饥渴困扰吗？这就是你为什么受折磨的原因吗？我的玉猫。她不能冒险怀孕，所以你正在经历的只能是无法解除的饥饿。我可怜的李。

李上楼回到自己的房间。屋子不大，因为他的个人物品不多，无非是四季的衣服，几百册珍爱的图书，别的都无所谓。还有亚历山大、茹贝和孙的照片。没有伊丽莎白的。

他目无所视，在扶手椅里坐了一会儿，然后站起身，走到电话机跟前。

“我是李，艾吉，请接亚历山大爵士。”没有必要告诉艾吉他在哪儿。她对他的行踪了如指掌。就像她知道 X 正在 Y 家吃晚饭，Z 在体育场训练新买来的那条狗，M 在杜博看望他的妈妈，R 因为拉肚子，正在上厕所。艾吉是金罗斯电话网中心的蜘蛛。

“亚历山大，你什么时候有空？我要私下里和你谈一件事情，越快越好。”

“私下里谈一件私事儿？”

“没错儿。”

“明天上午在井架下面。十一点，好吗？”

“好的，我准时在那儿等你。”

木已成舟。李坐回到椅子上，为他的告别而哭泣。不是告别伊丽莎白——亚历山大也许会同意和她离婚，甚至同意把多莉给她。不，李是为亚历山大而哭泣。明天早晨之后，他们再也不会见面。这一次决裂将残酷而彻底，因为谁都找不出一个折中的办法。妈妈将怎样左右为难！不管怎么说，他必须尽快敲定，她至少不会因为这件事情产生的反响而受苦。

亚历山大乘索道车来到井架。李走那条弯弯曲曲的小路。这一天是四月二十四号。太长、太难熬的夏天之后，一个田园诗般的仲秋之日。刚刚被一场透雨洗刷过、散发着清新气味的丛林里，微风习习，送来阵阵芳香。阳光格外柔和，几团白云好像迷了路似的在辽远的天空飘浮。

这个时间，井架下没有什么人。亚历山大站在一台蒸汽机带动的体积庞大的空气压缩机旁边。因为烟雾大，产生的有害气体太多，这台机器没法儿放到矿井里。他把手钻换成气动液压冲击钻，钻安放炸药的孔洞，把洋镐换成气动液压冲击锤，开凿岩石。他不得不为这些以空气为动力的机器设计输送压缩空气的装置。这套装置离压缩机四分之一或者三分之一英里远。很粗的钢管镶嵌在一条通道里，把压缩过的空气送入一个直径六英尺、长十二英尺的圆柱形钢罐里。钢罐安装在坑道口，然后由若干条钢管分送到钻机和汽锤。

不管怎么说，打眼儿放炮不是每天都做的工作，也不可能同时在两条隧道里进行。亚历山大想用电力带动空气压缩机，不过这是以后的事儿，等电动马达供应充足时才能提到议事日程。眼下只能使用蒸汽机，因此压缩机即使不是世界上最大的机器，也是最大的机器之一。

“你的私事儿等等再谈。”亚历山大一见面就对他这样说，“我得再到一号坑道看一看。”

他们乘坐升降机罐笼下到一百五十英尺以下宽阔的主巷道。电灯把巷道照得通亮，正在干活儿的工人秩序井然，把铁轨上装满矿石的小槽车推到隧道出口那边，出口下面有一个五十英尺落差的主平峒[①]，停放着大槽车。小槽车推到平台边缘时被一根杠杆撬翻，矿石倒进下面的大槽车。主平峒外面的发动机用钢丝索把大槽车拖出去，挂到机车上面，拉到选矿厂和粉碎车间。巷道里粉尘飞扬。如果没有粉尘，这里的空气还算新鲜，因为有电扇可以通风。这条主巷道一端不通，周围四分之三的坑道壁都有向大山深处掘进的隧道。有的一直向前，有的向上，有的向下。新开的隧道又分出许多条支巷。

他们一起走进一号坑道。这是最早的、采掘量最大的一条巷道。电灯照亮了脚下的路。因为已经停止开采，他们连一个人也没有碰见。这是典型的“亚历山大式”的巷道——安全第一。巷道里支着许多非常结实的柱子，尽管李知道，这里的地质结构是花岗岩，没有多少杂砂岩，坍塌的可能性极小。

他们走了一千英尺，寂静中只有靴子踏溅泥水的声音和大山挤压出来的水一成不变的滴答声。这个季节水不可能冻成冰，因而不可能像楔子一样，崩裂岩层。也就是说，只有爆破才能使岩石大面积坍塌。爆破是矿山所有活计里最精细的技术活儿，因此，遇到大的爆破任务或者非同寻常的爆破，亚历山大总是亲自出马。

他们终于走到一号坑道末端，看到为这一次爆破做的准备工作已经就绪。绕在线轴上的绝缘电线放在地上，三脚架上放着一把英格索尔风钻，旁边是空气压缩机通过来的最后一截钢管和一盒子工具。炸药和雷管要在

①平峒：通往矿井的几乎水平的入口。

实施爆破前才送来，然后派专人看管。炸药存放在水泥仓库里，共有四把钥匙，分别由亚历山大、李、萨默斯和爆破监察员普伦蒂斯保管。

“这次爆破有点试验的性质。”亚历山大说。他们俩摸着光滑的岩壁，就像爱抚着女人的肌肤。明亮的灯光把每一条岩缝都照得一清二楚。“至少二十英尺之内没有黄金，所以我想炸下比平常更多的岩石。从这条岩缝中间开始，然后呈环形引爆其余爆破点。每一组都串联起来，连续爆炸。我自己钻孔。”

李听不太懂。关于爆破，没有一个人比亚历山大更精通，不过他不太愿意和别人合作。

“你打算炸下多少石头？”李问。他不寒而栗，仿佛一股凉气顺着脊柱流遍全身。

“好多吨。”

“如果是别人，我会坚决阻止。可是在你面前，我不敢班门弄斧。”

“你当然不可以。”

“可是，你有把握吗？你没和我研究过。”

“这是亲爱的‘老一号’，她喜欢我，这个荡妇。”

他们回转身，向主巷道走去。

“你打算什么时候爆破？”

“明天。如果天气和今天一样好，没有风影响通风井的工作。”他朝一个罐笼打了个手势。“上还是下？”

“上。”

不能再拖延了。李喘了一口粗气，咽了口唾沫，润润嗓子，准备说话。夜里，他把要说的话在心里背了不下一千次，左右推敲，一次又一次排演一生最重要的讲话。

“好了，你要谈什么私事儿呢？”亚历山大兴致勃勃地问。

带动空气压缩机的蒸汽机足可以带动一个火车头，因此在把压缩过的空气输入坑道里的圆柱钢罐和管线时，发出很大的响声。稍远一点，井架发动机的声音比较小，一个烧火工拄着满是污垢的铁锹站在那儿，另外一个人查看仪表。

“到那儿去吧。”李说，领亚历山大走到一块巨大的石灰石旁边，远离了发动机、井架和那两个值班员。没有可以坐的地方，他只好蹲下，亚历山大也蹲了下来。

地上有一片树叶，李捡起来好像看树叶的叶脉，然后慢慢撕碎，结果事先准备好的话全都飞到九霄云外。只好再一句一句想出来。

“我一直爱你胜过爱我的父亲，亚历山大，可我背叛了你。”他说，撕碎那片树叶，“虽然不是事先谋划好的背叛，但也还是背叛。我无法忍受靠撒谎过日子的生活。我必须告诉你。”

“告诉我什么？”亚历山大问道。他非常平静，似乎李要告诉他的只是盗用了一点公款，或者别的什么小错。

树叶没有了，李抬起一双溢满泪水的眼睛，看着亚历山大的脸，嘴唇翕动着，说不出话来。“我爱上了伊丽莎白。八天前，我在暴风雨中找到她的时候，我……我背叛了你。”

一种难以言传的表情在那双黑眼睛里稍纵即逝，然后就变得呆滞，没有一点儿光泽。亚历山大面不改色，也没有说话。仿佛过了许久许久，他就那样蹲在落定的尘埃之上，手腕放在膝盖上，一双手像李在开口说话之前那样，随随便便耷拉着。

“为你的诚实，我谢谢你。”他终于说。

曾经把亚历山大吸引到一个八岁孩子身边的尊严与高贵仍然是李人格的核心。这个核心不允许他说一大堆表示歉意的话，或者为辩明自己无罪、申明自己清白没完没了地解释。而一个品格稍差的人一定会把自己骂个狗血淋头——如果他敢鼓起勇气向亚历山大这样一个铁骨铮铮的汉子坦白自己的过错的话。

“把这一切都告诉你，比靠撒谎过日子轻松得多。”李说，“责任在我，不在伊丽莎白。我找到她的时候，她悲痛欲绝，几乎不是她自己。可是，事情就那么发生了。昨天又发生了。伊丽莎白相信她爱我。”

“她为什么不能呢？”亚历山大问道，“她选择了你。”

“可是不能这样。我知道。所以，昨天我本应该和她一刀两断。可是，我没有。我不能。”

“她知道你要告诉我这些吗？”

“不知道。”

“你母亲知道吗？”

“不知道。”

“这么说，是你我的秘密了？”

“是的。”

“可怜的伊丽莎白。”亚历山大叹了一口气说，“你爱她多长时间了？”

“从我十七岁时起。”

“这就是你为什么怕回金罗斯的原因。为什么突然从地图上消失的原因。”

“是的。不过你一定明白，我从来没有真的想做什么。我一直深深地爱着你，不愿意伤害你。但是，这件事情在我毫无防备、她也毫无防备的情况下发生了。当时她没有条件拒绝。我是乘她不备得到了她。”

“这就是胜利，”亚历山大干巴巴地说，“我从来没能乘她不备得到她。那天夜里，如果发现她的是我，她一定立刻提高警惕。这就是伊丽莎白和我之间的故事。我和一个失去生命活力的人生活在一起。一个幽灵。我很高兴，她的生命之火没有熄灭。”

他是一个高尚的、坚定果敢、永不退缩的人。他以这样的人格接受了这件事情，李对自己说。而这只能让他更加痛苦。他一定深受伤害，极其痛苦，但是亚历山大不准备表现出来。

“不管怎么说，”李说，“我已经将她置于危险之中。她不能怀孕，我是知道的，可是我无法克制自己。昨天，我本来是去和她说说话，只想说说话，可是，一切还是不可避免地发生了。我和她说到怀孕的危险时，她哈哈大笑。”

“哈哈大笑？”

“是的。她不相信会有任何危险。”

“也许真的没有。”亚历山大站起身，向李伸出一只手，“来，我们走一会儿。我想到那边，标明一号坑道尽头的那座岩架上待一会儿。我喜欢那儿。我的灵魂，或者说精神，或者随你称之为什么，都和这座金山相连。”

在那两个操纵发动机的工人眼里，他们就是他们——矿山的主人，正在认真探讨矿山未来的发展，给所有雇员都将带来巨大的利益。

“我不能撒谎。”李又说。两个人来到那座岩架，在两块巨石上坐下。

“你太高尚了，孩子。这也正是你的麻烦。她却可以高高兴兴地靠撒谎过日子，对吗？”

“说实话，她并不是生性爱欺骗别人，”李吃力地说，“我想是因为她多年来习惯了这样的生活，不得已而为之。她那么害怕你发现这件事情。哦，她非常清楚你的善良，也知道你对她很尊重，可是依然怕你。在我看来，这真是难解之谜。”

“对于我，也是个难解之谜。”亚历山大说，抚摸着那块巨岩光滑的表面。“我是魔鬼撒旦的化身。”

“对不起，什么意思？”

“伊丽莎白是两个被扭曲了的坏老头的牺牲品。他们都死了，但是他们的影响将陪伴她一生。我只是她人生之旅的一个小站。我让她给我生孩子，给她房子住，给她饭吃。我还有你的母亲，我到死都深深地爱着她。伊丽莎白对这件事情一清二楚。亲爱的李，我们不能强迫别人做自己想做的事，或者成为自己想成为的人。我花了五十五年才明白这个道理。因为许多原因，我不想走进伊丽莎白的内心。她无法容忍我。男女之事也是这样。如果我碰碰她，她的肌肤都要收缩。如果说，我曾经爱过她，好多年前，就不再爱了。”他说的不是真话。他想尽量让李心里好受点。“过去，我一直以为，从一开始我就爱她，但是也许我只是爱自己那种想法——如果她爱我，我们会怎样相濡以沫。她是刚刚爱上你吗？”

“她说不是。”李回答道。他讨厌这种超然冷漠、不动声色、没有感情色彩的谈话。他想让——他需要！——对方朝他咆哮，打他，踢他。什么都可以，只要不是这样！

“这么说，你们俩都受苦了。但是，你一直对我忠心耿耿。对我来说，这比什么都重要。”

“我知道，从今天开始，一切都结束了，亚历山大。我已经做好充分准备。”

“你是说，你已经打点好行装？”

“可以这么比喻。”

“伊丽莎白呢？难道你打算让她和一个她无法容忍的人再在一起生活若干年？”

“这取决于你。她不会带走多莉。小多莉是你唯一的外孙女。法院会把她判给你的——如果伊丽莎白能背着通奸的罪名面对法官。”

“通奸是要求离婚唯一恰当的理由。家庭暴力也是，但是很少被人们运用。因为许多法官自己在家就打老婆。她可以以我和茹贝通奸为理由要求离婚。”

“这看起来不是妙极了吗？澳大利亚最著名的企业家的前妻嫁了他前夫情妇的儿子——一个混血的中国人。新闻媒体可要敲锣打鼓热闹一番了。”

“如果她对你的爱足可以让她这样做，就做吧。”

“她对我的爱是足可以让她这样做的。可是丑闻会与我们久久相伴，除非我们移居海外。也许这是唯一的办法。”

“可是我需要你留在这儿，李，不是国外。”

“那就没办法了！”李十分沮丧地大声说。

亚历山大换了个角度：“你能断定她不知道你来见我吗？”

“能。她把自己封闭在新的秘密天地，觉得很幸福。”

“你能断定茹贝也不知道吗？”

“能。我习惯于和她无所不谈，包括对伊丽莎白的爱。很难有比她更善解人意、精明老练的女人。但是我没有对她讲最新的进展。她和伊丽莎白一样，有守口如瓶的本事。可是，我……我对她难以启齿。”

亚历山大抬起头，直视李的眼睛。“我需要时间想一想。”他说，“向我保证，不对任何人提起你和我谈过这件事情，包括茹贝和伊丽莎白。”

李从石头上站起来，伸出手：“以我的荣誉向你保证，亚历山大。”

“那么，一言为定。明天，爆破之后，我给你答复。你来吗？”

“如果你希望我到场，我当然去。”

“我当然希望。萨默斯笨手笨脚，普伦蒂斯让人讨厌。搞爆破他是把好手，可是我爆破的时候，他就像个蹦豆，蹦来蹦去，碍手碍脚。”

“我明白。”李轻声说。

“我知道你明白。只是你的消息让我一下子有点不知所措。感谢你的真诚，李，非常感谢。我知道，我没有错看你。我想为一八九〇年我那样粗暴地对待你表示歉意。那时候我太狂妄了，不知天高地厚。”他跺了跺脚，那声音听起来有点空洞。“现在，我又找到自己的位置。没有一个人能找到比你更忠诚、更能干的副手。总有一天，你会成为一位优秀的老总。”他清了清嗓子，看起来脸色有点难看。“我离题了。这个题就是我必须想出让你得到伊丽莎白自由之身的万全之计。”

“我想，这不可能，亚历山大。”

“没有不可能的事情。明天早上八点，到主巷道。那时候我也许还在一号坑道。但是你不要进去。这是装炸药的人的命令。”

他转身朝索道车走去，李走上那条弯弯曲曲的小路。

突然，亚历山大喊了一声：“李！”

李停下脚步，回转身看着他。

“今天是多莉的生日。下午四点在家里庆祝。”

我把多莉的生日忘了，李想，觉得很疲倦。因为下午四点要为她庆祝生日，所以穿了一套深色套装。他没有穿晚礼服，尽管生日聚会之后，大人们肯定要留下吃晚饭。康斯坦斯·丢伊也会到场。

他正好碰到茹贝从她的房间出来，沿着走廊款款而来。她可真漂亮！她的身材越发好看了——如果有这种可能的话——比他童年时代的妈妈瘦了一点。那时候，丰满性感的身材很时髦，男人们自然而然喜欢这样的女人。她的裙子是用法国绉绸做的，颜色碧绿像她那双眼睛。紧身胸衣和肩部宽敞肘部收小的羊腿形袖子镶着粉红色锦缎边。裙子齐膝的下摆呈锯齿状，下面镶着好看的流苏。粉红色衬裙长及地面，小羊皮手套也是粉红色。一顶帽檐卷曲的绿色小帽扣在金红色头发上，前面插着一朵粉红色的玫瑰。

“你真是秀色可餐。”他说，闭着眼睛吻妈妈凝脂般的面颊，嗅栀子花的香气。

她咯咯咯地笑着：“但愿亚历山大也这样想。”

“你不该对儿子说这种话。”

“哦，你至少知道我是什么意思。对你的‘极乐鸟’这是吉兆。”

“我的‘极乐鸟’只喜欢珠宝、钻石。”

他们乘索道车上山之后，看到亚历山大、伊丽莎白和康斯坦斯已经聚在小小的餐厅。餐厅里装饰着五颜六色的彩带。每个人都要戴一顶为这次聚会特制的帽子。帽子是康斯坦斯从巴瑟斯特特意买来的。那儿有一位有胆有识的中国店老板利用中国技术造非常薄的彩色纸。他卖五彩纸带、聚会用的帽子、精致的纸台布、餐巾纸和漂亮的礼品包装纸。

牡丹找个借口把多莉领进餐厅的时候，大家齐声欢呼，祝贺她生日快乐，纷纷把礼物送到她面前。多莉十分快乐，但这也是一个略嫌凄凉的生日聚会。因为多莉连一个和她年龄相仿的孩子也不认识。该给一个七岁的孩子什么礼物呢？李送给她一个俄罗斯套娃，“套娃”里的娃娃越往里越小。茹贝送给她一个德国瓷娃娃。瓷娃娃的胳膊和腿都有关节，可以活动，身上穿着最时髦的衣服，头发是真的，蓝眼睛周围的睫毛也是真的，红红的嘴唇半张着，露出牙齿和舌头，而且一推，舌头就会动。亚历山大送给她一辆有三个轮子的童车。伊丽莎白送给她一条心心相连的金手链，手链上缀着一块象征吉祥的金马蹄铁。康斯坦斯送给她一大盒糖果。

多莉吹灭蛋糕上插的七支蜡烛。蛋糕很漂亮，是张亲手做的，上面涂着一层粉红色的糖霜，那是她最喜欢的颜色。

做完游戏，到马厩里看了送给多莉的主要礼物——设得兰矮种马之后，大家都回到客厅。“吃这么多甜食，夜里她肯定得难受。”康斯坦斯说。

“没关系，”伊丽莎白说，“她要是真的因为甜食吃多了难受的话，牡丹会给她服一剂洪琦的汤药，她会安安稳稳睡个好觉。”

亚历山大绝对看不出他的妻子另有隐情，李想。她那凝视的目光总是“恰到好处”地落在他身上，不让人看出破绽。

晚宴比平常简便了一些，生日蛋糕和小巧的三明治算不上什么稀罕物。主菜刚撤，亚历山大就站起身来。

“请原谅，我要到矿井去一趟，还有点活儿要干。”

“我和你一起去吧，可以帮你点忙。”李自告奋勇。

“谢谢，这是我的活儿。别人插不上手，只能我一个人做。”

“连萨默斯也派不上用场？”李问道。

“连萨默斯也派不上用场。”

“他可怜的妻子怎么样了？”康斯坦斯问。

“疯疯癫癫，不过身体出奇的好。”

“真是个麻烦事儿。”

“没错儿。”亚历山大说，消失在房门那边。

李的坦白真如晴天霹雳。尽管亚历山大表面上不动声色，心里却如翻江倒海。他做梦也没有想到，伊丽莎白会爱上李。李对他讲这件事情的时候，他心里不由得想，她的品位还很高。李是个非常诚实、非常体面的男人。他不曾提起亚历山大的母亲和她的秘密，尽管这件事情显然震撼了他的心灵。人们都说，爱情是盲目的，但是李很清醒，清醒得足以看到伊丽莎白喜欢保守秘密。如果他们真的有了孩子，李又什么都不说的话，伊丽莎白至死也不会说出孩子的父亲是谁。她是一个被秘密包裹起来的人。这是因为，小时候说真话被无情地惩罚，勇于承认错误不被看作为人诚实的美德，得不到赞赏。渐渐地，她学会了不直抒胸臆，学会了保密，甚至连自己也不知道为什么要这样做。

而他，亚历山大，连朋友也没能和她交上。只是忙着把她打扮得花枝招展，披金戴银，珠宝缠身，忙着把她训练成豪华府邸的女主人。他和她谈话的时候，就像老师给学生讲课，而且那些“科目”远远超出她的理解范围——地质学、采矿学、他的远大抱负。让他们未来的儿子们分享他创造的财富。至于这座山崖是二叠纪的，那块沉积岩是志留纪的，和她有什么关系？可是，在去金罗斯的路上，他跟她谈的就是这些。不是能引起她共鸣的东西，而是他喜爱的东西。哦，让时钟倒转！倘若那时候，他知道老默里就是按他的模样画的魔鬼撒旦就好了！新婚之夜，她毫无准备，即使有人告诉过她那方面的“技巧”，也还是一无所知。苏格兰的农村姑娘那么封闭、那么无知。关于性的描述——也许出自哪位憎恶世人的娼妇之口——和“干那事儿”之间，还有一条鸿沟，只有经过长时间的准备，才能架起一座桥梁。

他却懒得做什么准备，没有温情脉脉地向她求爱，而是趴到她身上就干，仿佛那是一座准备挖掘的金矿。本来两个人应该在一个温馨、安谧的环境吃几次饭，聊聊天；应该送上一束鲜花，而不是珠宝钻石；应该在得到她允许之后，满怀热情地亲吻她；应该慢慢唤醒她心中的激情，从而使她日后更容易接受更亲密的行为。可是没有！伟大的亚历山大·金罗斯没有做任何努力！和她见面之后，第二天就结婚。在教堂里亲了一下之后，就爬上她的床。这一切只能在她眼里证明他与动物无异。一个错误接着一个错误。这就是他和伊丽莎白之间的故事。而茹贝对他一直有着更为重要的意义。

但是，只是在伊丽莎白失踪之后，他才明白自己都对她做了些什么。他感到痛苦，失望。她没有机会为自己选择爱情。

难怪她从一开始就不喜欢我。难怪她怀了我的孩子就生病。她不希望我成为她们的父亲，即使那时候她还没有找到意中人。现在，我知道了她和李的事，我敢断定，即使这把年纪，她也能怀孕，而且不会有任何麻烦。我很高兴，今天之前，对李有了一个彻底的了解！对于她，他完美无缺。

一号坑道是完全属于他的“庇护所”。工人们午夜时分才换班，现在在五号坑道和七号坑道干活儿。大家都知道他在一号坑道。除非他叫什么人过来，这里只有他自己。

空气压缩机工作得相当好，虽然距离很远，还是把足够的气压送到矿井。他很高兴，这把英格索尔风钻使用起来得心应手。钻头几乎是新的，钻起来既平稳又快。

这些填装炸药的孔洞，他打算钻十二英尺深，位置几天前就已经画好。因此，他拒绝李来帮忙。李会问这问那——他知道得太多了。不管怎么说，他不需要帮助。他清楚地知道自己在做什么。他可以干得又快又好。第一个孔打到十一英尺的时候，碰到一条岩缝。他的判断没错儿。这儿有一个断层！他继续钻，每一次都在大约十一英尺的地方碰到断层。他一边钻，一边想。

我的一生是辉煌的一生！我有充分的证据证明这一点！我有成功的秘诀，那就是努力工作，靠自己的聪明才智和勃勃雄心实现奋斗目标。从黄金到橡胶，我的投资一步也没有走错。如果说，我也有过失败的话，问题出在个人生活。亚历山大·金罗斯爵士，身穿礼服的时候，看起来何等地气宇轩昂！哦，我曾经怎样沾沾自喜！一次又一次的胜利，旅游、冒险、储存在英格兰银行成堆的黄金、享受比别人提前一代建起模范城的喜悦。对所有官员的价码心知肚明，受用着花钱买通他们——那些贪婪的傻瓜——的快乐。如果花钱就能买一个人供你驱使，还在乎钱吗？是的，我有着五十五年辉煌的人生。

他停下来，在额头上围了一块大手帕，然后继续钻孔，钻头钻下去准确、顺畅。

这场婚姻虽然给伊丽莎白带来很大痛苦，她却给他生下一个才华横溢的女儿。如果内尔不再出什么新花样，一定可以在自己选择的领域作出卓越的贡献。他已经注意到，内尔是个利他主义者。这是从她母亲身上继承来的。唯一没有实现的目标，就是没有儿子，没有一个与自己一脉相承的继承人。他不应该从苏格兰娶个新娘。他应该娶茹贝，她才是他心目中的妻子。她乳房丰满、性欲旺盛，一直紧紧地抓着他的心。但他爱她，不只是因为她乳房丰满、性欲旺盛。他爱她，因为她时时闪烁着智慧的火花，因为她敏锐的观察力、她的幽默感和对生活巨大的热情。茹贝，真是万里挑一。但是，他也辜负了她，就像辜负了伊丽莎白。这一切让他感到巨大的痛苦。爱两个人，辜负了两个人。

他欠伊丽莎白的太多，现在是偿还的时候了。爱她却不能让她快乐，是不可宽赦的罪过。茹贝至少过得快乐。李对于伊丽莎白来说堪称完美，可是他能适应她那种喜欢隐秘的性格吗？他深深地爱着她，然而那是一种中世纪的爱，一种保持自己尊严和体面的爱，一种谦谦君子苦苦渴望的爱。他能顺应这种从无望到希望实现的变化吗？将要与他共同生活的伊丽莎白就是他追求了十七年的那个梦中情人吗？亚历山大不得而知，也不想知道。

孙浮现在他脑海之中。真是个好老孙！谁也无法找到比他更好的合作伙伴，一起创建如此伟大的事业。李的荣誉感当然是从他身上继承来的。奇怪的是，身为父亲的孙并没有亲自教育他这个混血的儿子，对他也没有多大的兴趣。孙那几个完全是中国血统的儿子比他更“西化”，因为他们从小接受完全不同的教育。亚历山大认为，李获得了最大的利益。殖民地实现联邦制之后，中国人的日子会很不好过。不过，亚历山大相信，已经在澳大利亚居住的中国人，会继续居住下去。忽略、蔑视非白人世界的头脑与才华，真是愚蠢至极！

安娜好像专门为了折磨人才来到这个世界，折磨够了悄然而去。她和玉、山姆·欧唐尼尔、西奥多拉·詹金斯纠缠在一起，搞得一团糟。西奥多拉是爱可以毁掉人一生的极好的例证。这个愚蠢的女人已经离开金罗斯，住到巴瑟斯特，靠给人家缝缝补补、教教钢琴，过着赤贫的生活。仅仅因为她不愿意承认她那位可爱的帮工真的干过伤天害理的事情。还有玉，吊在绞索上那个小小的、黑色的躯体。她的骨灰渗透到山姆·欧唐尼尔廉价的棺材里。孙这个主意真高明。这一场豪雨过后，山姆·欧唐尼尔腐朽的尸骨一定已经被杀他的人织成的“大网”包裹得严严实实。

该如何理解安娜？可怜的、无辜的小东西。就像一大块嘎吱嘎吱坠入谷底的冰，一场不可避免、残酷无情的悲剧。仅这一件事情，他就欠下伊丽莎白还不清的债。她是首当其冲的受难者。啊，他一定要给她机会，他祈求为时未晚。李到死也是她的人，但是一旦拥有他，她还会那样爱他吗？他会怠慢她、限制她吗？不，他应该不会，如果她能给他生几个孩子的话。他们将是她打心眼儿里想要的孩子。不知道有没有一个长得像茹贝？我真希望有。

孔钻好了，亚历山大迈着沉重的步子向隧道口走去。萨默斯刚刚推来一辆四轮台车，车上放着一箱炸药、火棉、铂丝和雷管。时间过得真快！亚历山大想，看了看表。时针指向六点半。钻孔用了九个小时。对于一个上了年纪的人已经很不错了。

“你在便条上写的是，要一箱子装药量百分之六十的炸药，亚历山大爵士，是不是太多了？”

“是太多了，萨默斯。不过，我可不喜欢开了箱子的炸药。来，让我看一看。”他撬开炸药箱结实的木头盖子，凝视着一排排整整齐齐摆放着的棕色炸药筒，拿起一个摸了摸，闻了闻，点点头。“不错。我推进去。”

“在爆破方面我还不至于是个大笨蛋吧？”萨默斯闷闷不乐地说，推起台车。

亚历山大拦住他：“谢谢，萨默斯，我自己来。”

“英格索尔风钻怎么办？谁来拆除风管？”

“我自己拆。”

“你不能，亚历山大爵士，真的不能。”

“你是说我老了？”亚历山大咧嘴笑了笑，推起台车。

萨默斯站在那儿呆呆地看着他在灯光明亮的隧道里越走越远，直到拐了个弯，消失在隧道那边。

亚历山大又回到一号坑道，拿出一筒威力巨大的炸药，用一把锋利的小刀切开一头的包装，轻轻松松塞进孔洞，然后，拿起一根很长的捣棒，把炸药筒捅到和岩缝相连的地方。然后再塞进去一个，又一个，第四个……他手脚麻利，越干越快，直到剩下最后一个。他在这筒炸药末端安上雷酸汞雷管，把火棉垫上的铀丝接到两个接线的端子上，塞到最后一个孔里。

汗水顺着额头流下，因为用力，肌肉一鼓一鼓。他按要求装好炸药，每一个孔洞都拉出一条长长的导线，直到一百五十七筒炸药都在岩面上安装好。每一筒里都装着百分之六十的硝化甘油。然后，把每一根导线都刮掉六英寸长的绝缘皮，拧成一股。再把导线另一端的绝缘皮也刮掉，过一会儿，就全都拉回到主巷道，接到起爆器的端子上。啊，好了，一切就绪！他满意地看着自己的活儿，点了点头。

缠绕在线轴上的电线在他前面滚动，他踢着线轴，走过潮湿的坑道，回到主巷道。萨默斯、李和普伦蒂斯正在等他。普伦蒂斯把导线拿到起爆器跟前，弯下腰准备接线。亚历山大从他手里拿过电线，刮掉绝缘皮，亲自接线。真是个刚愎自用、自以为是的家伙！普伦蒂斯心里想。什么事都要自己干，好像别人都干不了。

“亲爱的‘老一号’要大地开花了。”亚历山大说，面带微笑看着大家。他看起来筋疲力尽、脏兮兮的，但是喜气洋洋。

普伦蒂斯吹响哨子，告诉人们，马上就要起爆。哨声过后，亚历山大旋转起爆器的旋钮，电表显示电流已经开始流动。他们站在那儿，两手捂着耳朵。其他四十个人也都捂着耳朵。可是没有爆炸。一号坑道的电灯已经断电，漆黑一片，像个无底洞。

“该死！”亚历山大说，“哪儿的线断了。”

“等一下！”李大声说，“亚历山大，等一下！也许是滞火[①]。”

亚历山大把旋钮转回到关闭的位置，电表指针指向零。“我去接好。”他说，拿起一盏灯，向隧道走去。“这是我的任务。你们都老老实实在这儿待着，听清没有？”

他面带微笑，大步流星向一号坑道走去，浑身充满力量和决心。有一点，他身后的人们一无所知，那就是电流还在流动。他在终端连了条分路[②]，即使起爆器的旋钮旋转到关闭的位置，仍然有电。这股电流“绕开”电表，因此电表显示为零。

两条导线躺在地上，裸露着的铜丝在灯光下闪着微光。他把灯放在地上，两只手，一手抓起一条。

“到目前为止，活得还算体面。”他说，以一种近乎残忍的喜悦将两条导线连在一起。

顿时，整个隧道发出惊天动地的响声。因为距离岩面十一英尺有一条裂缝，炸药的巨大威力将整个断层崩裂，大块大块的岩石飞出足足三百码远，整座大山好像要塌下来一样。震耳欲聋的爆炸声过后，哗哗啦啦的碎裂声铺天盖地，大团大团的烟尘滚滚而来，向上通过竖井从井架喷发，向下冲进槽车行驶的隧道，从平峒泄出。主巷道里的人像开水锅里的水泡，在气浪中东倒西歪、摇来晃去。爆炸声在金罗斯城听得一清二楚，在山顶之上也隐约可闻。稍稍安静下来之后，李从地上爬起来，虽然耳朵震得嗡嗡响，但是看到主巷道安然无恙。矿井外面，警报声四起，人们从城里潮水般涌来。哦，耶稣基督，但愿不是冒顶！谁死了？有多少条隧道和竖井被岩石掩埋？

第一件事情是查明现在是否安全。李、几位采矿工程师和技术主管分

①滞火：因发射药、雷管或点火装置暂时失灵或作用迟滞而发生的引爆迟缓。

②分路：在一电路中两触点间的低阻抗连接，从而形成一部分电流的分流路径，也作bypass。

头检查。他们发现除了一号坑道坍塌之外，其他地方毫发无损。横梁连一条裂缝也没有，帆布连一个口子也没有撕开，槽车轨道连一个螺丝也没有脱落。爆炸的巨大威力严格限制在一号坑道。

真是个天才，李想。他和萨默斯尽可能向一号坑道深入，但是原先一千英尺长的巷道现在只剩下九十英尺。亚历山大的炸药安放得非常高明，在最小的空间，发挥了最大的威力。除了他最初挖掘的这条隧道，天启矿井没有受到任何损失。他曾经说："这是亲爱的'老一号'，她喜欢我，这个荡妇。"

萨默斯像个孩子，放声大哭。主巷道里的人大多数都在抽泣，可是李哭不出来。普伦蒂斯和另外几个主管手忙脚乱，一心想把亚历山大挖出来。李趁没人注意，走到起爆器跟前，揪出和发电机插线板连接的电缆，拿在手里看了一会儿，拧开插线板的底板，看到亚历山大做过的手脚。你从来不会失手，难道不是吗？没有人看见，李拆下分路器，装到裤子口袋里，然后把插线板重新装好。日后，如果有人想查清事故原因，送到实验室检查的话，不会露出破绽。我敢打赌，你已经料想到，我会首先发现这个秘密。因为，亚历山大·金罗斯，你想造成一个死于事故的假象——是变化莫测的命运作怪，而不是任何人的过错。我会成全你的心愿。我欠你的太多，太多。

他们当然不可能找到他。当他的世界结束时，他并不是往主巷道这边走。他就在岩面下，手里拿着裸露的电线。你将永远埋葬在这里，亚历山大·金罗斯，黄金陵墓之王。

"吉姆"，李对还在号啕大哭的萨默斯说，"吉姆，听我说！我不能在这儿待着。我得去告诉家里那些女人。大伙如果想挖，可以挖上一百英尺，但是不能再往前挖。如果这一百英尺之内找不到他，他就是死了。他肯定死了，我们大伙儿都知道。但是可以试一试，这样大家心里好受一点。我尽早赶回来。"

萨默斯一辈子听命于人，擦了擦脸，擤了擤鼻涕，泪汪汪的眼睛看着李：

“好的，康斯特万博士，我照办就是了。”

“好伙计。”李说，拍了拍他的肩膀。

是下山还是上山？他决定先下山。母亲一定先知道发生事故的传闻，所以应该先告诉她。

昨天，谈话快结束的时候，亚历山大说什么来着？似乎是他要想出一个让我得到伊丽莎白自由之身的万全之计。是的，是这个意思。可是谁能想到他的所谓“万全之计”会是什么呢？谁能有深入到骨髓的勇气和决心呢？女人们永远不会想到这不是一场事故，这样一来，伊丽莎白就不会有负罪之感，茹贝就不会心生仇恨。如果母亲知道，亚历山大认为自己慷慨赴死是万难之际唯一解决问题的办法，一定会永远谴责、痛恨伊丽莎白。这就意味着亲人之间新的破裂。以这种方式了断，亚历山大和我之间的谈话就永远成为秘密。大家都以为他死于矿难。这种事儿经常发生。哦，尽管人们会议论纷纷，炸药怎么会在没有电流时引爆？为什么爆炸的威力如此巨大？为什么亚历山大不派别人到一号坑道呢？但是除了我和亚历山大，谁也不会知道事实真相。

茹贝正在游廊里焦急地等待。看见李从索道车上下来，她不得不靠在遮阳篷柱子上让自己站稳。李渐渐走近，她看清了他的脸——僵硬、冷峻、严肃。究竟是他这种异乎寻常的脸色，还是更为神秘的力量传达了什么信息，总之，她突然清清楚楚地意识到，亚历山大死了。她伸出一只手，另一只手扶着柱子，仿佛那是一根可以依靠的拐杖。李握住那只手，轻轻抚摸着。

“一号坑道出了事故。亚历山大死了。必死无疑。”

那双大大的绿眼睛里闪烁着母猫眼看着小猫被人抢走、溺死在水中的那种目光：悲伤、迷惑不解、刚刚开始感到的痛苦。李想，母亲很快就要在她可怜的、被撕碎了的心中的每一个角落寻找他，而且断定，这不是真的，一定是什么人搞错了。

“他的大爆炸？”她问道。

“是的。引爆时滞火，他回去查看线路。”

她晃了晃。他伸出胳膊搂住她，把她领回到屋里，在椅子上坐下，倒了一杯白兰地。

“这可不像他，和爆破有关的事他从来不会计算错。他已经干了三十五年。”她说，脸上渐渐有了点血色。

“也许问题正是出在这儿，妈妈。因为经验太丰富，反而漫不经心。”

“这可不像他的性格。你是知道的。”

“我只是向你解释事故原因，包括对我自己解释。”

“终于扔下个寡妇！”她用一种似乎感到迷惑不解的口吻说，“至少我觉得像个寡妇。亚历山大留下两个寡妇。”

“你支持得住吗？妈妈。我得去告诉伊丽莎白。”

“她不会为他难过。这下子，她能拥有你了。”

“这对谁都不公平，妈妈。”

“哦，去吧，去吧！”她疲惫不堪地说，“这种谈话是有点冒犯神灵。告诉伊丽莎白，我晚些时候上去看她。有康斯坦斯陪伴，她不会有什么问题。现在，都成寡妇了。”

平峒的槽车加班加点地工作，因为金罗斯人倾城出动，从一号坑道往外运石头。李乘索道车来到金罗斯公馆，在暖房找到伊丽莎白和康斯坦斯。两个人正在那儿喝茶。那两张脸抬起来看他的时候，并没有什么异样，直到看见李汗流满面、浑身沾满泥土，脸上的表情和孙看到他的人犯下弥天大罪时的表情没有两样。

“出什么事儿了？”伊丽莎白问，“我们隐隐约约听到一阵爆炸声。”

“可怕的事故。亚历山大死了。”

康斯坦斯手里的茶杯掉在地上打得粉碎。伊丽莎白把她的茶杯小心翼翼放在茶托上，正了正茶杯柄，让杯子上的花儿和茶托上的花儿相对。她白皙的皮肤变得更白，过了好长时间才抬起头，看了李一眼，目光中交织着悲伤和喜悦，因为这两种感情正在她内心深处交锋。等到交锋完毕，李心里想，她就只觉得松了一口气。亚历山大的妻子不会为他伤心，伤心的是我的母亲。这一切，都是因为他对他钟爱的人有失公正。哦，二十三年的共同生活，不管有多少恩怨，总算是夫妻一场，何至于此！

“茹贝，”她说，嘴唇颤抖着，“茹贝知道吗？”

“知道了。我先告诉了她。因为城里都在议论这件事情。爆炸声在山下听得很清楚——非常可怕。”

“你先把这件事情告诉她，我很高兴。谢谢，”伊丽莎白轻声说，“他对她比对我重要得多。哦，可怜的人。”

康斯坦斯绞着一双手，哭泣着。

“别哭了，”伊丽莎白用同样温柔的声音说，“这种死法更好。正值盛年，完全没有预料到要死，就突然离去。我为他高兴。”

“妈妈说，她过一会儿就来。你能找到内尔吗？”

“能，当然能。”

“他的尸体找到了吗？”康斯坦斯问。

李一双焦躁不安的眼睛直瞪瞪地看着她。“没有。永远不会找到，康斯坦斯。他被埋在几百英尺之下的隧道里，而那隧道已经不复存在。他永远都是天启金矿的一部分。”李走到门口，“我必须走了，他们随时都会找我。”

伊丽莎白陪他走过草地。那草地雨后又变得一片葱绿：“他不知道我们的事儿，是吧，李？”

“不，他不知道。”李说，突然意识到，他这辈子要永远把这谎撒下去。“他把全部精力都集中在这次爆破上。事故常常难以避免，甚至发生在那些备受上帝恩宠的人身上。矿井是危险之地。”他擦了一下眼睛，“但我从来没有想到，这样的灾难等待着亚历山大。他是金山之王。”

“重担最终都要落到王的肩上，”伊丽莎白有点神秘地说，“这是他必须为自己的统治付出的代价。”

“你的心里和你的生活里还有我的位置吗？”

“当然，永远都有，但是得稍微等一等。”

“我能等。请你记住，无论何时，只要你需要，我都在你身边。我爱你，伊丽莎白，亚历山大的死不会改变我对你的爱。”

“我爱你。我想，如果亚历山大知道我终于找到我爱的人，也会高兴的。”她踮起脚尖吻了一下李的面颊，“你现在是主管了。什么时候过来都可以。”

难道什么都没有改变？那天下午，茹贝在金罗斯府邸见到伊丽莎白时心里想。亚历山大留下的这位名正言顺的寡妇像以往一样镇定、冷漠、超然。就连她的眼睛也那样宁静，尽管并不快乐。她的思想缥缥缈缈，谁也不知道她在想什么。亚历山大经常这样说。

多莉已经知道这件事情，躺在床上抽抽搭搭地哭，牡丹坐在旁边安慰她。伊丽莎白已经给内尔打过电话，告诉她父亲的死讯。当时内尔正在阿尔佛雷德王子医院病房里巡查，妈妈的电话打断了她的工作。她正在路上。伊丽莎白还是用那种平静的、冷漠的声音轻轻地说。

吃晚饭时，李才回来，洗了澡，换了一套干净的工作服。

“我们已经决定停止搜寻。”李说。他在椅子上坐下，接过妈妈递来的一杯波旁酒。“所有工程师都达成共识，每往里挖一英尺，都会碰到更多的石头、更严重的塌方。根本没有亚历山大的尸体。他已经葬身于大山深处。”

亚历山大死不见尸似乎很让伊丽莎白伤脑筋，她问道：“我们该怎么办？李。我们无法正式埋葬他，能吗？”

“不能。”

“但是他总得有个坟墓！”

“当然可以有个坟墓，”李耐心地说，“坟墓里面不一定非得有尸体，伊丽莎白。你想把他的坟墓建到哪儿都可以。”

“可以建到安娜旁边。他喜欢高高的山顶。”

茹贝默默地坐着，伤心过度，欲哭无泪。三个女人不约而同地穿了黑色丧服凝重的罗缎，没有任何装饰。李纳闷，她们是不是为了防备万一，箱子底下都藏着这样一套衣服？尽管安葬安娜的时候谁也没有穿丧服。也许因为安娜的死是上帝的仁慈之举，是她痛苦的终结，所以谁也没有穿黑衣服。

“建一座雕像，”茹贝突然说，“在金罗斯广场给亚历山大建一座青铜雕像，身穿鹿皮外套，骑着骏马。”

“很好，”康斯坦斯迫不及待地说，“请最好的雕塑家来雕刻。”

三个人的目光都落到李的身上。他想，她们希望我来安排这件事情。我已经接替了亚历山大的位置。可是我愿意接替这个位置吗？答案是不愿意。但是看起来别无选择。亚历山大的死把我和金罗斯更紧密地联系到了一起，就像恺撒大帝和他的罗马帝国无法分离一样。

那天夜里，他就睡在金罗斯府邸，不过没有睡在亚历山大的床上，而是睡在曾经临时禁闭安娜的客房里。夜半时分，他从噩梦中惊醒，看见伊丽莎白站在床前。他先是有点害怕，但是总的反应是感激。她身穿睡袍，可见不是为了寻求性的慰藉。他一骨碌爬起来，紧紧抱住她。她贴在他身上，轻柔地吻着他。

“你怎么知道我需要你？”他贴着她的满头秀发问。

“因为你爱他。”

“难道你心底最隐秘的角落也没有对他的爱？”

“没有。从来没有。”

“这么多年，你是怎么忍受过来的？”

“筑一道高墙，把我和他、和这场婚姻的痛苦隔开。”

“你和我没有必要筑这样一道高墙。”

“我知道。不过刚开始的时候会很难，最亲爱的李。”

“是的，你不得不一砖一石地拆这堵墙。不是你一个人拆，我会帮助你。”

“这一切看起来太不真实了，让人难以置信。过去，我一直以为亚历山大会永远活着。他看起来就是这样的人。”

“我也觉得他会永远活在世上。”

“什么时候才能公开我们的秘密？”

“总得几个月之后吧，伊丽莎白，除非你不怕流言蜚语。”

“有你和我在一起，我什么都不怕，但是，如果没有流言蜚语，你会更快乐一点。你爱他。”

“是的，我爱他。”

验尸官在巴瑟斯特办公，询问——很难称之为普通意义上的询问——只能在巴瑟斯特举行。屋子里挤满记者，因为亚历山大·金罗斯爵士的死是轰动全球的新闻。

萨默斯作证，亚历山大爵士让他准备一箱未开封的、内装二百筒、每筒容量为百分之六十的炸药。他还当场出示亚历山大写给他的纸条，然后承认，对于炸药，他自己是个地地道道的笨蛋，但是即使再笨也知道一筒炸药这头和那头不一样——如果两头真的有什么区别的话。他发誓，亚历山大爵士肯定切断了起爆器的电源，因为他亲眼看见电表指针指到零的位置。亚历山大爵士回隧道检查线路之后，任何人都没有再动过起爆器。这一点他也可以起誓。

普伦蒂斯作证说，他曾经从亚历山大爵士手里拿过那卷电线，准备切割。可是亚历山大爵士看起来很生气，从他手里抢过电线，自己刮掉绝缘皮，接到起爆器上。他解释说，起爆前他吹响警笛，所有值班的矿工都来到主巷道等待爆破结束。他也亲眼看见亚历山大爵士把起爆器上的旋钮旋转到“开”的位置，电表立刻显示电源接通。他非常肯定地作证说，亚历山大爵士进一号坑道接通电线——当时大家都认为线路出了故障——之前，确确实实又把旋钮旋转到“关”，切断了电源。

李首先证实，萨默斯和普伦蒂斯的证言都是事实。那就是，把电线接到起爆器上的是亚历山大爵士，先“开”后“关”的也是亚历山大爵士。他当庭出示起爆器，并且说明如何操作，还解释说，起爆器已经在实验室全面检查，一切正常，而且事实上，这个设备绝对谈不上复杂。如果验尸官在这个细节上还有什么疑问，负责检查起爆器的工程师已经到庭，可以作证。

验尸官询问，既然这样，一号坑道为什么会爆炸？李只能摇摇头，说不知道。普伦蒂斯也摇摇头，说不知道。炸药是一种惰性物质，只有引爆才能爆炸，而且即使一枚雷管爆炸，也不会引爆所有炸药，因为并不是所有导线都串联在一起。通常的技术是，先引爆一小筒炸药，看看效果如何，然后再决定是否继续爆破。装炸药的人谁也不会试图一次炸下整个岩面。他们总是爆破之后，用气锤、风镐沿着爆炸形成的裂缝和断层的岩缝，把大块大块的石头开凿下来。

验尸官再次传唤李。李承认亚历山大爵士热衷于这次与以往不同的爆炸，把它称之为“试验”。普伦蒂斯也被再次传唤，他证实李的证言千真万确。

“还有一点，阁下。亚历山大爵士没有估计到，他要炸掉的岩面背后是一个巨大的断层。爆炸引起断层周围的花岗岩大面积坍塌。我看不出除此而外，还有别的什么原因能造成这种坍塌。几天前，我去山上看了一下，发现就在一号坑道终点上方，山体大面积塌陷。在外行眼里，这算不了什么，但是在地质工作者看来，既然事故发生前，没有这种塌陷，这就表明整个断层已经坍塌。”

“这会造成大爆炸吗？康斯特万博士。”

“要看情况而定，阁下。我认为，那天早晨，主坑道里没有一个人能说清楚他听到的是爆炸声，还是坑道将塌的响声。因为这两种情况都能产生巨大的声浪，冲击你的耳鼓。”李说，故意用了几个科学术语。

验尸官做出亚历山大死于不幸事故的结论。至此，官方正式宣布亚历山大爵士死亡。

茹贝和伊丽莎白没有参加这次庭审，但是内尔参加了。尽管这意味着她还得从悉尼回来一趟，参加父亲的追悼会和宣读他的遗嘱的仪式。她阴沉着脸，和李一起走着。

“我怎么觉得你们说的都是哗众取宠的空话。”她说。李领她走进从巴瑟斯特到拉特沟的火车车厢。

“何以见得？内尔。”他问道。

“我父亲没有出错。”

“我同意你的看法，他没有出错。”

“所以？……”她问道，似乎潜藏着一种危险。

“所以这是个谜，内尔。我还没有找到答案。”

“总会有个答案。”

“但愿你能找到。如果你找到了，我心里也会安宁一点。”

“我母亲毫不在乎。”

“哦，我看她很在乎。她只是觉得无法表达心中的感受。这一点，你应该比我更清楚。”

“谈不上什么清楚不清楚，”内尔恶狠狠地说，“茹贝更伤心。”

“那是因为她有更伤心的理由。”他坦率地说。

“我们俩真是很古怪的一对儿，李，你和我。”

“这是因为我们无形之中和父母那种特殊的关系纠缠到了一起。”

“说得不错。作为一个工程师，你很敏锐。”

“谢谢。”

她的面颊贴在车厢窗玻璃上，凝视着李的脸，湛蓝的眼睛比平常暗淡。他发生了许多细微的变化——更稳当、更显老、比以前坚定得多。他是不是盼望成为父亲主要的继承人？可是，爸爸对我说，我是第一继承人。我不想当这个角色——我不想！不……这不是李发生这些微妙变化的原因。这种变化另有原因。他从来没有吸引过我，可是突然之间，我从他身上感觉到一种吸引力。正直、诚实、敏感、令人敬重。危难之际，我的母亲和他的母亲都把他看作唯一的“救星”。哦，这是不是很具典型性？李是个男子汉。她们俩根本不在乎有没有我这个人。

他们在拉特沟换乘开往金罗斯的火车。在火车上，两个人又陷入谁也不愿意打破的沉默。

后来，他说："从安娜去世到发生这件事情，内尔，你一定落下不少课吧？有没有什么问题？"

"是落了不少。年底要考药物学、临床医学、外科学、生理学和解剖学。我能过关，因为这几门课我学得都不错，而且学院对到课率没有严格的要求，特别是对有正当理由缺课的同学。"她那张长脸又显得热情洋溢。"明年——一九〇〇年，将是最难的一年，不过我也没问题。这年要开的不少课程，在我看来和医学没有什么关系，比如法医学。我正在做博士论文，希望毕业时能成为真正的医学博士，而不只是一个医学学士。"

"你的论文写的是什么？"

"关于癫痫症。"

安娜，他想。"你打算结婚吗？"他问道，脸上露出迷人的微笑，谁看了也不会因为这个问题的唐突而生气。

"不。"

"很遗憾，你是亚历山大留下的唯一的亲骨肉。"

"我不相信这些，李。这是过时的、并不重要的观念。再说，还有多莉。"

"对不起。"他说，不再说这个话题。

"除非你想娶我。"她说，目光中充满挑战。

"一万年也不可能。"

"为什么？"她问，一副咄咄逼人的架势。

"你浑身长刺儿，盛气凌人，我可不是那种能磨平你棱角的丈夫。我喜欢娶个温柔的女人为妻。"

"千挑万选，挑着了吗？"

"没有。这事儿不是男人挑女人，是女人挑男人。"

她觉得跟他热乎起来，不由得向前靠了靠。"是的。我想是这么回事儿。"她说。

"那个曾经让你心动的家伙怎么样了？"

“哦，许多年前的事儿了。那时候我才十六七岁。听说我那么年轻，他差点儿中了风。所以火苗还没烧起来就嗞嗞地响着熄灭了。”

“你能重新燃起火花吗？”

“不可能！特别是爸爸去世之后，更没有这种可能了。我要是那样做就背叛了父亲。”

“为什么？”

“那个家伙碰巧是新南威尔士州议会‘工人选举联盟’的代表。就像我父亲坚定地信仰资本主义一样，他坚定地信仰社会主义。”她叹了一口气，看起来有点伤感。“那时候，我确实喜欢他！他个子比你矮不少，不过我敢打赌，嫁给他还是值得的。”

“只是，”李笑着说，“他要懂得你从中国人那儿学会的防身术。”

亚历山大的遗嘱是新写的——安娜去世后两天留下的。也就是说，在李坦白他和伊丽莎白的恋情之前做的安排。这倒是值得欣慰的事情，李没有必要为其中的内容自责。让他纳闷的是，为什么亚历山大知道李和他妻子的关系之后，没有做任何改动。亚历山大在天启公司的七股股份，六股直接给了李，另外一股留给茹贝。这就是说，天启公司总共十三股股份，李占七股，茹贝两股，孙两股，康斯坦斯·丢伊两股。李是主要股东，理所当然成为公司总裁。

伊丽莎白、内尔和多莉每人每年从公司利润中支取五万英镑。

吉姆·萨默斯得到十万英镑，文家姐妹每人十万英镑，张五万英镑。亚历山大还表达了希望孙波继续当金罗斯城的秘书，并且遗赠五万英镑。西奥多拉·詹金斯得到两万英镑和她先前住过的那幢房子。

金罗斯山一万英亩地产归公司所有，但是伊丽莎白享有使用权，待她去世之后，归还董事会。所有遗赠的现金都已交清遗产税，可以从亚历山大自己的基金中直接提取。

他个人的珍宝、艺术收藏品、珍奇图书以及他名义之下的所有财产，都留给他死之后伊丽莎白再生的孩子。这一条，谁也不解其意，包括李。难道亚历山大感觉到了什么？可是他在写这份遗嘱的时候，并不知道她和李的关系。也许他以这种方式向伊丽莎白表示歉意，告诉她，她可以再婚。

“我很高兴，这副担子落到了你的肩上，李。”内尔说。

“我可不高兴。我真的没有想到会是这样。”

“这下子你连手带脚都捆绑到天启公司上了。我想，从我开始学医那天起，他就抛弃了我。”

“作为他创造的巨大产业的守望者，也许他是抛弃了你。但是，我不能认为每年五万英镑的遗产是对你的抛弃。”

“你不知道，我曾经希望他资助我建一座精神病医院。”

李笑了笑：“只要你和他提过这事儿，就足可以让他剥夺你这个机会。因为亚历山大会把这样一座医院看作想象中的对手，不管是不是和安娜有关。”

“是的，他会，难道不会吗？一个彻头彻尾的实用主义者。”

“哦，不知道。瞧他给西奥多拉都留下那么多钱财。”

“我很高兴他还记着她。”

“我也是。”

“他私人的财产有多少？李。”

“非常之多。要交纳的遗产税简直是九牛之一毛。”

“这些东西要留给他死之后妈妈可能生下的孩子……可是他知道，我们大家都知道！她不可能再生孩子！那么，如果她再没有孩子，这笔遗产该怎么处理？”

“你这个问题提得好。因为这笔财产都掌控在英格兰银行，所以，她死之后也许就会转到大法官法庭①。在那儿一搁置就是好几年，律师们就像贪婪的兀鹫啄食一具尸体一样，乘机争来吵去，中饱私囊。”李说，“如

①大法官法庭：英国最高法院五个部门之一，由大法官主持。

果你有孩子，我想，你可以代表他们提起诉讼。”

“妈妈在她这个年纪再生孩子？”内尔觉得这简直是天方夜谭。“当然我承认，”她若有所思地说，“惊厥不会造成太大的危险。”

“为什么？”李问道，仿佛抓住一根救命的稻草。

“我想，她现在的身体比生我和安娜那时候好得多。”

“甚至她这个年纪？”他用一种讥讽的口吻问道。

“啊，是的。从理论上讲，她当然还有生育能力。”

说到这儿，李不再提这个话题。

至少，和内尔有关的事情先告一段落。但是，李很快就发现，他已经永远落入亚历山大这张大网。下一个来“找麻烦”的是茹贝。

“他一定在立这份遗嘱前就察觉了你和伊丽莎白的事。”回到饭店之后，她对李说。

“相信我，妈妈，”他握着她的手，非常真诚地说，“他在立这份遗嘱前，绝对不知道我和伊丽莎白的关系。如果他知道，绝对不可能把主要股份都留给我。这一点，你应该知道。”

“可是，为什么……”

“我只能解释为，他有一种预感。也许他觉得，他死之后，伊丽莎白的生活会有个转折，再生几个孩子也不会对她的身体造成伤害。”李说，无法表达他只是感觉到的东西。

“但是，他那么结实，好像要永远活下去！他怎么能知道……立下那个该死的玩意儿之后一个星期，就死在坍塌的矿井里？”她问道，踱来踱去。

李叹了一口气：“他总说伊丽莎白是个能预知未来的精灵，其实他和她一样，都是地地道道的苏格兰人。他有一种非常神奇的本能。真的，我相信他对未来，有常人难比的、很强的预感。”

“我想也不会再有别的解释了，只是留下这么多疑问！”她突然哈哈大笑起来，不是歇斯底里的大笑，而是真的觉得好笑。“这个该死的家伙！

他立这个遗嘱是有目的的。仅仅因为，他这一死就用不着告诉大家，他打算停止折磨我们了。”

“坐下，妈妈。喝杯白兰地，抽支雪茄。”

她朝他举起酒杯，他也朝她举起酒杯。“为亚历山大。”她说，一饮而尽。“为亚历山大。愿他永远不要停止折磨我们。”

直到晚饭后，茹贝才又提起这个让她心痛不已的话题。

“我最亲爱的玉猫，伊丽莎白的情况怎么样？”

“我将在适当的时候和她结婚。”

“你能对我发誓，他不知道这件事情吗？”

“不，我决不！这是多么愚蠢的要求呀，妈妈！你稍微动动脑子就该明白，这本来是常识范围内的事情，”他生气地说，“我们能不能不谈这个话题？”她很镇定，没理睬儿子的指责。“他一定是在伊丽莎白熟睡时跑到老布拉姆福特的办公室起草了遗嘱，第二天吃过早饭之后，在遗嘱上签了名。这都是布拉姆福特告诉我的。亚历山大说，那天内尔寸步不离地守着妈妈。”茹贝很生气，“他还没有见你，所以他不可能知道。”

“啊，求求你，妈妈，换个话题。”

“内尔要是知道你和伊丽莎白的事儿，肯定得闹翻天。”

“只要你理解，我不在乎内尔。”

“哦，我当然理解！我不责怪你们俩。”她又发作起来，“正是这种理解才支撑着我，正确对待遗嘱的事。如果他知道了，就不会把你立为主要继承人。这是不容争辩的，就连内尔也说不出什么。亚历山大不爱伊丽莎白，但是他不能容忍任何人侵入他的‘领地’。”

“妈妈，我爱你，可是，你总这么唠叨烦死了！”

“我知道你爱我，我也爱你，玉猫。”泪水顺着她的面颊潸潸流下，但她还是微笑着说，“我非常想念亚历山大，但我也为你高兴。如果走运，我或许能有几个富甲天下的外孙。她再生孩子不会有任何麻烦，我坚信。”

“她也这么说。内尔也这样认为。”

电话铃响了。李站起身去接电话。他脸上的表情告诉茹贝打电话的人是谁。

“当然，伊丽莎白。我去叫她。”知道艾吉在偷听，他没有多说。“妈妈，伊丽莎白跟你说话。”

“一切都好吗？”茹贝对着听筒讲。

“是的，内尔和我都很好。我不知道李打算什么时候为亚历山大塑像，所以我想最好先给你打个电话，说说我的想法。”伊丽莎白在听筒那边说。

“亚历山大的雕像？”茹贝问道，神色茫然。

“不搞青铜雕像，茹贝。不搞青铜的。告诉李，我想雕刻成花岗岩的。花岗岩是亚历山大的岩石。”

“我会告诉他的。”

茹贝挂了电话：“她想用花岗岩为亚历山大雕像，不用青铜。她说，那是他的石头。天哪！”

的确如此，李想。他被掩埋在成千上万吨花岗岩之下，那就是他的坟墓。正如我告诉验尸官的那样，现在一号隧道末端上方山体塌陷。他碰上了断层，而且是面积很大的断层。他对这个情况了如指掌，他甚至把我拉到那儿结束我们的谈话，还特意跺了几脚，让地面发出空空洞洞的声音。但是那时候，我根本无心听他说了些什么。其实，只有我能问他那些他永远都不会告诉任何人的事情：是不是他在知道伊丽莎白对他不忠、和我相爱之前，就准备自杀？她的失踪是不是在他心里引起比恐惧和焦急更多的东西？他是不是认为在她尚且年轻、还可以生儿育女时应该给她自由？平常，每次爆破之前，他都要和我仔细研究各方面的问题，可是这次没有。

伊丽莎白喜欢坐在书房里，只开着一盏台灯，椅子离灯很远，昏暗中除了坐在那儿想事儿，没有别的目的。

亚历山大去世已经一个月了，日子在单调和烦闷中一天一天慢慢过去。先是验尸官就他的死因作出最后的判断，然后是开追悼会、宣读遗嘱。亚历山大·金罗斯爵士的一生终于画上一个句号。而李似乎也以一种古怪的方式退缩了，不是他自己真的退缩，而是在她的心里退缩。时间像一个楔子，将活着的亚历山大和死了的亚历山大一分为二。她的未来和自由虽然已经不再有什么疑问，但是亚历山大还是让她无法安宁。她深信他是自杀身亡，就像亚历山大的鬼魂现身并且告诉她一样。他无论做什么事情都精心安排，三思而后行，爆破这样的大事肯定更不会马虎。因为她不知道李曾经把他们之间的事情告诉亚历山大，所以她认为一定另有隐情，至于什么原因，不得而知。

“妈妈，你不该一个人坐在黑暗之中。”内尔走进来说道，“晚饭半个小时后就好。我可以给你倒杯你最喜欢的雪利酒吗？”

“谢谢。”伊丽莎白说。内尔把屋子里另外那几盏灯打开，伊丽莎白被耀眼的灯光照得直眨眼睛。

“你想吃东西吗？要不要让洪琦给你配制点滋补药？”

“我能吃。”伊丽莎白接过酒杯呷了一口，“洪琦的滋补药？难道现代药品就没有效果更好的补剂？洪琦的药从研成粉末的甲虫到干蝾螈、草籽，什么都有。”

“中药的疗效非常好。”内尔说，手里端着一大杯雪利酒在母亲对面坐下。“我们在化学实验室研制药品，他们却向大自然索取。我们生产的许多药品疗效确实比中药好，但是医治慢性病，大自然确实为我们提供了许多神奇的药物。我毕业之后，要搜集老太太们的偏方、验方，传统的医治百病的‘万灵药’‘百全丹’，还有洪琦医治痛风、眩晕、皮疹、胆汁病和天知道别的什么病的处方。”

“这是不是意味着你不打算再搞研究？”

内尔皱了皱眉头：“就我所知，研究机构不会有我的位子，妈妈。可是我一点儿也不伤心。这倒真让我惊讶。我准备到悉尼最贫穷的地区当全科医生。”

伊丽莎白脸上露出微笑：“哦，内尔，你这个主意真让我高兴！”

“我明天就回悉尼，妈妈，要不然就得再读一个四年级了。可是，把你一个人留在这儿，我很不放心。”

“我不会一个人在这儿待多久。”伊丽莎白平静地说。

“什么意思？”

“我打算出去走一段时间。”

“和多莉一起？去哪儿去？”

“不。我准备把多莉送到丹利康斯坦斯那儿。索菲娅和玛丽的孩子都在那儿。多莉已经到了必须和同龄孩子们交往的年纪。丢伊家的孩子们没有人知道多莉的身世，丹利离这儿又远。他们有一个非常好的家庭教师。康斯坦斯建议我把孩子送到那儿。”

“太棒了，妈妈。真是个好主意。你呢？”

“我打算到意大利湖。我经常在梦里看见那儿美丽的风光，”伊丽莎白用一种怪异的声音说，“以前，无论什么时候想跑，我想到的都是意大利湖，可是我从来没能跑掉。先是安娜离不开，后来又有了多莉。你还记得那儿吗？意大利湖。”

“只记得那儿风光秀丽。”内尔说，嗓子发紧。“那时候，你是不是经常想跑？”

“觉得生活无法忍受时就想。”

“经常吗？”

“经常。”

“你很恨爸爸吗？”

“不，我从来没有恨过他。我不爱他，后来渐渐演变为厌恶，但是没有理由恨他，恨是一种很盲目的感情。不过，对于我们俩关系的实质，我一直都看得很清楚。我甚至可以领悟亚历山大的观点。麻烦在于，他的看法和我的看法相去甚远。”

“他确实爱你，妈妈。”

“现在他死了，我知道他爱我，但是这并不能改变什么。他更爱茹贝。”

“该死的茹贝·康斯特万！”内尔生气地说。

“别这样说！”伊丽莎白大声说。她的声音那么大，那么严厉，内尔吓了一跳。“如果没有茹贝，我真不知道该怎么办。你一直爱她，内尔，现在一定不能谴责她。我不想听任何反对她的话。”

内尔浑身颤抖。妈妈的声音里充满了激情！度过半生“一人社会”，妈妈本该厌恶她才对。“对不起，妈妈，我错了。”

“向我保证，你结婚时——一定要结婚！——要有正当的理由。最重要的是要喜欢对方。当然要爱，但是也要为肉体的快乐。人们都认为不该提这事儿，仿佛那快乐是魔鬼而不是上帝创造的。我无法告诉你，那是多么重要。如果你和你的丈夫能全心全意地分享你们的爱情生活，别的都无关紧要。你有自己的事业。为了这个事业，你付出了太多太多，所以绝对不能放弃。如果他想让你放弃，就不要和他结婚。你永远都有足够的收入过舒服的日子，所以既要嫁人，也要继续行医。”

“好主意。”内尔声音沙哑地说，对母亲和父亲有了许多新的认识。

书房里一片寂静，内尔用与以往不同的眼光看待母亲。自从父亲去世，她好像又聪明了许多。过去，身为爸爸的“死党”，她对妈妈的顺从总是深恶痛绝。她讨厌妈妈身上那种“假圣人”的东西，可是现在，内尔看到伊丽莎白不是、从来都不是什么“假圣人”。

“可怜的妈妈！你只是从来都没有好运气，是吗？”

“是的，从来没有。不过，但愿以后会有好运。”

内尔放下酒杯站起身来，走过去吻了吻妈妈的嘴唇。这是第一次。“我也希望你有好运。”她伸出一只手，“走吧，晚饭快好了。我们已经摆脱那些妖怪的纠缠了。”

“妖怪？我情愿叫它们魔鬼。”伊丽莎白说。

伊丽莎白送内尔上火车之后，李陪她回到府邸。走进书房，李的心里有一种怅然若失的感觉。亚历山大死后，他们俩只在安娜临时“牢房”的床上，做过一次爱，没有激情，只有隐隐约约的幽怨和哀伤。对于她的冷淡，李并无埋怨之意，恰恰相反，他非常理解。他觉得，亚历山大的阴魂就在他们俩之间萦绕盘桓，找不到合适的咒语把他驱散。他真正担心的是，生怕失去她。因为尽管他爱她，而且相信她也爱他，但是他们的关系仿佛建立在沙丘之上。亚历山大的死从许多方面移动了这座沙丘——他继承遗产之后人们心理上的变化，他对她思想活动的规律一无所知。如果亚历山大和她共同生活了那么多年还摸不准她的思想脉络，他又怎么能把握得了呢？本能告诉他，通过爱，可以了解她，可是逻辑和理智却让他没有那么大的把握。

即使现在，书房门窗紧闭，帷幔低垂，她也没有让他走过去、拥抱她、爱她的意思。相反，她站在那儿，从手指上揪扯下黑羊皮手套，仿佛拷问这个让她想起亡夫的、了无生气的物件。她低着头，神情专注地看自己正做的这件事情。亚历山大说得很对，她心思悠远，没有留下打开她正漫游其间的那座迷宫的钥匙。

好几分钟过去了，他终于说："伊丽莎白，你想做什么？"

"做什么？"她抬起头，凝视着他，脸上露出一丝微笑。"我想把火生着，屋子里太冷。"

也许是有点儿冷，他想，从壁炉台上拿下一支细小的蜡烛，点燃炉膛里仔细摆放着的纸和引火柴。是的，也许就是这样。谁都没有真正关心过她的冷暖，没有想过她是否舒适、安宁。火着了起来，他帮她脱下手套，摘下帽子，把她领到炉边那张舒适的安乐椅旁边安顿她坐下，抚平被帽子压乱的头发，给她倒了一杯雪利酒，递上一支香烟。昏暗中，面向壁炉的时候，她的一双黑眼睛映照出熊熊炉火。这双眼睛一直跟着他转，直到他靠着她的腿在地毯上坐下，把头放到她的膝盖上。她拿起他的辫子，绕到自己的胳膊上，尽管看不见她脸上的表情，但是能和她这样偎依在一起就足够了。

"'我是怎样爱你？让我历数爱你的方式。'"他说。

她接着朗诵："'我爱你，灵魂到达的高山、大海、草原，都有我的爱。'"

“‘我爱你，你每一天无声的需要都包含着我的爱，无论阳光下还是烛光边。’”

“‘我爱你，用我一生的微笑、眼泪和呼吸！’”

“‘如果上帝允许，’”他结束道，“‘死后仍将更好地爱你。’”

他们没有再说什么，细小的树枝燃烧着。他站起身，往炉膛里加了几根干透了的木头棒子，然后在地板上她两条腿中间坐下，头靠在她肚子上，闭着一双眼睛，细细品味她抚摸他脸的柔情。雪利酒放在那儿没有动，香烟化为灰烬。

“我准备出去走走。”她过了好长时间才说。

他睁开眼睛：“和我一起走还是你一个人走？”

“和你一起，不过要分开走。现在，我可以自由自在地到我想去的任何地方，可以自由地爱你，自由地要你。只是不能在这里。不管怎么说，刚开始不能。你可以把我带到悉尼，送我上船，到……哦，到哪儿也无所谓！欧洲任何地方。尽管去热那亚[①]最好。我打算和珍珠、绢花一起到意大利湖。我们在那儿等你，不管多久。”一根手指沿着他眉棱骨的轮廓向下滑动，抚摸他的面颊。“我喜欢你的眼睛……奇妙而又美丽的颜色。”

“我本来担心一切都已成为过去。”他说，觉得太幸福了，简直动弹不得。

“不，永远不会，倒是或许有一天，你希望我们的爱成为过去。九月我就四十岁了。”

“年龄不会成为我们之间的鸿沟。我们将一起变老，成为一对中年父母。”他坐起来，转过脸看着她。“你是不是已经……”

她笑了起来：“没有。但是一定会有的。这是亚历山大对我的馈赠。我无法想象还有什么比这份礼物更贵重的东西。”

他气喘吁吁地跪了起来。“伊丽莎白！不会是真的！”

①热那亚：意大利西北的一座城市，濒临利古里亚海的一个港湾热那亚湾。作为一个古老的聚居地，热那亚在罗马人统治下繁盛起来，并在十字军东征期间聚敛了大量财富。今天，它是意大利的主要港口和重要的商业、工业中心。

“那是你说的。”她说，脸上露出诡秘的笑容。“你多长时间以后才能去找我？”

“三四个月以后。我的女人，我爱你！不是朗诵一首抒情诗，而是发自内心的感受。”

“我也爱你。”她俯身热烈地吻着他，然后又在椅子上坐好。“我希望我们做一切我们想做的事情。也就是说，在不会勾起任何回忆的地方开始我们的共同生活。我希望我们在科摩[1]结婚，在那儿的一座别墅度蜜月。我知道，我们迟早还得回来，可是到那时候，已经驱除了所有‘魔鬼’。房屋仅仅因为记忆才成其为家。可是这幢房子虽然留下那么多记忆，却从来不是我的家。然而，现在我向你保证，它将成为我们的家。”

“深潭还将是我们的秘密之地。”他站起身，拉来一把椅子，坐到离她很近的地方，如果愿意，伸手就可以抚摸她。他朝她微笑着，有点神情迷乱。“我不敢相信这一切都是真的，最亲爱的伊丽莎白。”

“你有什么理由去找我？”她问道，“公司离得开吗？”

“可以说，公司是一个有生命的实体，几乎完全可以靠自己的力量无限期地延续下去。索菲娅的丈夫将成为我的副手，正好可以放手让他干一阵子。”李说，“此外，世界正在变小，我的宝贝儿。你的已故丈夫就是使这个世界变小的了不起的人物之一。”

“我想，我的下一任丈夫将继续让它变小。”她终于喝了一口雪利酒。可是他再递给她一支香烟时，她摇了摇头。“我再也不抽烟了。你给自己倒一杯波旁威士忌吧。”

“我也不喝威士忌了，以后和你一起喝雪利酒。”

他不停地往壁炉里加木柴，心里想，他和伊丽莎白未来的生活就像这熊熊燃烧的炉火一样，亲密、宁静而又充满激情。每天晚上，和她偎依在

①科摩：意大利北部度假胜地城市，靠近瑞士边界，在科摩湖西南端。曾是罗马的殖民地，于11世纪成为独立的公社。

炉火旁边，看着她的一双眼睛，心里充满幸福之感。她不在身边，就想念。

“从根本上讲，我是一只恋家的鸽子。”他有点惊讶地说，“可是我居然浪迹天涯，离家那么多年。”

“我想去看看你走过的那些地方。”她说，如在梦中。“也许我们从意大利回来的路上可以去看看你在波斯的油田？”

他笑了起来：“我那几乎不能盈利的油田！但是亚历山大和我同时想到，将来可以获得巨大的利润。我们在朴次茅斯参观‘宏伟号’——一艘军舰的时候，他说：‘我明白你心里的想法，就像一眼看到桅杆升起的旗帜。’我也表达出同样的意思。我们俩用不着多说什么，就心领神会。”

“从某种意义上讲，你和他非常相似。”她说，并没有表现出痛苦，而是显得很快乐。“你们俩同时想到个什么主意？”

“这个主意不会一夜之间或者明年就变成现实。但是十到十二年内，英国就需要大量石油作为军舰涡轮机的燃料。如果英国还想统治辽阔的海域，就要有强大的海军，有可以装载大口径火炮、铁甲很厚，但仍然可以保持时速二十节的军舰。而且不要有大团大团的黑烟。石油产生的烟雾很薄，颜色很浅。煤却如升起在天际的黑幕。可是，亲爱的，英国的难处在于，自己根本就没有油田。我的打算是，等到时机成熟，把我在孔雀油田的股份卖给英国政府。波斯王一定很高兴。因为如果他和英国雄狮成为合伙人，就可以阻止俄罗斯北极熊的侵略。不过李若有所思地说，“我也不知道这两个掠夺者谁更危险。”

“啊，听起来倒是令人欣慰的结局，”她说，“我的爱，亚历山大选你做继承人实在是选对了。”

“亚历山大选你也选对了。如果他没有从苏格兰‘进口’一个新娘，我永远也不会碰到你。简直无法想象，我至今还是个浪迹天涯的流浪汉。”

“我还是苏格兰金罗斯的一个老姑娘。很高兴亚历山大‘进口’了我。”她突然落下泪来。“除了安娜之外，生活并没有改变我。”

他什么也没说，只是握住她的手。

第四章 女医生

父亲的死使内尔的医学生涯发生很大的变化。她的分数急剧下降，并不是因为学习成绩大不如前。她通过四年级的考试，但是教授们只给了她个“勉强及格”，借口是缺课太多。五年级和六年级——最后一年——也没有给他们留下深刻印象，尽管她非常清楚，她的成绩在班上名列前茅。但是，优甚至良，已经和她无缘。当然，她知道他们还不敢给她不及格。她已经放出风，如果教授们胆敢不让她及格，她就直接去找那几家报纸办得生动活泼的报社。他们已经搜集了不少医学院歧视妇女的材料。最后学院只好让她及格——各科不但没有优，甚至连良也没有——毕业时授予医学学士和外科学学士学位。她的关于癫痫症的博士论文被扔到一边，置之不理，理由是太深奥，论点模糊，没有临床病历佐证。此外这种病并不流行。于是，亚历山大·金罗斯爵士的女儿把论文送给伦敦的威廉·高尔，请他评判够不够博士论文的水平。她的签名是“E·金罗斯”。

一九〇〇年十二月初，就在她等待伦敦的消息时，迎来了毕业的日子。这是一个不寻常的、令人兴奋激动又不无担心的年代。各殖民地的联合即将完成，澳大利亚联邦就要诞生，但是和英国仍然关系密切。澳大利亚居民依然持英国护照，依然是英国臣民。澳大利亚国民从本质上讲并不存在。它只是一个二等国家，其身份仍然是英国的附属国。它的宪法——很长——极力强调联邦议会和各州的权利，“人民”只在短短的导言里提到一次。内尔愤怒地想，没有人权法案，没有个人自由，用英国式民主维护澳大利亚的社会制度。哦，我们就是从流放犯起家，所以习惯了被人欺压。就连新南威尔士的总督在他的第一次的演说中也提到我们“与生俱来的污点”。

见鬼去吧，伯钱姆勋爵，老朽无能的英国傻瓜！

她坐在医学院哥特式建筑外面的长椅上吃午饭——奶酪三明治，没有兴趣和那几位女同学搅和到一起，也没有心情对她们表示同情。她们几个谁的结果也不比她好。至于那些男同学，还是把她当作怪物避之唯恐不及，尽管她现在也穿戴得漂漂亮亮去参加晚会。她这辈子每年都有五万英镑进项的消息在那些更具掠夺性的男生中确也引起兴趣，但是内尔知道如何对付这些胡搅蛮缠的无耻之徒。最后，那些家伙只得乖乖地打了退堂鼓。有一个没有结婚的高级讲师也加入到竞争这份遗产的行列，不过她的分数并没有因此而提高。没关系，她顺利毕业，这是伟大的胜利。她一级也没留。

“我想就是你。”一个声音说。声音的主人是个壮实的汉子，在她身边重重地坐下。

内尔朝那人转过脸，皱着眉头，怒目而视。可是只一刹，这双眼睛就睁得老大。“天哪！是你吗？比德·泰尔加斯！”内尔高兴地叫了起来。

“是呀，不过大肚子没有了。”他说。

“你来这儿干什么？”

“我来法学图书馆，看点书。”

“怎么？你搞法律了？”

“不是，我是为联邦议会的事儿研究一下法律。”

“你是议员？”

“没错儿。”

“你那个讲坛令人作呕。”她说，咽下最后一口三明治，拍掉手上的面包渣。

“你认为每一个选民、每一张选票都令人作呕吗？”

“行，算你有理，但是正如你所知，许多事情无法避免。妇女享有选举权。等下次举行选举时，就连新南威尔士女人也可以投票。”

“那么，什么事儿令人作呕呢？”

“不准有色人种和其他不受欢迎的种族移民，把他们全都排除在外。”

她说，“不受欢迎的种族，没错儿！不管怎么说，谁也不是真正的白色。我们是粉红色或者淡棕色，所以我们也是有色人。”

“你永远不会放弃你的观点，是吗？”

“是的，永远不会。我的继父是有二分之一血统的中国人。”

“你的继父？”

“毫无疑问，你满脑子社会主义，以至于没有注意到我的父亲两年半前就死了。”

“我肚子上有个玻璃窗，要是解开外套扣子就什么都看见了。”比德很严肃地说，“非常抱歉，真的。他是个了不起的人物。这么说，你母亲又结婚了？”

“是的，在科摩，十八个月前。”

“科摩？”

“你莫非对地理真的一无所知？意大利湖。”

“这么说，我们说的是同一个科摩。”他口齿伶俐地说。他在政治舞台磨炼了这么多年，说话的技巧已经炉火纯青。“这件事是不是让你很不开心？内尔。”

“起初是不开心，不过现在好了。我为她高兴还来不及呢。他比她小六岁，因此不管运气如何，她都不会像大多数女人守那么长时间寡了。她日子一直过得很艰难，也该快快乐乐享享福了。”内尔哧哧哧地笑了起来。“现在我有两个比我小二十四岁的弟弟、妹妹了。这不是太妙了吗？”

“你母亲生了双胞胎？”

“龙凤胎。”内尔得意洋洋地说。

“请解释。”又一个政治上的“回避战术”——如果有什么隐情，难以启齿，你可以假装不知道。

“两个不同的卵子。同卵双生源于一个卵子。也许她觉得自己四十多岁了，得抓紧生产，所以就翻了一番。下次或许还生个三胞胎呢！”

“她生你的时候多大？”

“刚过十七岁吧。哦，对了，你要是想算出我的年纪，我可以告诉你，本小姐到元旦二十五岁。”

“你的年纪我记得一清二楚。我怎么能忘记，一个没有年长妇女陪伴的十六岁少女曾经到我——一颗冉冉升起的政治明星——家里做客呢！”他瞥了一眼她没戴戒指的手指。“没有丈夫？没有未婚夫，男朋友？”

“当然没有！”她用讥讽的口吻说。“你呢？”她还没来得及多想，这个问题就脱口而出。

“还是个无牵无挂的单身汉。”

“还住在那幢鬼屋里？”

“没错儿，不过条件大为改观。我买下那幢房子了。你说对了，房东一百五十英镑就卖给我了。污水横流，伤寒症、天花、流行病、淋巴腺鼠疫到处传播。所以我现在开始研究如何治理污水，如何铺设下水道。对了，我在那块荒地上种了蔬菜，长得非常好。”

“真想去看看你改进后的‘生存状态’。”她说，不由自主，脱口而出。

“我也真想带你去看看。”

内尔站起身：“我得赶快到阿尔佛雷德王子医院去了，有一台手术等着我呢！”

“你什么时候毕业？”

“再有两天。我的母亲和继父要从国外赶来参加我的毕业典礼。茹贝从金罗斯来。索菲娅带着多莉从丹利来。我们一家人要在这儿大团圆了。我盼望赶快看到我的小弟弟、小妹妹。”

“我能来看看女医生的毕业典礼吗？”

她转过脸，大声说：“我的宣誓仪式①！”

他站在那儿看她飞跑而去的背影，黑色学袍在风中飘拂。内尔·金罗斯！

①宣誓仪式：此处指医生开业时或医科学生接受学位时作有关遵守医生道德的誓言。守则相传出自被称为“医学之父”的古希腊医师希波克拉底之手。

经过这么多年，再度相逢，哦，内尔·金罗斯！他不知道她父亲死后给她留下多少财富。在他的心目中，她就是个地地道道的工人——深灰色布袋做的短裙，像任何一位矿工一样，穿着笨重的靴子，脑袋后面紧紧地束着发髻，奶油色皮肤从来不施脂粉，不抹口红。他扬了扬眉毛，嘴角露出一丝懊恼的微笑，下意识地伸出一只手，弄乱了赤褐色的头发。议会的同事都知道，这个动作表明比德·泰尔加斯正在做一个意义深远的决定。

有的人让你永远难忘，他想，向有轨电车站走去。我一定要再去看她。我一定要弄清楚她的情况怎样。如果她即将从医学院毕业，那就意味着她已经结束了机械工程学院的学业。除非就像某些更为进步的报纸喋喋不休地指责的那样，在她学医期间，每年至少有一次学校不给她及格。他们就是这样对待女大学生的。

内尔把他留在一百码之外那张长椅上，但是他还潜藏在她心底某个角落，增加了一丝温馨、一缕亮光。比德·泰尔加斯！看起来重新恢复和他的友谊非常正确。她承认，这份友情比她先前想象的重要得多。

手术没完没了，直到六点多一点，她才抽身到乔治大街那家饭店看望住在那儿的妈妈和李。这次她总算坐了辆出租马车，而且不停地让车夫加快速度。妈妈是不是把这两个小孩儿管得很严？他们现在是不是还在玩耍，因此可以迎接他们的姐姐，还是已经睡觉了？

伊丽莎白和李坐在他们那套房子的客厅里。内尔破门而入，一下子惊呆了。这是妈妈吗？哦，她一向漂亮，但不是现在这个漂亮法儿！她简直就是爱神，光彩照人，娇艳夺目，无意之中显示出近乎放荡的性欲。她看起来比我还年轻，内尔想，好像有一团什么东西堵在嗓子里。这是让她心满意足的婚姻，她像一朵怒放的黑玫瑰。李比以前更英俊潇洒，而且多了几分阳刚之美。内尔注意到，他的眼睛一会儿也离不开伊丽莎白，两个人好得真像一个人。

伊丽莎白走过来吻她，李拥抱她。他们让她在一张椅子里坐下，递上一杯雪利酒。

“你们回来真让我高兴，”内尔说，“没有你们参加，这个毕业典礼可就索然无味了。”她朝四周张望着。“那两个小家伙睡觉了？”

“没有，我们一直让他们等着向你问好呢。”伊丽莎白说着挽起她的手，“他们在隔壁和珍珠、绢花一起玩呢。”

这一对双胞胎是李和伊丽莎白结婚十一个月之后出生的，现在已经七个月了。内尔一看见他们，爱的浪潮就在心里汹涌奔腾，泪水迷住了眼睛。啊，这一对宝贝儿！亚历山大长得既像妈妈又像爸爸。黑头发兼有李的平直和伊丽莎白的卷曲。椭圆形小脸、象牙色皮肤像李。灰蓝色的眼睛、长长的睫毛和安娜一模一样。颧骨像伊丽莎白，棱角分明的、好看的嘴巴像李。而玛利-伊莎贝拉活脱脱一个小茹贝，从金红色的头发到两个小酒窝，到距离挺宽的绿眼睛，简直就是从茹贝那儿脱胎而来的。

“你们好，小弟弟，小妹妹，”内尔在床边跪下说，“我是内尔，你们的大姐姐。”

两个小家伙太小，还不会说话，但是两双充满智慧的眼睛饶有兴趣地看着她，张开小嘴咯咯咯地笑了起来，四只胖乎乎的小手抓住她的手。

“哦，妈妈，太漂亮了！”

“是啊，我们也这样认为。”伊丽莎白说，抱起亚历山大。

李走到玛利-伊莎贝拉身边。“这是爸爸的宝贝女儿。”他说，吻了吻小宝宝的脸蛋儿。

“你给我写信说分娩时非常顺利，是真的吗？”已经是医生的内尔焦急地问。

“临近生产时，怀着两个小东西确实很不方便——肚子很大、身子很笨。”伊丽莎白说，抚摸着亚历山大卷曲的头发。“那时候我不知道是双胞胎。意大利的产科医师技术相当高，我的医师又是最好的。没有痛苦，只是一般的不适。我发现非常奇怪：我生你和安娜的时候，都是在昏迷之中，所以这次生他们俩，那种感觉好像是第一次生孩子。玛利-伊莎贝拉生出来之后，他们说还有一个，真让人大吃一惊。”伊丽莎白笑了起来，轻轻地捏了一下亚历山大的小脸蛋儿。“我就知道会有个亚历山大，他就来了。”

“我在产房那头焦急地踱来踱去，”李说，“后来就听见玛利-伊莎贝拉响亮的哭声——我是父亲了！我心里想。等他们告诉我还生出个亚历山大时，我高兴得简直要昏过去了。”

“谁是老大？”内尔问。

“玛利-伊莎贝拉。”夫妻俩异口同声地说。

“他们俩长得不一样，可是都很喜欢对方。”伊丽莎白说，把亚历山大交给珍珠，“该睡觉了。”

第二天，茹贝、索菲娅和多莉来到悉尼。康斯坦斯·丢伊身体欠佳，经不起这一趟旅行的折腾，就没有来。多莉九岁，相貌平平，可是这个阶段不会太长，内尔想。长到十五岁，她就会出落成一个美人儿。在丹利度过的两年半，对她的成长极有好处。她更活泼、更开朗、更自信，但是并没有失去性格中的温柔可爱。

尽管她很喜欢玛利-伊莎贝拉，可是第一眼看见亚历山大，多莉一颗心就扑到他的身上。内尔觉得一阵心痛，她意识到，那是因为他的眼睛和她亲生母亲的眼睛一模一样。这个孩子身上有一种东西似乎让她想起安娜。她和伊丽莎白交换了一个眼神，看出妈妈也注意到这一点。毫无疑问，我们血液里，有一种东西可以让我们认出自己的母亲，无论那记忆多么久远。不久的将来，就要告诉她真相，否则充满敌意的害虫就会先爬到她的心里。一定要让她好好成长。她一定会好好成长，安娜的多莉。

亚历山大死后，茹贝没有变老。她觉得，倘若真的老了，那就辜负了亚历山大对她的深爱。那时，流行的衣服样式很难看，但她还是设法把自己装点得高雅、整洁。大英帝国有一半人去南非打布尔人[①]——或者看起来像有一半人——追求时髦的人似乎都心存内疚，连“极乐鸟”也都打扮变

①布尔人：南非荷兰殖民者或荷兰殖民者的后裔。

成“黑水鸡”。裙子越变越短，以前一直喜欢穿短裙子的内尔不再引人注目，尽管不得不承认，茹贝穿短裙越发漂亮。

风气变了，内尔想。新世纪的曙光已经升起，一两年内，学医的女生毕业时就可以授予荣誉学位。最先拿到这种学位的本来应该是我。

“你看起来变了，内尔。”李对她说。晚餐后，他们坐在饭店大厅对饮咖啡，举杯小酌。

“变成什么样子了？比以前更邋遢了，是吗？”

他微微一笑，露出满嘴洁白的牙齿，天哪，她想，他这个人确实值得一看！尽管我的趣味和他的英俊潇洒完全背道而驰。

“你眼睛里的火花又亮起来了。”他说。

“你真是火眼金睛！尽管还算不上亮起来，或者说还没有真的亮起来。昨天我在学院碰到他了。”

“他还是信仰坚定的议会议员吗？”

“哦，是的，不过现在是联邦议会的议员了。我狠狠地批评了他们反对有色人种移民的做法。”她得意洋洋地说。

“但是，他并没有因为你的批评远离你，对吗？”

“他属于那种咬住不放、一条道走到黑的人，就像一条牛头犬。”

“这倒很适合你。想一想，你将来少不了吵架。”

“和我的母亲、父亲生活这么多年之后，我宁愿过几天太平日子，李。”

“他们俩很少吵架，这正是他们的问题之一。你和亚历山大一模一样，内尔，好斗。如果你没有这种精神，永远都不会从医学院毕业。”

“你的建议我采纳了。”她说，“你和我母亲吵架吗？”

“不，我们不需要争吵。特别是窝里有了两个小宝宝，另外一个——我希望是一个！——正在路上。刚有，但是她说确定无疑。”

“天哪，李！你能不能让那玩意儿在裤子里多待一会儿？她刚生了双胞胎，身体需要恢复。”

他哈哈大笑起来。“别怪我，这可是她的主意。”

茹贝正和索菲娅滔滔不绝地谈论玛利-伊莎贝拉。“又一个我！”她咯咯咯地笑着说，“我巴不得马上就教这个可爱的小宝贝儿管铲子叫铁锹。我的小玉猫。”

“茹贝！”索菲娅倒吸一口凉气。“你可不能这么教！”

内尔和另外两个女生，还有许多男生一起毕业。这位刚毕业的女医生被她那一小群亲戚包围着，拥抱，亲吻。比德·泰尔加斯站在远处等待着。如果那个女人就是她的母亲，内尔可一点儿也没有继承她的美丽或者她那镇定、高雅的举止。她的继父，引人注目，留着中国人长长的辫子。他们俩一个人抱一个小孩儿，母亲抱男孩儿，父亲抱女孩儿。两个非常漂亮的中国女人身穿绣花缎子衣裤推着婴儿车，站在旁边。还有茹贝·康斯特万。他怎么能忘记在金罗斯度过的那一天？和内尔还有一位女百万富翁——茹贝这样称呼自己——一起吃饭。今天让他大感意外的是，他听见内尔的继父管她叫“妈妈”。

他们看起来都衣着华贵，可是不像许多毕业生家长那样故意表现出所谓上流社会的气派。那些人一个个趾高气扬，吃力地咬着伦敦音，千方百计把澳大利亚土音遮掩过去。“马弗京”[①]“外侨”这样一些字眼儿不时传到比德耳边。他不由得撇了撇嘴。一帮贩卖沙文主义的家伙。布尔人是正确的。我们为什么不能像美国人一样，在澳大利亚搞一场革命，把英国殖民者赶出去？倘若那样，我们的日子会好得多。

他向围在内尔周围的那一群人挤过去，有点紧张。他知道，尽管自己也穿着漂亮的礼服、硬领硬袖口衬衫，系着国会议员的领带，脚登软羊皮皮鞋，可是在别人眼里，他还是他——煤矿工人的儿子，而且自己也曾经在掌子面儿干过活儿。真荒唐！她永远不会步入他的生活！

---

①马弗京：南非中北部的一个城镇，位于普利多利亚西部。布尔战争中，英国守军在结束了长达217天的被围困后，在当地（1900年5月17日）举行了庆祝活动。

“比德！”内尔高兴地喊了起来，握住他伸过来的手。

“祝贺你，金罗斯医生。”

她像平常那样很爽快地为他们相互介绍起来。先介绍她的家人，然后介绍他。“这位是比德·泰尔加斯，”她说，“他是一位社会主义者。”

“见到你非常高兴。”李用真正字正腔圆的伦敦音说，真诚地、热情地握着比德的手。“作为家长，欢迎你参加我们这个资本家的大聚会①，比德。”

“明天愿意和一位女百万富翁共进午餐吗？”茹贝逗他，朝他挤眉弄眼。大学校长和学院院长嗅到金钱的气味和可能给予的资助，朝他们走了过来。

“我的妻子，康斯特万夫人，”李对校长说，“我的母亲康斯特万小姐。”

“他们想听的就是这个！”内尔笑弯了腰。“我是女医生，所以在医院里连一个住处都分配不到。他们在乎吗？一点儿也不！”

“这么说，你要到什么地方自己挂牌营业了？”比德问道，“我想，回金罗斯？”

“悉尼腺鼠疫流行，成百上千万只老鼠乱窜，那么多穷人看不起病。这种情况之下我能离开吗？不，不能！我要挂牌营业也在悉尼挂。”

“那就到我的选区，怎么样？”他问道，扶着她的胳膊肘，把她拉到旁边。“在那儿开医院可没有收入。不过，我估计你也不需要什么收入。”

“那倒是真的，我不需要。我一年有五万英镑的收入呢！”

“天哪，这下子完蛋了。”他闷闷不乐地说。

“我看不出为什么完蛋。你的是你的，我的是我的。我要做的第一件事情是买辆汽车。这样一来，到家里看望病人就方便多了。为了防备下雨，买那种带后部座位②的。”

“至少，”他笑着说，“车坏了你自个儿会修。我知道，那玩意儿经常抛锚。我连龙头上的垫圈儿也不会换。”

“所以你得搞政治，”她很友好地说，“对于那些徒有十个手指头而

---

①大聚会（coven）：原意为女巫大聚会，十三女巫大集会，尤指十三名女巫团。

②后部座位：早期汽车车身后部的座位。

没有常识的人，那是最好的职业。我估计你能当上总理。”

“谢谢你的吉言。”他不再开玩笑，目光变得勇敢而又充满爱意。“你今天打扮得非常漂亮，金罗斯医生。你应该经常穿丝袜。”

内尔涨红了脸，觉得很不好意思。“谢谢。”她喃喃地说。

“我明天不能和你共进午餐，因为我正和一位女百万富翁用午餐。”他说，全然不管她疑惑不解，“但是我可以在家里烤羊腿款待你，你愿意哪天来都行。我还买了几件新家具。”

“内尔，”伊丽莎白说，听起来很高兴，“总算让我放心了。”

“人还不错，”茹贝很轻松地说，“他是个固执己见的‘工人阶级’，不过很快就会被她改变。”

第五章 亚历山大再上战马

伊丽莎白和李回金罗斯时，一并带回亚历山大的雕像。雕像装在一个巨大的木箱子里。最终，由于不曾预料的原因，雕像用大理石而不是花岗岩雕成。李委托制作的那位意大利雕塑家坚持，要想让这尊雕像成为杰作，就必须用大理石，而且不用普通大理石，用他在卡拉拉[①]找到的、特意为亚历山大·金罗斯爵士这样的杰出人物保留的一块优质大理石雕刻。不是市参议会立的那种质量低劣的公共纪念碑，巴托洛梅奥·帕蒂尼先生轻蔑地说。亚历山大·金罗斯爵士的雕像将是传世之作！和罗丹[②]的作品比肩而立，至

①卡拉拉：意大利北部一城市，位于热那亚东部利古里亚海沿岸，以附近出产米开朗基罗所喜爱的白色大理石而闻名。

②罗丹（1840—1917）：法国雕塑家，他的作品富有创新精神且有时引起争议，主要作品有《青铜时代》《加莱义民》《思想者》《雨果》等，著有《艺术论》。

于使用青铜雕塑，呸！真是莫名其妙。要说花岗岩，呸！那是做墓碑的玩意儿。

雕塑家的激情颇有感染力，李和伊丽莎白商量后，同意按这位伟大的艺术家帕蒂尼的意见办。

按照李和伊丽莎白都不理解的迷信说法，装箱前，他们俩不能看已经完成的雕像。必须首先安放好，才能瞻仰。没有庄严的揭幕仪式，因为雕像的主人生前讨厌任何这种虚伪的、自抬身价的排场。只有一群人和一台起重机把他安放在金罗斯广场一个黑色大理石方形底座上。安放好之后，任何人、任何时候，都能看见他。

这座雕像确实是杰作。那块巨石犹如一层层不同颜色的宝石或者玛瑙叠压而成。头发是白色，脸是浅棕色，鹿皮外套是深棕色，胯下的骏马——一匹母马——是琥珀色。雕像栩栩如生，陌生人见了都要凑过去看个究竟，以为那色彩是画上去的，或者是不同颜色的石头粘到一起的。发现压根儿就不是那么回事，都连连称奇。亚历山大就像罗马皇帝骑着一匹没有马鞍的战马，踏破万里风云，一往无前。他举起一只手致敬，另外一只手悠闲地放在身边。李原本想在马背上雕刻一具美国西部牛仔用的马鞍，看到金罗斯广场方形底座上帕蒂尼先生的杰作，才知道艺术家的眼光多么正确。亚历山大如果看到这尊雕像也一定非常喜欢。正如古代那位与他同名的伟人，他极目远眺，感受着统治者和创造者的喜悦。

茹贝不只是爱这座雕像。没有什么事情好做的时候，她就坐在楼上游廊下面，目不转睛地望着亚历山大的侧面像。因为他面对市政厅，在金罗斯饭店的一侧。只有伊丽莎白觉得这座雕像让她不安。不管什么时候，雕像闯入她的眼帘，她都把目光移开。也许因为亚历山大“长着”一双眼睛。雕塑家在他眼眶里镶了两个白色大理石眼球，眼球上镶嵌着黑曜岩①做的亮

---

①黑曜岩：火山玻璃，一般为黑色，带状，摔碎时色泽光亮，表面变曲，由火山熔岩迅速凝固而成。

闪闪的瞳仁。金罗斯人异口同声地说，不管走到哪儿，这双眼睛都看着你。

雕像建起来之后，有一天，一位矿工手拿探矿用的锤子，在十七号隧道岩面工作的时候，觉得有人正在看他。他转过脸，看见亚历山大爵士站在身后，伸出一只手，抠下一小块闪闪发光的、易碎的矿石，在皮肉柔润的手指间来回捻着。明亮的灯光下，他那满头白发像水晶，两道剑眉向上扬了扬，雄狮般的头颅点了点。

“很好！这条矿脉一定富含黄金。”亚历山大爵士说，然后便消失了。不是化作一缕青烟，袅袅而去，而是双脚不动便向后退去，比疾风闪电还快。

从那以后，人们经常在天启金矿看见他的身影。他有时候心不在焉地走着，有时候指导一位矿工干活儿，有时候查看装炸药的炮眼是否合乎规格。渐渐地变成一种习惯或者传统，如果他在巡视或者指导工作，天启金矿的生产就井然有序、一切正常；如果他在查看炮眼，就是警告大家，很可能发生事故。矿工们不怕他，相反，看见亚历山大做他唯一真正喜欢的工作，他们都感到极大的安慰。

如果李在矿山，他肯定也在那儿。有时候，井架下的工人看见他和李一起走上山冈。李已经养成习惯，经常探访一号坑道尽头上方塌陷的山洼。不论什么时候，只要他出现在山石之间，亚历山大就坐在他身边。

茹贝坐在金罗斯饭店楼上游廊下面，凝望他的雕像时，他也坐在她身边。

但是，他从来没有在伊丽莎白身边出现过。

图书在版编目（CIP）数据

呼唤 / (澳) 考琳 · 麦卡洛著 ; 李尧译. -- 青岛 :
青岛出版社, 2017.11
ISBN 978-7-5552-5707-3

Ⅰ. ①呼… Ⅱ. ①考… ②李… Ⅲ. ①长篇小说—澳
大利亚—现代 Ⅳ. ①I611.45

中国版本图书馆CIP数据核字(2017)第200459号

山东省版权局著作权合同登记 图字：15-2017-155号

书　　名 呼唤
著　　者 （澳）考琳 · 麦卡洛
译　　者 李　尧
出版发行 青岛出版社
社　　址 青岛市海尔路 182 号（266061）
本社网址 http：//www.qdpub.com
邮购电话 13335059110　0532–85814750（传真）0532– 68068026
责任编辑 刘　坤
整体设计 刘　欣
印　　刷 青岛国彩印刷有限公司
出版日期 2018 年 1 月第 1 版　2018 年 1 月第 1 次印刷
开　　本 32 开
印　　张 17.5
字　　数 400 千
书　　号 ISBN 978–7–5552–5707–3
定　　价 68.00 元

编校印装质量、盗版监督服务电话　4006532017　0532–68068638